Bilingual D... y

English-Norwegian
Norwegian-English
Dictionary

Compiled by

Samuele Narcisi

ISBN : 978 1 908357 69 4

This Edition : 2020

Published by

STAR Foreign Language BOOKS

a unit of

ibs BOOKS (UK)

56, Langland Crescent

Stanmore HA7 1NG, U.K.

info@starbooksuk.com

www.starbooksuk.com

Printed in India at

Star Print-O-Bind, New Delhi-110 020

About this Dictionary

Developments in science and technology today have narrowed down distances between countries, and have made the world a small place. A person living thousands of miles away can learn and understand the culture and lifestyle of another country with ease and without travelling to that country. Languages play an important role as facilitators of communication in this respect.

To promote such an understanding, **STAR Foreign Language BOOKS** has planned to bring out a series of bilingual dictionaries in which important English words have been translated into other languages, with Roman transliteration in case of languages that have different scripts. This is a humble attempt to bring people of the word closer through the medium of language, thus making communication easy and convenient.

Under this series of *one-to-one dictionaries*, we have published almost 50 languages, the list of which has been given in the opening pages. These have all been compiled and edited by teachers and scholars of the relative languages.

Publishers

Bilingual Dictionaries in this Series

English-Afrikaans / Afrikaans-English	Abraham Venter
English-Albanian / Albanian-English	Theodhora Blushi
English-Amharic / Amharic-English	Girun Asanke
English-Arabic / Arabic-English	Rania-al-Qass
English-Bengali / Bengali-English	Amit Majumdar
English-Bosnian / Bosnian-English	Boris Kazanegra
English-Bulgarian / Bulgarian-English	Vladka Kocheshkova
English-Cantonese / Cantonese-English	Nisa Yang
English-Chinese (Mandarin) / Chinese (Mandarin)-Eng	Y. Shang & R. Yao
English-Croatian / Croatain-English	Vesna Kazanegra
English-Czech / Czech-English	Jindriska Poulova
English-Danish / Danish-English	Rikke Wend Hartung
English-Dari / Dari-English	Amir Khan
English-Dutch / Dutch-English	Lisanne Vogel
English-Estonian / Estonian-English	Lana Haleta
English-Farsi / Farsi-English	Maryam Zaman Khani
English-French / French-English	Aurélie Colin
English-Gujarati / Gujarati-English	Sujata Basaria
English-German / German-English	Bicskei Hedwig
English-Greek / Greek-English	Lina Stergiou
English-Hindi / Hindi-English	Sudhakar Chaturvedi
English-Hungarian / Hungarian-English	Lucy Mallows
English-Italian / Italian-English	Eni Lamllari
English-Korean / Korean-English	Mihee Song
English-Latvian / Latvian-English	Julija Baranovska
English-Levantine Arabic / Levantine Arabic-English	Ayman Khalaf
English-Lithuanian / Lithuanian-English	Regina Kazakeviciute
English-Nepali / Nepali-English	Anil Mandal
English-Norwegian / Norwegian-English	Samuele Narcisi
English-Pashto / Pashto-English	Amir Khan
English-Polish / Polish-English	Magdalena Herok
English-Portuguese / Portuguese-English	Dina Teresa
English-Punjabi / Punjabi-English	Teja Singh Chatwal
English-Romanian / Romanian-English	Georgeta Laura Dutulescu
English-Russian / Russian-English	Katerina Volobuyeva
English-Serbian / Serbian-English	Vesna Kazanegra
English-Sinhalese / Sinhalese-English	Naseer Salahudeen
English-Slovak / Slovak-English	Zuzana Horvathova
English-Slovenian / Slovenian-English	Tanja Turk
English-Somali / Somali-English	Ali Mohamud Omer
English-Spanish / Spanish-English	Cristina Rodriguez
English-Swahili / Swahili-English	Abdul Rauf Hassan Kinga
English-Swedish / Swedish-English	Madelene Axelsson
English-Tagalog / Tagalog-English	Jefferson Bantayan
English-Tamil / Tamil-English	Sandhya Mahadevan
English-Thai / Thai-English	Suwan Kaewkongpan
English-Turkish / Turkish-English	Nagme Yazgin
English-Ukrainian / Ukrainian-English	Katerina Volobuyeva
English-Urdu / Urdu-English	S. A. Rahman
English-Vietnamese / Vietnamese-English	Hoa Hoang
English-Yoruba / Yoruba-English	O. A. Temitope

STAR Foreign Language BOOKS

ENGLISH-NORWEGIAN

a *a.* en/et
aback *adv.* bakk
abandon *v.t.* å forlate
abase *v.* å ydmike seg
abashed adj. forlegen
abate *v.t.* å redusere
abbey *n.* kloster
abbot *n.* abbed
abbreviate *v.t.* å forkorte
abbreviation *n.* forkortelse
abdicate *v.t,* å abdisere
abdication *n.* abdikasjon
abdomen n. buk
abdominal *a.* mageregion
abduct *v.t.* å kidnappe
abduction *n.* kidnapping
aberrant *adj.* avvikende
aberration *n.* galskap
abet *v.* tilskynde
abeyance *n.* bero
abhor *v.* å hate
abhorrence *n.* hat
abhorrent *adj.* motbydelig
abide *v.i* å respektere
abiding *adj.* langvarig
ability *n.* evne
abject *adj.* miserabel
abjure *v.* å fornekte
ablaze *adv.* antent
able *adj.* dyktig
ablutions *n.* renselse
abnormal *adj.* unormal
aboard *adv.* ombord
abode *n.* bopel
abolish *v.t* å avskaffe
abolition v. avskaffelse
abominable *adj.* forferdelig
abominate *v.* å hate
aboriginal *adj.* opprinnelig
abort *v.i* å abortere
abortion *n.* abort
abortive *adj.* forgjeves
abound *v.i.* å være rikelig
about adv. omtrent
about *prep.* om
above *adv.* over
above *prep.* oppå
abrasion *n.* avsliting
abrasive *adj.* som sliper
abreast *adv.* side om side
abridge *v.t* å forkorte
abroad *adv.* utland
abrogate *v.* å oppheve
abrupt *adj.* uventet
abscess *n.* abscess
abscond *v.* å flykte
absence *n.* fravær
absent *adj.* fraværende
absentee *n.* fraværende
absolute *adj.* absolutt
absolution *n.* frifinnelse
absolve *v.* å frifinne
absorb *v.* å absorbere
abstain *v.* å holde seg unna
abstinence *n.* avholdenhet
abstract *adj.* abstrakt
abstruse *adj.* uforståelig
absurd *adj.* absurd
absurdity *n.* absurditet
abundance *n.* rikhet
abundant *adj.* rikelig
abuse *v.* å misbruke
abusive *adj.* ulovlig
abut *v.* å grense
abysmal *adj.* skrekkelig
abyss *n.* avgrunn
academic *adj.* akademisk
academy *n.* akademi
accede *v.* å gå inn
accelerate *v.* å akselelere
accelerator n. gasspedal

accent n. aksent
accentuate v. å aksentuere
accept v. å akseptere
acceptable adj. akseptabel
acceptance n. akseptering
access n. inngang
accessible adj. tilgjengelig
accession n. tilvekst
accessory n. tilbehør
accident n. uhell
accidental adj. uheldig
acclaim v. å hylle
acclimatise v.t å akklimatisere
accolade n. ridderslag
accommodate v. å innlosjere
accommodation n. losji
accompaniment n. akkompagnement
accompany v. å geleide
accomplice n. medskyldig
accomplish v. å realisere
accomplished adj. realisert
accomplishment n. realisering
accord v. å innvilge
accordance n. tilståelse av rettigheter
according adv. ifølge
accordingly adv. følgelig
accost v. å forstyrre
account n. konto
accountable adj. ansvarlig
accountancy n. bokføring
accountant n. bokholder
accoutrement n. utstyr
accredit v. å tillegge
accredited adj. akkreditert
accretion n. økning
accrue v.t. å samle seg
accumulate v. å samle
accumulation n. opphopning
accurate adj. presis
accusation n. anklage
accuse v. å anklage
accused v.t. (den) tiltalte
accustom v. å tilvenne
accustomed adj. vant
ace n. ess
acerbic adj. umoden
acetate n. asetat
acetone n. løsningsmiddel
ache n. smerte
achieve v. å få
achievement n. gjennomføring
acid n. syre
acidity n. surhet
acknowledge v. å tilstå
acknowledgement n. tilståelse
acme n. topppunkt
acne n. kvise
acolyte n. korgutt
acorn n. eikenøtt
acoustic adj. akustikk
acquaint v. å informere
acquaintance n. kjennskap
acquiesce v. å tillate
acquiescence n. tillatelse
acquire v. å oppnå
acquisition n. ervervelse
acquit v. å frifinne
acquittal n. frifinnelse
acre n. acre
acrid adj. syrlig
acrimony n. skarphet
acrobat n. akrobat
acrobatic adj. akrobatisk
across adv. tvers
acrylic adj. akryl
act v. å spille
acting n. resitasjon

acting adj. handling
actinium n. actinium
action n. gjerning
actionable adj. straffbar
activate v. å aktivere
active adj. aktiv
activist n. aktivist
activity n. aktivitet
actor n. skuespiller
actress a. skuespiller
actual adj. reel
actually adv. faktisk
actuary n. aktuar
actuate v. å sette på gang
acumen n. spiss
acupuncture n. akupunktur
acute adj. skarp
adamant adj. adamant
adapt v. å tilpasse
adaptation n. tilpassing
add v. å tilsette
addendum n. tillegg
addict n. stoffmisbruker
addicted adj. avhengig
addiction n. avhengighetsforhold
addition n. tilleg
additional adj. ekstra
additive n. tilsetningsstoff
addled adj. råtten
address n. adresse
addressee n. adressat
adduce v. å sitere
adept adj. erfaren
adequacy n. kompetanse
adequate adj. tilstrekkelig
adhere v. å samtykke
adherence n. tilslutning
adhesive n. klebende
adieu n. adjø
adjacent adj. nærliggende
adjective n. adjektiv
adjoin v. å grense
adjourn v. å utsette
adjournment n. utsettelse
adjudge v.t. å påstå
adjudicate v. å dømme
adjunct n. tillegg
adjust v. å regulere
adjustment n. regulering
administer v. å administrere
administration n. administrasjon
administrative adj. administrativ
administrator adj. styring
admirable adj. prisverdig
admiral n. admiral
admiration n. beundring
admire v. å beundre
admissible adj. akseptabel
admission n. opptak
admit v. å innrømme
admittance n. adgang
admonish v. å advare
ado n. larm
adobe n. adobe
adolescence n. ungdom
adolescent adj. ungdom
adopt v. å adoptere
adoption n. adopsjon
adoptive adj. adoptiv
adorable adj. elskelig
adoration n. hyldning
adore v.t. å forgude
adorn v. å dekorere
adrift adj. uten retning
adroit adj. dyktig
adsorb v. å absorbere
adulation n. falsk beundring
adult n. voksen
adulterate v. å forfalske
adulteration n. forfalsking
adultery n. utroskap

advance v. å gå fremover
advance n. fremdrift
advancement n. forfremmelse
advantage v.t. å favorisere
advantage n. fordel
advantageous adj. gunstig
advent n. advent
adventure n. eventyr
adventurous adj. eventyrlig
adverb n. adverb
adversary n. motstander
adverse adj. motvillig
adversity n. motvilje
advertise v. å reklamere
advertisement n. reklame
advice n. forslag
advisable adj. hensiktmessig
advise v. å foreslå
advocate n. advokat
advocate v. å støtte
aegis n. aigis
aerial n. antenne
aeon n. eon
aerobatics n. akrobatikk
aerobics n. aerob
aerodrome n. flyplass
aeronautics n. aeronautik
aeroplane n. fly
aerosol n. aerosol
aerospace n. luftfart
aesthetic adj. estetisk
aesthetics n. estetikk
afar adv. langt unna
affable adj. omgjengelig
affair n. sak
affect v. påvirke
affectation n. jåleri
affected adj. berørt
affection n. hengivenhet
affectionate adj. hengiven
affidavit n. erklæring
affiliate v. å forene
affiliation n. tilhørighet
affinity n. likhet
affirm v. å bekrefte
affirmation n. bekreftelse
affirmative adj. bekreftende
affix v.t. å feste
afflict v. å plage
affliction n. lidelse
affluence n. velstand
affluent adj. velstående
afford v.t. å ha råd
afforestation n. skogsplantering
affray n. slagsmål
affront n. krenkelse
afield adv. langt unna
aflame adj. i flammer
afloat adj. flytende
afoot adv. overhengende
afraid adj. redd
afresh adv. på nytt
African adj. African
aft adv. akterut
after adv. etter
after conj. etter
after prep. etter
again adv. igjen
against prep. mot
agate n. agat
age n. alder
aged adj. gammel
ageism n. aldersdiskriminering
ageless adj. evig
agency n. meglerselskap
agenda n. almanakk
agent n. agent
agglomerate v. å agglomerere
aggravate v. å forverre
aggravation n. forverring

aggregate n. aggregat
aggression n. angrep
aggressive adj. aggressiv
aggressor n. angreper
aggrieve v. å skade
aghast adj. skremt
agile adj. smidig
agility n. smidighet
agitate v. å riste
agitation n. nervøsitet
agnostic n. agnostik
ago adv. siden
agog adj. rastløs
agonize v. å lide
agony n. agoni
agrarian adj. landsbruks
agree v. å være enig
agreeable adj. behagelig
agreement n. avtale
agricultural adj. landbruks
agriculture n. jordbruk
aground adj. stående fast
ahead adv. fremover
aid n. hjelp
aide n. assistent
aids n. aids
ail v. å plage
ailing adj. lidende
ailment n. illebefinnende
aim v.i. å sikte
aim n. hensikt
aimless adj. uten mål
air n. luft
aircraft n. flymaskin
airy adj. ventilert
aisle n. korridor
ajar adv. på klem
akin adj. beslektet
alacritous n. livlighet
alacrity n. grundighet
alarm n alarm
alarm v å alarmere
alas conj. akk
albeit conj. selv om
album n album
albumen n. eggehvite
alchemy n. alkymi
alcohol n. alkohol
alcoholic adj. alkoholiker
alcove n. nisje
ale n. øl
alert adj. livlig
algebra n. algebra
alias adv. alias
alias n. psevdomyn
alibi n. unnskyldning
alien adj. fremmed
alienate v.i. å adskille
alight v.t. å tenne
align v. justere
alignment n. innretting
alike adj. like
alimony n. næringsmiddel
alive adj. levende
alkali n. alkali
all adj. alt
allay v. dempe
allegation n. påstand
allege v. å påstå
allegiance n. trofasthet
allegory n. allegori
allergen n. allergen
allergic adj. allergisk
allergy n. allergi
alleviate v. å lindre
alleviation n. lindring
alley n. smug
alliance n. allianse
allied adj. allierte
alligator n. alligator
alliterate v. å alliterere
alliteration n. allitterasjon
allocate v. å bevilge
allocation n. tildeling

allot v. å tildele
allotment n. tildeling
allow v. å tillate
allowance n. trygd
alloy n. legering
allude v.t. å hentyde
allure n. sjarm
alluring adj. fascinerende
allusion n. henvisning
ally n. alliert
almanac n. almanakk
almighty adj. forferdelig
almond n. mandel
almost adv. nesten
alms n. almisse
aloft adv. oppover
alone adv. alene
along prep. langs
alongside prep. langs
aloof adj. reservert
aloud adv. høyt
alpha n. alfa
alphabet n. alfabet
alphabetical adj. alfabetisk
alpine adj. alpin
already adv. allerede
also adv. også
altar n. alter
alter v. å endre
alteration n. endring
altercation n. krangel
alternate v.t. å variere
alternative adj. alternativ
although conj. selv om
altitude n. høyde
altogether adv. helt
altruism n. altruisme
aluminium n. aluminium
alumnus n. elev
always adv. alltid
amalgam n. amalgam
amalgamate v. å amalgamere
amalgamation n. sammenslåing
amass v. å samle
amateur n. amatør
amateurish adj. amatørmessig
amatory adj. kjærlig
amaze v. å forbløffe
amazement n. forbauselse
Amazon n. Amazon
ambassador n. ambassadør
amber n. rav
ambient adj. ambient
ambiguity n. tvetydighet
ambiguous adj. tvetydig
ambit n. virkeområde
ambition n. ambisjon
ambitious adj. ambisiøs
ambivalent adj. ambivalent
amble v. å spasere
ambrosia n. ambrosie
ambulance n. ambulanse
ambush n. bakholdsangrep
ameliorate v. å forbedre
amelioration n. forbedring
amend v. å rette
amendment n.pl. rettelse
amenable adj. medgjørlig
amiable adj. elskverdig
amicable adj. vennlig
amid prep. blant
amiss adj. galt
amity n. vennskap
ammunition n. ammunisjon
amnesia n. hukommelsestap
amnesty n. amnesti
amok adv. amok
among prep. blant
amoral adj. amoralsk
amorous adj. kjærlig

amorphous adj. amorf
amount n. beløp
ampere n. ampere
ampersand n. kommersiell
amphibian n. amfibie
amphitheatre n. amfiteater
ample adj. vid
amplification n. forsterkning
amplifier n. forsterker
amplify v. forsterke
amplitude n. amplitude
amulet n. amulett
amuse v. å more
amusement n. fornøyelse
an adj. en
anachronism n. anakronisme
anaemia n. anemi
anaesthesia n. bedøvelse
anaesthetic n. bedøvelse
anal adj. anal
analgesic n. analgetikum
analogous adj. analog
analogue adj. analog
analogy n. analogi
analyse v. å analysere
analysis n. analyse
analyst n. analytiker
analytical adj. analytisk
anarchism n. anarkisme
anarchist n. anarkist
anarchy n. anarki
anatomy n. anatomi
ancestor n. forfader
ancestral adj. fedrene
ancestry n. byrd
anchor n. anker
anchorage n. oppankring
ancient adj. antikk
ancillary adj. hjelpsom
and conj. og
android n. android
anecdote n. anekdote
anew adv. på nytt
angel n. engel
anger n. sinne
angina n. angina
angle n. vinkel
angry adj. sint
anguish n. kval
angular adj. vinkel
animal n. dyr
animate v. å animere
animated adj. animert
animation n. animasjon
animosity n. fiendtlighet
aniseed n. anisfrø
ankle n. ankel
anklet n. sokk
annals n. annaler
annex v. å tilknytte
annexation n. tilknytting
annihilate v. utslette
annihilation n. utslettelse
anniversary n. jubileum
annotate v. kommentere
announce v. å kunngjøre
announcement n. kunngjøring
annoy v. å irritere
annoyance n. plage
annual adj. årlig
annuity n. livrente
annul v. å oppheve
anode n. anode
anoint v. å smøre
anomalous adj. atypisk
anomaly n. anomali
anonymity n. anonymitet
anonymous adj. anonym
anorexia n. anoreksi
another adj. en annen
answer n. svar
answerable adj. ansvarlig

ant n. maur
antacid adj. syrenøytraliserende
antagonism n. motsetningsforhold
antagonist n. motstander
antagonize v. å bli fiende
Antarctic adj. Antarktis
antecedent n. forhistorie
antedate v. å fremskynde
antelope n. antilope
antenna n. antenne
anthem n. sang
anthology n. antologi
anthropology n. antropologi
anthrax n. miltbrann
anti n. mot
antibiotic n. antibiotika
antibody n. antistoff
antic n. spøkefugl
anticipate v. å forutse
anticipation n. forventning
anticlimax n. antiklimaks
antidote n. motgift
antioxidant n. antioksidant
antipathy n. antipati
antiperspirant n. antiperspirant
antiquarian adj. antikvarisk
antiquated adj. antikvert
antique n. gammel gjenstand
antiquity n. antikken
antiseptic adj. antiseptisk
antisocial adj. antisosial
antithesis n. antitese
antler n. gevir
antonym n. antonym
anus n. anus
anvil n. ambolt
anxiety n. angst
anxious adj. engstelig
any adj. alle
anyhow adv. tilfeldigvis
anyone pron. noen
anything pron. noe
anywhere adv. hvor som helst
apace adv. raskt
apart adv. adskilt
apartheid n. apartheid
apartment n. leilighet
apathy n. apati
ape n. ape
aperture n. åping
apex n topp
aphorism n. aforisme
apiary n. bieneshus
aplomb n. beherskelse
apocalypse n. apokalypse
apologize v. å beklage
apology n. unnskyldning
apoplectic adj. rasende
apostate n. troløs
apostle n. apostel
apostrophe n. apostrof
appal v. å skremme
apparatus n. apparat
apparel n. klesplagg
apparent adj. åpenbar
appeal v.t. å appellere
appear v. å dukke opp
appearance n. utseende
appease v. å roe
append v. å føye
appendage n. tilføyelse
appendicitis n. blindtarmbetennelse
appendix n. appendiks
appetite n. appetitt
appetizer n. forrett
applaud v. applaudere
applause n. applaus
apple n. eple

appliance n. innretning
applicable adj. aktuel
applicant n. søker
application n. søknad
apply v.t. å pålegge
appoint v. å utnevne
appointment n. avtale
apportion v.t. å fordele
apposite adj. passende
appraise v. å vurdere
appreciable adj. betydelig
appreciate v. å verdsette
appreciation n. takknemlighet
apprehend v. å pågripe
apprehension n. pågripelse
apprehensive adj. bekymret
apprentice n. lærling
apprise v. å informere
approach v. tilnærming
appropriate adj. hensiktsmessig
appropriation n. tilegnelse
approval n. godkjenning
approve v. å godkjenne
approximate adj. omtrentlig
apricot n. aprikos
apron n. forkle
apt adj. passende
aptitude n. talent
aquarium n. akvarium
aquatic adj. akvatisk
aqueous adj. vannaktig
Arab n. araber
Arabian n. araber
Arabic n. arabisk
arable adj. pløybar
arbiter n. kampleder
arbitrary adj. vilkårlig
arbitrate v. å dømme
arbitration n. voldgift
arbitrator n. voldgiftsdommer
arbour n. espalier
arc n. bue
arcade n. søylegang
arch n. hvelv
archaeology n. arkeologi
archaic adj. arkaisk
archangel n. erkeengelen
archbishop n. erkebiskop
archer n. bueskytter
architect n. arkitekt
architecture n. arkitektur
archives n. arkiver
Arctic adj. arktisk
ardent adj. ildfull
ardour n. ildfullhet
arduous adj. hissig
area n. område
arena n. arena
argue v. å argumentere
argument n. argument
argumentative adj. argumenterende
arid adj. tørr
arise v. å oppstå
aristocracy n. aristokrati
aristocrat n. aristokrat
arithmetic n. aritmetikk
arithmetical adj. aritmetisk
ark n. ark
arm n. arm
armada n. hær
Armageddon n. Armageddon
armament n. bevæpning
armistice n. våpenhvile
armour n. rustning
armoury n. rustkammer
army n. hær
aroma n. aroma

aromatherapy n. aromaterapi
around adv. rundt
arouse v. å vekke
arrange v. å ordne
arrangement n. ordning
arrant adj. beryktet
array n. matrise
arrears n. restskatt
arrest v. å arrestere
arrival n. ankomst
arrive v. å komme
arrogance n. arroganse
arrogant adj. arrogant
arrogate v. å forlange
arrow n. pil
arsenal n. arsenal
arsenic n. arsen
arson n. brannstiftelse
art n. kunst
artefact n. artefakt
artery n. arterie
artful adj. kunsterisk
arthritis n. artritt
artichoke n. artisjokk
article n. artikkel
articulate adj. veltalende
artifice n. knep
artificial adj. kunstig
artillery n. artilleri
artisan n. håndverker
artist n. kunstner
artistic adj. kunstnerisk
artless adj. troskyldig
as adv. som
asbestos n. asbest
ascend v. å bestige
ascendant adj. dominerende
ascent n. oppstigning
ascertain v. å fastslå
ascetic adj. asket
ascribe v. å tilskrive
aseptic adj. aseptisk
asexual adj. aseksuell
ash n. aske
ashamed adj. skamfull
ashore adv. ved bredden
Asian adj. Asian
aside adv. til side
asinine adj. tåpelig
ask v. å spørre
askance adv. skjevt
askew adv. bøyd
asleep adj. sovende
asparagus n. asparges
aspect n. aspckt
asperity n. hardhet
aspersions n. asperges
asphyxiate v. å kvele
aspirant n. aspirant
aspiration n. ambisjon
aspire v. å ha lyst til
ass n. rumpe
assail v. å angripe
assassin n. morder
assassinate v. å myrde
assassination n. mord
assault n. angrep
assemblage n. trengsel
assemble v. å montere
assembly n. montering
assent n. samtykke
assert v. å hevde
assess v. å vurdere
assessment n. vurdering
asset n. ressurs
assiduous adj. flittig
assign v. å tildele
assignation n. avtale
assignment n. oppgave
assimilate v. å assimilere
assimilation n. assimilering
assist v. å hjelpe
assistance n. assistanse

assistant n. assistent
associate v. å assosiere
association n. forening
assonance n. assonans
assorted adj. assortert
assortment n. utvalg
assuage v. å lindre
assume v. å anta
assumption n. antakelse
assurance n. forsikring
assure v. å forsikre
assured adj. forsikret
asterisk n. asterisk
asteroid n. asteroide
asthma n. astma
astigmatism n. astigmatisme
astonish v. å forbause
astonishment n. forbauselse
astound v. å forbløffe
astral adj. astral
astray adv. å tape seg
astride prep. sittende med spredt beina
astrologer n. astrolog
astrology n. astrologi
astronaut n. astronaut
astronomer n. astronom
astronomy n. astronomi
astute adj. listig
asunder adv. i stykker
asylum n. asyl
at prep. ved
atavistic adj. antikk
atheism n. ateisme
atheist n. ateist
athlete n. idrettsutøver
athletic adj. atletisk
atlas n. atlas
atmosphere n. atmosfære
atoll n. atoll
atom n. atom
atomic adj. atomær
atone v. å sone
atonement n. soning
atrium n. atrium
atrocious adj. fryktelig
atrocity n. grusomhet
attach v. å feste
attache n. feste
attachment n. vedlegg
attack v. å angripe
attain v. å oppnå
attainment n. oppnåelse
attempt v. å forsøke
attempt v. å gi seg i kast
attend v. å delta
attendance n. frammøte
attendant n. avakt
attention n. oppmerksomhet
attentive adj. oppmerksomme
attest v. å bevise
attic n. toppleilighet
attire n. antrekk
attitude n. holdning
attorney n. advokat
attract v. å tiltrekke
attraction n. attraksjon
attractive adj. attraktiv
attribute v. å tilskrive
aubergine n. aubergine
auction n. auksjon
audible adj. hørbar
audience n. publikum
audio n. audio
audit n. revisjon
audition n. prøveopptreden
auditorium n. auditorium
augment v. å øke
August n august
aunt n. tante
aura n. aura
auspicious adj. gledelig

austere adj. streng
Australian n. Australian
authentic adj. autentisk
authenticity n. autentisitet
author n. forfatter
authoritative adj. autoritativ
authority n. myndighet
authorize v. å autorisere
autism n. autisme
autobiography n. selvbiografi
autocracy n. autokrati
autocrat n. autokrat
autocratic adj. autokratisk
autograph n. autograf
automatic adj. automatisk
automobile n. bil
autonomous adj. autonom
autopsy n. obduksjon
autumn n. høst
auxiliary adj. hjelpsom
avail v. å nytte
available adj. tilgjengelig
avalanche n. snøskred
avarice n. gjerrighet
avenge v. å hevne
avenue n. gate
average n. gjennomsnitt
averse adj. uvillig
aversion n. aversjon
avert v. å forebygge
aviary n. fugelhus
aviation n. luftfart
aviator n. pilot
avid adj. grådig
avidly adv. ivrig
avocado n. avokado
avoid v. å unngå
avoidance n. unngåelse
avow v. å innrømme
avuncular adj. velvillig
await v. å vente
awake v. å vekke
awaken v. å vekke
award v. å premiere
aware adj. klar over
away adv. bort
awe n. ærefrykt
awesome adj. kjempebra
awful adj. forferdelig
awhile adv. en stund
awkward adj. upraktisk
awry adv. skjevt
axe n. øks
axis n. aksen
axle n. planke

babble *v.* å mumle
babe *n.* nyfødt
Babel *n.* Babel
baboon *n.* bavian
baby *n.* nyfødt
bachelor *n.* bachelor
back *n.* tilbake
backbone *n.* ryggrad
backdate *v.* å tilbakedatere
backdrop *n.* bakteppe
backfire *v.* å slå tilbake
background *n.* bakgrunn
backhand *n.* backside
backing *n.* kledning
backlash *n.* tilbakeslag
backlog *n.* restanse
backpack *n.* ryggsekk
backside *n.* bakside
backstage *adv.* bak scenen
backtrack *v.* å returnere
backward *adj.* bakover
backwater *n.* stillestående vann
bacon *n.* bacon

bacteria *n.* bakterie
bad *adj.* dårlig
badge *n.* distinkjoner
badly *adv.* dårlig
badminton *n.* badminton
baffle *v.* å forvirre
bag *n.* pose
baggage *n.* bagasje
baggy *adj.* puseformede
baguette *n.* baguette
bail *n.* kausjon
bailiff *n.* Namsmann
bait *n.* agn
bake *v.* å bake
baker *n.* baker
bakery *n.* bakeri
balance *n.* balanse
balcony *n.* balkong
bald *adj.* skallet
bale *n.* balle
ball *n.* ball
ballad n. ballade
ballet *n.* ballett
balloon *n.* ballong
ballot *n.* stemmeseddel
balm *n.* balsam
balsam *n.* balsam
bamboo *n.* bambus
ban *v.* å forby
banal *adj.* banal
banana *n.* banan
band n. band
bandage *n.* bandasje
bandit *n.* banditt
bane *n.* katastrof
bang *n.* smell
banger *n.* kinaputt
bangle *n.* armbånd
banish *v.* å forvise
banishment *n.* forvisning
banisters *n.* rekkverk
banjo *n.* banjo
bank *n.* bank
banker *n.* bankmann
bankrupt *adj.* konkurs
bankruptcy *n.* konkurs
banner *n.* banner
banquet *n.* bankett
banter *n.* småerte
baptism n. dåp
Baptist n. Baptist
baptize *v.* å døpe
bar *n.* bom
barb *n.* styrefjær
barbarian *n.* barbar
barbaric *adj.* barbarisk
barbecue *n.* grill
barbed *adj.* bitende
barber *n.* barber
bard *n.* bard
bare *adj.* naken
barely *adv.* knapt
bargain *n.* avtale
barge *n.* lekter
bark *n.* bark
barley *n.* bygg
barn *n.* kornmagasin
barometer *n.* barometer
baron *n.* baron
barrack *n.* brakke
barracuda *n.* barrakuda
barrage *n.* demning
barrel *n.* tønne
barren *adj.* ufruktbar
barricade *n.* barrikade
barrier *n.* barriere
barring *prep.* bortsett fra
barrister *n.* advokat
barter *v.* å bytte
base *n.* base
baseless *adj.* grunnløs
basement *n.* kjeller
bashful *adj.* sjenert
basic *n.* grunnleggende

basil *n.* basilikum
basilica *n.* basilika
basin *n.* skål
basis *n.* grunn
bask *v.* å kose seg
basket *n.* kurv
bass *n.* bass
bastard *n.* drittsekk
baste *v.* å smøre
bastion *n.* bastion
bat *n.* flaggermus
batch *n.* haug
bath *n.* bad
bathe *v.* å bade
bathos *n.* bathos
batik *n.* batik
baton *n.* batong
battalion *n.* bataljon
batten *n.* tverrligger
batter *n.* deig
battery *n.* batteri
battle *n.* slag
bauble *n.* anheng
baulk *v.* å hindre
bawl *v.* å skrike
bay *n.* gulf
bayonet *n.* bajonett
bazaar *n.* basar
bazooka *n.* bazooka
be *v.* å være
beach *n.* strand
beacon *n.* fyr
bead *n.* perle
beady *adj.* perleformet
beagle *n.* beagle
beak *n.* nebb
beaker *n.* beger
beam *n.* stråle
bean *n.* bønne
bear *v.t* å bære
bear *n.* bjørn
beard *n.* skjegg
bearing *n.* bærende
beast *n.* dyr
beastly *adj.* dyrisk
beat *v.* å slå
beautician *n.* kosmetolog
beautiful *adj.* vakker
beautify *v.* å pynte
beatitude *n.* salighet
beauty *n.* skjønnhet
beaver *n.* bever
becalmed *adj.* vindstille
because *conj.* fordi
beck *n.* bekk
beckon *v.* å gjøre tegn
become *v.* å bli
bed *n.* seng
bedding *n.* sengetøy
bedlam *n.* uorden
bedraggled *adj.* skitten
bee *n.* bie
beech *n.* bøk
beef *n.* biff
beefy *adj.* muskuløs
beep *n.* pip
beer *n.* øl
beet *n.* bete
beetle *n.* bille
beetroot *n.* rødbete
befall *v.* å skje
befit *v.* å lønne seg
before *adv.* før
beforehand *adv.* på forhånd
befriend *v.* å bli venn
befuddled *adj.* beruset
beg *v.* å tigge
beget *v.* å generere
beggar *n.* tigger
begin *v.* å begyne
beginning *n.* begynnelse
beguile *v.* å lure
behalf *n.* vegne
behave *v.* å oppføre seg

behaviour *n.* oppførsel
behead *v.* halshugge
behemoth *n.* Behemoth
behest *n.* befaling
behind *prep.* bak
behold *v.* å få øye på
beholden *adj.* takknemlig
beige *n.* beige
being *n.* vese
belabour *v.*
å slå med en kjepp
belated *adj.* forsinket
belay *v.* å sikre
belch *v.* å rape
beleaguered *adj.* beleirede
belie *v.* å skuffe
belief *n.* tro
believe *v.* å tro
belittle *v.* å bagatellisere
bell *n.* bjelle
belle *n.* belle
bellicose *adj.* krigersk
belligerent *adj.* krigførende
bellow *v.* å raute
bellows *n.* blåsebelg
belly *n.* mage
belong *v.* å tilhøre
belongings *n.* eiendeler
beloved *adj.* elskede
below *prep.* nedenfor
belt *n.* belte
bemoan *v.* å beklage
bemused *adj.* forundret
bench *n.* benk
bend *v.* å bende
beneath *adv.* under
benediction *n.* velsignelse
benefactor *n.* velgjører
benefice *n.* gunstig
beneficent *adj.* velgjørende
beneficial *adj.* gunstig
benefit *n.* fordel
benevolence *n.* velvilje
benevolent *adj* velvillig
benign *adj.* vennlig
bent *adj.* bøyd
bequeath *v.* å binde
bequest *n.* arv
berate *v.* å skjelle ut
bereaved *v.* å berøve
bereavement *n.* sorg
bereft *adj.* forlat
bergamot *n.* bergamott
berk *n.* idiot
berry *n.* bær
berserk *adj.* vanvittig
berth *n.* køye
beseech *v.* å anmode
beset *v.* å beleire
beside *prep.* ved siden av
besiege *v.* å beleire
besmirch *v.* å skitne
besom *n.* kost
besotted *adj.* besatt
bespoke *adj.* skreddersydd
best *adj.* beste
bestial *adj.* dyrisk
bestow *v.* å tildele
bestride *v.* å hoppe over
bet *v.* å vedde
betake *v.* å begi seg
betray *v.* å forråde
betrayal *n.* svik
better *adj.* bedre
between *adv.* mellom
bevel *n.* demping
beverage *n.* drikke
bevy *n.* flokk
bewail *v.* å gråte
beware *v.* å passe
bewilder *v.t* å forvirre
bewitch *v.* å forhekse
beyond *adv.* utover
bi *comb.* bi

biannual *adj.* halvårlig
bias *n.* forebygging
biased *adj.* partisk
bib *n.* smekke
Bible n. Bibel
bibliography *n.* bibliografi
bibliophile *n.* bibliofil
bicentenary *n.* tohundreårig
biceps *n.* biceps
bicker *v.* å krangle
bicycle *n.* sykkel
bid *v.* å tilby
biddable *adj.* lydig
bidder *n.* budgiver
bide *v.* å vente
bidet *n.* bidet
biennial *adj.* toårig
bier *n.* kiste
bifocal *adj.* bifokal
big *adj.* stor
bigamy *n.* bigami
bigot *n.* fanatiker
bigotry *n.* fanatisme
bike *n.* sykkel
bikini *n.* bikini
bilateral *adj.* bilateral
bile *n.* galle
bilingual *adj.* tospråklig
bill *n.* regning
billet *n.* billet
billiards *n.* biljard
billion *n.* milliard
billionaire *n.* milliardær
billow *v.* å heve seg
bin *n.* dunk
binary *adj.* binær
bind *v.* å binde
binding *n.* binding
binge *n.* hysteri
binocular *adj.* binokular
biochemistry *n.* biokjemi
biodegradable *adj.* biologisk nedbrytbart
biodiversity *n.* biologisk mangfold
biography *n.* biografi
biologist *n.* biolog
biology *n.* biologi
biopsy *n.* biopsi
bipartisan *adj.* tverrpolitisk
birch *n.* bjørk
bird *n.* fugl
bird flu *n.* fugleinfluensa
birth *n.* fødsel
biscuit *n.* kjeks
bisect *v.* å dele i to
bisexual *adj.* biseksuell
bishop *n.* biskop
bison *n.* bison
bit *n.* bit
bitch *n.* tispe
bite *v.* å bite
biting *adj.* skjærende
bitter *adj.* bitter
bizarre *adj.* bisarre
blab *v.* å tyste
black *adj.* svart
blackberry *n.* bjørnbær
blackboard *n.* tavle
blacken *v.* å bli svart
blacklist *n.* svarteliste
blackmail *n.* utpressing
blackout *n.* strømsvikt
blacksmith *n.* smed
bladder *n.* blære
blade *n.* blad
blain *n.* hevelse
blame *v.* å anklage
blanch *v.* å blekne
bland *adj.* uten smak
blank *adj.* blank
blanket *n.* teppe
blare *v.* å gi lyd kraftig

blarney *n.* smiger
blast *n.* smell
blatant *adj.* frekk
blaze *n.* flamme
blazer *n.* blazer
bleach *adj.* blekemiddel
bleak *adj.* gold
bleat *v. i* å breke
bleed *v.* å blø
bleep *n.* pip
blemish *n.* defect
blench *v.* å blekne
blend *v. t* å blande
blender *n.* blender
bless *v.* å velsigne
blessed *adj.* velsignet
blessing *n.* velsignelse
blight *n.* sykdom på planter
blind *adj.* blind
blindfold *v.* å sette bind for øyene på
blindness *n.* blindhet
blink *v.* å blinke
blinkers *n.* skygglapp
blip *n.* uforutsett hindring
bliss *n.* lykke
blister *n.* blemme
blithe *adj.* frydefull
blitz *n.* blitz
blizzard *n.* snøstorm
bloat *v.* å svulme
bloater *n.* sild
blob *n.* flekk
bloc *n.* blokkering
block *n.* blokkering
blockade *n.* blokade
blockage *n.* sperring
blog *n.* blog
bloke *n.* fyr
blonde *adj.* blonde
blood *n.* blod
bloodshed *n.* blodsutgytelse
bloody *adj.* blodig
bloom *v.* å springe ut
bloomers *n.* bloomers
blossom *n.* blomstre
blot *n.* flekk
blotch *n.* flekkete
blouse *n.* bluse
blow *v.* å blåse
blowsy *adj.* vulgær
blub *v.* å grine
bludgeon *n.* stor stokk
blue *adj.* blå
bluff *v.* å lure
blunder *n.* tabbe
blunt *adj.* sløv
blur *v.* å flekke
blurb *n.* blurb
blurt *v.* å glippe
blush *v.* å rødme
blusher *n.* rouge
bluster *v.* å rase
boar *n.* villsvin
board *n.* brett
boast *v.* å skryte
boat *n.* båt
bob *v.* å kutte av
bobble *n.* bobble
bode *v.* å både
bodice *n.* livstykke
bodily *adv.* kroppslig
body *n.* kropp
bodyguard *n* livvakt
bog *n.* myr
bogey *n.* busemann
boggle *v.* å steile
bogus *adj.* falsk
boil *v.i.* å koke
boiler *n.* kjele
boisterous *adj.* støyende
bold *adj.* fet

boldness *n.* dristighet
bole *n.* stamme
bollard *n.* puller
bolt *n.* slå
bomb *n.* bombe
bombard *v.* å bombardere
bombardment *n.* bombardement
bomber *n.* bombefly
bonafide *adj.* ekte
bonanza *n.* gullalder
bond *n.* bånd
bondage *n.* trelldom
bone *n.* ben
bonfire *n.* bål
bonnet *n.* skottelue
bonus *n.* bonus
bony *adj.* full av ben
book *n.* bok
booklet *n.* brosjyre
bookmark *n.* bokmerke
bookseller *n.* bok-handler
bookish *adj.* boklig
booklet *n.* hefte
boom *n.* oppsving
boon *n.* noe som er meget nyttig
boor *n.* ubehøvlet fyr
boost *v.* å øke
booster *n.* forsterker
boot *n.* støvel
booth *n.* avlukke
bootleg *adj.* smugler
booty *n.* bytte
border *n.* kant
bore *v.* å kjede
born *adj.* født
borough *n.* bykommune
borrow *v.* å låne
bosom *n.* bryst
boss *n.* sjef
bossy *adj.* sjefete
botany *n.* botanikk
both *adj. & pron.* begge
bother *v.* å plage
bottle *n.* flask
bottom *n.* bunn
bough *n.* gren
boulder *n.* rullestein
boulevard *n.* bulevard
bounce *v.* å sprette
bouncer *n.* utkaster
bound *v.* å sprette
boundary *n.* grense
boundless *adj.* grenseløs
bountiful *adj.* gavmild
bounty *n.* skuddpenger
bouquet *n.* bukett
bout *n.* anfall
boutique *n.* handel
bow *n.* bukk
bow *v.* å bukke
bowel *n.* tarm
bower *n.* lysthus
bowl *n.* bolle
box *n.* kasse
boxer n. bokser
boxing *n* boksing
boy *n.* gutt
boycott *v.* å boikotte
boyhood *n* barndom
bra *n.* bysteholder
brace *n.* tannregulering
bracelet *n.* armbånd
bracket *n.* hylleknekt
brag *v.* å skryte
Braille *n.* Braille
brain *n.* hjerne
brake *n.* bremse
branch *n.* gren
brand *n.* merke
brandish *v.* å vifte med
brandy *n.* konjakk
brash *adj.* ubesindig

brass *n.* messing
brave *adj.* modig
bravery *n.* tapperhet
brawl *n.* slåss
bray *v.* å knegge
breach *v.* å gjøre en åpning i
bread *n.* brød
breadth *n.* bredde
break *v.* å knekke
breakage *n.* brekkasje
breakfast *n.* frokost
breast *n.* bryst
breath *n.* pust
breathe *v.* å puste
breech *n.* låskasse
breeches *n.* knebukser
breed *v.* formere seg
breeze *n.* bris
brevity *n.* korthet
brew *v.* å brygge
brewery *n.* bryggeri
bribe *v. t.* å bestikke
brick *n.* murstein
bridal *adj.* brude
bride *n.* brud
bridegroom *n.* brudgom
bridge *n.* bro
bridle *n.* bissel
brief *adj.* kort
briefing *n.* orientering
brigade *n.* brigade
brigadier *n.* brigadegeneral
bright *adj.* skinnende
brighten *v.* å bli lysere
brilliance *n.* lysstyrke
brilliant *adj.* strålende
brim *n.* kant
brindle *adj.* stripet
brine *n.* saltvannsoppløsning
bring *v.* å bringe
brinjal *n.* auberginеplante
brink *n.* rand
brisk *adj.* livlig
bristle *n.* bust
British *adj.* britisk
brittle *adj.* sprø
broach *n.* brosj
broad *adj.* bred
broadcast *v. t* å kringkaste
brocade *n.* brokade
broccoli *n.* brokkoli
brochure *n.* brosjyre
broke *adj.* blakk
broken *adj.* i stykker
broker *n.* megler
bronchial *adj.* luftveis
bronze *n.* bronse
brood *n.* kull
brook *n.* bekk
broom *n.* sopelime
broth *n.* kjøttsuppe
brothel *n.* bordell
brother *n.* bror
brotherhood *n.* brorskap
brow *n.* bryn
brown *n.* brunt
browse *v.* å bla gjennom
browser *n.* nettleser
bruise *n.* flekk
brunch *n.* solid frokost
brunette *n.* brunette
brunt *n.* hovedtyngde
brush *n.* børste
brusque *adj.* brysk
brutal *adj.* brutal
brute *n.* brutal fyr
bubble *n.* boble
buck *n.* bukk
bucket *n.* bøtte
buckle *n.* spenne
bud *n.* offer
budge *v.* å bevege
budget *n.* budsjett
buffalo *n.* bøffel

buffer *n.* buffer
buffet *n.* anretning
buffoon *n.* klovn
bug *n.* bug
buggy *n.* barnevogn
bugle *n.* horn
build *v.* å bygge
building *n.* bygning
bulb *n.* (blomster)løk
bulge *n.* bule
bulimia *n.* bulimi
bulk *n.* mesteparten
bulky *adj.* stor
bull *n.* bulle
bulldog *n.* bulldogg
bullet *n.* prosjektil
bulletin *n.* bulletin
bullion *n.* barre
bullish *adj.* (børsuttrykk) haussebevegelse
bullock *n.* gjeldokse
bully *n.* bølle
bulwark *n.* voll
bum *n.* rumpe
bumble *v.* å mumle
bump *n.* støt
bumper *n.* støtfanger
bumpkin *n.* vulgær mann
bumpy *adj.* humpete
bun *n.* bolle
bunch *n.* knippe
bundle *n.* bunt
bung *n.* spuns
bungalow *n.* bungalow
bungle *v.* å forkludre
bunk *n.* seng
bunker *n.* bunker
buoy *n.* merkebøye
buoyant *adj.* flyter
buoyancy *n.* flyteevne
burble *v.* å prate i vei
burden *n.* byrde
bureau *n.* skatoll
bureaucracy *n.* byråkrati
bureaucrat *n.* byråkrat
burgeon *v.* begynne å blomstre
burger *n.* hamburger
burglar *n.* tyv
burglary *n.* innbruddstyveri
burial *n.* begravelse
burlesque *n.* parodi
burn *v.* å brenne
burner *n.* brenner
burning *adj.* i flammer
burrow *n.* hi
bursar *n.* kvestor
bursary *n.* kvestur
burst *v.* å briste
bury *v.* å begrave
bus *n.* buss
bush *n.* busk
bushy *adj.* busket
business *n.* business
businessman *n.* forretningsmann
bust *n.* arrestasjon
bustle *v.* å være travelt
busy *adj.* opptatt
but *conj.* men
butcher *n.* slakter
butler *n.* butler
butter *n.* smør
butterfly *n.* sommerfugl
buttock *n.* rumpeballe
button *n.* knapp
buy *v.* å kjøpe
buyer *n.* kjøper
buzz *n.* summende lyd
buzzard *n.* fugl
buzzer *n.* lydsignal
by *prep.* ved
by-election *n.* kamp-valg
bygone *adj.* forgangen

by-line *n.* mållinje
bypass n. omkjøringsvei
byre n. fjøs
bystander n. tilskuer
byte *n.* byte

cab *n.* drosje
cabaret *n.* kabaret
cabbage *n.* kål
cabin *n.* kabin
cabinet *n.* kabinett
cable *n.* kabel
cacao *n.* kakao
cache *n.* depot
cachet *n.* kapsel
cackle *n.* kakling
cactus *n.* kaktus
cad *n.* kjeltring
cadaver *n.* lik
caddy *n.* teboks
cadaver *n.* lik
cadet *n.* kadett
cadmium *n.* kadmium
cadre *n.* kader
caesarean *n.* keisersnitt
cafe *n.* kafè
cafeteria *n.* kafeteria
cage *n.* bur
cahoots *n.* i ledtog med
cajole *v.* å godsnakke med
cake *n.* kake
calamity *n.* katastrofe
calcium *n.* kalsium
calculate *v.* å kalkulere
calculator *n.* kalkulator
calculation *n.* beregning
calendar *n.* kalender
calf *n.* kalv
calibrate *v.* å kalibrere
calibre *n.* kaliber
call *v.* å ringe
calligraphy *n.* kalligrafi
calling *n.* (vocation) kall
callous *adj.* hard og fortykket
callow *adj.* fersk
calm *adj.* stille
calorie *n.* kalori
calumny *n.* baktalelse
camaraderie *n.* kameraderi
camber *n.* dossering
cambric *n.* kammerduk
camcorder *n.* bærbart videokamera
camel n. kamel
cameo n. kamé
camera *n.* kamera
camp *n.* leir
campaign *n.* kampanje
camphor *n.* kamfer
campus *n.* campus
can *n.* kanne
can *v.* å kunne
canal *n.* kanal
canard *n.* avisand
cancel *v.* å avlyse
cancellation *n.* avlysning
cancer *n.* kreft
candela *n.* stearinlys
candid *adj.* oppriktig
candidate *n.* kandidat
candle *n.* stearinlys
candour *n.* oppriktighet
candy *n.* godter
cane *n.* spaserstokk
canine *adj.* som tilhører hundefamilien
canister *n.* boks
cannabis *n.* cannabis
cannibal *n.* kannibal
cannon *n.* kanon
canny *adj.* skarp

canoe *n.* kano
canon *n.* kirkerett
canopy *n.* baldakin
cant *n.* helling
cantankerous *adj.* kverulantisk
canteen *n.* kantine
canter *n.* galopp
canton *n.* firkant
cantonment *n.* kantonnement
canvas *n.* lerret
canvass *v.* å drive stemmeverving
canyon *n.* dyp elveda
cap *n.* lue
capability *n.* dyktighet
capable *adj.* dyktig
capacious *adj.* romslig
capacitor *n.* kondensator
capacity *n.* evne
caparison *v.* å pynte hesten
cape *n.* kapp
capital *n.* hovedstad
capitalism *n.* kapitalisme
capitalist *n.* *&adj.* kapitalist
capitalize *v.* å kapitalisere
capitation *n.* koppskatt
capitulate *v.* å kapitulere
caprice *n.* innfall
capricious *adj.* ustadig
capsicum *n.* paprika
capsize *v.* å kantre
capstan *n.* akterspill
capsule *n.* kapsel
captain *n.* kaptein
captaincy *n.* stilling som kaptein
caption *n.* billedtekst
captivate *v.* å sjarmere
captive *n.* fange
captivity *n.* fangenskap
captor *n.* person som holder en fanget
capture *v.* å erobre
car *n.* bil
caramel *n.* karamell
carat *n.* karat
caravan *n.* campingvogn
carbohydrate *n.* kullhydrat
carbon *n.* karbon
carbonate *v.* å tilsette kullsyre
carboy *n.* syreballong
carcass *n.* skrott
card *n.* kort
cardamom *n.* kardemommeplante
cardboard *n.* kartong
cardiac *adj.* hjerte–
cardigan *n.* cardigan
cardinal *n.* kardinal
cardiograph *n.* kardiograf
cardiology *n.* kardiologi
care *n.* forsiktighet
career *n.* karriere
carefree *adj.* sorgløs
careful *adj.* forsiktig
careless *adj.* slurvete
carer *n.* omsorgsperson
caress *v.* å kjærtegne
caretaker *n.* vaktmester
cargo *n.* cargo
caricature *n* karikatur
carmine *n.* karminrødt
carnage *n.* blodbad
carnal *adj.* sanselig
carnival *n.* karneval
carnivore *n.* kjøtteter
carol *n.* julesang
carpal *adj.* karpal
carpenter *n.* tømmermann
carpentry *n.* tømring
carpet *n.* gulvteppe

carriage *n.* vogn
carrier *n.* vognmann
carrot *n.* gulrot
carry *v.* å bære
cart *n.* kjerre
cartel *n.* kartell
cartilage *n.* brusk
carton *n.* kartong
cartoon *n.* tegneserie
cartridge *n.* patron
carve *v.* å skjære
carvery *n.* restaurant
Casanova *n.* Casanova
cascade *n.* vannfall
case *n.* kasse
casement *n.* sidehengslet vindu
cash *n.* kontanter
cashew *n.* acajoutre
cashier *n.* kasserer
cashmere *n.* kasjmirull
casing *n.* kappe
casino *n.* spillekasino
cask *n.* tønne
casket *n.* smykkeskrin
casserole *n.* gryterett
cassock *n.* sutan
cast *v.* å kaste
castaway *n.* utstøtt fra samfunnet
caste *n.* kaste
castigate *v.* å straffe
casting *n.* støping
castle *n.* borg
castor *n.* trinse
castrate *v.* å kastrere
castor oil *a.* lakserolje
casual *adj.* tilfeldig
casualty *n.* tilskadekommet
cat *n.* katt
cataclysm *n.* voldsom omveltning
catalogue *n.* katalog
catalyse *v.* å katalysere
catalyst *n.* katalysator
cataract *n.* grå stær
catastrophe *n.* katastrofe
catch *v.* å gripe
catching *adj.* smittsom
catchy *adj.* fengende
catechism *n.* katekisme
categorical *adj.* kategorisk
categorize *v.* å klassifisere
category *n.* kategori
cater *v.* å levere
caterpillar *n.* kålorm
catharsis *n.* katarsis
cathedral *n.* katedral
catholic *adj.* katolsk
cattle *n.* kveg
catty *n.* katteaktig
Caucasian *adj.* kaukasisk
cauldron *n.* gryte
cauliflower *n.* blomkål
causal *adj.* kausal
causality n. kausalitet
cause *n.* årsak
causeway *n.* vei (sti)
caustic *adj.* kaustisk
caution *n.* forsiktighet
cautionary *adj.* som tjener som advarsel
cautious *adj.* forsiktig
cavalcade *n.* kavalkade
cavalier *adj.* overlegen
cavalry *n.* kavaleri
cave *n.* hule
caveat *n.* advarsel
cavern *n.* stor hule
cavernous *adj.* stor (og dyp)
cavity *n.* hulrom
cavort *v.* å danse omkring
cease v. å opphøre
ceasefire n. våpenhvile

ceaseless *adj.* ustanselig
cedar *n.* seder
cede *v.* å avstå
ceiling *n.* tak
celandine *n.* celandine
celebrant *n.* festdeltaker
celebrate *v.* å feire
celebration *n.* feiring
celebrity *n.* kjendis
celestial *adj.* himmelsk
celibacy *n.* sølibat
celibate *adj.* som lever i sølibat
cell *n.* celle
cellar *n.* kjeller
cell phone *n.* mobil
cellular *adj.* som består av celler
cellulite *n.* appelsinhud
celluloid *n.* celluloid
cellulose *n.* cellulose
Celsius *n.* Celsius
Celtic *adj.* keltisk
cement *n.* sement
cemetery *n.* gravlund
censer *n.* røkelseskar
censor *n.* sensor
censorship *n.* sensur
censorious *adj.* kritikksyk
censure *v.* å kritisere sterkt
census *n.* folketelling
cent *n.* cent
centenary *n.* hundreår
centennial *n.* hundre-årsdag
center *n.* sentrum
centigrade *adj.* celsiusgrad
centimetre *n.* centimeter
centipede *n.* skolopender
central *adj.* sentral
centralize *v.* å sentralisere
centre *n.* sentrum
century *n.* århundre
ceramic *n.* keramikk
cereal *n.* korn
cerebral *adj.* cerebral
ceremonial *adj.* seremoniell
ceremonious *adj.* høytidelig
ceremony *n.* seremoni
certain *adj.* sikker
certainly *adv.* absolutt
certifiable *adj.* bevislig
certificate *n.* attest
certify *v.* å bekrefte
certitude *n.* visshet
cervical *adj.* hals-
cessation *n.* stans
cession *n.* avståelse
chain *n.* kjede
chair *n.* stol
chairman *n.* styreformann
chaise *n.* chaise
chalet *n.* hytte
chalice *n.* beger
chalk *n.* kritt
challenge *n.* utfordring
chamber *n.* kammer
chamberlain *n.* kammerherre
champagne *n.* champagne
champion *n.* mester
chance *n.* sjanse
chancellor *n.* kansler
Chancery *n.* kansellirett
chandelier *n.* lysekrone
change *v.* å endre
channel *n.* kanal
chant *n.* sang
chaos *n.* kaos
chaotic *adj.* kaotisk
chapel *n.* kapell
chaplain *n.* feltprest
chapter *n.* kapittel
char *v.* å forkulle
character *n.* karakter

characteristic *n.*
karakteristikk
charcoal *n.* trekull
charge *v.* å lade opp
charge *n.* pris
charger *n.* ladeapparat
chariot *n.* stridsvogn
charisma *n.* karisma
charismatic *adj.* karismatisk
charitable *adj.* overbærende
charity *n.* nestekjærlighet
charlatan *n.* sjarlatan
charm *n.* sjarm
charming *adj.* sjarmerende
chart *n.* diagram
charter *n.* charter
chartered *adj.* registrert
chary *adj.* forsiktig
chase *v.* å forfølge
chassis *n.* chassis
chaste *adj.* ærbar
chasten *v.* å tukte
chastise *v.* å refse
chastity *n.* kyskhet
chat *v. i.* å prate
chateau *n.* borg
chattel *n.*
nødvendighetsartikkel
chatter *v.* å skravle
chauffeur *n.* privatsjåfør
chauvinism *n.* sjåvinisme
chauvinist *n. &adj.* sjåvinist
cheap *adj.* billig
cheapen *v. t.*
å sette ned prisen
cheat *v.* å snyte
cheat *n.* juks
check *v.* å sjekke
checkmate *n* sjakkmatt
cheek *n.* kinn
cheeky *adj.* frekk
cheep *n.* kvidring
cheer *v. t.* å rope hurra
cheerful *adj.* glad
cheerless *adj.* trist
cheery *adj.* munter
cheese *n.* ost
cheetah *n.* gepard
chef *n.* kjøkkensjef
chemical *adj.* kjemikalie
chemist *n.* kjemiker
chemistry *n.* kjemi
chemotherapy *n.*
kjemoterapi
cheque *n.* sjekk
cherish *v.* å elske
chess *n.* sjakk
chest *n.* bryst
chestnut *n.* kastanje
chevron *n.* vinkel
chew *v.* å tygge
chic *adj.* elegant
chicanery *n.* lureri
chicken *n.* høne
chickpea *n.* bukkeert
chide *v.* å skjenne på
chief *n.* sjef
chiefly *adv.* først og fremst
chieftain *n.* høvding
child *n.* barn
childhood *n.* barndom
childish *adj.* barnslig
chill *n.* kjølighet
chilli *n.* chilipepper
chilly *adj.* kjølig
chime *n.* klokkespill
chimney *n.* skorstein
chimpanzee *n.* sjimpanse
chin *n.* hake
china *n.* Kina
chip *n.* skår
chirp *v.* å pipe
chisel *n.* hoggjern
chit *n.* lite notat

chivalrous *adj.* ridderlig
chivalry *n.* ridderlighet
chlorine *n.* klor
chloroform *n.* kloroform
chocolate *n.* sjokolade
choice *n.* valg
choir *n.* kor
choke *v.* å holde på å kveles
cholera *n.* kolera
choose *v. t* å velge
chop *v.* å hogge
chopper *n.* liten øks
chopstick *n.* spisepinner
choral *adj.* beregnet på kor
chord *n.* akkord
chorus *n.* kor
Christ *n.* Kristus
Christian *adj.* kristen
Christianity *n.* kristendommen
Christmas *n.* jul
chrome *n.* krom
chronic *adj.* kronisk
chronicle *n.* krønike
chronology *n.* kronologi
chronograph *n.* kronograf
chuckle *v.* å klukkle
chum *n.* kamerat
chunk *n.* stykke
church *n.* kirke
churchyard *n.* kirkegård
churn *v.* å kjerne
chutney *n.* chutney
cider *n.* sider
cigar *n.* sigar
cigarette *n.* sigarett
cinema *n* kino
cinnamon *n.* kanel
circle *n.* sirkel
circuit *n.* kretsløp
circular *adj.* sirkelrund
circulate *v.* å sirkulere
circulation *n.* sirkulasjon
circumcise *v.* å omskjære
circumference *n.* omkrets
circumscribe *v.* å omskrive
circumspect *adj.* forsiktig
circumstance *n.* omstendighet
circus *n.* sirkus
cist *n.* hellekiste
cistern *n.* cisterne
citadel *n.* kastell
cite *v.* å sitere
citizen *n.* borger
citizenship *n.* statsborgerskap
citrus *n.* sitrus
citric *adj.* sitronsyre
city *n.* by
civic *adj.* kommune-
civics *n.* samfunnskunnskap
civil *adj.* sivil
civilian *n.* sivilist
civilization *n.* sivilisasjon
civilize *v.* å sivilisere
clad *adj.* kledd
cladding *n.* kledning
claim *v.* å kreve
claimant *n.* fordringshaver
clammy *adj.* klam
clamour *n.* larm
clamp *n.* klemme
clan *n.* klan
clandestine *adj.* i smug
clap *v.* å klappe
clarify *v.* å presisere
clarification *n.* klaring
clarion *n.* trompetregister
clarity *n.* klarhet
clash *v.* å klirre
clasp *v.* å omfavne
class *n.* klasse
classic adj. klassisk

classical *adj.* klassisk
classification *n.* klassifisering
classify *v.* å klassifisere
clause *n.* paragraf
claustrophobia *n.* klaustrofobi
claw *n.* klo
clay n. leire
clean *adj.* ren
cleanliness *n.* renslighet
cleanse *v.* å rense
clear *adj.* klar
clearance *n.* rydding
clearly *adv.* klart
cleave *v.* å kløyve
cleft *n.* spalte
clemency *n.* mildhet
clement *adj.* barmhjertig
Clementine *n.* klementin
clench *v.* å presse sammen
clergy *n.* geistlighet
cleric *n.* geistlig
clerical *adj.* geistlig
clerk *n.* kontorist
clever *adj.* flink
click *n.* klikk
client *n.* kunde
cliff *n.* klippe
climate *n.* klima
climax *n.* klimaks
climb *v.i* å klatre
clinch *v.* å gå i clinch
cling *v.* å henge fast
clinic *n.* klinikk
clink *n.* klirr
clip *n.* avklipp
cloak *n.* kappe
clock *n.* klokke
cloister *n.* buegang
clone *n.* klon
close *adj.* nær
closet *n.* skap
closure *n.* lukking
clot *n.* klyse
cloth *n.* stoff
clothe *v.* å kle på
clothes *n.* klær
clothing *n.* klær
cloud *n.* sky
cloudy *adj.* overskyet
clove *n.* kryddernellik
clown *n.* klovn
cloying *adj.* vammel
club *n.* klubbe
clue *n.* spor
clumsy *adj.* klossete
cluster *n.* klynge
clutch *v. t.* å gripe tak i
coach *n.* trener
coal *n.* kull
coalition *n.* koalisjon
coarse *adj.* grov
coast *n.* kyst
coaster *n.* kystskipper
coat *n.* kåpe
coating *n.* lag
coax *v.* prøve å overtale noen
cobalt *n.* kobolt
cobble *n.* brustein
cobbler *n.* lappeskomaker
cobra *n.* kobra
cobweb *n.* spindelvev
cocaine *n.* kokain
cock *n.* hane
cockade *n.* kokarde
cockpit *n.* cockpit
cockroach *n.* kakerlakk
cocktail *n.* cocktail
cocky *adj.* kry
cocoa *n.* kakao
coconut *n.* kokosnøtt
cocoon *n.* kokong

code *n.* kode
co-education *n.* samundervisning
coefficient *n.* koeffisient
coerce *v.* å tvinge
coeval *adj.* som tilhører samme tid
coexist *v.* å leve side om side
coexistence *n.* sameksistens
coffee *n.* kaffe
coffer *n.* pengekiste
coffin *n.* kiste
cog *n.* liten brikke
cogent *adj.* overbevisende
cogitate *v.* å tenke alvorlig
cognate *adj.* blodsbeslektet
cognizance *n.* devise
cohabit *v.* å leve sammen
cohere *v.* å henge sammen
coherent *adj.* konsekvent
cohesion *n.* sammenheng
cohesive *adj.* kohesiv
coil *n.* spole
coin *n.* mynt
coinage *n.* mynting
coincide *v.* å stemme
coincidence *n.* sammentreff
coir *n.* kokosbast
coke *n.* Cola
cold *adj.* kald
colic *n.* kolikk
collaborate *v.* å samarbeide
collaboration *n.* samarbeid
collage *n.* collage
collapse *v.* å falle sammen
collar *n.* klave
collate *v.* å sammenligne
collateral *n.* gjeldssikkerhet
colleague *n.* kollega
collect *v.* å samle
collection *n.* samling
collective *adj.* kollektiv
collector *n.* samler
college *n.* college
collide *v.* å kollidere
colliery *n.* kullgruve
collision *n.* kollisjon
colloquial *adj.* som brukes i dagligtale
collusion *n.* maskepi
cologne *n.* Køln
colon *n.* tykktarm
colonel *n.* oberst
colonial *adj.* kolonial-
colony *n.* koloni
colossal *adj.* kolossal
colossus *n.* colossi
column *n.* søyle
colour *n.* farge
colouring *n.* farge
colourless *n.* fargeløs
coma *n.* coma
comb *n.* kam
combat *n.* kamp
combatant *n* kombattant
combination *n.* kombinasjon
combine *v.* åkombinere
combustible *adj.* lettantennelig
combustion *n.* forbrenning
come *v.* å komme
comedian *n.* komiker
comedy *n* komedie
comet *n.* komet
comfort *n.* komfort
comfort *v.* å trøste
comfortable *adj.* komfortabel
comic *adj.* komisk
comma *n.* komma
command *v.* å befale

commandant *n.* kommandant
commander *n.* sjef
commando *n.* kommandosoldat
commemorate *v.* å feire
commemoration *n.* minnefest
commence *v.* å begynne
commencement *n.* eksamensfest
commend *v.* å rose
commendable *adj.* rosverdig
commendation *n.* anbefaling
comment *n.* kommentar
commentary *n.* reportasje
commentator *n.* referent
commerce *n.* forretninger
commercial *adj.* kommersiell
commiserate *v.* å uttrykke medfølelse
commission *n.* provisjon
commissioner *n.* kommissær
commissure *n.* forbindelse
commit *v.* å begå
commitment *n.* forpliktelse
committee *n.* komité
commode *n.* toalettstol
commodity *n.* vare
common *adj.* vanlig
commoner *n.* vanlig borger
commonplace *adj.* triviell
commonwealth *n.* Det britiske samveldet
commotion *n.* støy
communal *adj.* felles
commune *n.* kommune
communicable *adj.* overførbar
communicant *n.* nattverdsgjest
communicate *v.* å meddele
communication *n.* kommunikasjon
communion *n.* kommunion
communism *n.* kommunisme
community *n.* samfunn
commute *v.* å redusere
compact *adj.* kompakt
companion *n.* venn
company *n.* selskap
comparative *adj.* sammenlignende
compare *v.* å sammenligne
comparison *n.* sammenligning
compartment *n.* avdeling
compass *n.* kompass
compassion *n.* medlidenhet
compatible *adj.* forenlig
compatriot *n.* landsmann
compel *v.* å tvinge
compendious *adj.* konsis
compendium *n.* kompendium
compensate *v.* å erstatte
compensation *n.* erstatning
compere *n.* konferansier
compete *v.* å konkurrere
competence *n.* kompetanse
competent *adj.* kompetent
competition *n.* konkurranse
competitive *adj.* konkurransepreget
competitor *n.* konkurrent
compile *v.* å kompilere
complacent *adj.* selvtilfreds
complain *v.* å klage

complaint *n.* klage
complaisant *adj.* føyelig
complement *n.* komplement
complementary *adj.* supplerende
complete *adj.* fullstendig
completion *n.* fullførelse
complex *adj.* sammensatt
complexity *n.* beskaffenhet
complexion *n.* hudfarge
compliance *n.* ettergivenhet
compliant *adj.* ettergivende
complicate *v.* å kompliere
complication *n.* forviklinger
complicit *adj.* medskyldig
complicity *n.* delaktighet
compliment *n.* kompliment
compliment *v.* *i* å gratulere med
comply *v.* å etterkomme
component *n.* komponent
comport *v.* å oppføre seg
compose *v.* å komponere
composer *n.* komponist
composite *adj.* sammensatt
composition *n.* komposisjon
compositor *n.* setter
compost *n.* kompost
composure *n.* fatning
compound *n.* sammensetning
comprehend *v.* å forstå
comprehensible *adj.* forståelig
comprehension *n.* begripelse
comprehensive *adj.* omfattende
compress *v.* å komprimere
compression *n.* sammenpressing
comprise *v.* å omfatte
compromise *n.* kompromiss
compulsion *n.* tvang
compulsive *adj.* kompulsiv
compulsory *adj.* obligatorisk
compunction *n.* samvittighetsnag
computation *n.* utregning
compute *v.* å beregne
computer *n.* datamaskin
computerize *v.* å datorisere
comrade *n.* kamerat
concatenation *n.* rekke av begivenheter
concave *adj.* konkav
conceal *v.* å skjule
concede *v.* å innrømme
conceit *n.* innbilskhet
conceivable *adj.* tenkelig
conceive *v.* *t* å bli gravid
concentrate *v.* å konsetrere
concentration *n.* konsentrasjon
concept *n.* begrep
conception *n.* graviditet
concern *v.* å angå
concerning *prep.* angående
concert *n.* konsert
concerted *adj.* meget alvorlig
concession *n.* innrømmelse
conch *n.* konkylie
conciliate *v.* å forsone
concise *adj.* kortfattet
conclude *v.* å avslutte
conclusion *n.* avslutning
conclusive *adj.* avgjørende
concoct *v.* å sette sammen
concoction *n.* drikk
concomitant *adj.* ledsagende

concord *n.* enighet
concordance *n.* konkordans
concourse *n.* sammenfall
concrete *n.* betong
concubine *n.* konkubine
concur *v.* å være enig
concurrent *adj.* sammenfallende
concussion *n.* hjernerystelse
condemn *v.* å fordømme
condemnation *n.* fordømmelse
condense *v.* å kondensere
condescend *v.* å oppføre seg nedlatende
condiment *n.* krydder
condition *n.* tilstand
conditional *adj.* kondisjonalis
conditioner *n.* balsam
condole *v.* å kondolere
condolence *n.* kondolanse
condom *n.* kondom
condominium *n.* fellesherredømme
condone *v.* å tilgi
conduct *n.* adferd
conduct *v.* å lede
conductor *n.* konduktør
cone *n.* kjegle
confection *n.* delikatesse
confectioner *n.* konditor
confectionery *n.* konditorvarer
confederate *adj.* konføderert
confederation *n.* føderasjon
confer *v.* å tildele
conference *n.* konferanse
confess *v.* å tilstå
confession *n.* tilståelse
confidant *n.* fortrolig venn
confide *v.* å betro seg
confidence *n.* tillit
confident *adj.* sikker
confidential *adj.* fortrolig
configuration *n.* konfigurasjon
confine *v.* å begrense
confinement *n.* innesperring
confirm *v.* å bekrefte
confirmation *n.* konfirmasjon
confiscate *v.* å konfiskere
confiscation *n.* beslagleggelse
conflate *v.* å smelte sammen
conflict *n.* kamp
confluence *n.* sammenløp
confluent *adj.* sammenløpende
conform *v.* å tilpasse
conformity *n.* konformitet
confront *v.* å konfrontere
confrontation *n.* konfrontasjon
confuse *v.* å forvirre
confusion *n.* forvirring
confute *v.* å gjendrive
congenial *adj.* hyggelig
congenital *adj.* medfødt
congested *adj.* overfylt
congestion *n.* overfylling
conglomerate *n.* konglomerat
conglomeration *n.* konglomerat
congratulate *v.* å gratulere
congratulation *n.* gratulasjon
congregate *v.* å samle seg
congress *n.* kongress
congruent *adj.* samsvarende

conical *adj.* kjegledannet
conjecture *n. &v.* å gjette
conjugal *adj.* ekteskapelig
conjugate *v.* å bøye
conjunct *adj.* forenet
conjunction *n.* konjunksjon
conjunctivitis *n.* conjunktivitt
conjuncture *n.* sammentreff
conjure *v.* å trylle
conker *n.* hestekastanje
connect *v.* å forbinde
connection *n.* forbindelse
connive *v.* å se igjennom fingrene
conquer *v.* å erobre
conquest *n.* erobring
conscience *n.* samvittighet
conscious *adj.* bevisst
consecrate *v.* å vigsle
consecutive *adj.* i trekk
consecutively *adv.* fortløpende
consensus *n.* consensenighetus
consent *n.* samtykke
consent *v.t.* å samtykke
consequence *n.* konsekvens
consequent *adj.* følgende
conservation *n.* bevaring
conservative *adj.* konservativ
conservatory *n.* drivhus
conserve *v. t* å bevare
consider *v.* å tenke over
considerable *adj.* betydelig
considerate *adj.* hensynsfull
consideration *n.* overveielse
considering *prep.* tatt i betraktning
consign *v.* å konsignere
consignment *n.* vareparti
consist *v.* å bestå i
consistency *n.* konsistens
consistent *adj.* konsekvent
consolation *n.* trøst
console *v. t.* å trøste
consolidate *v.* å konsolidere
consolidation *n.* befestelse
consonant *n.* konsonant
consort *n.* gemal
consortium *n.* konsortium
conspicuous *adj.* påfallende
conspiracy *n.* sammensvergelse
conspirator *n.* konspiratør
conspire *v.* å konspirere
constable *n.* konstabel
constabulary *n.* politi-korps
constant *adj.* konstant
constellation *n.* konstellasjon
consternation *n.* bestyrtelse
constipation *n.* obstipasjon
constituency *n.* valgkrets
constituent *adj.* bestanddel
constitute *v.* å utgjøre
constitution *n.* grunnlov
constitutional *adj.* konstitusjonell
constrain *v.* å tvinge
constraint *n.* tvang
constrict *v.* å stramme
construct *v.* å anlegge
construction *n.* bygging
constructive *adj.* konstruktiv
construe *v.* å fortolke
consul *n.* konsul
consular *n.* konsulær
consulate *n.* konsulat
consult *v.* å konsultere

consultant *n.* konsulent
consultation *n.* konsultasjon
consume *v.* å konsumere
consumer *n.* forbruker
consummate *v.* å fullbyrde
consumption *n.* forbruk
contact *n.* kontakt
contagion *n.* smitte
contagious *adj.* smittsom
contain *v.t.* å inneholde
container *n.* beholder
containment *n.* det å begrense
contaminate *v.* kontaminere
contemplate *v.* å tenke på
contemplation *n.* overveielse
contemporary *adj.* dalevende
contempt *n.* forakt
contemptuous *adj.* foraktelig
contend *v.* å konkurrere
content *adj.* tilfreds
content *n.* innhold
contention *n.* påstand
contentment *n.* tilfredshet
contentious *adj.* kontroversiell
contest *n.* konkurranse
contestant *n.* deltager
context *n.* sammenheng
contiguous *adj.* tilstøtende
continent *n.* kontinent
continental *adj.* kontinental
contingency *n.* eventualitet
continual *adj.* stadig
continuation *n.* fortsettelse
continue *v.* å fortsette
continuity *n.* kontinuitet
continuous *adj.* kontinuerlig
contort *v.* å fordreie
contour *n.* kontur
contra *prep.* kontra
contraband *n.* kontrabande
contraception *n.* fødselskontroll
contraceptive *n.* befruktningshindrende middel
contract *n.* kontrakt
contract *n* akkordarbeid
contractual *adj.* kontraktmessig
contractor *n.* leverandør
contraction *n.* sammentrekning
contradict *v.* å motsi
contradiction *n.* motsigelse
contrary *adj.* motsatt
contrast *n.* kontrast
contravene *v.* å overtre
contribute *v.* å bidra
contribution *n.* bidrag
contrivance *n.* innretning
contrive *v.* å greie
control *n.* kontroll
controller *n.* strømfordeler
controversial *adj.* kontroversiell
controversy *n.* kontrovers
contusion *n.* kontusjon
conundrum *n.* gåte
conurbation *n.* bydannelse
convene *v.* å sammenkalle
convenience *n.* komfort
convenient *adj.* lettstelt
convent *n.* nonnekloster
convention *n.* konvensjon
converge *v.* å konvergere
conversant *adj.* være fortrolig med
conversation *n.* samtale

converse *v.* å snakke
conversion *n.* omdannelse
convert *n.* konvertitt
convert *v.* å konvertere
convey *v.* å formidle
conveyance *n.* befordring
convict *n.* soningsfange
convict *v.* å erklære
conviction *n.* onvoverbevisning
convince *v.* å overbevise
convivial *adj.* munter
convocation *n.* sammenkallelse
convoy *n.* konvoi
convulse *n.* å få krampetrekninger
convulsion *n.* krampe
cook *n.* kokk
cook *v.* å lage mat
cooker *n.* komfyr
cookie *n.* bolle
cool *adj.* kjølig
coolant *n.* kjølemiddel
cooler *n.* kjøleskap
cooper *n.* bøkker
cooperate *v.* å samarbeide
cooperation *n.* samarbeid
cooperative *adj.* som samarbeider
coordinate *v.* *t* å koordinere
coordination *n.* koordinering
cope *v.* å klare
copier *n.* kopieringsmaskin
copious *adj.* rikelig
copper *n.* kopper
copulate *v.* å kopulere
copy *n.* kopi
copy *v.* å kopiere
coral *n.* korall
cord *n.* snor
cordial *adj.* hjertelig
cordon *n.* sperring
core *n.* kjerne
coriander *n.* koriander
cork *n.* kork
corn *n.* korn
cornea *n.* hornhinne
corner *n.* hjørne
cornet *n.* kornett
coronation *n.* kroning
coroner *n.* mann som forestår likskue
coronet *n.* krone
corporal *n.* korporal
corporate *adj.* korpsånd
corporation *n.* korporasjon
corps *n.* korps
corpse *n.* lik
corpulent *adj.* korpulent
correct *adj.* korrekt
correct *v.* å rette
correction *n.* rettelse
corrective *adj.* korrigerende
correlate *v.* å korrelere
correlation *n.* samsvar
correspond *v.* å korrespondere med
correspondence *n.* korrespondanse
correspondent *n.* korrespondent
corridor *n.* korridor
corroborate *v.* å bekrefte
corrode *v.* å korrodere
corrosion *n.* korrosjon
corrosive *adj.* korroderende
corrugated *adj.* korrugert
corrupt *adj.* korrupt
corrupt *v.* å korrumpere
corruption *n.* korrupsjon
cortisone *n.* kortison
cosmetic *adj.* kosmetisk
cosmetic *n.* kosmetikk

cosmic *adj.* kosmisk
cosmology *n.* kosmologi
cosmopolitan *adj.* kosmopolitisk
cosmos *n.* kosmos
cost *v.* å koste
costly *adj.* dyr
costume *n.* drakt
cosy *adj.* koselig
cot *n.* barneseng
cottage *n.* hytte
cotton *n.* bomull
couch *n.* løybenk
couchette *n.* couchette
cough *v.* å hoste
council *n.* rådsforsamling
councillor *n.* kommunestyremedlem
counsel *n.* råd
counsel *v.* å råde
counsellor *n.* rådgiver
count *v.* opptelling
countenance *n.* ansikt
counter *n.* disk
counter *v.t.* å imøtegå
counteract *v.* å motvirke
counterfeit *adj.* forfalsket
counterfoil *n.* kupong
countermand *v.* å tilbakekalle
counterpart *n.* motstykke
countless *adj.* talløs
country *n.* land
county *n.* fylke
coup *n.* kupp
coupe *n.* kupé
couple *n.* par
couplet *n.* kuplett
coupon *n.* kupong
courage *n.* mot
courageous *adj.* modig
courier *n.* reiseleder
course *n.* kursopplegg
court *n.* domstol
courteous *adj.* elskverdig
courtesan *n.* kurtisane
courtesy *n.* elskverdighet
courtier *n.* hoffmann
courtly *adj.* høvisk
courtship *n.* frieri
courtyard *n.* gårdsplass
cousin *n.* fetter
cove *n.* bukt
covenant *n.* pakt
cover *n.* bokbind
cover *v.* å dekke
covert *adj.* hemmelig
covet *v.* å begjære
cow *n.* cow
coward *n.* feiging
cowardice *n.* feighet
cower v. å krype sammen
coy adj. sjenert
cosy *adj.* koselig
crab *n.* krabbe
crack *n.* sprekk
crack *v.* å sprekke
cracker *n.* kjeks
crackle *v.* å knitre
cradle *n.* vugge
craft *n.* håndverk
craftsman *n.* håndverker
crafty *adj.* snedig
cram *v.* å proppe
cramp *n.* krampe
crane *n.* kran
crank *v.* å sveive
crash *v.* å brake
crass *adj.* krass
crate *n.* pakkasse
cravat *n.* halstørkle
crave *v. t* å lengte etter
craven *adj.* feig
crawl *v.* å krabbe

crayon *n.* fargeblyant
craze *n.* dille
crazy *adj.* gal
creak *n.* knirking
creak *v.* å knirke
cream *n.* fløte
crease *n.* press
create *v.* å skape
creation *n.* skapelse
creative *adj.* kreativ
creator *n.* skaper
creature *n.* vesen
creche *n.* barnehage
credentials *n.* credentials
credible *adj.* troverdig
credit *n.* kreditt
creditable *adj.* prisverdig
creditor *n.* kreditor
credulity *n.* lettroenhet
creed *n.* trosbekjennelse
creek *n.* vik
creep *v.* å krype
creeper *n.* liggebrett
cremate *v.* å kremere
cremation *n.* kremasjon
crematorium *n.* krematorium
crescent *n.* halvmåne
crest *n.* kam
crew *n.* mannskap
crib *n.* krybbe
cricket *n.* cricket
crime *n.* forbrytelse
criminal *n.* forbryter
criminology *n.* kriminologi
crimson *adj.* rød i ansiktet
cringe *v.* å krype sammen
cripple *n.* krøpling
crisis *n.* krise
crisp *adj.* sprø
criterion *n.* kriterium
critic *n.* kritiker
critical *adj.* kritisk
criticism *n.* kritikk
criticize *v.* å kritisere
critique *n.* anmeldelse
croak *n.* kvekk
crochet *n.* hekletøy
crockery *n.* steintøy
crocodile *n.* krokodille
croissant *n.* horn
crook *n.* krumstav
crooked *adj.* krokete
crop *n.* avling
cross *n.* kryss
crossing *n.* kryss
crotchet *n.* kvartnote
crouch *v.* å krøke seg sammen
crow *n.* kråke
crowd *n.* menneskemengde
crown *n.* krone
crown *v.* å krone
crucial *adj.* avgjørende
crude *adj.* vulgær
cruel *adj.* grusom
cruelty *n.* grusomhet
cruise *v.* å dra på cruise
cruiser *n.* cruiseskip
crumb *n.* smule
crumble *v.* å bryte i småstykker
crumple *v.* å krølle seg
crunch *v.* å knuse
crusade *n.* korstog
crush *v.* å mase i stykker
crust *n.* skorpe
crutch *n.* krykke
crux *n.* springende punkt
cry *n.* skrik
cry *v.* å gråte
crypt *n.* krypt
crystal *n.* krystall
cub *n.* unge
cube *n.* kubus

cubical *adj.* kubisk
cubicle *n.* lite avlukke
cuckold *n.* hanrei
cuckoo *n.* blåstål
cucumber *n.* springagurk
cuddle *v.* å klemme
cuddly *adj.* kjærlig
cudgel *n.* stokk
cue *n.* stikkord
cuff *n.* mansjett
cuisine *n.* kokekunst
culinary *adj.* kulinarisk
culminate *v.* å kulminere
culpable *adj.* skyldig
culprit *n.* delinkvent
cult *n.* kult
cultivate *v.* å dyrke
cultural *adj.* kulturell
culture *n.* kultur
cumbersome *adj.* uhåndterlig
cumin *n.* karve
cumulative *adj.* kumulativ
cunning *adj.* listig
cup *n.* kopp
cupboard *n.* skap
cupidity *n.* griskhet
curable *adj.* helbredelig
curative *adj.* helbredende
curator *n.* kurator
curb *v. t* å dempe
curd *n.* ostemasse
cure *v. t.* å helbrede
curfew *n.* portforbud
curiosity *n.* nysgjerrighet
curious *adj.* nysgjerrig
curl *v.* å krølle
currant *n.* korint
currency *n.* valuta
current *adj.* inneværende
current *n.* strøm
curriculum *n.* leseplan
curry *n.* karri
curse *n.* forbannelse
cursive *adj.* kursiv
cursor *n.* markør
cursory *adj.* flyktig
curt *adj.* brysk
curtail *v.* å redusere
curtain *n.* gardin
curve *n.* kurve
cushion *n.* pute
custard *n.* vaniljekrem
custodian *n.* vaktmester
custody *n.* varetekt
custom *n.* skikk
customary *adj.* sedvanlig
customer *n.* kunde
customize *v.* å personalisere
cut *v.* å skjære
cute *adj.* søt
cutlet *n.* kotelett
cutter *n.* tilskjærer
cutting *n.* klipping
cyan *n.* cyanogen
cyanide *n.* cyanid
cyber *comb.* kyber–
cyberspace *n.* cyberspace
cycle *n.* sykkel
cyclic *adj.* periodisk
cyclist *n.* syklist
cyclone *n.* syklon
cylinder *n.* sylinder
cynic *n.* kyniker
cynosure *n.* oppmerksomhetens midpunkt
cypress n. sypress
cyst *n.* cyste
cystic *adj.* cystisk

dab *v.* å klaske
dabble *v.* å dyppe
dacoit *n.* dakoit
dad *n* pappa
daffodil *n.* påskelilje
daft *adj.* tåpelig
dagger *n.* dolk
daily *adj.* daglig
dainty *adj.* tander
dairy *n.* meieri
dais *n.* podium
daisy *n.* tusenfryd
dale *n.* dal
dally *v.* å somle
dalliance *n.* tidsspille
dam *n.* dam
damage *n.* skade
dame *n.* adelsdame
damn *v.* å fordømme
damnable *adj.* fordømmelig
damnation *n.* fordømmelse
damp *adj.* fuktig
dampen *v.* å fukte
damper *n.* demper
dampness *n.* fuktighet
damsel *n.* jomfru
dance *v.* å danse
dancer *n.* danser
dandelion *n.* løvetann
dandle *v.* å kose med
dandruff *n.* flass
dandy *n.* laps
danger *n.* fare
dangerous *adj.* farlig
dangle *v. i.* å dingle
dank *adj.* klam
dapper *adj.* sirlig
dapple *v.* å gjøre flekkete
dare *v.* å våge
daring *adj.* dristig
dark *adj.* mørk
darkness *n.* mørke
darken *v.* å gjøre mørkere
darling *n.* elskede
darn *v.* å stoppe
dart *n.* pil
dash *v.* å storme
dashboard *n.* instrumentpanel
dashing *adj.* flott
dastardly *adj.* feig
data *n.* data
database *n.* database
date *n.* dato
date *n.* avtale
datum *n.* datum
daub *v.* å smøre
daughter *n.* datter
daughter-in-law *n.* svigerdatter
daunt *v.* å skremme
dauntless *adj.* fryktløs
dawdle *v.* å somle
dawn *n.* daggry
day *n.* dag
daze *v.* å gjøre fortumlet
dazzle *v. t.* å blende
dead *adj.* død
deadline *n.* frist
deadlock *n.* fastlåst situasjon
deadly *adj.* dødelig
deaf *adj.* døv
deafening *adj.* øredøvende
deal *n.* handel
deal *v. i* å handle med
dealer *n.* forhandler
dean *n.* domprost
dear *adj.* kjære
dearly *adv.* høyt (å elske)
dearth *n.* mangel

death *n.* død
debacle *n.* katastrofe
debar *v. t.* å utelukke
debase *v.* å fornedre
debatable *adj.* tvilsom
debate *n.* debatt
debate *v. t.* å debattere
debauch *v.* å korrumpere
debauchery *n.* utsvevelser
debenture *n.* langsiktig obligasjon
debilitate *v.* å svekke
debility *n.* svakhet
debit *n.* debet
debonair *adj.* urban
debrief *v.* å intervjue
debris *n.* murbrokker
debt *n.* gjeld
debtor *n.* debitor
debunk *v.* å latterliggjøre
debut *n.* debut
debutante *n.* noen som debuterer i selskapslivet
decade *n.* tiår
decadent adj. dekadent
decaffeinated adj. uten kaffein
decamp v. å fordufte
decant v. å dekantere
decanter n. karaffel
decapitate v. å halshogge
decay *v. i* å gå i forråtnelse
decease *n.* død
deceased *adj.* avdød
deceit *n.* falskhet
deceitful *adj.* svikefull
deceive *v.* å lure
decelerate *v.* å saktne farten
December *n.* desember
decency *n.* sømmelighet
decent *adj.* skikkelig
decentralize *v.* å desentralisering
deception *n.* falskhet
deceptive *adj.* villedende
decibel *n.* desibel
decide *v.* å avgjøre
decided *adj.* avgjort
decimal *adj.* desimal
decimate *v.* å desimere
decipher *v.* å desiffrere
decision *n.* avgjørelse
decisive *adj.* avgjørende
deck *n.* dekk
deck *n* kassettspiller
declaim *v.* å deklamere
declaration *v. t.* erklæring
declare *n* å erklære
declassify *v.* å deklassifisere
decline *v. t.* å avslå
declivity *n.* skråning
decode *v.* å omsette
decompose *v.* å råtne
decomposition *n.* nedbrytning
decompress *v.* å dekomprimere
decongestant *n.* nesespary
deconstruct *v.* å dekonstruere
decontaminate *v.* å dekontaminere
decor *n.* innredning
decorate *v.* å dekorere
decoration *n.* dekorasjon
decorative *adj.* dekorativ
decorous *adj.* tekkelig
decorum *n.* dekorum
decoy *n.* lokkedue
decrease *v.* å minke
decree *n.* dekret
decrement *n.* dekrement
decrepit *adj.* avfeldig

decriminalize *v.* å dekriminalisere
decry *v.* å uttale seg sterkt
dedicate *v.* å dedisere
dedication *n.* tilegnelse
deduce *v.* å slutte
deduct *v.* å trekke fra
deduction *n.* fradrag
deed *n.* gjerning
deem *v.* å anse
deep *adj.* dyp
deer *n.* hjortedyr
deface *v.* å gjøre uleselig
defamation *n.* ærekrenkelse
defame *v.* å ærekrenke
default *n.* default
defeat *v. t.* å beseire
defeatist *n.* defaitist
defecate *v.* å ha avføring
defect *n.* defekt
defective *adj.* defekt
defence *n.* forsvar
defend *v.* å forsvare
defendant *n.* saksøkt
defensible *adj.* som kan forsvares
defensive *adj.* defensiv
defer *v.* å utsettte
deference *n.* aktelse
defiance *n.* tross
deficiency *n.* mangel
deficient *adj.* mangelfull
deficit *n.* underskudd
defile *v. t* å skitne
define *v.* å definere
definite *adj.* definert
definition *n.* definisjon
deflate *v.* å jekke ned
deflation *n.* deflasjon
deflect *v.* å avfeie
deforest *v.* å avskoge
deform *v.* å deformere
deformity *n.* misdannelse
defraud *v.* å snyte noen for noe
defray *v.* å betale
defrost *v.* å avrime
deft *adj.* behendig
defunct *adj.* ikke lenger i bruk
defuse *v.* å uskadeliggjøre
defy *v.* å trosse
degenerate *v.* å degenerere
degrade *v.* å fornedre
degree *n.* grad
dehumanize *v.* å dehumanisere
dehydrate *v.* å dehydrere
deify *v.* å guddommeliggjøre
deign *v.* å gjøre seg den umake
deity *n.* guddom
deja vu *n.* deja vu
deject *v.* å rive
dejection *n.* nedslåtthet
delay *v. t* å forsinke
delectable *adj.* deilig
delectation *n.* nytelse
delegate *n.* delegert
delegation *n.* delegering
delete *v. i* å slette
deletion *n.* sletting
deleterious *adj.* skadelig
deliberate *adj.* tilsiktet
deliberation *n.* overveielse
delicacy *n.* delikatesse
delicate *adj.* delikat
delicatessen *n.* delikatesseforretning
delicious *adj.* deilig
delight *v. t.* å glede
delightful *adj.* herlig
delineate *v.* å skissere
delinquent *adj.* delinkvent

delirious *adj.* delirisk
delirium *n.* delirium
deliver *v.* å levere
deliverance *n.* befrielse
delivery *n.* levering
dell *n.* liten dal
delta *n.* delta
delude *v.* å narre
deluge *n.* syndfloden
delusion *n.* vrangforestilling
deluxe *adj.* deluxe
delve *v.* å grave
demand *n.* krav
demanding *adj.* krevende
demarcation *n.* avgrensning
demean *v.* å bringe i vanry
demented *adj.* avsindig
dementia *n.* sløvsinn
demerit *n* ulempe
demise *n.* bortgang
demobilize *v.* å demobilisere
democracy *n.* demokrati
democratic *adj.* demokratisk
demography *n.* demografi
demolish *v.* å rive ned
demon *n.* demon
demonize *v.* å demonisere
demonstrate *v.* å bevise
demonstration *n.* bevisning
demoralize *v.* å demolarisere
demote *v.* å degradere
demur *v.* å gjøre innsigelser mot
demure *adj.* sjenert
demystify *v.* å avmystifisere
den *n.* tilfluktssted
denationalize *v.* å denasjonalisere
denial *n.* benektelse
denigrate *v.* å nedvurdere
denomination *n.* benevnelse
denominator *n.* nevner
denote *v. t* å bety
denounce *v.* å angi
dense *adj.* tett
density *n.* tetthet
dent *n.* fordypning
dental *adj.* tann-
dentist *n.* tannlege
denture *n.* tannprotese
denude *v.* å ribbe for
denunciation *n.* angiveri
deny *v. i.* å nekte
deodorant *n.* deodorant
depart *v.* å avvike fra
department *n.* avdeling
departure *n.* avreise
depend *v.* å avhenge
dependant *n.* person man har forsørgelsesplikt overfor
dependency *n.* besittelse
dependent *adj.* avhengig av
depict *v.* å avbilde
depilatory *adj.* hårfjernings
deplete *v.* å tømme
deplorable *adj.* redselsfull
deploy *v.* å utplassere
deport *v. t* å deportere
depose *v.* å avsette
deposit *n.* innskudd
depository *n.* oppbevaringssted
depot *n.* depot
deprave *v.* å forderve moralsk
deprecate *v.* å nedvurdere
depreciate *v.* å synke i verdi
depreciation *n.* verdiforringelse
depress *v.* å trykke ned
depression *n.* depresjon
deprive *v.* å frata for noen

depth *n.* dybde
deputation *n.* deputasjon
depute *v.* å betro
deputy *n.* vikar
derail *v. t.* å gå av sporet
deranged *adj.* sinnsforvirret
deregulate *v.* deregulate
deride *v.* å spotte
derivative *adj.* derivativ
derive *v.* å avlede
derogatory *adj.* nedsettende
descend *v.* å gå ned
descendant *n.* etterkommer
descent *n.* nedstigning
describe *v.* å beskrive
description *n.* beskrivelse
desert *v.* å desertere
deserve *v. t.* å fortjene
design *n.* tegning
designate *v.* å benevne
desirable *adj.* ønskelig
desire *n.* ønske
desirous *adj.* som ønske seg berømmelse
desist *v.* å avstå
desk *n.* pult
desolate *adj.* ødslig
despair *n.* fortvilelse
desperate *adj.* fortvilet
despicable *adj.* foraktelig
despise *v.* å forakte
despite *prep.* til tross for
despondent *adj.* ulykkelig
despot *n.* despot
dessert *n.* dessert
destabilize *v.* å destabilisere
destination *n.* reisemål
destiny *n.* skjebne
destitute *adj.* nødlidende
destroy *v.* å ødelegge
destroyer *n.* ødelegger
destruction *n.* ødeleggelse
detach *v.* å kople fra
detachment *n.* løsgjøring
detail *n.* detalj
detain *v. t* å hefte
detainee *n.* person som holdes tilbake
detect *v.* å merke
detective *n.* detektiv
detention *n.* frihetsberøvelse
deter *v.* å avskrekke
detergent *n.* vaskemiddel
deteriorate *v.* å bli verre
determinant *n.* determinant
determination *n.* besluttsomhet
determine *v. t* å bestemme
deterrent *n.* avskrekkingsmiddel
detest *v.* å avsky
dethrone *v.* å detronisere
detonate *v.* å eksplodere
detour *n.* omvei
detoxify *v.* å fjerne giften
detract *v.* å avlede
detriment *n.* skade
detritus *n.* avfall
devalue *v.* å devaluere
devastate *v.* å herje
develop *v.* å utvikle
development *n.* utvikling
deviant *adj.* avvikende
deviate *v.* å avvike
device *n.* innretning
devil *n.* djevel
devious *adj.* underfundig
devise *v.* å tenke ut
devoid *adj.* fri for
devolution *n.* økt selvstyre
devolve *v.* å tilfalle
devote *v.* å vie til
devotee *n.* elsker
devotion *n.* hengivenhet

devour *v.* å sluke
devout *adj.* from
dew *n.* dugg
dexterity *n.* dyktighet
diabetes *n.* diabetes
diagnose *v.* å diagnostisere
diagnosis *n.* diagnoses
diagram *n.* diagram
dial *n.* urskive
dialect *n.* dialekt
dialogue *n.* samtale
dialysis *n.* dialyse
diameter *n.* diameter
diamond *n.* diamant
diaper *n.* bleie
diarrhoea *n.* diaré
diary *n.* dagbok
Diaspora *n.* Diaspora
dice *n.* terning
dictate *n.* diktat
dictation *n.* diktat
dictator *n.* diktator
diction *n.* diksjon
dictionary *n.* ordbok
dictum *n.* ordtak
didactic *adj.* didaktisk
die *v.* å dø
diesel *n.* diesel
diet *n.* diett
dietician *n.* dietetiker
differ *v.* å være forskjellig
difference *n.* forskjell
different *adj.* forskjellig
difficult *adj.* vanskelig
difficulty *n.* vanskelighet
diffuse *v.* å spre
dig *v.* å grave
digest *v.* å fordøye
digestion *n.* fordøyelse
digit *n.* finger
digital *adj.* digital
dignified *adj.* verdig
dignify *v.* å pryde
dignitary *n.* standsperson
dignity *n.* verdighet
digress *v.*
å gjøre sidesprang
dilapidated *adj.* falle-ferdig
dilate *v.* å bli større
dilemma *n.* dilemma
diligent *adj.* arbeidsom
dilute *v.* å fortynne
dim *adj.* svak
dimension *n.* dimensjon
diminish *v.* å forminske
diminution *n.* reduksjon
din *n.* bråk
dine *v.* å spise middag
diner *n.* spisevogn
dingy *adj.* skitten
dinner *n.* middag
dinosaur *n.* dinosaur
dip *v. t* å dyppe
diploma *n.* diploma
diplomacy *n.* diplomati
diplomat *n.* diplomat
diplomatic *adj.* diplomatisk
dipsomania *n.* dipsomani
dire *adj.* alvorlig
direct *adj.* direkte
direction *n.* retning
directive *n.* direktiv
directly *adv.* direkte
director *n.* regissør
directory *n.* telefonkatalog
dirt *n.* skitt
dirty *adj.* skitten
disability *n.* invaliditet
disable *v.* å gjøre ubrukbar
disabled *adj.* ufør
disadvantage *n.* ulempe
disaffected *adj.* utilfreds
disagree *v.* å være uenig

disagreeable *adj.* ubehagelig
disagreement *n.* uoverensstemmelse
disallow *v.* å forby
disappear *v.* å forsvinne
disappoint *v.* å skuffe
disapproval *n.* misbilligelse
disapprove *v.* å mislike
disarm *v.* å avvæpne
disarmament *n.* nedrustning
disarrange *v.* å bringe uorden
disarray *n.* uorden
disaster *n.* katastrofe
disastrous *adj.* katastrofal
disband *v.* å oppløse
disbelief *n.* vantro
disburse *v.* å betale ut
disc *n.* magnetplate
discard *v.* å kaste
discern *v.* å skjelne
discharge *v.* å skrive ut
disciple *n.* disippel
discipline *n.* disiplin
disclaim *v.* å dementere
disclose *v.* å røpe
disco *n.* disko
discolour *v.* å farge av
discomfit *v.* å forvirre
discomfort *n.* ubehag
disconcert *v.* å befippe
disconnect *v.* å frakople
disconsolate *adj.* utrøstelig
discontent *n.* misnøye
discontinue *v.* å avbryte
discord *n.* uenighet
discordant *adj.* uharmonisk
discount *n.* rabatt
discourage *v.* å gjøre motløs
discourse *n.* lengre foredrag
discourteous *adj.* uhøflig
discover *v.* å oppdage
discovery *n.* oppdagelse
discredit *v.* å avvise
discreet *adj.* diskret
discrepancy *n.* mangel
discrete *adj.* diskret
discriminate *v.* å diskriminere
discursive *adj.* springende
discuss *v.* å diskutere
discussion *n.* diskusjon
disdain *n.* forakt
disease *n.* sykdom
disembark *v.* å gå fra borde
disembodied *adj.* uten kropp
disempower *v.* å demoralisere
disenchant *v.* å desillusjonere
disengage *v.* å frigjøre
disentangle *v.* å greie ut
disfavour *n.* mishag
disgrace *n.* unåde
disgruntled *adj.* mellomfornøyd
disguise *v.* å forkle
disgust *n.* vemmelse
dish *n.* fat
dishearten *v.* å gjøre motløs
dishonest *adj.* uærlig
dishonour *n.* vanære
disillusion *v.* å desillusjonere
disincentive *n.* hemsko
disinfect *v.* å desinfisere
disingenuous *adj.* uoppriktig
disinherit *v.* å gjøre arveløs
disintegrate *v.* å gå i oppløsning

disjointed *adj.* usammenhengende
dislike *v.* å mislike
dislocate *v.* å få av ledd
dislodge *v.* å flytte på
disloyal *adj.* illojal
dismal *adj.* dyster
dismantle *v.* å demontere
dismay *n.* forferdelse
dismiss *v.* å avskjedige
dismissive *adj.* avvisende
disobedient *adj.* ulydig
disobey *v.* å være ulydig
disorder *n.* uorden
disorganized *adj.* uorganisert
disorientate *v.* å desorientere
disown *v.* å fornekte
disparity *n.* ulikhet
dispassionate *adj.* lidenskapsløs
dispatch *v.* å sende
dispel *v.* å spre
dispensable *adj.* unnværlig
dispensary *n.* reseptur
dispense *v.* å klare seg uten
disperse *v.* å spre
dispirited *adj.* motløs
displace *v. t* å forskyve
display *v.* å utvise
displease *v.* å vekke misnøye
displeasure *n.* misnøye
disposable *adj.* som kastes etter bruk
disposal *n.* disposisjon
dispose *v. t* å ordne
dispossess *v.* å bli fratatt noe
disproportionate *adj.* uforholdsmessig
disprove *v.* å motbevise
dispute *v. i* å bestride
disqualification *n.* diskvalifisering
disqualify *v.* å diskvalifisere
disquiet *n.* engstelse
disregard *v. t* å ignorere
disrepair *n.* forfalle
disreputable *adj.* shabby
disrepute *n.* vanry
disrespect *n.* mangel på respekt
disrobe *v.* å avkle
disrupt *v.* å forstyrre
dissatisfaction *n.* misnøye
dissect *v.* å dissekere
dissent *v.* å dissentere
dissertation *n.* dissertasjon
dissident *n.* systemkritikere
dissimulate *v.* å skjule
dissipate *v.* å spre
dissolve *v. t* å løse seg opp
dissuade *v.* å fraråde
distance *n.* avstand
distant *adj.* fjern
distaste *n.* avsmak
distil *v.* å destillere
distillery *n.* spritfabrikk
distinct *adj.* tydelig
distinction *n.* forskjell
distinguish *v. t* å skille mellom
distort *v.* å fordreie
distract *v.* å distrahere
distraction *n.* distraksjon
distress *n.* smerte
distribute *v.* å distribuere
distributor *n.* fordeler
district *n.* distrikt
distrust *n.* mistro
disturb *v.* å forstyrre
ditch *n.* grøft

dither *v.* å nøle
ditto *n.* duplikat
dive *v.* å dykke
diverge *v.* å avvike
diverse *adj.* forskjellig
diversion *n.* omkjøring
diversity *n.* mangfold
divert *v. t* å omdirigere
divest *v.* å berøve
divide *v.* å dele
dividend *n.* dividend
divine *adj.* himmelsk
divinity *n.* gud
division n. deling
divorce *n.* skilsmisse
divorcee *n.* fraskilt kvinne
divulge *v.* å røpe
do *v.* å gjøre
docile *adj.* føyelig
dock *n.* dokk
docket *n.* merkelapp
doctor *n.* lege
doctorate *n.* doktorgrad
doctrine *n.* doktrine
document *n.* dokument
documentary *n.* dokumentarfilm
dodge *v. t* å smette unna
doe *n.* dåkolle
dog *n.* hund
dogma *n.* dogme
dogmatic *adj.* dogmatisk
doldrums *n.* kalmebeltet
doll *n.* dukke
dollar *n.* dollar
domain *n.* domene
dome *n.* kuppel
domestic *adj.* huslig
domicile *n.* domisil
dominant *adj.* dominerende
dominate *v.* å dominere
dominion *n.* dominion
donate *v.* å donere
donkey *n.* esel
donor *n.* donor
doom *n.* dommedag
door *n.* dør
dormitory *n.* sovesal
dose *n.* dose
dossier *n.* dossier
dot *n.* prikk
dote *v.* å tilbe
double *adj.* dobbelt
doubt *n.* tvil
dough *n.* deig
down *adv.* ned
downfall *n.* undergang
download *v.* å laste ned
downpour *n.* regnskyll
dowry *n.* medgift
doze *v. i* å døse
dozen *n.* dusin
drab *adj.* trist
draft *n.* utkast
drag *v. t* å dra
dragon *n.* drage
drain *v. t* å drenere
drama *n.* drama
dramatic *adj.* dramatisk
dramatist *n.* dramatiker
drastic *adj.* drastisk
draught *n.* trekk
draw *v.* å tegne
drawback *n.* ulempe
drawer *n.* tegner
drawing *n.* tegning
dread *v.t* å frykte
dreadful *adj.* fryktelig
dream *n.* drøm
dreary *adj.* trist
drench *v.* å gjennombløte
dress *v.* å kle på
dressing *n.* påkledning
drift *v.* å drive

drill *n.* drillbor
drink *v. t* å drikke
drip *v. i* å dryppe
drive *v.* å kjøre
driver *n.* sjåfør
drizzle *n.* duskregn
droll *adj.* pussig
droop *v.* å henge ned
drop *v.* å slippe
dross *n.* skum
drought *n.* tørke
drown *v.* å drukne
drowse *v.* å døse
drug *n.* rusgift
drum *n.* tromme
drunkard *adj.* dranker
dry *adj.* tørr
dryer *n.* hårtørrer
dual *adj.* dobbelt
dubious *adj.* tvilende
duck *n.* and
duct *n.* kanal
dudgeon *n.* (in high dudgeon) fornærmet
due *adj.* til gode
duel *n.* duell
duet *n.* duett
dull *adj.* sløv
dullard *n.* dust
duly *adv.* som ventet
dumb *adj.* døv
dummy *n.* stråmann
dump *n.* avfallsplass
dung *n.* naturgjødsel
dungeon *n.* underjordisk fangehull
duo *n.* duo
dupe *v.* å lure
duplex *adj.* dobbelt
duplicate *n.* dublett
duplicity *n.* bedrag
durable *adj.* varig
duration *n.* varighet
during *prep.* i løpet av
dusk *n.* skumring
dust *n.* støv
duster *n.* støvekost
dutiful *adj.* plikttro
duty *n.* plikt
duvet *n.* dyne
dwarf *n.* dverg
dwell *v.* å bo
dwelling *n.* bolig
dwindle *v. t* å svinne
dye *n.* farge
dynamic *adj.* dynamisk
dynamics *n.* dynamikk
dynamite *n.* dynamitt
dynamo *n.* dynamo
dynasty *n.* dynasti
dysentery n. dysenteri
dysfunctional *adj.* med funksjons-feil
dyslexia *n.* ordblindhet
dyspepsia *n.* dyspepsi

each *adv.* hver
eager *adj.* ivrig
eagle *n.* ørn
ear *n.* øre
earl *n.* jarl
early *adj.* tidlig
earn *v.* å tjene
earnest *adj.* alvorlig
earth *n.* jord
earthen *adj.* jord-
earthly *adj.* jordisk
earthquake *n.* jordskjelv
ease *n.* letthet
east *n.* øst
Easter *n.* påske

eastern *adj.* østlig
easy *adj.* lett
eat *v.* å spise
eatery *n.* spisested
eatable *adj.* spiselig
ebb *n.* ebbe
ebony *n.* ibenholt
ebullient *adj.* sprudlende
eccentric *adj.* eksentrisk
echo *n.* ekko
eclipse *n.* formørkelse
ecology *n.* økologi
economic *adj.* økonomisk
economical *adj.* økonomisk
economics *n.* økonomi
economy *n.* økonomi
ecstasy *n.* ekstase
edge *n.* kant
edgy *adj.* irritabel
edible *adj.* spiselig
edict *n.* edikt
edifice *n.* byggverk
edit *v.* å redigere
edition *n.* utgave
editor *n.* redaktør
editorial *adj.* redaksjonell
educate *v.* å utdanne
education *n.* utdannelse
efface *v.* å slette
effect *n.* virkning
effective *adj.* effektiv
effeminate *adj.* feminin
effete *adj.* kraftløs
efficacy *n.* effektivitet
efficiency *n.* effektivitet
efficient *adj.* effektiv
effigy *n.* bilde
effort *n.* anstrengelse
egg *n.* egg
ego *n.* ego
egotism *n.* egoisme
eight *adj.* & *n.* åtte
eighteen *adj.* & *n.* atten
eighty *adj.* & *n.* åtti
either *adv.* heller
ejaculate *v.* å ejakulere
eject *v.* *t* å kaste ut
elaborate *adj.* kunstferdig
elapse *v.* å gå(tid)
elastic *adj.* elastisk
elbow *n.* albue
elder *adj.* eldre
elderly *adj.* eldre
elect *v.* å velge
election *n.* valg
elective *adj.* som besettes ved valg
electorate *n.* velgerne
electric *adj.* elektrisk
electrician *n.* elektriker
electricity *n.* elektrisitet
electrify *v.* å elektrifisere
electrocute *v.* å henrette ved elektrisitet
electronic *adj.* elektronisk
elegance *n.* eleganse
elegant *adj.* elegant
element *n.* grunnstoff
elementary *adj.* elementær
elephant *n.* elefant
elevate *v.* å heve
elevator *n.* heis
eleven *adj.* & *n.* elleve
elf *n.* alv
elicit *v.* å lokke fram
eligible *adj.* valgbar
eliminate *v.* å eliminere
elite *n.* elite
ellipse *n.* ellipse
elocution *n.* talekunst
elongate *v.* å forlenge
elope *v.* å rømme
eloquence *n.* veltalenhet
else *adv.* ellers

elucidate *v. t* å forklare
elude *v.* å unnvike
elusion *n.* unnvikelse
elusive *adj.* vanskelig å få tak i
emaciated *adj.* utmagret
email *n.* email
emancipate *v. t* å emansipere
emasculate *v.* å kastrere
embalm *v.* å balsamere
embankment *n.* demning
embargo *n.* embargo
embark *v. t* å gå ombord
embarrass *v.* å gjøre flau
embassy *n.* ambassade
embattled *adj.* innblandet i krig
embed *v.* å begrave i
embellish *v.* å forskjønne
embitter *v.* å forbitre
emblem *n.* emblem
embodiment *n.* legemliggjøring
embolden *v.* å oppmuntre
emboss *v.* å bukle
embrace *v.* å omfavne
embroidery *n.* broderi
embryo *n.* embryo
emend *v.* å rette feil
emerald *n.* smaragd
emerge *v.* å komme til syne
emergency *n.* kritisk situasjon
emigrate *v.* emigrere
eminence *n.* stilling
eminent *adj.* dyktig
emissary *n.* emissær
emit *v.* å utstråle
emollient *adj.* lindrende
emolument *n.* belønning
emotion *n.* følelse
emotional *adj.* følelsesmessig
emotive *adj.* følelsesladet
empathy *n.* innfølingsevne
emperor *n.* keiser
emphasis *n.* ettertrykk
emphasize *v.* å understreke
emphatic *adj.* emfatisk
empire *n.* keiserrike
employ *v.* å ansette
employee *n.* arbeidstager
employer *n.* arbeidsgiver
empower *v.* å bemyndige
empress *n.* keiserinne
empty *adj.* tom
emulate *v. t* å etterligne
enable *v.* å sette i stand til
enact *v.* å bestemme ved lov
enamel *n.* emalje
enamour *v. t* å sjarmere
encapsulate *v.* å innkapsle
encase *v.* å omslutte
enchant *v.* å trollbinde
encircle *v. t* å omringe
enclave *n.* enklave
enclose *v.* å inneslutte
enclosure *n.* innhegning
encode *v.* å kode
encompass *v.* å omfatte
encore *n.* ekstranummer
encounter *v.* å møte
encourage *v.* å oppmuntre
encroach *v.* å orgripe seg på
encrypt *v.* å kode
encumber *v.* å hindre
encyclopaedia *n.* leksikon
end *n.* ende
endanger *v.* å utsette for fare
endear *v.* å gjøre seg avholdt
endearment *n.* kjærlig ord

endeavour *v.* å bestrebe seg på
endemic *adj.* endemisk
endorse *v.* å endossere
endow *v.* å dotere
endure *v.* å tåle
enemy *n.* fiende
energetic *adj.* energisk
energy *n.* energi
enfeeble *v.* å svekke
enfold *v.* å omfavne
enforce *v.* å håndheve
enfranchise *v.* å gi stemmerett
engage *v.* å ansette
engagement *n.* engasjement
engine *n.* maskin
engineer *n.* ingeniør
English *n.* engelsk
engrave *v.* å gravere
engross *v.* å oppsluke
engulf *v.* å sluke
enigma *n.* gåte
enjoy *v.* å nyte
enlarge *v.* å forstørre
enlighten *v.* å opplyse
enlist *v.* å sikre seg
enliven *v.* å muntre opp
enmity *n.* fiendskap
enormous *adj.* enorm
enough *adj.* nok
enquire *v.* å spørre
enquiry *n.* spørsmål
enrage *v.* å gjøre rasende
enrapture *v.* å fortrylle
enrich *v.* å berike seg
enrol *v.* å melde på
enshrine *v.* å skatte
enslave *v.* å gjøre til slave
ensue *v.* å følge
ensure *v.* å sørge for
entangle *v. t* å komplisere
enter *v.* å gå inn
enterprise *n.* foretagende
entertain *v.* å underholde
entertainment *n.* underholdning
enthral *v.* å fengsle
enthrone *v.* å sette på tronen
enthusiasm *n.* begeistring
enthusiastic *n.* begeistret
entice *v.* å lokke
entire *adj.* hel
entirety *n.* helhet
entitle *v.* å berettige
entity *n.* entitet
entomology *n.* entomologi
entourage *n.* følge
entrails *n.* innvoller
entrance *n.* inngang
entrap *v. t.* å fange i en felle
entreat *v.* å bønnfalle
entreaty *n.* bønn
entrench *v.* å forskanse
entrepreneur *n.* forretningsmann
entrust *v.* å betro
entry *n.* adgang
enumerate *v. t* å regne opp
enunciate *v.* å uttale
envelop *v.* å innhylle
envelope *n.* konvolutt
enviable *adj.* misunnelsesverdig
envious *adj.* misunnelig
environment *n.* miljø
envisage *v.* å forestille seg
envoy *n.* gesandt
envy *n.* misunnelse
epic *n.* epos
epicure *n.* gourmet
epidemic *n.* epidemi

epidermis *n.* epiderm
epigram *n.* epigram
epilepsy *n.* epilepsi
epilogue *n.* epilog
episode *n.* episode
epistle *n.* epistel
epitaph *n.* gravskrift
epitome *n.* sammendrag
epoch *n.* epoke
equal *adj.* like
equalize *v. t* å equalisere
equate *v.* å sidestille
equation *n.* det å likestille
equator *n.* ekvator
equestrian *adj.* rytterstatue
equidistant *adj.* i samme avstand
equilateral *adj.* likesidet
equilibrium *n.* likevekt
equip *v.* å utstyre
equipment *n.* utrustning
equitable *adj.* rettferdig
equity *n.* rettferdighet
equivalent *adj.* ekvivalent
equivocal *adj.* tvetydig
era *n.* æra
eradicate *v.* å utrydde
erase *v.* å slette
erect *adj.* oppreist
erode *v.* å erodere
erogenous *adj.* erogen
erosion *n.* erosjon
erotic *adj.* erotisk
err *v.* å feile
errand *n.* ærend
errant *adj.* vandrende
erratic *adj.* uberegnelig
erroneous *adj.* feilaktig
error *n.* feil
erstwhile *adj.* fordum
erudite *adj.* lærd
erupt *v.* å eksplodere
escalate *v.* å opptrappe
escalator *n.* rulletrapp
escapade *n.* eskapade
escape *v.i* å rømme
escort *n.* eskorte
esoteric *adj.* esoterisk
especial *adj.* spesiell
especially *adv.* spesielt
espionage *n.* spionasje
espouse *v.* å støtte
espresso *n.* espresso
essay *n.* essay
essence *n.* essens
essential *adj.* vesentlig
establish *v.* å opprette
establishment *n.* etablering
estate *n.* gods
esteem *n.* aktelse
estimate *v. t* å anslå
estranged *adj.* fremmed
et cetera adv. og så videre
eternal *adj.* evig
eternity *n.* evighet
ethic *n* etikk
ethical *adj.* etisk
ethnic *adj.* etnisk
ethos *n.* etos
etiquette *n.* etikette
etymology *n.* etymologi
eunuch *n.* evnukk
euphoria *n.* eufori
euro *n.* euro
European *n.* europeer
euthanasia *n.* dødshjelp
evacuate *v.* å evakuere
evade *v. t* å unnvike
evaluate *v. i* å evaluere
evaporate *v.* å fordampe
evasion *n.* unngåelse
evasive *adj.* unnvikende
eve *n.* aften
even *adj.* jevn

evening *n.* kveld
event *n.* begivenhet
eventually *adv.* omsider
ever *adv.* noen gang
every *adj.* hver
evict *v.* å kaste ut
eviction *n.* utkastelse
evidence *n.* bevis
evident *adj.* tydelig
evil adj. ond
evince *v.* å vise
evoke *v.* å vekke
evolution *n.* utvikling
evolve *v.* å utvikle
exact *adj.* nøyaktig
exaggerate *v.* å overdrive
exaggeration *n.* overdrivelse
exalt *v.* å opphøye
exam *n.* eksamen
examination *n.* undersøkelse
examine *v.* å undersøke
examinee *n.* eksamenskandidat
example *n.* eksempel
exasperate *v.* å irritere
excavate *v.* å grave ut
exceed *v.* å overstige
excel *v.* å overgå
excellence *n.* dyktighet
Excellency *n.* Eksellense
excellent *adj.* utmerket
except *prep.* unntatt
exception *n.* unntak
excerpt *n.* utdrag
excess *n.* overmål
excessive *adj.* overdreven
exchange *v. t* å utveksle
exchequer *n.* skattkammer
excise *n.* skjære ut
excite *v.i* å opphisse
excitement *n.* opphisselse
exclaim *v.* å utbryte
exclamation *n.* utbrudd
exclude *v.* å utelukke
exclusive *adj.* eksklusiv
excoriate *v.* å kritisere sterkt
excrete *v.* å utskille
excursion *n.* ekskursjon
excuse *v.* å unnskylde
execute *v.* å utføre
execution *n.* utførelse
executive *n.* hovedstyre
executor *n.* eksekutor
exempt adj. fritatt
exercise *n.* øvelse
exert *v.* å bruke
exhale *v.* å gi fra seg
exhaust *v.* å utmatte
exhaustive *adj.* grundig
exhibit *v.* å utstille
exhibition *n.* utstilling
exhilarate *v.* å muntre opp
exhort *v.* å tilskynde
exigency *n.* nødvendighet
exile *n.* eksil
exist *v.* å eksistere
existence *n.* eksistens
exit *n.* utgang
exonerate *v.* å frikjenne
exorbitant *adj.* ublu
exotic *adj.* eksotisk
expand *v.* å utvide
expanse *n.* flate
expatriate *n.* expat
expect *v.* å vente
expectant *adj.* forventningsfull
expedient *adj.* tilrådelig
expedite *v.* å påskynde
expedition *n.* ekspedisjon
expel *v. t* å støte ut
expend *v.* å bruke opp

expenditure *n.* forbruk
expense *n.* utgift
expensive *adj.* kostbar
experience *n.* erfaring
experiment *n.* eksperiment
expert *n.* ekspert
expertise *n.* sakkunnskap
expiate *v.* å sone for
expire *v.* å utløpe
expiry *n.* utløp
explain *v.* å forklare
explicit *adj.* tydelig
explode *v.* å eksplodere
exploit *v. t* å utnytte
exploration *n.* utforskning
explore *v.* å utforske
explosion *n.* eksplosjon
explosive *adj.* sprengstoff
exponent *n.* eksponent
export *v. t.* å eksportere
expose *v.* å vise fram
exposure *n.* avsløring
express *v.* å uttrykke
expression *n.* uttrykk
expressive *adj.* uttrykksfull
expropriate *v.* å ekspropriere
expulsion *n.* utstøting
extant *adj.* bevart
extend *v.* å forlenge
extension *n.* forlengelse
extent *n.* utstrekning
exterior *adj.* ytre
external *adj.* utvendig
extinct *adj.* utdødd
extinguish *v.* å slokke
extirpate *v.* å tilintetgjøre
extort *v.* å presse
extra *adj.* ekstra
extract *v. t* å trekke ut
extraction *n.* trekking
extraordinary *adj.* merkverdig
extravagance *n.* ødselhet
extravagant *adj.* ekstravagant
extravaganza *n.* utstyrsstykke
extreme *adj.* ekstrem
extremist *n.* ekstremist
extricate *v.* å frigjøre
extrovert *n.* ekstrovert
extrude *v.* å ekstrudere
exuberant *adj.* sprudlende
exude *v.* å utsondre
eye *n.* øye
eyeball *n.* øyeeple
eyesight *n.* syn
eyewash n. øyenvann
eyewitness *n.* øyenvitne

fable *n.* fabel
fabric *n.* stoff
fabricate *v.* å fabrikkere
fabulous *adj.* fantastisk
facade *n.* fasade
face *n.* ansikt
facet *n.* fasett
facetious *adj.* spøkefull
facial *adj.* ansikts
facile *adj.* lett
facilitate *v.* å gjøre lettere
facility *n.* letthet
facing *n.* kledning
facsimile *n.* faksimile
fact *n.* faktum
faction *n.* fraksjon
factitious *adj.* kunstig
factor *n.* faktor
factory *n.* fabrikk

faculty *n.* evne
fad *n.* påfunn
fade *v.i* å visne
Fahrenheit *n.* Fahrenheit
fail *v.* å mislykke
failing *n.* feil
failure *n.* fiasko
faint *adj.* svak
fair *adj.* rettferdig
fairing *n.* strømlinje
fairly *adv.* rettferdig
fairy *n.* alv
faith *n.* tro
faithful *adj.* troende
faithless *adj.* troløs
fake *adj.* falsk
falcon *n.* falk
fall *v.* å falle
fallacy *n.* feilslutning
fallible *adj.* feilbarlig
fallow *adj.* gulbrun
false *adj.* usann
falsehood *n.* usannhet
falter *v.* å snuble
fame *n.* berømmelse
familiar *adj.* velkjent
family *n.* familie
famine *n.* stor mangel
famished *adj.* skrubbsulten
famous *adj.* berømt
fan *n.* vifte
fanatic *n.* fanatiker
fanciful *adj.* uvirkelig
fancy *n.* fancy
fanfare *n.* fanfare
fang *n.* knee
fantasize *v.* å fantasere
fantastic *adj.* fantastisk
fantasy *n.* fantasi
far *adv.* langt
farce *n.* farse
fare *n.* billettpris
farewell *interj.* farvel
farm *n.* gård
farmer *n.* bonde
fascia *n.* spillbord
fascinate *v.* å fascinere
fascism *n.* fascisme
fashion *n.* fashion
fashionable *adj.* moderne
fast *adj.* rask
fasten *v.* å fastgjøre
fastness *n.* ekthet
fat *n.* fett
fatal *adj.* dødelig
fatality *n.* dødsulykke
fate *n.* skjebne
fateful *adj.* skjebnesvanger
father *n.* far
fathom *n.* favn
fatigue *n.* tretthet
fatuous *adj.* åndløs
fault *n.* feil
faulty *adj.* defekt
fauna *n.* fauna
favour *n.* tjeneste
favourable *adj.* gunstig
favourite *adj.* yndlings
fax *n.* faks
fear *n.* frykt
fearful *adj.* fryktsom
fearless *adj.* fryktløs
feasible *adj.* mulig
feast *n.* fest
feat *n.* prestasjon
feather *n.* fjær
feature *n.* ansiktstrekk
febrile *adj.* febrile
February *n.* februar
feckless *adj.* kraftløs
federal *adj.* føderal
federate *v.* å bli i en føderasjon
federation *n.* forbund

fee *n.* salær
feeble *adj.* svak
feed *v.* å gresse
feeder *n.* sidebane
feel *v.* å føle
feeling *n.* følelse
feign *v.* å foregi
feisty *adj.* opphisset
felicitate *v.* å gratulere
felicitation *n.* gratulasjoner
felicity *n.* lykke
fell *v.* å felle
fellow *n.* stipendiat
fellowship *n.* fellesskap
felon *n.* person skyldig i forbrytelse
female *adj.* kvinnelig
feminine *adj.* feminin
feminism *n.* kvinnesaken
fence *n.* gjerde
fencing *n.* fekting
fend *v.* å klare seg selv
feng shui *n.* feng shui
fennel *n.* fennikel
feral *adj.* vill
ferment *v.* å gjære
fermentation *n.* gjæring
fern *n.* ormegress
ferocious *adj.* glupsk
ferry *n.* ferje
fertile *adj.* fruktbar
fertility *n.* fruktbarhet
fertilize *v.* å gjøre fruktbar
fertilizer *n.* gjødsel
fervent *adj.* ardent
fervid *adj.* fervid
fervour *n.* begeistring
fester *v.* å nage
festival *n.* festival
festive *adj.* festlig
festivity *n.* festligheter
fetch *v.* å hente
fete *n.* festival
fetish *n.* fetisj
fettle *n.* form
feud *n.* feide
feudalism *n.* føydalsystem
fever *n.* feber
few *adj.* få
fey *adj.* bisarr
fiance *n.* forlovede
fiasco *n.* fiasko
fibre *n.* fiber
fickle *adj.* vankelmodig
fiction *n.* prosadiktning
fictitious *adj.* fiktiv
fiddle *n.* fiolin
fidelity *adj.* lojalitet
field *n.* felt
fiend *n.* djevelen
fierce *adj.* sint
fiery *adj.* flammende
fifteen *adj. & n.* femten
fifty *adj. & n.* femti
fig *n.* fiken
fight *v.t* å slåss
fighter *n.* bokser
figment *n.* hjernespinn
figurative *adj* figurativ
figure *n.* skikkelse
figurine *n.* statuett
filament *n.* filament
file *n.* fil
filings *n.* filspon
fill *v.* å fylle
filler *n.* filler
filling *n.* fylling
fillip *n.* knips
film *n.* film
filter *n.* filter
filth *n.* griseri
filtrate *n.* filtrat
fin *n.* finne
final *adj.* sist

finalist *n.* finalist
finance *n.* finans
financial *adj.* finansiell
financier *n.* finansier
find *v.* å finne
fine *adj.* fin
finesse *n.* finesse
finger *n.* finger
finial *n.* fiale
finicky *adj.* kresen
finish *v.* å avslutte
finite *adj.* endelig
fir *n.* gran
fire *n.* brann
firewall *n.* firewall
firm *adj.* fast
firmament *n.* firmament
first *adj.* & *n.* først
first aid *n.* førstehjelp
fiscal *adj.* fiskal
fish *n.* fisk
fisherman *n.* fisker
fishery *n.* fiskeri
fishy *adj.* fiskeaktig
fissure *n.* fissur
fist *n.* neve
fit adj. frisk
fitful *adj.* uregelmessig
fitter *n.* montør
fitting *n.* passende
five *adj.* & *n.* fem
fix *v.* å fikse
fixation *n.* binding
fixture *n.* fast inventar
fizz *v.* å bruse
fizzle *v.* å dø ut
fizzy *adj.* kullsyreholdig
fjord *n.* fjord
flab *n.* flesk
flabbergasted *adj.* forbløffet
flabby *adj.* slaskete
flaccid *adj.* kvapsete
flag *n.* flagg
flagellate *v.* å piske
flagrant *adj.* flagrant
flair *n.* evne
flake *n.* flak
flamboyant *adj.* oppsiktsvekkende
flame *n.* flamme
flammable *adj.* brenbar
flank *n.* flanke
flannel *n.* flanell
flap *v.* å flagre
flapjack *n.* pannekake
flare *n.* nødbluss
flash *v.* å lyse
flash light *n.* lykt
flask *n.* flaske
flat *adj.* flat
flatten *v.t.* å gjøre flat
flatter *v.* å smigre
flatulent *adj.* oppblåst
flaunt *v.* å vise frem
flavour *n.* smak
flaw *n.* feil
flea *n.* loppe
flee *v.* å flykte
fleece *n.* skinn
fleet *n.* flåte
flesh *n.* flesk
flex *v.* å bøye
flexible *adj.* bøyelig
flexitime *n.* fleksitid
flick *v.* å blinke med
flicker *v.t* å blafre
flight *n.* flukt
flimsy *adj.* spinkel
flinch *v.* å krympe seg
fling *v.* å kyle
flint *n.* flintestein
flip *v.* å knipse
flippant *adj.* fleipete
flipper *n.* svømmefot

flirt *v.i* å flørte
flit *v.* å flytte
float *v.* å flyte
flock *n.* flokk
floe *n.* isflak
flog *v.* å piske
flood *n.* flom
floodlight *n.* prosjektør
floor *n.* gulv
flop *v.* å baske
floppy *adj.* slapp
flora *n.* flora
floral *adj.* blomstret
florist *n.* blomsterhandler
floss *n.* tanntråd
flotation *n.* dannelse
flounce *v.* å utføre en utålmodig bevegelse
flounder *v.* å bakse
flour *n.* hvetemel
flourish *v.* trives
flow *v.i* å renne
flower *n.* blomst
flowery *adj.* blomstret
flu *n.* influensa
fluctuate *v.* å fluktuere
fluent *adj.* flytende
fluff *n.* lodotter
fluid *n.* væske
fluke *n.* ikte
fluorescent *adj.* fluorescerende
fluoride *n.* fluorid
flurry *n.* forvirring
flush *v.* å rødme
fluster *v.* å gjøre nervøs
flute *n.* fløyte
flutter *v.* å skremme
fluvial *adj.* elve–
flux *n.* utflod
fly *v.i* å fly
foam *n.* skum
focal *adj.* fokal
focus *n.* fokus
fodder *n.* fôr
foe *n.* fiende
fog *n.* tåke
foil *v.* å skuffe
fold *v.t* å folde
foliage *n.* bladverk
folio *n.* folio
folk *n.* folk
follow *v.* å følge etter
follower *n.* tilhenger
folly *n.* dumhet
fond *adj.* kjærlig
fondle *v.* å klappe
font *n.* font
food *n.* mat
fool *n.* tosk
foolish *adj.* foolish
foolproof *adj.* idiotsikker
foot *n.* fot
footage *n.* lengde
football *n.* fotball
footing *n.* fotfeste
footling *adj.* ubetydelig
for *prep.* for
foray *n.* plyndringstokt
forbear *v.* å være tålmodig
forbid *v.* å forhindre
force *n.* kraft
forceful *adj.* sterk
forceps *n.* pinsett
forcible *adj.* voldelig
fore *adj.* foran
forearm *n.* underarm
forebear *n.* forfader
forecast *v.t* å forutsi
forefather *n.* ane
forefinger *n.* pekefinger
forehead *n.* panne
foregoing *adj.* forannevnt
foreign *adj.* utenlandsk

foreigner *n.* utlending
foreknowledge *n.* forhåndskjennskap
foreleg *n.* forbe
foreman *n.* formann
foremost *adj.* fremst
forename *n.* fornavn
forensic *adj.* teknisk
foreplay *n.* forspill
forerunner *n.* forløper
foresee *v.* å forutse
foresight *n.* fremsyn
forest *n.* skog
forestall *v.* å komme i forkjøpet
forestry *n.* skogindustri
foretell *v.* å forutsi
forever *adv.* for alltid
foreword *n.* forord
forfeit *v.* å miste
forge *v.t* å forfalske
forgery *n.* falskneri
forget *v.* å glemme
forgetful *adj.* glemsom
forgive *v.* å tilgi
forgo *v.* å gi avkall på
fork *n.* gaffel
forlorn *adj.* fortapt
form *n.* form
formal *adj.* formell
formality *n.* formalitet
format *n.* format
formation *n.* danning
former *adj.* tidligere
formerly *adv.* tidligere
formidable *adj.* formidable
formula *n.* formel
formulate *v.* å formulere
forsake *v.* åsvikte
forswear *v.* å forsverge
fort *n.* fort
forte *n.* sterkeste del
forth *adv.* frem
forthcoming *adj.* kommende
forthwith *adv.* straks
fortify *v.* å befeste
fortitude *n.* sjelsstyrke
fortnight *n.* fjorten dage
fortress *n.* festning
fortunate *adj.* heldig
fortune *n.* formue
forty *adj.& n.* førti
forum *n.* forum
forward *adv. &adj.* fremmadgående
fossil *n.* fossil
foster *v.* å fostre opp
foul *adj.* dårlig
found *v.* å opprette
foundation *n.* opprettelse
founder *n.* grunnlegger
foundry *n.* støperi
fountain *n.* fontene
four *adj.& n.* fire
fourteen *adj.& n.* fjorten
fourth *adj.& n.* fjerde
fowl *n.* hønsefugl
fox *n.* rev
foyer *n.* foajé
fraction *n.* brøk
fractious *adj.* irritabel
fracture *v.t* å brekke
fragile *adj.* skjør
fragment *n.* bruddstykke
fragrance *n.* vellukt
fragrant *adj.* velluktende
frail *adj.* skrøpelig
frame *n.* ramme
framework *n.* rammeverk
franchise *n.* stemmerett
frank *adj.* oppriktig
frankfurter *n.* wienerwurst
frantic *adj.* panisk

fraternal *adj.* broderlig
fraternity *n.* brorskap
fraud *n.* svindel
fraudulent *adj.* uredelig
fraught *adj.* nervøs
fray *v.* å bli frynsete
freak *n.* lune
freckle *n.* fregne
free *adj.* fri
freebie *n.* reklamepakke
freedom *n.* frihet
freeze *v.* å fryse
freezer *n.* fryser
freight *n.* fraktgods
freighter *n.* lastebåt
French *adj.* fransk
frenetic *adj.* vanvittig
frenzy *n.* voldsom opphisselse
frequency *n.* hyppighet
frequent *adj.* hyppig
fresh *adj.* frisk
fret *v.t.* å gnage
fretful *adj.* urolig
friable *adj.* sprø
friction *n.* friksjon
Friday *n.* fredag
fridge *n.* kjøleskap
friend *n.* venn
fright *n.* redsel
frighten *v.* å skremme
frigid *adj.* kjølig
frill *n.* rynkekappe
fringe *n.* frynse
frisk *v.* å kroppsvisitere
fritter *v.* å sløse bort
frivolous *adj.* fjollete
frock *n.* kjole
frog *n.* frosk
frolic *v.i.* å boltre seg
from *prep.* fra
front *n.* front
frontbencher *n.* regjeringsmedlem
frontier *n.* grense
frost *n.* kulde
frosty *adj.* frost
froth *n.* skum
frown *v.i* å rynke pannen
frowsty *adj.* som lukter gammelt
frugal *adj.* sparsommelig
fruit *n.* frukt
fruitful *adj.* fruktbar
frump *n.* ufiks kvinne
frustrate *v.* å frustrere
fry *v.* å steke
fudge *n.* beslutning
fuel *n.* drivstoff
fugitive *n.* flyktning
fulcrum *n.* dreiepunkt
fulfil *v.* å oppfylle
fulfilment *n.* oppfyllelse
full *adj.* full
fulsome *adj.* overdreven
fumble *v.* å famle
fume *n.* dunst
fumigate *v.* å røyke ut
fun *n.* moro
function *n.* funksjon
functional *adj.* funksjonell
functionary *n.* tjenestemann
fund *n.* fond
fundamental *adj.* fundamental
funeral *n.* begravelse
fungus *n.* sopp
funky *adj.* funky
funnel *n.* trakt
funny *adj.* morsom
fur *n.* pels
furious *adj.* rasende
furl *v.* å beslå

furlong *n.* 1/8 mile
furnace *n.* ovn
furnish *v.* å møblere
furnishing *n.* møblering
furniture *n.* møbler
furore *n.* sensasjon
furrow *n.* plogfår
further *adv.* lenger
furthermore *adv.* videre
furthest *adj.& adv.* lengst unna
fury *n.* raseri
fuse *v.* å smelte sammen
fusion *n.* smelting
fuss *n.* ståhei
fussy *adj.* geskjeftig
fusty *adj.* fuktig
futile *adj.* forgjeves
futility *n.* formålsløshet
future *n.* fremtid
futuristic adj. futuristisk

gab *v.* å skravle
gabble *v.t.* å snakke fort
gadget *n.* innretning
gaffe *n.* bommert
gag *n.* knebel
gaga *adj.* senil
gaiety *n.* munterhet
gaily *adv.* muntert
gain *v.* å oppnå
gainful *adj.* lønnet
gait *n.* gangart
gala *n.* galla
galaxy *n.* galakse
gale *n.* storm
gall *n.* galle
gallant *adj.* djerv
gallantry *n.* djervhet
gallery *n.* galleri
gallon *n.* gallon
gallop *n.* galopp
gallows *n.* galge
galore *adj.* i store mengder
galvanize *v.i.* å galvanisere
gambit *n.* gambit
gamble *v.* å spille hasard
gambler *n.* gambler
gambol *v.* å sprette
game *n.* lek
gamely *adj.* modig
gammy *adj.* ubrukelig
gamut *n.* skala
gang *n.* gjeng
gangling *adj.* ulenkelig
gangster *n.* gangster
gangway *n.* fallrepstrapp
gap *n.* åpning
gape *v.* å stå vid åpen
garage *n.* garasje
garb *n.* klesdrakt
garbage *n.* kjøkkenavfall
garble *v.* å forvanske
garden *n.* hage
gardener *n.* gartner
gargle *v.* å gurgle
garish *adj.* grell
garland *n.* krans
garlic *n.* hvitløk
garment *n.* plagg
garner *v.* å kjøre i hus
garnet *n.* granat
garnish *v.* å garnere
garret *n.* kvistværelse
garrulous *adj.* snakkesalig
garter *n.* sokkeholder
gas *n.* gass
gasket *n.* pakning
gasp *v.i* å gispe
gastric *adj.* mage–
gastronomy *n.* gastronomi

gate *n.* port
gateau *n.* kake
gather *v.* å samle
gaudy *adj.* glorete
gauge *n.* standardmål
gaunt *adj.* uttæret
gauntlet *n.* motorsykkelhanske
gauze *n.* gasbind
gawky *adj.* keitete
gay *adj.* gay
gaze *v.* å se
gazebo *n.* lysthus
gazette *n.* lysningsblad
gear *n.* mekanisme
geek *n.* nerd
gel *n.* gel
geld *v.* å gjelde
gem *n.* perle
gender *n.* kjønn
general *adj.* generell
generalize *v.* å generalisere
generate *v.* å produsere
generation *n.* generasjon
generator *n.* generator
generosity *n.* høysinn
generous *adj.* generøs
genesis *n.* genesis
genetic *adj.* genetisk
genial *adj.* genial
genius *n.* geni
genteel *adj.* kultivert
gentility *n.* fin herkomst
gentle *adj.* mild
gentleman *n.* gentleman
gentry *n.* kondisjonerte folk
genuine *adj.* ekte
geographer *n.* geograf
geographical *adj.* geografisk
geography *n.* geografi
geologist *n.* geolog
geology *n.* geologi
geometric *adj.* geometrisk
geometry *n.* geometri
germ *n.* bakterie
German *n.* tysker
germane *adj.* relevant for
germinate *v.* å spire
germination *n.* spiring
gerund *n.* gerundium
gestation *n.* svangerskap
gesture *n.* håndbevegelse
get *v.* å få
geyser *n.* geysir
ghastly *adj.* fryktelig
ghost *n.* spøkelse
giant *n.* rise
gibber *v.* å bable
gibe *v.* å håne
giddy *adj.* svimmel
gift *n.* gave
gifted *adj.* begavet
gigabyte *n.* gigabyte
gigantic *adj.* kjempestor
giggle *v.t.* å fnise
gild *v.* å forgylle
gilt *adj.* forgylt
gimmick *n.* gimmick
ginger *n.* rødbrun
gingerly *adv.* meget forsiktig
giraffe *n.* sjiraff
girder *n.* bærebjelke
girdle *n.* belte
girl *n.* jente
girlish *adj.* jenteaktig
giro *n.* giro
girth *n.* salgjord
gist *n.* kjernen
give *v.* å gi
given *adj.* oppgitt
glacial *adj.* glasial
glacier *n.* isbre
glad *adj.* glad
gladden *v.* å glede

glade *n.* lysning
glamour *n.* fortryllelse
glance *v.i.* å se
gland *n.* kjertel
glare *v.i* å skinne nådeløst
glass *n.* glass
glaze *v.* å sette glass
glazier *n.* glassmester
gleam *v.* å skinne
glean *v.* å samle inn
glee *n.* glede
glide *v.* å sveve
glider *n.* glider
glimmer *v.* å glimte
glimpse *n.* gløtt
glisten *v.* å glinse
glitch *n.* teknisk problem
glitter *v.* å funkle
gloat *v.* å godte seg over
global *adj.* global
globalization *n.* globalisering
globe *n.* globus
globetrotter *n.* globetrotter
gloom *n.* halvmørke
gloomy *adj.* dyster
glorification *n.* glorifisering
glorify *v.* å glorifisere
glorious *adj.* strålende
glory *n.* heder
gloss *n.* glans
glossary *n.* glossar
glossy *adj.* blank
glove *n.* hanske
glow *v.* å gløde
glucose *n.* glukose
glue *n.* lim
glum *adj.* nedtrykt
glut *n.* overflod
glutton *n.* slukhals
gluttony *n.* forslukenhet
glycerine *n.* glyserin
gnarled *adj.* knudrete
gnat *n.* mygg
gnaw *v.* å gnage
go *v.t* å gå
goad *v.* å tirre
goal *n.* mål
goalkeeper *n.* målvokter
goat *n.* geit
gob *n.* kjeft
gobble *v.* å buldre
goblet *n.* beger
god *n.* Gud
godchild *n.* gudbarn
goddess *n.* gudinne
godfather *n.* gudfar
godly *adj.* gudelig
godmother *n.* gudmor
goggle *n.* å stirre med store øyne
going *n.* kjøring
gold *n.* gull
golden *adj.* gyllen
goldsmith *n.* gullsmed
golf *n.* golf
gondola *n.* gondol
gong *n.* gongong
good *adj.* god
goodbye *excl.* ha det
goodness *n.* godhet
goodwill *n.* godvilje
goose *n.* gås
gooseberry *n.* stikkelsbær
gore *n.* kile
gorgeous *adj.* strålende
gorilla *n.* gorilla
gory *adj.* blodbestenkt
gospel *n.* gospel
gossip *n.* sladder
gouge *v.* å hule ut
gourd *n.* gresskar
gourmand *n.* storeter
gourmet *n.* gourmet

gout *n.* podagra
govern *v.* å regjere
governance *n.* styring
governess *n.* guvernante
government *n.* regjering
governor *n.* guvernør
gown *n.* kappe
grab *v.* å gripe
grace *n.* ynde
graceful *adj.* grasiøs
gracious *adj.* elskverdig
gradation *n.* mellomstadium
grade *n.* karakter
gradient *n.* gradient
gradual *adj.* gradvis
graduate *n.* person med akademisk utdannelse
graffiti *n.* graffiti
graft *n.* podning
grain *n.* hvete
gram *n.* gram
grammar *n.* grammatikk
gramophone *n.* grammofon
granary *n.* kornkammer
grand *adj.* storslått
grandeur *n.* prakt
grandiose *adj.* grandios
grandmother *n.* bestemor
grange *n.* låve
granite *n.* granitt
grant *v.* å gi
granule *n.* partikkel
grape *n.* drue
graph *n.* diagram
graphic *adj.* grafisk
graphite *n.* grafitt
grapple *v.t.* å kjempe med
grasp *v.* å gripe
grass *n.* gress
grasshopper *n.* gresshoppe
grate *v.t* å utstyre med gitter
grateful *adj.* takknemlig
grater *n.* rivjern
gratification *n.* tilfredsstillelse
gratify *v.* å tilfredsstille
grating *n.* gitter
gratis *adv. &adj.* gratis
gratitude *n.* takknemlighet
gratuitous *adj.* vederlagsfri
gratuity *n.* drikkepenger
grave *n.* grav
gravel *n.* grus
graveyard *n.* kirkegård
gravitas *n.* gravitas
gravitate *v.* å gravitere
gravitation *n.* gravitasjon
gravity *n.* tyngde
gravy *n.* saus
graze *v.* å beite
grease *n.* gris
great *adj.* stor
greatly *adv.* i høy grad
greed *n.* grådighet
greedy *adj.* grådig
green *adj.* & *n.* grønn
greengrocer *n.* grønnsakhandler
greenery *n.* grønt
greet *v.* å ta imot
greeting *n.* hilsen
grenade *a.* granat
grey *n.* grått
greyhound *n.* mynde
grid *n.* rutenett
griddle *n.* bakstehelle
grief *n.* sorg
grievance *n.* klagemål
grieve *v.* å sørge over
grievous *adj.* alvorlig
grill *v.* å grille
grim *adj.* uhyggelig
grime *n.* skitt
grin *v.* å smile

grind *v.* å slipe
grinder *n.* sliper
grip *v.* å gripe
gripe *v.* å klemme
grit *n.* sandkorn
groan *v.* å stønne
grocer *n.* kjøpmann
grocery *n.* kolonialhandel
groggy *adj.* groggy
groin *n.* lyske
groom *v.* å strigle
groove *n.* spor
grope *v.* å famle
gross *adj.* vulgær
grotesque *adj.* grotesk
grotto *n.* grotte
ground *n.* jord
groundless *adj.* grunnløs
group *n.* gruppe
grouping *n.* gruppe
grout *n.* sementvelling
grovel *v.* å krype
grow *v.i.* å vokse
growl *v.* å knurre
growth *n.* vekst
grudge *n* nag
grudging *adj.* motstrebende
gruel *n.* velling
gruesome *adj.* fryktelig
grumble *v.* å rumle
grumpy *adj.* gretten
grunt *v.i.* å grynte
guarantee *v.t* å garantere
guarantor *n.* garantist
guard v. å bevokte
guarded adj. bevoktet
guardian *n.* vokter
guava *n.* guava
gudgeon *n.* grundling
guerrilla *n.* gerilja
guess *v.i* å gjette
guest *n.* gjest
guffaw *n.* skoggerlatter
guidance *n.* veiledning
guide *n.* guide
guidebook *n.* handbok
guild *n.* laug
guile *n.* svik
guillotine *n.* giljotin
guilt *n.* skyld
guilty *adj.* skyldig
guise *n.* det samme på en annen måte
guitar *n.* gitar
gulf *n.* havbukt
gull *n.* måke
gullet *n.* spiserør
gullible *adj.* godtroende
gully *n.* erosjonskløft
gulp *v.* å sluke
gum *n.* gummi
gun *n.* pistol
gurdwara *n.* gurdwara
gurgle *v.* å klukke
gust *n.* puff
gut *n.* tarm
gutsy *adj.* modig
gutter *n.* rennestein
guy *n.* bardun
guzzle *v.* å pimpe
gymnasium *n.* helsestudio
gymnast *n.* gymnast
gymnastic *n.* gymnastisk
gynaecology *n.* gynekologi
gypsy *n.* sigøyner
gyrate *v.* å rotere

habit *n.* vane
habitable *adj.* beboelig
habitat *n.* habitat
habitation *n.* beboelse

habituate *v.t.* å venne noen til noe
habitue *n.* stamgjest
hack *v.* å hakke
hackneyed *adj.* fortersket
haemoglobin *n.* hemoglobin
haemorrhage *n.* blødning
haft *n.* håndtak
hag *n.* heks
haggard *adj.* hulkinnet
haggle *v.* å prute
hail *n.* hagl
hair *n.* hår
haircut *n.* hårklipp
hairstyle *n.* frisyre
hairy *adj.* hårete
hajj *n.* hajj
halal *adj.* halal
hale *adj.* livlig
halitosis *n.* dårlig ånde
hall *n.* sal
hallmark *n.* gullmerke
hallow *v.* å hellige
hallucinate *v.* å allusinere
halogen *n.* halogen
halt *v.* å gjøre holdt
halter *n.* rep
halting *adj.* nølende
halve *v.* å halvere
halyard *n.* nylon tråd
ham *n.* skinke
hamburger *n.* hamburger
hamlet *n.* liten landsby
hammer *n.* hammer
hammock *n.* hengekøye
hamper *n.* pakkurv
hamster *n.* hamster
hamstring *n.* hasesene
hand *n.* hånd
handbag *n.* håndveske
handcuff *n.* håndjern
handbill *n.* løpeseddel
handbook *n.* håndbok
handcuff *n.* håndjern
handful *n.* håndfull
handicap *n.* handikap
handicapped *n.* handikap
handicraft *n.* kunsthåndverk
handiwork *n.* verk
handkerchief *n.* lommetørkle
handle *v.t* å håndtere
handout *n.* løpeseddel
handshake *n.* håndtrykk
handsome *adj.* kjekk
handy *adj.* hendig
hang *v.i.* å henge
hangar *n.* hangar
hanger *n.* henger
hanging *n.* opphengning
hangover *n.* bakrus
hank *n.* bunt
hanker *v.* å ønske sterkt
haphazard *adj.* vilkårlig
hapless *adj.* uheldig
happen *v.* å skje
happening *n.* hendelse
happiness *n.* lykke
happy *adj.* glad
harass *v.* å plage
harassment *n.* plage
harbour *n.* havn
hard *adj.* hardt
hard drive *n.* platelager
hardback *n.* stivbind
harden *v.* å gjøre hard
hardly *adv.* knapt
hardship *n.* motgang
hardy *adj.* herdet
hare *n.* hare
harelip *n.* hareskår
harem *n.* harem
hark *v.* hør
harlequin *n.* harlekin

harm *n.* skade
harmful *adj.* skadelig
harmless *adj.* harmløs
harmonious *adj.* harmonisk
harmonium *n.* harmonium
harmonize *v.* å harmonisere
harmony *n.* harmoni
harness *n.* seletøy
harp *n.* harpe
harpy *n.* hurpe
harrow *n.* harrow
harrowing *adj.* opprivende
harsh *adj.* meget streng
harvest *n.* avling
harvester *n.* onnearbeider
hassle *n.* stri
hassock *n.* knelepute
haste *n.* hast
hasten *v.* å skynde seg
hasty *adj.* rask
hat *n.* hatt
hatch *n.* luke
hatchet *n.* stridsøks
hate *v.t.* å hate
hateful *adj.* vemmelig
haughty *adj.* arrogant
haulage *n.* transport
haulier *n.* innehaver av transportfirma
haunch *n.* lår
haunt *v.* å gå igjen i
haunted *adj.* som det spøker
have *v.* å ha
haven *n.* havn
havoc *n.* ødeleggelse
hawk *n.* hark
hawker *n.* gateselger
hawthorn *n.* hagtorn
hay *n.* forkludre
hazard *n.* fare
hazardous *adj.* risikabel
haze *n.* forvirring
hazy *adj.* disig
he *pron.* han
head *n.* hode
headache *n.* hodepine
heading *n.* overskrift
headlight *n.* lyskaster
headline *n.* overskrift
headmaster *n.* rektor
headphone *n.* hodetelefon
headquarters *n.* hovedkvarter
headstrong *adj.* stivsinnet
heady *adj.* berusende
heal *v.* å helbrede
health *n.* sunnhet
healthy *adj.* sunn
heap *n.* bunke
hear *v.* å høre
hearing *n.* hørsel
hearse *n.* begravelsesbil
heart *n.* hjerte
heartache *n.* hjertesorg
heartbreak *n.* hjertesorg
heartburn *n.* kardialgi
hearten *v.* å oppmuntre
heartening *adj.* oppmuntrende
heartfelt *adj.* dyptfølt
hearth *n.* peis
heartless *adj.* hjerteløs
hearty *adj.* hjertelig
heat *n.* varme
heater *n.* varmeapparat
heath *n.* lyngmo
heathen *n.* hedning
heather *n.* purpurlyng
heating *n.* oppvarming
heave *v.* å løfte
heaven *n.* himmelen
heavenly *adj.* himmelsk
heavy *adj.* tung

heckle *v.* å hekle
hectare *n.* hektar
hectic *adj.* hektisk
hector *v.* å tyrannisere
hedge *n.* hekk
hedonism *n.* hedonisme
heed *v.* å ta hensyn til
heel *n.* hæl
hefty *adj.* stor og kraftig
hegemony *n.* hegemoni
height *n.* høyde
heighten *v.* å gjøre høyere
heinous *adj.* avskyelig
heir *n.* arving
helicopter *n.* helikopter
heliport *n.* heliport
hell *n.* helvete
helm *n.* ror
helmet *n.* hjelm
help *v.* å hjelpe
helpful *adj.* hjelpsom
helping *n.* porsjon
helpless *adj.* hjelpeløs
hem *n.* kant
hemisphere *n.* halvkule
hen *n.* høne
hence *adv.* derfor
henceforth *adv.* heretter
henchman *n.* følgesvenn
henna *n.* henna
henpecked *adj.* under tøffelen
hepatitis *n.* hepatitt
heptagon *n.* sjukant
her *pron.* henne
herald *n.* herold
herb *n.* plante
herculean *adj.* kjempesterk
herd *n.* flokk
here *adv.* her
hereabouts *adv.* her omkring
hereafter *adv.* i det følgende
hereby *adv.* hermed
hereditary *adj.* arvelig
heredity *n.* arvelighet
heritage *n.* arv
hermetic *adj.* hermetisk
hermit *n.* eremitt
hermitage *n.* eremittbolig
hernia *n.* brokk
hero *n.* helt
heroic *adj.* heroisk
heroine *n.* heltinne
herpes *n.* herpes
herring *n.* sild
hers *pron.* hennes
herself *pron.* seg
hesitant *adj.* nølende
hesitate *v.* å nøle
heterogeneous *adj.* heterogen
heterosexual *adj.* heterofil
hew *v.* å hogge
hexogen *n.* hexogen
heyday *n.* glanstid
hibernate *v.* å ligge i vinterdvale
hiccup *n.* hikke
hide *v.t* å gjemme
hideous *adj.* heslig
hierarchy *n.* hierarki
high *adj.* høy
highlight *v.* å understreke
highly *adv.* høylig
Highness *n.* høyhet
highway *n.* hovedvei
hijack *v.* å kapre
hike *n.* fottur
hilarious *adj.* morsomt
hilarity *n.* lystighet
hill *n.* bakke
hillock *n.* liten bakke
hilt *n.* hjalt

him *pron.* ham
himself *pron.* seg
hinder *v.* å hindre
hindrance *n.* hindring
hindsight *n.* skur
hinge *n.* hengsel
hint *n.* vink
hip *n.* hofte
hire *v.t* å leie
hirsute *adj.* behåret
his *adj.* hans
hiss *v.i* å visle
histogram *n.* histogram
historian *n.* historiker
historic *adj.* historisk
historical *adj.* historisk
history *n.* historie
hit *v.* å treffe
hitch *v.* å få haik
hither *adv.* hit
hitherto *adv.* hittil
hive *n.* bikube
hoard *n.* forråd
hoarding *n.* plankeverk
hoarse *adj.* hes
hoax *n.* spøk
hob *n.* kokeplate
hobble *v.* å halte
hobby *n.* hobby
hobgoblin *n.* nisse
hockey *n.* hockey
hoist *v.* å heise
hold *v.t* å holde
holdall *n.* bag
hole *n.* hull
holiday *n.* helligdag
holistic *adj.* holistisk
hollow *adj.* innfallen
holly *n.* kristtorn
holmium *n.* holmium
holocaust *n.* masseødeleggelse
hologram *n.* hologram
holster *n.* pistolhylster
holy *adj.* hellig
homage *n.* hyllest
home *n.* hjem
homely *adj.* hjemlig
homicide *n.* mord
homogeneous *adj.* homogen
homoeopath *n.* homøopat
homeopathy *n.* homøopati
homogeneous *a.* ensartet
homophobia *n.* homofobi
homosexual *n.* homofil
honest *adj.* ærlig
honesty *n.* ærlighet
honey *n.* honning
honeycomb *n.* bikake
honeymoon *n.* hvetebrødsdager
honk *n.* tuting
honorary *adj.* honorær
honour *n.* ære
honourable *adj.* ærlig
hood *n.* hette
hoodwink *v.* å lure
hoof *n.* hov
hook *n.* krok
hooked *adj.* krum
hooligan *n.* ramp
hoop *n.* bøyle
hoopla *n.* ringspill
hoot *n.* skrik
Hoover *n.* støvsuger
hop *v.* å hinke
hop *v.t.* å hoppe
hope *n.* håp
hopefully *adv.* håpefullt
hopeless *adj.* håpløs
horde *n.* horde
horizon *n.* horisont
horizontal *adj.* horisontal

hormone *n.* hormon
horn *n.* horn
hornet *n.* stor veps
horoscope *n.* horoskop
horrendous *adj.* forferdelig
horrible *adj.* fryktelig
horrid *adj.* fæl
horrific *adj.* forferdende
horrify *v.* å forferde
horror *n.* redsel
horse *n.* hest
horsepower *n.* hestekraft
horticulture *n.* hagebruk
hose *n.* slange
hosiery *n.* trikotasje
hospice *n.* herberge
hospitable *adj.* gjestfri
hospital *n.* sykehus
hospitality *n.* gjestfrihet
host *n.* vert
hostage *n.* gissel
hostel *n.* vandrerhjem
hostess *n.* flyvertinne
hostile *adj.* fiendtlig
hostility *n.* fiendtlighet
hot *adj.* varm
hotchpotch *n.* lapskaus
hotel *n.* hotel
hound *n.* jakthund
hour *n.* tid
house *n.* hus
housewife *n.* husmor
housing *n.* bolig
hovel *n.* rønne
hover *v.* å sveve
how *adv.* hvordan
however *conj.* imidlertid
howl *n.* hyl
howler *n.* brøler
hub *n.* nav
hubbub *n.* støy
huddle *v.* å proppe
hue *n.* lød
huff *n.* snurt
hug *v.* å klemme
huge *adj.* kjempestor
hulk *n.* holk
hull *n.* skrog
hum *v.* å nynne
human *adj.* menneskelig
humane *adj.* menneskelig
humanism *n.* humanisme
humanitarian *adj.* humanist
humanity *n.* menneskeheten
humanize *v.* å humanisere
humble *adj.* ydmyk
humid *adj.* fuktig
humidity *n.* fuktighet
humiliate *v.* å ydmyke
humility *n.* ydmykhet
hummock *n.* haug
humorist *n.* humorist
humorous *adj.* morsom
humour *n.* humor
hump *n.* pukkel
hunch *v.* å skutte seg
hundred *adj.& n.* hundre
hunger *n.* sult
hungry *adj.* sulten
hunk *n.* stort stykke
hunt *v.* å jakte
hunter *n.* hunter
hurdle *n.* hinder
hurl *v.* å slynge
hurricane *n.* orkan
hurry *v.* å skynde seg
hurt *v.* å skade
hurtle *v.* å suse
husband *n.* ektemann
husbandry *n* jordbruk
hush *v.i* å være stille
husk *n.* skall
husky *adj.* rusten
hustle *v.* å dytte

hut *n.* hytte
hutch *n.* bur
hybrid *n.* hybrid
hydrant *n.* hydrant
hydrate *v.* å hydratisere
hydraulic *adj.* hydraulisk
hydrofoil *n.* hydrofoil
hydrogen *n.* hydrogen
hyena *n.* hyene
hygiene *n.* hygiene
hymn *n.* salme
hype *n.* sprøyte
hyper *pref.* hyper-
hyperactive *adj.* hyperaktiv
hyperbole *n.* hyperbol
hypertension *n.* høyt blodtrykk
hyphen *n.* bindestrek
hypnosis *n.* hypnose
hypnotism *n.* hypnotisme
hypnotize *v.* å hypnotisere
hypocrisy *n.* hykleri
hypocrite *n.* hykler
hypotension *n.* lavt blodtrykk
hypothesis *n.* hypotese
hypothetical *adj.* hypotetisk
hysteria *n.* hysteri
hysterical *adj.* hysterisk

I *pron.* jeg
ice *n.* is
iceberg *n.* isfjell
ice-cream *n.* is
icicle *n.* istapp
icing *n.* isdannelse
icon *n.* ikon
icy *adj.* iskald
idea *n.* idé
ideal *n.* ideal
ideally *adv.* ideelt
idealism *n.* idealisme
idealist *n.* idealist
idealistic *adj.* idealistisk
idealize *v.* å idealisere
identical *adj.* identisk
identification *n.* identifikasjon
identity *n.* identitet
identify *v.* å identifisere
ideology *n.* ideologi
idiocy *n.* idioti
idiom *n.* idiom
idiomatic *adj.* idiomatisk
idiosyncrasy *n.* karakteristikk
idiot *n.* idiot
idiotic *adj.* idiotisk
idle *adj.* ubeskjeftiget
idleness *n.* lediggang
idler *n.* lediggjenger
idol *n.* idol
idolatry *n.* avgudsdyrking
idolize *v.* å idolisere
idyll *n.* hyrdedikt
if *conj.* hvis
igloo *n.* igloo
igneous *adj.* magmatisk
ignite *v.* å antenne
ignition *n.* antennelse
ignoble *adj.* skjendig
ignominy *n.* vanære
ignominious *adj.* vanærende
ignoramus *n.* ignorant
ignorance *n.* uvitenhet
ignorant *adj.* uvitende
ignore *v.* å ignorere
ill *adj.* syk
illegal *adj.* ulovlig
illegible *adj.* uleselig

illegibility *n.* uleselighet
illegitimate *adj.* illegitim
illicit *adj.* ulovlig
illiteracy *n.* analfabetisme
illiterate *n.* analfabet
illness *n.* sykdom
illogical *adj.* ulogisk
illuminate *v.* å illuminere
illumination *n.* belysning
illusion *n.* illusjon
illusory *adj.* illusorisk
illustrate *v.* å illustrere
illustration *n.* illustrasjon
illustrious *adj.* hederskront
image *n.* bilde
imagery *n.* billedspråk
imaginary *adj.* imaginær
imagination *n.* fantasi
imaginative *adj.* fantasirik
imagine *v.t.* å forestille seg
imbalance *n.* ubalanse
imbibe *v.* å drikke
imbroglio *n.* forvirring
imbue *v.* å inngi
imitate *v.* å imitere
imitation *n.* imitasjon
imitator *n.* imitator
immaculate *adj.* uklanderlig
immanent *adj.* immanent
immaterial *adj.* uvesentlig
immature *adj.* umoden
immaturity n. umodenhet
immeasurable adj. umålelig
immediate *adj.* umiddelbar
immemorial *adj.* uminnelig
immense *adj.* enorm
immensity *n.* uendelighet
immerse *v.* å senke ned
immersion *n.* nedsenking
immigrant *n.* innvandrer
immigrate *v.* å innvandre
immigration *n.* innvandring
imminent *adj.* imminent
immoderate *adj.* umåteholden
immodest *adj.* uanstendig
immodesty *a.* usømmelighet
immolate *v.* å ofre
immoral *adj.* umoralsk
immorality *n.* umoralskhet
immortal *adj.* udødelig
immortality *n.* udødelighet
immortalize *v.* å forevige
immovable *adv.* ubevegelig
immune *adj.* immun
immunity *n.* immunitet
immunize *v.* å gjøre immun
immunology *n.* immunitetslære
immure *v.* å stenge inne
immutable *adj.* uforanderlig
impact *n.* støt
impair *v.* å skade
impalpable *adj.* uhåndgripelig
impart *v.* å meddele
impartial *adj.* upartisk
impartiality *n.* upartiskhet
impassable *adj.* ufremkommelig
impasse *n.* dødpunkt
impassioned *adj.* lidenskapelig
impassive *adj.* uttrykksløs
impatient *adj.* utålmodig
impeach *v.* å anklage
impeachment *n.* forræderi
impeccable *adj.* uklanderlig
impede *v.* å hindre
impediment *n.* hinder
impel *v.* å tvinge
impending *adj.* forestående

impenetrable *adj.* ugjennomtrengelig
imperative *adj.* tvingende
imperfect *adj.* ufullkommen
imperfection *n.* ufullkommenhet
imperial *adj.* keiserlig
imperialism *n.* imperialisme
imperil *v.* å utsette for fare
impersonal *adj.* upersonlig
impersonate *v.* å etterligne
impersonation *n.* etterligning
impertinence *n* nesevishet
impertinent *adj.* impertinent
impervious *adj.* uimottagelig
impetuous *adj.* heftig
impetus *n.* støt
impious *adj.* ugudelig
implacable *adj.* uforsonlig
implant *v.* å implantere
implausible *adj.* usannsynlig
implement *n.* redskap
implicate *v.* å implisere
implication *n.* underforståelse
implicit *adj.* underforstått
implode *v.* å implodere
implore *v.t.* å bønnfalle
imply *v.* å innebære
impolite *adj.* uhøflig
import *v.* å importere
importer *n.* importør
importance *n.* viktighet
important *adj.* betydningsfull
impose *v.* å pålegge
imposing *adj.* imponerende
imposition *n.* påleggelse
impossibility *n.* umulighet
impossible *adj.* umulig
imposter *n.* bedrager
impotence *n.* impotens
impotent *adj.* impotent
impound *v.* å ta vare på
impoverish *v.* å forarme
impracticable *adj.* ugjennomførlig
impractical *adj.* upraktisk
impress *v.* å imponere
impression *n.* inntrykk
impressive *adj.* imponerende
imprint *v.* å merke
imprison *v.* å fengsle
improbable *adj.* usannsynlig
improper *adj.* upassende
impropriety *n.* usømmelighet
improve *v.* å forbedre
improvement *n.* forbedring
improvident *adj.* lite forutseende
improvise *v.* å improvisere
imprudent *adj.*. uforsiktig
impudent *adj.* uforskammet
impulse *n.* innskytelse
impulsive *adj.* impulsiv
impunity *n.* straffefrihet
impure *adj.* uren
impurity *n.* urenhet
impute *v.* å tilskrive
in *prep.* i
inability *n.* manglende evne
inaccurate *adj.* unøyaktig
inaction *n.* uvirksomhet
inactive *adj.* lite aktiv
inadequate *adj.* utilstrekkelig
inadmissible *adj.* utilstedelig
inadvertent *adj.* utilsiktet
inane *adj.* åndløs
inanimate *adj.* livløs
inapplicable *adj.* ubrukelig
inappropriate *adj.* upassende

inarticulate *adj.* uartikulert
inattentive *adj.* uoppmerksom
inaudible *adj.* uhørlig
inaugural *adj.* innvielses
inaugurate *v.* å innsette
inauspicious *adj.* uheldig
inborn *adj.* medfødt
inbred *adj.* innavlet
incalculable *adj.* uoverskuelig
incapable *adj.* hjelpeløs
incapacity *n.* manglende evne
incarcerate *v.* å fengsle
incarnate *adj.* i menneskeskikkelse
incarnation *n.* inkarnasjon
incense *n.* røkelse
incentive *n.* incitament
inception *n.* begynnelse
incest *n.* blodskam
inch *n.* tomme
incidence *n.* hyppighet
incident *n.* hendelse
incidental *adj.* tilfeldig
incisive *adj.* skarp
incite *v.* å anspore
inclination *n.* tilbøyelighet
incline *v.* å skråne
include *v.* å inkludere
inclusion *n.* inkludering
inclusive *adj.* samlet
incoherent *adj.* usammenhengende
income *n.* inntekt
incomparable *adj.* uforlignelig
incompatible *adj.* som ikke passer sammen
incompetent *adj.* inkompetent
incomplete *adj.* ufullstendig
inconclusive *adj.* ufyllestgjørende
inconsiderate *adj.* hensynsløs
inconsistent *adj.* inkonsekvent
inconsolable *adj.* utrøstelig
inconspicuous *adj.* uanselig
inconvenience *n.* ulempe
incorporate *v.* å omfatte
incorporation *n.* innlemmelse
incorrect *adj.* ukorrekt
incorrigible *adj.* uforbederlig
incorruptible *adj.* ubestikkelig
increase *v.* å stige
incredible *adj.* utrolig
increment *n.* alderstillegg
incriminate *v.i.* å inkriminere
incubate *v.* å ruge
inculcate *v.* å innprente
incumbent *adj.* i verv
incur *v.* å pådra seg
incurable *adj.* uhelbredelig
incursion *n.* innfall
indebted *adj.* være takknemlig mot noen
indecency *n.* usømmelighet
indecent *adj.* usømmelig
indecision *n.* ubesluttsomhet
indeed *adv.* virkelig
indefensible *adj.* som ikke kan forsvares
indefinite *adj.* ubestemt
indemnity *n.* dekning
indent *v.* å rykke inn
indenture *n.* lærlingekontrakt

independence *n.* selvstendighet
independent *adj.* selvstendig
indescribable *adj.* ubeskrivelig
index *n.* indeks
Indian *n.* inder
indicate *v.* å indikere
indication *n.* indikasjon
indicative *adj.* som tyde på noe
indicator *n.* indikator
indict *v.* å reise tiltale mot noen
indictment *n.* tiltalebeslutning
indifference *n.* likegyldighet
indifferent *adj.* likegyldig
indigenous *adj.* opprinnelig hjemmehørende
indigestible *adj.* ufordøyelig
indigestion *n.* indigestion
indignant *adj.* indignert
indignation *n.* indignasjon
indignity *n.* skam
indigo *n.* indigo
indirect *adj.* indirekte
indiscipline *n.* mangel på disiplin
indiscreet *adj.* indiskret
indiscretion *n.* indiskresjon
indiscriminate *adj.* vilkårlig
indispensable *adj.* uunnværlig
indisposed *adj.* indisponert
indisputable *adj.* ubestridelig
indistinct *adj.* utydelig
individual *adj.* enkelt
individualism *n.* individualisme
individuality *n.* individualitet
indivisible *adj.* udelelig
indolent *adj.* indolent
indomitable *adj.* urokkelig
indoor *adj.* innendørs
induce *v.* å bevirke
inducement *n.* skyndelse
induct *v.* å innsette
induction *n.* innsettelse
indulge *v.* å føye
indulgence *n.* overbærenhet
indulgent *adj.* ettergivende
industrial *adj.* industriell
industrious *adj.* flittig
industry *n.* industri
ineffective *adj.* ineffektiv
inefficient *adj.* ineffektiv
ineligible *adj.* uten stemmerett
inequality *n.* ulikhet
inert *adj.* dvask
inertia *n.* inerti
inescapable *adj.* uunngåelig
inevitable *adj.* uunngåelig
inexact *adj.* unøyaktig
inexcusable *adj.* utilgivelig
inexhaustible *adj.* uuttømmelig
inexorable *adj.* ubønnhørlig
inexpensive *adj.* billig
inexperience *n.* uerfarenhet
inexplicable *adj.* uforklarlig
inextricable *adj.* uløselig
infallible *adj.* ufeilbarlig
infamous *adj.* beryktet
infamy *n.* vanry
infancy *n.* barndom
infant *n.* spedbarn
infanticide *n.* barnemord
infantile *adj.* barnaktig
infantry *n.* infanteri
infatuate *v.* å forblinde

infatuation *n.* blind forelskelse
infect *v.* å smitte
infection *n.* infeksjon
infectious *adj.* smittefarlig
infer *v.* å slutte
inference *n.* slutning
inferior *adj.* lavere
inferiority *n.* mindreverdighet
infernal *adj.* infernalsk
infertile *adj.* ufruktbar
infest *v.* å hjemsøke
infidelity *n.* vantro
infighting *n.* strid
infiltrate *v.* å infiltrere
infinite *adj.* uendelig
infinity *n.* uendelighet
infirm *adj.* svakelig
infirmity *n.* svakelighet
inflame *v.* å bli betent
inflammable *adj.* lettantennelig
inflammation *n.* betennelse
inflammatory *adj.* betennelses-
inflate *v.* å blåse opp
inflation *n.* oppumping
inflect *v.* å modulere
inflexible *adj.* ubøyelig
inflict *v.* å tildele
influence *n.* innflytelse
influential *adj.* innflytelsesrik
influenza *n.* influensa
influx *n.* tilstrømning
inform *v.* å informere
informal *adj.* uformell
information *n.* opplysninger
informative *adj.* informativ
informer *n.* angiver
infrastructure *n.* infrastruktur
infrequent *adj.* sjelden
infringe *v.* å bryte
infringement *n.* brudd
infuriate *v.* å gjøre rasende
infuse *v.* å stå og trekke
infusion *n.* infusjon
ingrained *adj.* inngrodd
ingratitude *n.* utakknemlighet
ingredient *n.* ingrediens
inhabit *v.* å bebo
inhabitable *adj.* beboelig
inhabitant *n.* innbygger
inhale *v.* å puste inn
inhaler *n.* inhalator
inherent *adj.* iboende
inherit *v.* å arve
inheritance *n.* arv
inhibit *v.* å hemme
inhibition *n.* hemning
inhospitable *adj.* ugjestfri
inhuman *adj.* umenneskelig
inimical *adj.* fiendtlig
inimitable *adj.* uforlignelig
initial *adj.* innledende
initiate *v.* å sette i gang
initiative *n.* initiativ
inject *v.* å injisere
injection *n.* injeksjon
injudicious *adj.* uklok
injunction *n.* pålegg
injure *v.* å skade
injurious *adj.* skadelig
injury *n.* skade
injustice *n.* urettferdighet
ink *n.* blekk
inkling *n.* anelse
inland *adj.* innenlandsk
inmate *n.* beboer
inmost *adj.* innerst
inn *n.* kro
innate *adj.* medfødt

inner *adj.* indre
innermost *adj.* innerst
innings *n.* inneperiode
innocence *n.* uskyldighet
innocent *adj.* uskyldig
innovate *v.* å innføre noe nytt
innovation *n.* nyvinning
innovator *n.* fornyer
innumerable *adj.* utallig
inoculate *v.* å vaksinere
inoculation *n.* vaksinasjon
inoperative *adj.* virkningsløs
inopportune *adj.* ubeleilig
inpatient *n.* sykehuspasient
input *n.* inntak
inquest *n.* likskue
inquire *v.* å spørre
inquiry *n.* spørsmål
inquisition *n.* grundig utspørring
inquisitive *adj.* spørrelysten
insane *adj.* sinnssyk
insanity *n.* galskap
insatiable *adj.* umettelig
inscribe *v.* å gravere inn
inscription *n.* inngravering
insect *n.* insekt
insecticide *n.* insektmiddel
insecure *adj.* usikker
insecurity *n.* usikkerhet
insensible *adj.* følelsesløs
inseparable *adj.* uatskillelig
insert *v.* å føye inn
insertion *n.* innskudd
inside *n.* innside
insight *n.* innsikt
insignificance *n.* ubetydelighet
insignificant *adj.* ubetydelig
insincere *adj.* uoppriktig
insincerity *n.* falskhet
insinuate *v.* å insinuere
insinuation *n.* insinuasjon
insipid *adj.* smakløs
insist *v.* å insistere
insistence *n.* insistering
insistent *adj.* pågående
insolence *n.* frekkhet
insolent *adj.* uforskammet
insoluble *adj.* uoppløselig
insolvency *n.* insolvens
insolvent *adj.* insolvent
inspect *v.* å kontrollere
inspection *n.* inspeksjon
inspector *n.* inspektør
inspiration *n.* inspirasjon
inspire *v.* å inspirere
instability *n.* ustabilitet
install *v.* å installere
installation *n.* installasjon
instalment *n.* avdrag
instance *n.* eksempel
instant *adj.* øyeblikkelig
instantaneous *adj.* øyeblikkelig
instead *adv.* isteden
instigate *v.* å oppmuntre
instil *v.* å inngyte
instinct *n.* instinkt
instinctive *adj.* instinktiv
institute *n.* institutt
institution *n.* institusjon
instruct *v.* å undervise
instruction *n.* instruksjon
instructor *n.* instruktør
instrument *n.* instrument
instrumental *adj.* instrumental
instrumentalist *n.* instrumentalist
insubordinate *adj.* oppsetsig
insubordination *n.* oppsetsighet

insufficient *adj.* utilstrekkelig
insular *adj.* insulær
insulate *v.* å isolere
insulation *n.* isolasjon
insulator *n.* isolator
insulin *n.* insulin
insult *v.t.* å fornærme
insupportable *adj.* uutholdelig
insurance *n.* forsikring
insure *v.* å forsikre
insurgent *n.* opprører
insurmountable *adj.* uoverstigelig
insurrection *n.* oppstand
intact *adj.* intakt
intake *n.* inntak
intangible *adj.* uhåndgripelig
integral *adj.* integral
integrity *n.* hederlighet
intellect *n.* intelligens
intellectual *adj.* intellektuell
intelligence *n.* intelligens
intelligent *adj.* intelligent
intelligible *adj.* forståelig
intend *v.* å tenke
intense *adj.* intens
intensify *v.* å intensivere
intensity *n.* intensitet
intensive *adj.* intensiv
intent *n.* overlegg
intention *n.* hensikt
intentional *adj.* med hensikt
interact *v.* å gripe inn i hverandre
intercede *v.* å megle
intercept *v.* å fange opp
interception *n.* oppsnapping
interchange *v.* å utveksle
intercom *n.* interkom
interconnect *v.* å forbinde innbyrdes
intercourse *n.* samkvem
interdependent *adj.* innbyrdes avhengige
interest *n.* interesse
interesting *adj.* interessant
interface *n.* interface
interfere *v.* å blande seg bort i
interference *n.* innblanding
interim *n.* interim
interior *adj.* innvendig
interject *v.* å skyte inn
interlink *v.* å koble sammen
interlock *v.* å gripe inn i hverandre
interlocutor *n.* samtalepartner
interloper *n.* smughandler
interlude *n.* pause
intermediary *n.* mellommann
intermediate *adj.* mellomliggende
interminable *adj.* endeløs
intermission *n.* pause
intermittent *adj.* som skjer med mellomrom
intern *v.* å internere
internal *adj.* innvendig
international *adj.* internasjonal
internet *n.* internet
interplay *n.* vekselspill
interpret *v.* å tolke
interpreter *n.* interpreter
interracial *adj.* mellom personer av forskjellig rase
interrelate *v.* å relatere
interrogate *v.* å avhøre
interrogative *adj.* spørrende
interrupt *v.* å avbryte

interruption *n.* avbrytelse
intersect *v.* å skjære hverandre
interstate *adj.* mellomstatlig
interval *n.* mellomrom
intervene *v.* å gripe inn
intervention *n.* innblanding
interview *n.* intervju
intestine *n.* tarm
intimacy *n.* intimitet
intimate *adj.* intim
intimidate *v.* å skremme
intimidation *n.* skremming
into *prep.* inn
intolerable *adj.* uutholdelig
intolerant *adj.* intolerant
intone *v.* å intonere
intoxicate *v.* å beruse
intoxication *n.* beruselse
intractable *adj.* umedgjørlig
intranet *n.* intranet
intransitive *adj.* intransitiv
intrepid *adj.* fryktløs
intricate *adj.* innviklet
intrigue *v.* å fengsle
intrinsic *adj.* egentlig
introduce *v.* å innføre
introduction *n.* innledning
introductory *adj.* innledende
introspect *v.* å introspektere
introspection *n.* introspeksjon
introvert *n.* introvertert
intrude *v.* å trenge seg på
intrusion *n.* forstyrrelse
intrusive *adj.* påtrengende
intuition *n.* intuisjon
intuitive *n.* intuitiv
inundate *v.* å oversvømme
invade *v.* å invadere
invalid *n.* sykelig
invalidate *v.* å gjøre ugyldig
invaluable *adj.* uvurderlig
invariable *adj.* uforanderlig
invasion *n.* invasjon
invective *n.* invektiv
invent *v.* å oppfinne
invention *n.* oppfinnelse
inventor *n.* oppfinner
inventory *n.* inventarliste
inverse *adj.* omvendt
invert *v.* å speilvende
invest *v.t.* å investere
investigate *v.* å etterforske
investigation *n.* etterforskning
investment *n.* investering
invigilate *adj.* invigilate
invigilator *n.* inspektør
invincible *adj.* uovervinnelig
inviolable *adj.* ukrenkelig
invisible *adj.* usynlig
invitation *n.* invitasjon
invite *v.* å invitere
inviting *adj.* innbydende
invocation *n.* påkalling
invoice *n.* faktura
invoke *v.* å påkalle
involuntary *adj.* ufrivillig
involve *v.* å innebære
invulnerable *adj.* usårlig
inward *adj.* indre
irate *adj.* rasende
ire *n.* vrede
iris *n.* regnbuehinne
irksome *adj.* irriterende
iron *n.* jern
ironical *adj.* ironisk
irony *n.* ironi
irradiate *v.* å bestråle
irrational *adj.* irrasjonell
irreconcilable *adj.* uforsonlig

irredeemable *adj.* uamortisabel
irrefutable *adj.* ugjendrivelig
irregular *adj.* uregelmessig
irregularity *n.* uregelmessighet
irrelevant *adj.* irrelevant
irreplaceable *adj.* uerstattelig
irresistible *adj.* uimotståelig
irresolute *adj.* ubesluttsom
irrespective *adj.* uten hensyn til
irresponsible *adj.* uansvarlig
irreversible *adj.* irreversibel
irrevocable *adj.* ugjenkallelig
irrigate *v.* å irrigere
irrigation *n.* irrigasjon
irritable *adj.* irritabel
irritant *n.* irritament
irritate *v.* å irritere
irruption n. invasjon i
Islam n. Islam
island *n.* øy
isle *n.* øy
islet *n.* holme
isobar *n.* isobar
isolate *v.* å isolere
isolation *n.* isolering
issue *n.* sak
it *pron.* den/det
italic *adj.* italic
itch *v.i.* å klø
itchy *adj.* som klør
item *n.* punkt
iterate *v.* å gjenta
itinerary *n* reiserute
itself *pron.* seg
ivory *n.* elfenben
ivy *n.* eføy

jab *v.* å stikke
jabber *v.* å skravle
jack *n.* jekk
jackal *n.* sjakal
jackass *n.* esel
jacket *n.* jakke
jackpot *n.* jekkpott
Jacuzzi *n.* Jacuzzi
jade *n.* jade
jaded *adj.* trett
jagged *adj.* takkete
jail *n.* fengsle
jailer *n.* fangevokter
jam *v.t.* å presse
jam *n.* syltetøy
jamboree *n.* speiderleir
janitor *n.* vaktmester
January *n.* januar
jar *n.* krukke
jargon *n.* sjargong
jasmine *n.* sjasmin
jaundice *n.* gulsott
jaunt *n.* liten tur
jaunty *adj.* munter
javelin *n.* spyd
jaw *n.* kjeve
jay *n.* nøtteskrike
jazz *n.* jass
jazzy *adj.* som ligner jazz
jealous *adj.* sjalu
jealousy *n.* sjalusi
jeans *n.* jeans
jeep *n.* jeep
jeer *v.* å håne
jelly *n.* gelé
jellyfish *n.* manet
jeopardize *v.* å sette i fare
jeopardy *n.* fare
jerk *n.* tosk

jerkin *n.* vams
jerry can *n.* jerrykanne
jersey *n.* pull-over
jest *n.* spøk
jester *n.* spøkefugl
jet *n.* jet
jet lag *n.* det å være døgnvill
jewel *n.* juvel
jeweller *n.* juveler
jewellery *n.* smykke
jibe *n.* spottende bemerkning
jig *n.* pilk
jiggle *v.* å ryste
jigsaw *n.* stikksag
jingle *n.* skrangling
jinx *n.* forbannelse
jitters *n.* risting
job *n.* jobb
jockey *n.* jockey
jocose *adj.* spøkefull
jocular *adj.* spøkefull
jog *v.* å jogge
joggle *v.* å skake på
join *v.* å forbinde
joiner *n.* snekker
joint *n.* skjøt
joist *n.* bjelke
joke *n.* vits
joker *n.* joker
jolly *adj.* lystig
jolt *v.t.* å skumpe
jostle *v.t.* å dytte
jot *v.t.* å notere
journal *n.* tidsskrift
journalism *n.* journalistikk
journalist *n.* journalist
journey *n.* reise
jovial *adj.* jovial
joviality *adv.* jovialitet
joy *n.* glede
joyful *adj.* glad
joyous *adj.* glad
jubilant *adj.* jublende
jubilation *n.* jubel
jubilee *n.* jubileum
judge *n.* dommer
judgement *n.* dom
judicial *adj.* juridisk
judiciary *n.* dommerstanden
judicious *adj.* skjønnsom
judo *n.* judo
jug *n.* mugge
juggle *v.* å sjonglere
juggler *n.* sjonglør
juice *n.* saft
juicy *adj.* saftig
July *n.* juli
jumble *n.* virvar
jumbo *adj.* kjempe-
jump *v.i* å hoppe
jumper *n.* hopper
jumper *n.* startkabler
junction *n.* forbindelsesstykke
juncture *n.* ledd
June *n.* juni
jungle *n.* jungel
junior *adj.* junior
junior *n.* junior
junk *n.* djunke
Jupiter *n.* Jupiter
jurisdiction *n.* jurisdiksjon
jurisprudence *n.* rettsvitenskap
jurist *n.* rettslærd
juror *n.* jurymedlem
jury *n.* jury
just *adj.* rettferdig
justice *n.* rettferdighet
justifiable *adj.* forsvarlig
justification *n.* rettferdiggjørelse
justify *v.* å rettferdiggjøre
jute *n.* jute

juvenile *adj.* ungdoms

kaftans *n.* kaftans
kaleidoscope *n.* kaleidoskop
kangaroo *n.* kenguru
karaoke *n.* karaoke
karate *n.* karate
karma *n.* karma
kebab *n.* kebab
keel *n.* kjøl
keen *adj.* skarp
keenness *n.* skarphet
keep *v.* å holde
keeper *n.* vokter
keeping *n.* borgtårn
keepsake *n.* erindring
keg *n.* fat
kennel *n.* hundehus
kerb *n.* fortauskant
kerchief *n.* skaut
kernel *n.* nøtte
kerosene *n.* parafin
ketchup *n.* ketchup
kettle *n.* vannkjele
key *n.* nøkkel
keyboard *n.* tastatur
keyhole *n.* nøkkelhull
kick *v.* å sparke
kid *n.* barn
kidnap *v.* å kidnappe
kidney *n.* nyre
kill *v.* å drepe
killing *n.* drepende
kiln *n.* tørkeovn
kilo *n.* kilo
kilobyte *n.* kilobyte
kilometre *n.* kilometer
kilt *n.* skjørt
kimono *n.* kimono
kin *n.* slektninger
kind *n.* slag
kindergarten *n.* barnehage
kindle *v.* å tenne
kindly *adv.* på en vennlig måte
kinetic *adj.* kinetisk
king *n.* konge
kingdom *n.* kongerike
kink *n.* bukt
kinship *n.* slektskap
kiss *v.t.* å kysse
kit *n.* sett
kitchen *n.* kjøkken
kite *n.* glente
kith *n.* det å være i slekt
kitten *n.* kattunge
kitty *n.* pott
knack *n.* håndlag
knacker *v.* hesteslakter
knave *n.* knekt
knead *v.* å kna
knee *n.* kne
kneel *v.* å knele
knickers *n.* underbenklær
knife *n.* kniv
knight *n.* ridder
knighthood *n.* ridderskap
knit *v.* å strikke
knob *n.* knott
knock *v.* å slå
knot *n.* knute
knotty *adj.* knortete
know *v.* å vite
knowing *adj.* megetsigende
knowledge *n.* kunnskap
knuckle *n.* knoke
kosher *adj.* koscher
kudos *n.* heder
kung fu *n.* kung fu

label *n.* etikett
labial *adj.* labial
laboratory *n.* laboratorium
laborious *adj.* anstrengende
labour *n.* arbeid
labourer *n.* kroppsarbeider
labyrinth *n.* labyrint
lace n. blondestoff
lacerate *v.* å såre
lachrymose *adj.* tårefylt
lack *n.* mangel
lackey *n.* tjener
lacklustre *adj.* glansløs
laconic *adj.* lakonisk
lacquer *n.* lakkferniss
lacrosse *n.* lacrosse
lactate *v.* å gi melk
lactose *n.* laktose
lacuna *n.* lakune
lacy *adj.* kniplingaktig
lad *n.* fyr
ladder *n.* stige
laden *adj.* fullastet
ladle *n.* øse
lady *n.* dame
ladybird *n.* marihøne
lag *v.* å ligge etter
lager *n.* lager
laggard *n.* etternøler
lagging *n.* varmeisolasjon
lagoon *n.* lagune
lair *n.* hi
lake *n.* sjø
lamb *n.* lam
lambast *v.* å skjelle ut
lame *adj.* halt
lament *n.* klagesang
lamentable *adj.* sørgelig
laminate *v.* å laminere
lamp *n.* lampe
lampoon *v.* å forfatte smededikt
lance *n.* lanse
lancer *n.* lansenér
lancet *n.* spissbue
land *n.* land
landing *n.* landing
landlady *n.* vertinne
landlord *n.* vertshusholder
landscape *n.* landskap
lane *n.* smal vei
language *n.* språk
languid *adj.* apatisk
languish *v.* å vansmekte
lank *adj.* mager
lanky *adj.* høy og ulenkelig
lantern *n.* lanterne
lap *n.* fang
lapse *n.* forløp
lard *n.* smult
larder *n.* spiskammer
large *adj.* stor
largesse *n.* rundhåndethet
lark *n.* lerke
larva *n.* larve
larynx *n.* strupehode
lasagne *n.* lasagna
lascivious *adj.* lidderlig
laser *n.* laser
lash *v.* å piske
lashings *n.* pisking
lass *n.* ungjente
last *adj.* sist
lasting *adj.* varig
latch *n.* klinke
late *adj.* sen
lately *adv.* i det siste
latent *adj.* latent
lath *n.* lekte
lathe *n.* dreiebenk
lather *n.* såpeskum

latitude *n.* bredde
latrine *n.* latrine
latte *n.* melk
latter *adj.* i siste del
lattice *n.* gitterverk
laud *v.* å lovprise
laudable *adj.* laudabel
laugh *v.* å le
laughable *adj.* latterlig
laughter *n.* latter
launch *v.* å sjøsette
launder *v.* å vaske og stryke
launderette *n.* vasketeria
laundry *n.* vaskeri
laurel *n.* laurbærtre
laureate *n.* laurbærsmykket
lava *n.* lava
lavatory *n.* wc
lavender *n.* lavendel
lavish *adj.* overdådig
law *n.* lov
lawful *adj.* lovlig
lawless *adj.* lovløs
lawn *n.* bruksplen
lawyer *n.* jurist
lax *adj.* slapp
laxative *n.* avførende middel
laxity *n.* slapphet
lay *v.* å legge
layer *n.* lag
layman *n.* lekmann
laze *v.* å dovne seg
lazy *adj.* lat
leach *v.* å perkolere
lead *n.* bly
lead *v.* å lede
leaden *adj.* blyaktig
leader *n.* leder
leadership *n.* lederskap
leaf *n.* blad
leaflet *n.* småblad
league *n.* forbund
leak *v.* å lekke
leakage *n.* lekkasje
lean *v.* å helle
leap *v.* å hoppe
learn *v.* å lære
learned *adj.* lærd
learner *n.* en som lærer
learning *n.* læring
lease *n.* leiekontrakt
leash *n.* bånd
least *adj.& pron.* minst
leather *n.* skinn
leave *v.t.* å forlate
lecture *n.* forelesning
lecturer *n.* foreleser
ledge *n.* avsats
ledger *n.* reskontro
leech *n.* igle
leek *n.* purre
left *n.* venstre
leftist *n.* venstreorientert
leg *n.* ben
legacy *n.* arv
legal *adj.* lovlig
legality *n.* legalitet
legalize *v.* å lovliggjøre
legend *n.* legende
legendary *adj.* legendarisk
leggings *n.* lange gamasjer
legible *adj.* leselig
legion *n.* legion
legislate *v.* å gi lover
legislation *n.* lovgivning
legislative *adj.* lovgivnings
legislator *n.* lovgiver
legislature *n.* lovgivende forsamling
legitimacy *n.* rettmessighet
legitimate *adj.* lovlig
leisure *n.* fritid
leisurely *adj.* makelig
lemon *n.* sitron

lemonade *n.* limonade
lend *v.* å låne
length *n.* lengde
lengthy *adj.* lengre
leniency *n.* mildhet
lenient *adj.* overbærende
lens *n.* linse
lentil *n.* linse
Leo *n.* Løven
leopard *n.* leopard
leper *n.* spedalsk
leprosy *n.* lepra
lesbian *n.* lesbe
less *adj. & pron.* mindre
lessee *n.* leier
lessen *v.* å minske
lesser *adj.* mindre
lesson *n.* leksjon
lessor *n.* bortforpakter
lest *conj.* for at… ikke
let *v.* å la
lethal *adj.* dødelig
lethargic *adj.* dorsk
lethargy *n.* dvaletilstand
letter *n.* brev
level *n.* nivå
lever *n.* spett
leverage *n.* hevarmvirkning
levity *n.* munterhet
levy *v.* å pålegge
lewd *adj.* lidderlig
lexical *adj.* leksikalsk
lexicon *n.* leksikon
liability *n.* ansvar
liable *adj.* ansvarlig
liaise *v.* å fungere som forbindelsesoffiser
liaison *n.* forbindelse
liar *n.* løgner
libel *n.* injurie
liberal *adj.* liberal
liberate *v.* å sette fri
liberation *n.* frigivelse
liberator *n.* befrier
liberty *n.* frihet
libido *n.* libido
Libra *n.* Vekten
librarian *n.* bibliotekar
library *n.* bibliotek
licence *n.* lisens
licensee *n.* lisenshaver
licentious *adj.* tøylesløs
lick *v.* å slikke
lid *n.* øyelokk
lie *v.* å lyve
liege *n.* lensherre
lien *n.* panterett
lieu *n.* avspaseringstid
lieutenant *n.* løytnant
life *n.* liv
lifeless *adj.* livløs
lifelong *adj.* livsvarig
lift *v.t.* å løfte
ligament *n.* ligament
light *n.* lys
lighten *v.* å lyse opp
lighter *n.* lighter
lighting *n.* belysning
lightly *adv.* forsiktig
lightening *n.* belysning
lignite *n.* lignitt
like *prep.* som
likeable *adj.* sympatisk
likelihood *n.* sannsynlighet
likely *adj.* sannsynlig
liken *v.* å sammenligne
likeness *n.* likhet
likewise *adv.* på lignende måte
liking *n.* forkjærlighet
lilac *n.* lilla
lily *n.* nøkkerose
limb *n.* lem
limber *v.* å myke opp

limbo *n.* limbus
lime *n.* limettsitron
limelight *n.* rampelyset
limerick *n.* limerick
limit *n.* grense
limitation *n.* begrensning
limited *adj.* begrenset
limousine *n.* limousin
limp *v.* å halte
line *n.* linje
lineage *n.* herkomst
linen *n.* lintøy
linger *v.* å nøle
lingerie *n.* dameundertøy
lingo *n.* lingo
lingua *n.* tunge
lingual *n.* tunge-
linguist *adj.* lingvist
linguistic *adj.* lingvistisk
lining *n.* fôring
link *n.* ledd
linkage *n.* lenkeforbindelse
linseed *n.* linfrø
lintel *n.* overligger
lion *n.* løve
lip *n.* leppe
liposuction *n.* fettsuging
liquefy *v.* å kondensere
liquid *n.* væske
liquidate *v.* å likvidere
liquidation *n.* likvidasjon
liquor *n.* brennevin
lisp *n.* lesping
lissom *adj.* smidig
list *n.* liste
listen *v.* å lytte
listener *n.* tilhører
listless *adj.* slapp
literal *adj.* ordrett
literary *adj.* litterær
literate *adj.* som kan lese og skrive
literature *n.* litteratur
lithe *adj.* smidig
litigant *n.* prosederende part
litigate *v.* å prosedere
litigation *n.* rettstvist
litre *n.* liter
litter *n.* bæreseng
little *adj.* små
live *v.* å leve
livelihood *n.* levebrød
lively *adj.* livlig
liven *v.* å bli livlig
liver *n.* lever
livery *n.* livré
living *n.* det å leve
lizard *n.* firfisle
load *n.* lass
loaf *n.* knoll
loan *n.* lån
loath *adj.* som er nølende
loathe *v.* å avsky
loathsome *adj.* avskyelig
lobby *n.* lobby
lobe *n.* lapp
lobster *n.* hummer
local *adj.* stedlig
locale *n.* lokalitet
locality *n.* lokalitet
localize *v.* å lokalisere
locate *v.* å plassere
location *n.* sted
lock *n.* lås
locker *n.* låsbart skap
locket *n.* medaljong
locomotion *n.* bevegelse
locomotive *n.* lokomotiv
locum *n.* vikar
locus *n.* plass
locust *n.* gresshoppe
locution *n.* vending
lodge *n.* jakthytte
lodger *n.* leieboer

lodging *n.* losji
loft *n.* loft
lofty *adj.* meget høy
log *n.* stokk
logarithm *n.* logaritme
logic *n.* logikk
logical *adj.* logisk
logistics *n.* logistikk
logo *n.* logo
loin *n.* kam
loiter *v.* å drive
loll *v.* å ligge henslengt
lollipop *n.* kjærlighet på pinne
lolly *n.* kjærlighet på pinne
lone *adj.* enslig
loneliness *n.* ensomhet
lonely *adj.* ensom
loner *n.* einstøing
lonesome *adj.* ensom
long adj. lang
longevity *n.* langlivethet
longing *n.* lengsel
longitude *n.* lengde
loo *n.* å på toalettet
look *v.* å se
look *n* utseende
lookalike *n.* dobbeltgjenger
loom *n.* vevstol
loop *n.* løkke
loose *adj.* løs
loosen *v.* å løse på
loot *n.* bytte
lop *v.* å beskjære
lope *v.* å løpe med lange byks
lopsided *adj.* usymmetrisk
lord *n.* herre
lordly *adj.* hovmodig
lore *n.* kunnskap
lorry *n.* lastebil
lose *v.* å miste
loss *n.* tap
lot pron. mye
lotion *n.* lotion
lottery *n.* lotteri
lotus *n.* lotus
loud *adj.* høy
lounge *v.* å ligge henslengt
lounge *n.* ventehall
louse *n.* lus
lousy *adj.* lusete
lout *n.* slamp
Louvre *n.* Louvre
lovable *adj.* elskelig
love *n.* kjærlighet
lovely *adj.* vakker
lover *n.* elsker
low adj. lav
lower *adj.* lavere
lowly *adj.* beskjeden
loyal *adj.* trofast
loyalist *n.* regjeringstro person
lozenge *n.* pastill
lubricant *n.* smøremiddel
lubricate *v.* å smøre
lubrication *n.* smøring
lucent *adj.* lysende
lucid *adj.* klar
lucidity *adv.* klarhet
luck *n.* lykke
luckless *adj.* uheldig
lucky *adj.* heldig
lucrative *adj.* lukrativ
lucre *n.* bytte
ludicrous *adj.* latterlig
luggage *n.* bagasje
lukewarm *adj.* lunken
lull *v.* å dysse noen i søvn
lullaby *n.* vuggevise
luminary *n.* lysende himmellegeme
luminous *adj.* lysende

lump *n.* klump
lunacy *n.* galskap
lunar *adj.* lunar
lunatic *n.* galning
lunch *n.* lunsj
luncheon *n.* lunsj
lung *n.* lunge
lunge *n.* støt
lurch *n.* krengning
lure *v.* å lokke
lurid *adj.* uhyggelig
lurk *v.* å lure
luscious *adj.* saftig
lush *adj.* frodig
lust *n.* lyst
lustful *adj.* lidderlig
lustre *n.* lustre
lustrous *adj.* strålende
lusty *adj.* sunn og sterk
lute *n.* lutt
luxuriant *adj.* frodig
luxurious *adj.* luksuriøs
luxury *n.* luksus
lychee *n.* kinaplomme
lymph *n.* lymfe
lynch *n.* lynsje
lyre *n.* lyre
lyric n. lyrisk dikt
lyrical *adj.* lyrisk
lyricist *n.* tekstforfatter

macabre *adj.* makaber
machine *n.* maskin
machinery *n.* maskineri
macho *adj.* maskulin
mackintosh *n.* regnfrakk
mad *adj.* gal
madam *n.* frue
madcap *adj.* villstyring
Mafia *n.* Mafia
magazine *n.* blad
magenta *n.* magenta
magic *n.* magi
magician *n.* trollmann
magisterial *adj.* myndig
magistrate *n.* forhørsdommer
magnanimous *adj.* edelmodig
magnate *n.* magnat
magnet *n.* magnet
magnetic *adj.* magnetisk
magnetism *n.* magnetisme
magnificent *adj.* praktfull
magnify *v.* å forstørre
magnitude *n.* størrelse
magpie *n.* skjære
mahogany *n.* mahogni
mahout *n.* elefantfører
maid *n.* hushjelp
maiden *n.* jomfru
mail *n.* mail
mail order *n.* mail order
maim *v.* å lemleste
main *adj.* hoved–
mainstay *n.* storstag
maintain *v.* å vedlikeholde
maintenance *n.* vedlikehold
maisonette *n.* leilighet
majestic *adj.* majestetisk
majesty *n.* majestet
major *adj.* større
majority *n.* myndighetsalder
make *v.* å lage
make-up *n.* make-up
making *n.* fremstilling
maladjusted *adj.* miljøskadd
maladministration *n.* dårlig ledelse
malady *n.* sykdom
malaise *n.* illebefinnende

malaria *n.* malaria
malcontent *n.* misfornøyd person
male *n.* mannfolk
malediction *n.* forbannelse
malefactor *n.* misdeder
malformation *n.* misdannelse
malfunction *v.* å arbeide dårlig
malice *n.* ondskap
malicious *adj.* ondskapsfull
malign *adj.* ond
malignant *adj.* ond
mall *n.* rekke forretninger
malleable *adj.* valsbar
mallet *n.* trekølle
malnutrition *n.* underernæring
malpractice *n.* uredelighet
malt *n.* malt
maltreat *v.* å mishandle
mammal *n.* pattedyr
mammary *adj.* bryst–
mammon *n.* mammon
mammoth *n.* mammut
man *n.* mann
manage *v.* å forvalte
manageable *adj.* lett å styre
management *n.* administrasjon
manager *n.* leder
managerial *adj.* leder-
mandate *n.* mandat
mandatory *adj.* obligatorisk
mane *n.* manke
manful *adj.* modig
manganese *n.* mangan
manger *n.* krybbe
mangle *v.* å rulle
mango *n.* mango
manhandle *n.* å behandle uvørent
manhole *n.* nedstigningsbrønn
manhood *n.* manndom
mania *n.* mani
maniac *n.* manisk person
manicure *n.* manikyr
manifest *adj.* tydelig
manifestation *n.* manifestasjon
manifesto *n.* manifest
manifold *adj.* mangfoldige
manipulate *v.* å manipulere
manipulation *n.* manipulering
mankind *n.* menneskeheten
manly *adj.* mandig
manna *n.* manna
mannequin *n.* mannekeng
manner *n.* måte
mannerism *n.* manér
manoeuvre *n.* manøver
manor *n.* herregård
manpower *n.* arbeidskraft
mansion *n.* herskapshus
mantel *n.* kaminomramning
mantle *n.* kappe
mantra *n.* mantra
manual *adj.* manuell
manufacture *v.* å produsere
manufacturer *n.* fabrikant
manumission *n.* slavenesfrigjøring
manure *n.* gjødsel
manuscript *n.* manuskript
many *adj.* mange
map *n.* kart
maple *n.* lønn
mar *v.* å spolere
marathon *n.* maraton
maraud *v.* å marodere

marauder *n.* marodør
marble *n.* marmor
march *n.* mars
march *v.* å marsjere
mare *n.* hoppe
margarine *n.* margarin
margin *n.* marg
marginal *adj.* marginal
marigold *n.* marigull
marina *n.* marina
marinade *n.* marinade
marinate *v.* å marinere
marine *adj.* marin
mariner *n.* sjømann
marionette *n.* marionett
marital *adj.* ekteskapelig
maritime *adj.* maritim
mark *n.* merke
marker *n.* merke
market *n.* marked
marketing *n.* markedsføring
marking *n.* merking
marksman *n.* skytter
marl *n.* mergel
marmalade *n.* appelsinmarmelade
maroon *n.* rødbrunt
marquee *n.* stort festtelt
marriage *n.* ekteskap
marriageable *adj.* gifteferdig
marry *v.* å gifte seg
Mars *n.* Mars
marsh *n* myr
marshal *n.* marskalk
marshmallow *n.* marshmallow
marsupial *n.* pungdyr
mart *n.* handelssentrum
martial *adj.* krigersk
martinet *n.* person som holder disiplin
martyr *n.* martyr
martyrdom *n.* martyrdøden
marvel *v.i* å beundre
marvellous *adj.* vidunderlig
Marxism *n.* marxisme
marzipan *n.* marsipan
mascara *n.* mascara
mascot *n.* maskot
masculine *adj.* maskulin
mash *v.t* å meske
mask *n.* maske
masochism *n.* masochisme
mason *n.* gråsteinsmurer
masonry *n.* murverk
masquerade *n.* maskerade
mass *n.* masse
massacre *n.* massakre
massage *n.* massasje
masseur *n.* massør
massive *adj.* massiv
mast *n.* mast
master *n.* mester
mastermind *n.* overlegen intelligens
masterpiece *n.* mesterverk
mastery *n.* herredømme
masticate *v.* å tygge
masturbate *v.* å onanere
mat *n.* matte
matador *n.* matador
match *n.* fyrstikk
matchmaker *n.* Kirsten Giftekniv
mate *n.* kamerat
material *n.* materiale
materialism *n.* materialisme
materialize *v.* å materialisere
maternal *adj.* moderlig
maternity *n.* morskap
mathematical *adj.* matematisk
mathematician *n.* matematiker

mathematics *n.* matematikk
matinee *n.* ettermiddagsforestilling
matriarch *n.* matriark
matricide *n.* modermord
matriculate *v.* å immatrikulere
matriculation *n.* immatrikulering
matrimonial *adj.* ekteskapelig
matrimony *n.* ekteskap
matrix *n.* matrise
matron *n.* husmor
matter *n.* materie
mattress *n.* madrass
mature *adj.* moden
maturity *n.* modenhet
maudlin *adj.* full og tåpelig
maul *v.* å maltraktere
maunder *v.* å vrøvle
mausoleum *n.* mausoleum
maverick *n.* uavhengig politiker
maxim *n.* maksime
maximize *v.* å maksimisere
maximum *n.* maksimum
May *n.* mai
may *v.* å måtte
maybe *adv.* kanskje
mayhem *n.* beskadigelse
mayonnaise *n.* majones
mayor *n.* borgermester
maze *n.* labyrint
me *pron.* meg
mead *n.* mjød
meadow *n.* eng
meagre *adj.* mager
meal *n.* måltid
mealy *adj.* melaktig
mean *v.* å bety
meander *v.* å slynge seg
meaning *n.* betydning
means *n.* middel
meantime *adv.* i mellomtiden
meanwhile *adv.* imellomtiden
measles *n.* meslinger
measly *adj.* stakkars
measure *v.* å måle
measure *a.* mål
measured *adj.* tilmålt
measurement *n.* måling
meat *n.* kjøtt
mechanic *n.* mekaniker
mechanical *adj.* mekanisk
mechanics *n.* mekaniker
mechanism *n.* mekanisme
medal *n.* medalje
medallion *n.* medaljong
medallist *v.i.* medaljevinner
meddle *v.* å blande seg borti
media *n.* media
median *adj.* midtre
mediate *v.* å megle
mediation *n.* mellomkomst
medic *n.* humlesnegleskolm
medical *adj.* medisinsk
medication *n.* medisinering
medicinal *adj.* medisinsk
medicine *n.* medisin
medieval *adj.* middelalder
mediocre *adj.* middelmådig
mediocrity *n.* middelmådighet
meditate *v.* å meditere
mediation *n.* megling
meditative *adj.* tenksom
Mediterranean *adj.* middelhavs–
medium *n.* medium
medley *n.* blanding
meek *adj.* spakferdig

meet *v.* å møte
meeting *n.* møte
mega *adj.* ekstremt
megabyte *n.* megabyte
megahertz *n.* megahertz
megalith *n.* megalith
megalithic *adj.* megalithic
megaphone *n.* megafon
megapixel *n.* megapixel
melamine *n.* melamin
melancholia *n.* melankoli
melancholy *n.* tungsinn
melange *n.* melange
meld *v.* å blande
melee *n.* slåsskamp
meliorate *v.* å forbedre
mellow *adj.* mildnet
melodic *adj.* melodisk
melodious *adj.* melodisk
melodrama *n.* melodrama
melodramatic *adj.* melodramatisk
melody *n.* melodi
melon *n.* melon
melt *v.* å smelte
member *n.* medlem
membership *n.* medlemskap
membrane *n.* membran
memento *n.* erindring
memo *n.* huskenotat
memoir *n.* biografi
memorable *adj.* uforglemmelig
memorandum *n.* memorandum
memorial *n.* minnesmerke
memory *n.* hukommelse
menace *n.* trussel
mend *v.* å reparere
mendacious *adj.* løgnaktig
mendicant *adj.* tiggermunk
menial *adj.* mindreverdig
meningitis *n.* hjernehinnebetennelse
menopause *n.* overgangsalder
menstrual *adj.* menstruell
menstruation *n.* menstruasjon
mental *adj.* mental
mentality *n.* mentalitet
mention *v.* å nevne
mentor *n.* mentor
menu *n.* meny
mercantile *adj.* merkantil
mercenary *adj.* leid
merchandise *n.* handelsvarer
merchant *n.* grossist
merciful adj. nådig
mercurial *adj.* kvikksølv
mercury *n.* kvikksølv
mercy *n.* nåde
mere *adj.* bare
meretricious *adj.* glorete
merge *v.* å smelte sammen
merger *n.* fusjon
meridian *n.* meridian
merit *n.* fortjenstfullhet
meritorious *adj.* prisverdig
mermaid *n.* havfrue
merry *adj.* lystig
mesh *n.* maske
mesmeric *adj.* hypnotisk
mesmerize *v.* å hypnotisere
mess *n.* uorden
message *n.* beskjed
messenger *n.* bud
messiah *n.* Messias
messy *adj.* uordentlig
metabolism *n.* metabolisme
metal *n.* metall
metallic *adj.* metallisk

metallurgy *n.* metallurgi
metamorphosis *n.* metamorfose
metaphor *n.* metafor
metaphysical *adj.* metafysisk
metaphysics *n.* metafysikk
mete *v.* å dele ut
meteor *n.* meteor
meteoric *adj.* kometaktig
meteorology *n.* meteorologi
meter *n.* måler
method *n.* metode
methodical *adj.* metodisk
methodology *n.* metodologi
meticulous *adj.* omhyggelig
metre *n.* måler
metric *adj.* metrisk
metrical *adj.* metrisk
metropolis *n.* metropol
metropolitan *adj.* storby-
mettle *n.* temperament
mettlesome *n.* temperamentsfull
mew *v.* å mjaue
mews *n.* gatestump med staller
mezzanine *n.* messanin
miasma *n.* illeluktende
mica *n.* glimmer
microbiology *n.* mikrobiologi
microchip *n.* mikrobrikke
microfilm *n.* mikrofilm
micrometer *n.* mikrometer
microphone *n.* mikrofon
microprocessor *n.* mikroprosessor
microscope *n.* mikroskop
microscopic *adj.* mikroskopisk
microsurgery *n.* mikrokirurgi
microwave *n.* mikrobølge
mid *adj.* midtre
midday *n.* klokken 12
middle *adj.* midtre
middleman *n.* mellommann
middling *adj.* middels
midget *n.* dverg
midnight *n.* midnatt
midriff n. mellomgulv
midst *adj.* midt i
midsummer *adj.* midtsommer
midway *adv.* halvveis
midwife *n.* jordmor
might n. styrke
mighty *adj.* mektig
migraine *n.* migrene
migrant *n.* trekkfugl
migrate *v.* å flytte
migration *n.* vandring
mild *adj.* mild
mile *n.* mile
mileage *n.* avstand
milestone *n.* milesten
milieu *n.* miljø
militant adj. militant
militant *n.* militant
military *adj.* militær
militate *v.* å motarbeide aktivt
militia *n.* milits
milk *n.* melk
milkshake *n.* milkshake
milky *adj.* melkeaktig
mill *n.* kvern
millennium *n.* millennium
millet *n.* hirse
milligram *n.* milligram
millimetre *n.* millimeter
milliner *n.* motehandler
million *n.* million
millionaire *n.* millionær
millipede *n.* tusenbein

mime *n.* mime
mime *n.* mime
mimic *n.* etteraper
mimicry *n.* etteraping
minaret *n.* minaret
mince *v.* å male
mind n. sinn
mindful *adj.* klar over
mindless *adj.* tankeløs
mine *pron.* min
mine *n.* gruve
miner *n.* gruvearbeider
mineral *n.* mineral
mineralogy *n.* mineralogi
minestrone *n.* minestronesuppe
mingle *v.* å blande seg
mini *adj.* små
miniature *adj.* miniatyr–
minibus *n.* småbuss
minicab *n.* minidrosje
minim *n.* halvnote
minimal *adj.* minimal
minimize *v.* å minimisere
minimum *n.* minimum
minion *n.* lakei
miniskirt *n.* miniskjørt
minister *n.* minister
ministerial *adj.* ministeriell
ministry *n.* departement
mink *n.* mink
minor *adj.* mindreårig
minority *n.* mindreårighet
minster *n.* domkirke
mint n. mynt
minus *prep.* minus
minuscule *adj.* minuskel
minute *n.* minutt
minute *adj.* meget liten
minutely *adv.* pinlig nøyaktig
minx *n.* frekk tøs
miracle *n.* mirakel
miraculous *adj.* mirakuløs
mirage *n.* luftspeiling
mire *n.* søle
mirror *n.* speil
mirth *n.* latter
mirthful *adj.* lykkelig
misadventure *n.* ulykkestilfelle
misalliance *n.* mesallianse
misapply *v.* å bruke galt
misapprehend v. å misforstå
misapprehension *n.* misforståelse
misappropriate *v.* å underslå
misappropriation *v.* underslag
misbehave *v.* å oppføre seg dårlig
misbehaviour *n.* dårlig oppførsel
misbelief *n.* vantro
miscalculate *v.* å feilberegne
miscalculation *n.* feilregning
miscarriage *n.* spontan abort
miscarry *v.* å abortere
miscellaneous *adj.* uensartet
mischance *n.* omstendighet
mischief *n.* ugagn
mischievous *adj.* skøyeraktig
misconceive *v.* å misoppfatte
misconception *n.* misoppfatning
misconduct *n.* ekteskapsbrudd
misconstrue *v.* å feiltolke

miscreant *n.* kjeltring
misdeed *n.* gjerning
misdemeanour *n.* mindre forseelse
misdirect *v.* å feildirigere
miser *n.* gnier
miserable *adj.* miserable
miserly *adj.* gjerrig
misery *n.* lidelse
misfire *v.* å feiltenne
misfit *n.* noe som passer dårlig
misfortune *n.* uhell
misgive *v.* å være fryktsom
misgiving *n.* mistenke
misguide *v.* å villede
mishandle *v.* å forkludre
mishap *n.* lite uhell
misinform *v.* å feilinformere
misinterpret *v.* å mistyde
misjudge *v.* å feilbedømme
mislay *v.* å forlegge noe
mislead *v.* å villede
mismanagement *n.* dårlig ledelse
mismatch *n.* ujevn kamp
misnomer *n.* gal benevnelse
misplace *v.* å forlegge
misprint *n.* trykkfeil
misquote *v.* å feilsitere
misread *v.* å feillese
misrepresent *v.* å gi et falskt bilde av noen
misrule *n.* vanstyre
miss *v.* å bomme
miss *n.* bom
missile *n.* rakett
missing *adj.* manglende
mission *n.* misjon
missionary n. misjonslege
missive *n.* epistel
misspell *v.* å stave galt
mist *n.* skodde
mistake *n.* feil
mistaken *adj.* feilaktig
mistletoe *n.* misteltein
mistreat *v.* å mishandle
mistress *n.* elskerinne
mistrust *v.* å mistro
misty *adj.* tåkete
misunderstand *v.* å misforstå
misunderstanding *n.* misforståelse
misuse *v.* å bruke galt
mite *n.* midd
mitigate *v.* å mildne
mitigation n. lindring
mitre *n.* bispelue
mitten *n.* vott
mix *v.* å blande
mixer *n.* blander
mixture *n.* blanding
moan *n.* stønn
moat *n.* vollgrav
mob *n.* mobb
mobile *adj.* bevegelig
mobility *n.* mobilitet
mobilize *v.* å sette mot
mocha *n.* mokka
mock *v.* å gjøre narr av
mockery *n.* hån
modality *n.* modalitet
mode *n.* måte
model *n.* modell
modem *n.* modem
moderate *adj.* moderat
moderation *n.* moderasjon
moderator *n.* moderator
modern *adj.* moderne
modernity *n.* moderne
modernize *v.* å modernisere
modernism *n.* modernisme
modest *adj.* beskjeden

modesty *n.* beskjedenhet
modicum *n.* lite grann
modification *n.* modifisering
modify *v.t.* å modifisere
modish *adj.* moderne
modulate *v.* å modulere
module *n.* modul
moil *v.* å slite og slepe
moist *adj.* fuktig
moisten *v.* å fukte
moisture *n.* fuktighet
moisturize *v.* å hydratisere
molar *n.* jeksel
molasses *n.* melasse
mole *n.* moldvarp
molecular *adj.* molekylær
molecule *n.* molekyl
molest *v.* å forulempe
molestation *n.* forulempelse
mollify *v.* å blidgjøre noen
molten *adj.* smeltet
moment *n.* øyeblikk
momentary *adj.* forbigående
momentous *adj.* betydningsfull
momentum *n.* moment
monarch *n.* hersker
monarchy *n.* monarki
monastery *n.* munkekloster
monastic *adj.* kloster
monasticism *n.* munkevesenet
Monday *n.* mandag
monetarism *n.* monetarisme
monetary *adj.* monetær
money *n.* penger
monger *n.* kremmer
mongoose *n.* mungo
mongrel *n.* bastard
monitor *n.* monitor
monitory *adj.* advarsler
monk *n.* munk
monkey *n.* ape
mono *n.* mono
monochrome *n.* monokrom
monocle *n.* monokkel
monocular *adj.* monokular
monody *n.* monodi
monogamy *n.* monogami
monogram *n.* monogram
monograph *n.* monografi
monolatry *n.* monolatri
monolith *n.* steinstøtte
monologue *n.* monolog
monophonic *adj.* monofonisk
monopolist *n.* monopolist
monopolize *v.* å monopolisere
monopoly *n.* monopol
monorail *n.* enskinnet jernbane
monosyllable *n.* enstavelsesord
monotheism *n.* monoteisme
monotheist *n.* monoteist
monotonous *adj.* monoton
monotony *n.* monotoni
monsoon *n.* monsun
monster *n.* monstrum
monstrous *n.* uhyrlig
monstrous *adj.* uhyrlig
montage *n.* montasje
month *n.* måned
monthly *adj.* månedlig
monument *n.* monument
monumental *adj.* monumental
moo *v.* å raute
mood *n.* modus
moody *adj.* irritabel
moon *n.* måne
moonlight *n.* måneskinn
moor *n.* maurer

moorings *n.* fortøyningsplass
moot *adj.* åpent
mop *n.* mopp
mope *v.* å henge med hodet
moped *n.* moped
moraine *n.* morene
moral *adj.* moralsk
morale *n.* kampånd
moralist *n.* moralist
morality *n.* moral
moralize *v.* å moralisere
morass *n.* morass
morbid *adj.* patologisk
morbidity *adv.* morbiditet
more *n.* mer
moreover *adv.* dessuten
morganatic *adj.* morganatisk
morgue *n.* likhus
moribund *adj.* døende
morning *n.* morgen
moron *n.* debil person
morose *adj.* gretten
morphine *n.* morfin
morphology *n.* morfologi
morrow *n.* morgendagen
morsel *n.* lite stykke
mortal *adj.* dødelig
mortality *n.* dødelighet
mortar *n.* mørtel
mortgage *n.* pant
mortgagee *n.* panthaver
mortgagor *n.* pantsetter
mortify *v.* å ydmyke
mortuary *n.* likhus
mosaic *n.* mosaikk
mosque *n.* moské
mosquito *n.* mygg
moss *n.* mose
most n. bryophyte
mote *n.* støvfnugg
motel *n.* motell
moth *n.* møll
mother *n.* mor
mother *n.* mor
motherboard *n.* motherboard
motherhood *n.* morskap
mother-in-law *n.* svigemor
motherly *adj.* moderlig
motif *n.* motiv
motion *n.* bevegelse
motionless adj. ubevegelig
motivate *v.* å motivere
motivation *n.* motivering
motive *n.* motiv
motley *adj.* broket
motor *n.* motor
motorcycle *n.* motorsykkel
motorist *n.* bilist
motorway *n.* motorvei
mottle *n.* flekk
motto *n.* motto
mould *n.* støpning
moulder *v.* å smuldre
moulding *n.* støping
moult *v.* å røyte
mound *n.* haug
mount *v.* å bestige
mountain *n.* fjell
mountaineer *n.* fjellklatrer
mountaineering *n.* fjellklatring
mountainous *adj.* fjellendt
mourn *v.* å sørge
mourner *n.* sørgende
mournful *adj.* bedrøvet
mourning *n.* sorg
mouse *n.* mus
mousse *n.* fromasj
moustache *n.* bart
mouth *n.* munn
mouthful *n.* munnfull
movable *adj.* bevegelig

move *v.* å bevege
movement *n.* bevegelse
mover *n.* forslagsstiller
movies *n.* film
moving *adj.* rørende
mow *v.* å klippe
mozzarella *n.* mozzarella
much *pron.* mye
mucilage *n.* slimstoff
muck *n.* gjødsel
mucous *adj.* slimete
mucus *n.* slim
mud *n.* mudder
muddle *v.* å rote sammen
muesli *n.* muesli
muffin *n.* muffin
muffle *v.* å dempe
muffler *n.* lyddemper
mug *n.* krus
muggy *adj.* fuktigvarm
mulatto *n.* mulatt
mulberry *n.* morbær
mule *n.* muldyr
mulish *adj.* halsstarrig
mull *v.* å varme opp og krydre
mullah *n.* mulla
mullion *n.* vindussprosse
multicultural *adj.* flerkulturell
multifarious *adj.* mange slags
multiform *adj.* mangeformet
multilateral *adj.* flersidig
multimedia *n.* multimedia
multiparous *adj.* som har født flere barn
multiple *adj.* flersifret
multiplex *n.* multipleks
multiplication *n.* multiplikasjon
multiplicity *n.* mangfoldighet
multiply *v.* å multiplisere
multitude *n.* mengde
mum *n.* mamma
mumble *v.* å mumle
mummer *n.* pantomime
mummify *v.* å mumifisere
mummy *n.* mumie
mumps *n.* kusma
munch *v.* å knaske
mundane *adj.* ordinær
municipal *adj.* kommunal
municipality *n.* bykommune
munificent *adj.* rundhåndet
muniment *n.* muniment
munitions *n.* krigsmateriell
mural *n.* veggmaleri
murder *n.* mord
murderer *n.* morder
murk *n.* mørke
murky *adj.* mørk og dyster
murmur *v.* å mumle
muscle *n.* muskel
muscovite *n.* moskovitt
muscular *adj.* muskuløs
muse *n.* muse
museum *n.* museum
mush *n.* grøtet masse
mushroom *n.* sopp
music *n.* musikk
musical *adj.* musikalsk
musician *n.* musiker
musk *n.* moskus
musket *n.* muskett
musketeer *n.* musketer
Muslim *n.* muslim
muslin *v.* musselin
mussel *n.* musling
must *v.* å måtte
mustang *n.* mustang
mustard *n.* sennep
muster *v.* å mønstre
musty *adj.* muggen
mutable *adj.* omlydelig

mutate *v.* å mutere
mutation n. mutasjon
mutative *adj.* som mutere
mute *adj.* stum
mutilate *v.* å lemleste
mutilation *n.* lemlestelse
mutinous *adj.* opprørsk
mutiny *n.* mytteri
mutter *v.* å mumle
mutton *n.* fårekjøtt
mutual *adj.* gjensidig
muzzle *n.* munnkurv
muzzy *adj.* ør
my *adj.* min
myalgia *n.* myalgi
myopia *n.* nærsynthet
myopic *adj.* nærsynt
myosis *n.* meiose
myriad *n.* utallige
myrrh *n.* myrra
myrtle *n.* myrt
myself *pron.* selv
mysterious *adj.* mystisk
mystery *n.* mysterium
mystic *n.* mystiker
mystical *adj.* mystisk
mysticism *n.* mystisisme
mystify *v.* å mystifisere
mystique *n.* mystikk
myth *n.* myte
mythical *adj.* mytisk
mythological *adj.* mytologisk
mythology n. mytologi

N

nab *v.* å få tak i
nabob nabob storing
nacho n. nacho
nadir *n.* nadir
nag *v.t.* å kjefte på
nail *n.* negl
naivety *n.* det å være naive
naked *adj.* naken
name *n.* navn
namely *n.* nemlig
namesake *n.* navnebror
nanny *n.* barnepike
nap *n.* lur
nape *n.* nakken
naphthalene *n.* naftalin
napkin *n.* serviett
nappy *n.* bleie
narcissism *n.* narsissisme
narcissus *n.* narsiss
narcotic *n.* narkoman
narrate *v.* å fortelle
narration *n.* berette
narrative *n.* beretning
narrator *n.* forteller
narrow *adj.* smal
nasal *adj.* nasal-
nascent *adj.* i sin vorden
nasty *adj.* vemmelig
natal *adj.* fødsels-
natant *adj.* flytende
nation *n.* nasjon
national *adj.* nasjonal
nationalism *n.* nasjonalisme
nationalist *n.* nasjonalist
nationality *n.* nasjonalitet
nationalization *n.* nasjonalisering
nationalize *v.* å nasjonalisere
native *n.* ìnnfødt
nativity *n.* Jesu fødsel
natty *adj.* smart
natural *adj.* naturlig
naturalist *n.* naturlaist
naturalize *v.* å gjøre naturlig
naturalization *n.* det å gjøre naturlig

naturally *adv.* av natur
nature *n.* natur
naturism *n.* naturisme
naughty *adj.* uskikkelig
nausea *n.* kvalme
nauseate *v.* å gjøre kvalm
nauseous *adj.* kvalmende
nautical *adj.* nautisk
naval *adj.* orlogs-
nave *n.* skip
navigable *adj.* farbar
navigate *v.* å navigere
navigation *n.* navigasjon
navigator *n.* navigatør
navy *n.* flåte
nay *adv.* nei
near *adv.* nær
nearby *adv.* i nærheten
near *v.i.* å nærme seg
nearest *adj.* mest nær
nearly *adv.* nesten
neat *adj.* pyntelig
nebula *n.* stjernetåke
nebulous *adj.* tåkete
necessarily *adv.* nødvendigvis
necessary *adj.* nødvendig
necessitate *v.* å nødvendiggjøre
necessity *n.* nød
neck *n.* hals
necklace *n.* halsbånd
necklet *n.* halssmykke
necromancy *n.* åndemaning
necropolis *n.* nekropolis
nectar *n.* nektar
nectarine *n.* nektarin
need *v.* å trenge
needful *adj.* det nødvendige
needle *n.* nål
needless *adj.* unødig
needy *adj.* fattig

nefarious *adj.* avskyelig
negate *v.* å gjøre ugyldig
negation *n.* nektelse
negative *adj.* negativ
negativity *n.* negativitet
neglect *v.* å forsømme
negligence *n.* skjødesløshet
negligent *adj.* skjødesløs
negligible *adj.* negligibel
negotiable *adj.* som kan overdras
negotiate *v.* å forhandle
negotiation *n.* forhandling
negotiator *n.* forhandler
negress *n.* negerkvinne
negro *n.* neger
neigh *n.* knegg
neighbour *n.* nabo
neighbourhood *n.* nabolag
neighbourly *adj.* nabovennlig
neither *adj.* heller
nemesis *n.* Nemesis
neoclassical *adj.* neoklassisk
Neolithic *adj.* neolittisk
neon *n.* neon
neophyte *n.* nyomvendt
nephew *n.* nevø
nepotism *n.* nepotis[illegible]
Neptune *n.* Ne[illegible]
nerd *n.* nerd
Nerve *n.* Ne[illegible]
nerveless a[illegible]
nervous ad[illegible]
nervy *adj.* [illegible]
nest *n.* rei[illegible]
nestle *v.* å [illegible] rette
nestling *n.* [illegible]
net *n.* nett
nether *adj.* n[illegible]

netting *n.* garnbinding
nettle *n.* nesle
network *n.* nettverk
neural *adj.* nerve–
neurologist *n.* nevrolog
neurology *n.* nevrologi
neurosis *n.* nevrose
neurotic *adj.* nevrotisk
neuter *adj.* intetkjønns
neutral *adj.* nøytral
neutralize *v.* å nøytralisere
neutron *n.* nøytron
never *adv.* aldri
nevertheless *adv.* ikke desto mindre
new *adj.* ny
newly *adv.* ny
news *n.* nyhet
next *adj.* neste
nexus *n.* nexus
nib *n.* spiss
nibble *v.* å bite forsiktig av
nice *adj.* hyggelig
nicety *n.* hårfin
niche *n.* nisje
nick *n.* skår
nickel *n.* nikkel
nickname *n.* kallenavn
...tine *n.* nikotin
...niese
...rrig person
... uslete
...ig
...eritt
...le
...sme

nimble *adj.* rask
nimbus n. nimbus
nine *adj. & n.* ni
nineteen *adj. & n.* nitten
nineteenth *adj. & n.* nittendedel
ninetieth *adj. & n.* nittiende
ninth *adj. & n.* niende
ninety *adj. & n.* nitti
nip *v.* å klype
nipple *n.* brystvorte
nippy *adj.* kjølig
nitrogen *n.* nitrogen
no *adj.* nei
nobility *n.* adelskap
noble *adj.* adelig
nobleman *n.* adelsmann
nobody *pron.* ingen
nocturnal *adj.* nattlig
nod *v.* å nikke
node *n.* node
noise *n.* lyd
noisy *adj.* støyende
nomad *n.* nomade
nomadic *adj.* nomadisk
nomenclature *n.* nomenklatur
nominal *adj.* substantivisk
nominate *v.* å nominere
nomination *n.* nominasjon
nominee *n.* kandidat
non-alignment *n.* ikke-oppretting
nonchalance *n.* likegyldighet
nonchalant *adj.* overlegen
nonconformist *n.* ikke konformist
none *pron.* ikke noe
nonentity *n.* ubetydelighet
nonplussed *adj.* forbløffet
nonetheless *a.* likevel
nonpareil *adj.* makeløs

nonplussed *adj.* rådvill
nonsense *n.* nonsens
nonstop *adj.* direkt
noodles *n.* nudler
nook *n.* lite gjemme
noon *n.* middag
noose *n.* løkke
nor *conj.&adv.* heller ikke
Nordic *adj.* nordisk
norm *n.* norm
normal *adj.* normal
normalcy *n.* normalitet
normalize *v.* å normalisere
normative *adj.* normativ
north *n.* nord
northerly *adj.* nordlig
northern *adj.* nordlig
nose *n.* nese
nostalgia *n.* hjemlengsel
nostril *n.* nesebor
nostrum *n.* nostrum
nosy *adj.* nysgjerrig
not *adv.* ikke
notable *adj.* bemerkelsesverdig
notary *n.* notarius
notation *n.* tegnsystem
notch *n.* hakk
note *n.* note
notebook *n.* notisbok
noted *adj.* kjent
noteworthy *adj.* bemerkelsesverdig
nothing *pron.* ingenting
notice *n.* notis
noticeable *adj.* merkbar
noticeboard *n.* oppslagstavle
notfiable *adj.* som skulle anmeldes
notification *n.* melding
notify *v.* å meddele
notion *n.* begrep
notional *adj.* nominell
notoriety *n.* beryktethet
notorious *prep.* beryktet
notwithstanding *prep.* til tross for
nougat *n.* nugat
nought *n.* null
noun *n.* substantiv
nourish *v.* å ernære
nourishment *n.* næring
novel *n.* roman
novelette *n.* kort roman
novelist *n.* romanforfatter
novelty *n.* nyhetsartikkel
November *n.* november
novice *n.* nybegynner
now *adv.* nå
nowhere *adv.* ingen steder
noxious *adj.* skadelig
nozzle *n.* holder
nuance *n.* nyanse
nubile *a.* gifteferdig
nuclear *adj.* nukleær
nucleus *n.* kjerne
nude *adj.* naken
nudge *v.* å gi noen en liten dytt
nudist *n.* nudist
nudity *n.* nakenhet
nudge *v.* å skubbe til noen
nugatory *adj.* bagatellmessig
nugget *n.* gullklump
nuisance *n.* plage
null *adj.* ugyldig
nullification *n.* annullering
nullify *v.* å gjøre ugyldig
numb *adj.* følelsesløs
number *n.* nummer
numberless *adj.* talløs
numeral *n.* talltegn

numerator *n.* teller
numerical *adj.* numerisk
numerous *adj.* tallrik
nun *n.* nonne
nunnery *n.* nonnekloster
nuptial *adj.* bryllupsseremonier
nurse *n.* sykepleier
nursery *n.* barneværelse
nurture *v.* å oppdra
nut *n.* nøtt
nutrient *n.* næringsstoff
nutrition *n.* ernæring
nutritious *adj.* nærende
nutritive adj. nærings–
nutty adj. gal
nuzzle *v.* å stikke mulen inn mot
nylon *n.* nylon
nymph n. nymfe

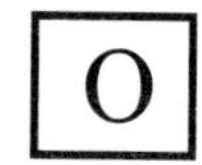

oaf *n.* dum klossmajor
oak *n.* eik
oar *n.* åre
oasis *n.* oase
oat *n.* havre
oath *n.* ed
oatmeal *n.* havremel
obduracy *n.* forstokkethet
obdurate *adj.* forstokket
obedience *n.* lydighet
obedient *adj.* lydig
obeisance *n.* reverens
obesity *n.* fedme
obese *adj.* fet
obey *v.* å adlyde
obfuscate *v.* å vanskeliggjøre
obituary *n.* nekrolog
object *n.* gjenstand
objection *n.* innsigelse
objectionable *adj.* ubehagelig
objective *adj.* saklig
objectively *adv.* objektivt
oblation *n.* offergave
obligated *adj.* forpliktet
obligation *n.* forpliktelse
obligatory *adj.* obligatorisk
oblige *v.* å tvinge
obliging *adj.* tjenstvillig
oblique *adj.* skrå
obliterate *v.* å utslette
obliteration *n.* utslettelse
oblivion *n.* glemsel
oblivious *adj.* som ikke tar hensyn til
oblong *adj.* avlang
obloquy *n.* nedrakking
obnoxious *adj.* ytterst ubehagelig
obscene *adj.* obskøn
obscenity *n.* obskønitet
obscure *adj.* dunkel
obscurity *n.* ubemerkethet
observance *n.* overholdelse
observant *adj.* oppmerksom
observation *n.* observasjon
observatory *n.* observatorium
observe *v.* å legge merke til
obsess *v.* å besette
obsession *n.* besettelse
obsolescent *adj.* foreldet
obsolete *adj.* foreldet
obstacle *n.* hindring
obstinacy *n* gjenstridighet
obstinate *adj.* gjenstridig
obstruct *v.* å sperre
obstruction *n.* hindring
obstructive *adj.* som hindrer

obtain *v.* å få
obtainable *adj.* som kan fås
obtrude *v.* å trenge seg frem
obtuse *adj.* stump
obverse *n.* forside
obviate *v.* å unngå
obvious *adj.* opplagt
occasion *n.* anledning
occasional *adj.* leilighetsvis
occasionally *adv.* leilighetsvis
occident *n.* Vesten
occidental *adj.* vesterlandsk
occlude *v.* å lukke
occult *n.* okkultisme
occupancy *n.* besittelse
occupant *n.* leier
occupation *n.* yrke
occupational *adj.* yrkesmessig
occupy *v.* å okkupere
occur *v.* å forekomme
occurrence *n.* hendelse
ocean *n.* verdenshav
oceanic *adj.* oseanisk
octagon *n.* åttekant
octave *n.* oktav
octavo *n.* oktavo
October *n.* oktober
octogenarian *n.* person i åttiårene
octopus *n.* åttearmet
octroi *n.* aksise
ocular *adj.* øyen-
odd *adj.* odde
oddity *n.* særhet
odds *n.* odds
ode *n.* ode
odious *adj.* motbydelig
odium *n.* hat
odorous *adj.* duftende
odour *n.* lukt
odyssey *n.* odyssé
of *prep.* av
off *adv.* av
offence *n.* fornærmelse
offend *v.* å fornærme
offender *n.* lovbryter
offensive *adj.* offensiv
offer *v.* å tilby
offering *n.* offergave
office *n.* kontor
officer *n.* styremedlem
official *adj.* offisiell
officially *adv.* offisielt
officiate *v.* å forrette
officious *adj.* geskjeftig
offset *v.* å oppveie
offshoot *n.* utløper
offshore *adj.* offshore
offside *adj.* høyre
offspring *n.* resultat
oft *adv.* ofte
often *adv.* ofte
ogle *v.* å lystne blikk på
oil *n.* olje
oil *a.* å smøre
oily *adj.* oljeaktig
ointment *n.* salve
okay *adj.* okay
old *adj.* gammel
oligarchy *n.* oligarki
olive *n.* oliven
Olympic *adj.* olympisk
omelette *n.* omelett
omen *n.* varsel
ominous *adj.* illevarslende
omission *n.* unnlatelse
omit *v.* å unnlate
omnibus *n.* buss
omnipotence *n.* allmakt
omnipotent *adj.* allmektig
omnipresence *n.* allestedsnærværelse

omnipresent *adj.* allestedsnærværende
omniscience *n.* allvitenhet
omniscient *adj.* allvitende
on prep. på
once *adv.* en gang
one *n. & adj.* ettall
oneness *n.* det å være ett
onerous *adj.* byrdefull
oneself *pron.* seg
onion *n.* løk
onlooker *n.* tilskuer
only *adv.* bare
onomatopoeia *n.* onomatopoetikon
onset *n.* angrep
onslaught *n.* stormløp
ontology *n.* ontologi
onus *n.* bevisbyrde
onward *adv.* fremover
onyx *n.* onyks
ooze *v.i.* å sive
opacity *n.* ugjennomsiktighet
opal *n.* opal
opaque *adj.* ugjennomsiktig
open *adj.* åpen
opening *n.* åpning
openly *adv.* åpent
opera *n.* opera
operate *v.* å operere
operation *n.* operasjon
operational *adj.* driftsteknisk
operative *adj.* operativ
operator *n.* operatør
opine *v.* å være av den mening at
opinion *n.* mening
opium *n.* opium
opponent *n.* motstander
opportune *adj.* beleilig
opportunism *n.* opportunisme
opportunity *n.* anledning
oppose *v.* å motsette seg
opposite *adj.* motsatt
opposition *n.* motstand
oppress *v.* å undertrykke
oppression *n.* undertrykkelse
oppressive *adj.* tyngende
oppressor *n.* undertrykker
opt *v.* å velge
optic *adj.* optisk
optician *n.* optiker
optimism *n.* optimisme
optimist *n.* optimist
optimistic *adj.* optimistisk
optimize *v.* å optimalisere
optimum *adj.* optimal
option *n.* opsjon
optional *adj.* valgfri
opulence *n.* rikdom
opulent *adj.* overdådig
or *conj.* eller
oracle *n.* orakel
oracular *adj.* klok
oral *adj.* muntlig
orally *adv.* muntlig
orange *n.* oransje
oration *n.* tale
orator *n.* taler
oratory *n.* veltalenhet
orb *n.* kule
orbit *n.* bane
orbital *adj.* orbital
orchard *n.* frukthage
orchestra *n.* orkester
orchestral *adj.* orkester-
orchid *n.* orkidé
ordeal *n.* ildprøve
order *n.* ordre
orderly *adj.* velordnet

ordinance *n.* forordning
ordinarily *adv.* vanligvis
ordinary *adj.* vanlig
ordnance *n.* artilleri
ore *n.* malm
organ *n.* organ
organic *adj.* organisk
organism *n.* organisme
organization *n.* organisasjon
organize *v.* å organisere
orgasm *n.* orgasme
orgy *n.* orgie
orient *n.* Østen
oriental *adj.* østerlandsk
orientate *v.* å orientere
origami *n.* origami
origin *n.* opprinnelse
original *adj.* opprinnelig
originality *n.* originalitet
originate *v.* å skape
originator *n.* opphavsmann
ornament *n.* ornament
ornamental *adj.* ornamental
ornamentation *n.* ornamentering
ornate *adj.* overdrevent dekorert
orphan *n.* foreldreløst barn
orphanage *n.* hjem for foreldreløse barn
orthodox *adj.* ortodoks
orthodoxy *n.* ortodoksi
orthopaedics *n.* ortopedi
oscillate *v.* å svinge
oscillation *n.* oscillering
ossify *v.* å forbene
ostensible *adj.* angivelig
ostentation *n.* praleri
osteopathy *n.* osteopati
ostracize *v.* å utvise
ostrich *n.* struts
other adj. & pron. annen
otherwise *adv.* ellers
otiose *adj.* overflødig
otter *n.* oter
ottoman *n.* ottoman
ounce *n.* grann
our *adj.* vår
ourselves *pron.* oss selv
oust *v.* å fortrenge
out *adv.* ut
outbid *v.* å overby
outboard *adj.* utenbords
outbreak *n.* utbrudd
outburst *n.* utbrudd
outcast *n.* utstøtt
outclass *v.* å utklasse
outcome *n.* resultat
outcry *n.* høylytt protest
outdated *adj.* umoderne
outdo *v.* å overgå
outdoor *adj.* utendørs
outer *adj.* ytre
outfit *n.* utstyr
outgoing *adj.* utgående
outgrow *v.* å vokse fra
outhouse *n.* uthus
outing *n.* utflukt
outlandish *adj.* merkelig
outlast *v.* å leve lenger enn
outlaw *n.* fredløs
outlay *n.* utgift
outlet *n.* utløp
outline *n.* omriss
outlive *v.* å leve lenger enn
outlook *n.* utsikt
outlying *adj.* avsidesliggende
outmoded *adj.* foreldet
outnumber *v.* å være tallmessig overlegen
outpatient *n.* poliklinisk pasient
outpost *n.* utpost

output *n.* output
outrage *n.* voldshandling
outrageous *adj.* opprørende
outrider *n.* motorsykkeleskorte
outright *adv.* på stedet
outrun *v.* å løpe fortere enn
outset *n.* gynnelsen
outshine *v.* å lyse sterkere enn
outside *n.* ytterside
outsider *n.* fremmed
outsize *adj.* ekstra stor
outskirts *n.* utkant
outsource *v.* å sette bort deler av driften
outspoken *adj.* åpenhjertig
outstanding *adj.* fremragende
outstrip *v.* å distansere
outward *adj.* ytre
outwardly *adv.* utadtil
outweigh *v.* å oppveie
outwit *v.* å være for lur for
oval *adj.* oval
ovary *n.* eggstokk
ovate *adj.* eggformet
ovation *n.* ovasjon
oven *n.* stekeovn
over *prep.* over
overact *v.* å overspille
overall *adj.* samlet
overawe *v.* å skremme
overbalance *v.* å ta overbalanse
overbearing *adj.* overlegen
overblown *adj.* overutsprunget
overboard *adv.* overbord
overburden *v.* å overbebyrde
overcast *adj.* overskyet
overcharge *v.* å ta for høy pris
overcoat *n.* frakk
overcome *v.* å seire over
overdo *v.* å overdrive
overdose *n.* overdose
overdraft *n.* overtrukket beløp
overdraw *v.* å overtrekke
overdrive *n.* overgir
overdue *adj.* forsinket
overestimate *v.* å overvurdere
overflow *v.* å flomme over
overgrown *adj.* overgrodd
overhaul *v.* å overhale
overhead *adv.* over
overhear *v.* å overhøre
overjoyed *adj.* henrykt
overlap *v.* å overlappe
overleaf *adv.* på neste side
overload *v.* å overbelaste
overlook *v.* å ha utsikt over
overly *adv.* altfor
overnight *adv.* natten over
overpass *n.* veiovergang
overpower *v.* å overmanne
overrate *v.* å overvurdere
overreach *v.* å spenne buen for høyt
overreact *v.* å overreagere
override *v.* å neglisjere
overrule *v.* å underkjenne
overrun *v.* å oversvømme
overseas *adv.* over havet
oversee *v.* å føre tilsyn med
overseer *n.* oppsynsmann
overshadow *v.* å overskygge
overshoot *v.* å skyte over
oversight *n.* forglemmelse

overspill *n.* befolkningsoverskudd
overstep *v.* å overskride
overt *adj.* utilslørt
overtake *v.* å kjøre forbi
overthrow *v.* å styrte
overtime *n* overtid
overtone *n.* overtone
overture *n.* ouverture
overturn *v.* å velte
overview *n.* oversikt
overweening *adj.* overdreven
overwhelm *v.* å overmanne
overwrought *adj.* overspent
ovulate *v.* å ha eggløsning
owe *v.* å skylde
owing *adj.* utestående
owl *n.* ugle
own *adj. & pron.* egen
owner *n.* eier
ownership *n.* eierforhold
ox *n.* okse
oxide *n.* oksid
oxygen *n.* oksygen
oyster n. østers
ozone *n* ozon

pace *n.* skritt
pacemaker *n.* pacemaker
pacific *n.* stillehav
pacifist *n.* pasifist
pacify *v.* å berolige
pack *n.* bylt
package *n.* pakke
packet *n.* originalpakke
packing *n.* pakking
pact *n.* pakt
pad *n.* pute
padding *n.* fyll
paddle *n.* padleåre
paddock *n.* havnehage
padlock *n.* hengelås
paddy *n.* sinneanfall
paediatrician *n.* barnelege
paediatrics *n.* pediatri
paedophile *n.* pedofil
pagan *n.* hedning
page *n.* side
pageant *n.* opptog
pageantry *n.* strålende praktutfoldelse
pagoda *n.* pagode
pail *n.* spann
pain *n.* smerte
painful *adj.* som gjør vondt
painkiller *n.* smertestillende middel
painstaking *adj.* omhyggelig
paint *n.* maling
painter *n.* kunstmaler
painting *n.* maleri
pair *n.* par
paisley *n.* paisley
pal *n.* kamerat
palace *n.* slott
palatable *adj.* behagelig
palatal *adj.* palatal
palate *n.* gane
palatial *adj.* palassaktig
pale *adj.* blek
palette *n.* palett
paling *n.* spiss pæl
pall *n.* likklede
pallet *n.* pall
palm *n.* håndflate
palmist *n.* kiromant
palmistry *n.* kiromanti
palpable *adj.* håndgripelig
palpitate *v.* å banke
palpitation *n.* banking

palsy *n.* parese
paltry *adj.* ussel
pamper *v.* å forkjæle
pamphlet *n.* pamflett
pamphleteer *n.* stridsskrifter
pan *n.* gryte
panacea *n.* universalmiddel
panache *n.* hjelmbusk
pancake *n.* pannekake
pancreas *n.* bukspyttkjertel
panda *n.* kattebjørn
pandemonium *n.* pandemonium
pane *n.* rute
panegyric *n.* panegyrikk
panel *n.* panel
pang *n.* bang
panic *n.* panikk
panorama *n.* panorama
pant *v.* å pese
pantaloon *n.* Pantalone
pantheism *n.* panteisme
pantheist *adj.* panteist
panther *n.* panter
panties *n.* truse
pantomime *n.* pantomime
pantry *n.* spiskammer
pants *n.* truse
papacy *n.* pavedømme
papal *adj.* pavelig
paper *n.* papir
paperback *n.* paperback
par *n.* par
parable *n.* lignelse
parachute *n.* fallskjerm
parachutist *n.* fallskjermhopper
parade *n.* parade
paradise *n.* paradis
paradox *n.* paradoks
paradoxical *adj.* paradoksal
paraffin *n.* parafin
paragon *n.* paragon
paragraph *n.* avsnitt
parallel *n.* parallell
parallelogram *n.* parallellogram
paralyse *v.* å paralysere
paralysis *n.* lammelse
paralytic *adj.* paralytisk
paramedic *n.* ambulansesjåfør
parameter *n.* parameter
paramount *adj.* av største betydning
paramour *n.* elskerinne
paraphernalia *n.* remedier
paraphrase *v.* å parafrasere
parasite *n.* parasitt
parasol *n.* parasoll
parcel *n.* pakke
parched *adj.* uttørket
pardon *n.* tilgivelse
pardonable *adj.* tilgivelig
pare *v.* å skrelle
parent *n.* foreldre
parentage *n.* foreldreverdighet
parental *adj.* foreldre–
parenthesis *n.* parentes
pariah *n.* pariah
parish *n.* prestegjeld
parity *n.* paritet
park *n.* park
parky *adj.* kjølig
parlance *n.* språkbruk
parley *n.* parlamentering
parliament *n.* stortinget
parliamentarian *n.* parlamentariker
parliamentary *adj.* parlamentarisk
parlour *n.* dagligstue
parochial *adj.* sogne-

parody *n.* parodi
parole *n.* stikkord
parricide *n.* fadermord
parrot *n.* papegøye
parry *v.* å parere
parse *v.* å analysere
parsimony *n.* gjerrighet
parson *n.* sogneprest
part *n.* del
partake *v.* å ta del i
partial *adj.* delvis
partiality *n.* partiskhet
participate *v.* å delta
participant *n.* deltager
participation *n.* medvirkning
particle *n.* partikkel
particular *adj.* spesiell
parting *n.* avskjed
partisan *n.* partisan
partition *n.* deling
partly *adv.* delvis
partner *n.* partner
partnership *n.* kompaniskap
party *n.* parti
pass *v.* å passere
passable *adj.* fremkommelig
passage *n.* korridor
passenger *n.* passasjer
passing *adj.* forbipasserende
passion *n.* lidenskap
passionate *adj.* lidenskapelig
passive *adj.* passiv
passport *n.* pass
past *adj.* forbi
pasta *n.* pasta
paste *n.* deig
pastel *n.* pastell
pasteurized *adj.* pasteurisert
pastime *n.* tidsfordriv
pastor *n.* prest
pastoral *adj.* pastoral
pastry *n.* kakedeig
pasture *n.* beite
pasty *n.* paté
pat *v.* å klappe
patch *n.* lapp
patchy *adj.* lappet
patent *n.* patent
paternal *adj.* faderlig
paternity *n.* farskap
path *n.* sti
pathetic *adj.* patetisk
pathology *n.* patologi
pathos *n.* patos
patience *n.* tålmodighet
patient *adj.* tålmodig
patient *n.* pasient
patio *n.* atrium
patisserie *n.* bakverk
patriarch *n.* patriark
patricide *n.* fadermorder
patrimony *n.* farsarv
patriot *n.* patriot
patriotic *adj.* patriotisk
patriotism *n.* patriotisme
patrol *v.* å patruljere
patron *n.* velynder
patronage *n.* beskyttelse
patronize *v.* å støtte
pattern *n.* mønster
patty *n.* liten pai
paucity *n.* fåtallighet
paunch *n.* vom
pauper *n.* fattiglem
pause *n.* pause
pave *v.* å brulegge
pavement *n.* fortau
pavilion *n.* paviljong
paw *n.* pote
pawn *n.* bonde
pawnbroker *n.* pantelåner
pay *v.* å betale

payable *n.* betalbar
payee *n.* remittent
payment *n.* betaling
pea *n.* ert
peace *n.* fred
peaceable *adj.* fredsommelig
peaceful *adj.* fredelig
peach *n.* fersken
peacock *n.* påfugl
peahen *n.* påfuglhøne
peak *n.* nut
peaky *adj.* blek om nebbet
peal *n.* kiming
peanut *n.* peanøtt
pear *n.* pære
pearl *n.* perle
peasant *n.* bonde
peasantry *n.* bondestanden
pebble *n.* fjærestein
pecan *n.* pekannøtt
peck *v.i.* å hakke
peculiar *adj.* merkelig
pedagogue *n.* pedagog
pedagogy *n.* pedagogikk
pedal *n.* pedal
pedant *n.* pedant
pedantic *adj.* pedantisk
peddle *v.* å selge ved dørene
pedestal *n.* fotstykke
pedestrian *n.* prosaisk
pedicure *n.* fotpleier
pedigree *n.* stamtavle
pedlar *n.* dørselger
pedometer *n.* skritteller
peek *v.* å kikke på
peel *n.* bakerskuffe
peep *v.* å titte
peer *n.* likemann
peer *v.* å stirre
peerage *n.* adelstittel
peerless *adj.* uforlignelig
peg *n.* plugg
pejorative *adj.* nedsettende
pelican *n.* pelikan
pellet *n.* pellet
pelmet *n.* gardinbrett
pelt *v.* å bombardere
pelvis *n.* bekken
pen *n.* penn
penal *adj.* strafferettslig
penalize *v.* å straffe
penalty *n.* straff
penance *n.* botsøvelse
penchant *n.* ha en svakhet for
pencil *n.* blyant
pendant *n.* anheng
pendent *adj.* hengende
pending *adj.* enda ikke avgjort
pendulum *n.* pendel
penetrate *v.* å trenge inn
penetration *n.* inntrengning
penguin *n.* pingvin
peninsula *n.* halvøy
penis *n.* penis
penitent *adj.* botferdig
penniless *adj.* pengelens
penny *n.* pence
pension *n.* pensjon
pensioner *n.* pensjonist
pensive *adj.* ettertenksom
pentagon *n.* femkant
penthouse *n.* takhus
penultimate *adj.* nest siste
people *n.* mennesker
pepper *n.* pepper
peppermint *n.* peppermynte
peptic *adj.* peptisk
per *prep.* per
perambulate *v.t.* å gå omkring
perceive *v.* å merke

perceptible *adj.* merkbar
percentage *n.* prosentsats
perceptible *adj.* synlig
perception *n.* persepsjon
perceptive *adj.* sansevar
perch *n.* åbor
percipient *adj.* skarp
percolate *v.* å filtrere
percolator *n.* perkolator
perdition *n.* fortapelse
perennial *adj.* flerårig
perfect *adj.* perfekt
perfection *n.* perfeksjon
perfidious *adj.* forrædersk
perforate *v.* å gjennomhulle
perforce *adv.* nødvendigvis
perform *v.* å utføre
performance *n.* utførelse
performer *n.* opptredende
perfume *n.* parfyme
perfume *adv.* å parfymere
perfunctory *adj.* overfladisk
perhaps *adv.* kanskje
peril *n.* fare
perilous *adj.* farlig
period *n.* periode
periodic *adj.* periodisk
periodical *adj.* periodevis
periphery *n.* periferi
perish *v.* å omkomme
perishable *adj.* bedervelig
perjure *v.* å begå mened
perjury *n.* mened
perk *v.* å kvikne til
perky *adj.* perky
permanence *n.* permanens
permanent *adj.* permanent
permeable *adj.* permeabel
permissible *adj.* tillatelig
permission *n.* tillatelse
permissive *adj.* tolerant
permit *v.* å tillate
permutation *n.* kombinasjonsmulighet
pernicious *adj.* skadelig
perpendicular *adj.* loddrett
perpetrate *v.* å begå
perpetual *adj.* stadig
perpetuate *v.t.* å forevige
perplex *v.* å forvirre
perplexity *n.* forvirring
perquisite *n.* gjennomsøkning
Perry *n.* Perry
persecute *v.* å forfølge
persecution *n.* forfølegelse
perseverance *n.* utholdenhet
persevere *v.i.* å holde ut
persist *v.* å vedvare
persistence *n.* hardnakkethet
persistent *adj.* vedvarende
person *n.* person
persona *n.* person
personage *n.* personasje
personal *adj.* personal
personality *n.* personlighet
personification *n.* personifisering
personify *v.* å personifisere
personnel *n.* personell
perspective *n.* perspektiv
perspicuous *adj.* anskuelig
perspiration *n.* transpirasjon
perspire *v.t.* å svette
persuade *v.* å overtale
persuasion *n.* overtalelse
pertain *v.* å passe
pertinent *adj.* relevant
perturb *v.* å forurolige
perusal *n.* lesing
peruse *v.* å lese
pervade *v.* å gjennomsyre

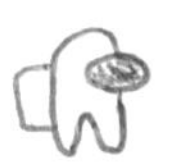

perverse *adj.* pervers
perversion *n.* perversjon
perversity *n.* perversitet
pervert *v.* å pervertere
pessimism *n.* pessimisme
pessimist *n.* pessimist
pessimistic *adj.* pessimistisk
pest *n.* pest
pester *v.* å plage
pesticide *n.* pesticid
pestilence *n.* pest
pet *n.* kjæledyr
petal *n.* kronblad
petite *adj.* liten og nett
petition *n.* andragende
petitioner *n.* den som overrekker et bønnskrift
petrify *v.* å forsteine
petrol *n.* bensin
petroleum *n.* råolje
petticoat *n.* underskjørt
pettish *adj.* irritabel
petty *adj.* ubetydelig
petulance *n.* grinethet
petulant *adj.* grinete
phantom *n.* spøkelse
pharmaceutical *adj.* farmasøytisk
pharmacist *n.* farmasøyt
pharmacy *n.* apotek
phase *n.* fase
phenomenal *adj.* fenomenal
phenomenon *n.* phenomena
phial *n.* liten flaske
philanthropic *adj.* filantropisk
philanthropist *n.* filantrop
philanthropy *n.* filantropi
philately *n.* filateli
philological *adj.* filologisk
philologist *n.* filolog
philology *n.* filologi
philosopher *n.* filosof
philosophical *adj.* filosofisk
philosophy *n.* filosofi
phlegmatic *adj.* flegmatisk
phobia *n.* skrekk
phoenix *n.* Føniks
phone *n.* telefon
phonetic *adj.* fonetisk
phosphate *n.* fosfat
phosphorus *n.* fosfor
photo *n.* foto
photocopy *n.* fotokopi
photograph *n.* fotografi
photographer *n.* fotograf
photographic *adj.* fotografisk
photography *n.* fotografering
photostat *n.* fotostat
phrase *n.* frase
phraseology *n.* fraseologi
physical *adj.* fysisk
physician *n.* lege
physics *n.* fysikk
physiognomy *n.* fysiognomi
physiotherapy *n.* fysioterapi
physique *n.* kroppsbygning
pianist *n.* pianist
piano *n.* piano
piazza *n.* piazza
pick *v.* å hakke
picket *n.* pæl
pickings *n.* rester
pickle *n.* lake
picnic *n.* picnic
pictograph *n.* piktogram
pictorial *adj.* billed-
picture *n.* bilde
picturesque *adj.* malerisk
pie *n.* pai
piece *n.* stykke

piecemeal *adv.* stykkevis
pier *n.* brygge
pierce *v.* å gjennombore
piety *n.* fromhet
pig *n.* gris
pigeon *n.* due
pigeonhole *n.* rom
piggery *n.* grisehus
pigment *n.* pigment
pigmy *n.* pigmè
pike *n.* gjedde
pile *n.* stabel
pilfer *v.* å småstjele
pilgrim *n.* pilegrim
pilgrimage *n.* pilegrimsreise
pill *n.* pille
pillar *n.* pilar
pillow *n.* hodepute
pilot *n.* pilot
pimple *n.* kvise
pimple *n.* filipens
pin *n.* knappenål
pincer *n.* klo
pinch *v.* å klype
pine *v.* å vansmekte
pineapple *n.* ananas
pink *adj.* lyserød
pinnacle *n.* tind
pinpoint *v.* å vise nøyaktig
pint *n.* pint
pioneer *n.* pioner
pious *adj.* from
pipe *n.* rør
pipette *n.* pipette
piquant *adj.* pikant
pique *n.* ergrelse
piracy *n.* piratvirksomhet
pirate *n.* sjørøver
pistol *n.* pistol
piston *n.* stempel
pit *n.* sjakt
pitch *n.* bek
pitcher *n.* krukke
piteous *adj.* ynkelig
pitfall *n.* dyregrav
pitiful *adj.* ynkverdig
pitiless *adj.* ubarmhjertig
pity *n.* medlidenhet
pivot *n.* svingtapp
pivotal *adj.* svingbar
pixel *n.* pixel
pizza *n.* pizza
placard *n.* plakat
placate *v.* å formilde
place *n.* sted
placement *n.* plassering
placid *adj.* sinnslikevektig
plague *n.* pest
plain *adj.* enkel
plaintiff *n.* saksøker
plaintive *adj.* trist
plait *n.* flette
plan *n.* plan
plane *n.* platan
planet *n.* planet
planetary *adj.* planetarisk
plank *n.* planke
plant *n.* plant
plantain *n.* kjempe
plantation *n.* plantasje
plaque *n.* tavle
plaster *n.* plaster
plastic *n.* plastikk
plate *n.* plate
plateau *n.* platå
platelet *n.* plate
platform *n.* plattform
platinum *n.* platina
platonic *adj.* platonisk
platoon *n.* tropp
platter *n.* stort
plaudits *n.* bifallsklapp
plausible *adj.* plausibel
play *v.i.* å leke

playground *n.* lekeplass
playwright *n.* skuespillforfatter
player *n.* spiller
plaza *n.* piazza
plea *n.* påstand
plead *v.* å pledere
pleasant *adj.* behagelig
pleasantry *n.* høflighet
please *v.* å behage
pleasure *n.* nytelse
pleat *n.* legg
plebeian *adj.* plebeiisk
plebiscite *n.* folkeavstemning
pledge *n.* sikkerhet
plenty *pron.* nok
plethora *n.* overflod
pliable *adj.* bøyelig
pliant *adj.* bøyelig
pliers *n.* nebbtang
plight *n.* vanskelig situasjon
plinth *n.* plint
plod *v.* å traske
plot *n.* handling
plough *n.* plog
ploughman *n.* plogmann
ploy *n.* knep
pluck *v.* å nappe
plug *n.* plugg
plum *n.* plomme
plumage *n.* fjærkledning
plumb *v.* å lodde
plumber *n.* rørlegger
plume *n.* fjær
plummet *v.* å falle
plump *adj.* trivelig
plunder *v.* å plyndre
plunge *v.* å stupe
plural *adj.* flertalls-
plurality *n.* pluralitet
plus prep. pluss
plush *n.* plysj
ply *n.* tråd
pneumatic *adj.* pneumatisk
pneumonia *n.* pneumoni
poach *v.* å drive krypskytteri
pocket *n.* lomme
pod *n.* belg
podcast *n.* podcast
podium *n.* podium
poem *n.* dikt
poet *n.* dikter
poetry *n.* poesi
poignancy *n.* bitterhet
poignant *adj.* trist
point n. punkt
pointing n. punkt
pointless adj. meningsløs
poise *n.* likevekt
poison *n.* gift
poisonous *adj.* giftig
poke *v.* å støte
poker *n.* poker
poky *adj.* langsom
polar *adj.* polar
pole *n.* pol
polemic *n.* polemikk
police *n.* politi
policeman *n.* politimann
policy *n.* oppdemmingspolitikk
polish *n.* politur
polite *adj.* høflig
politeness *n.* høflighet
politic *adj.* klok
political *adj.* politisk
politician *n.* politiker
politics *n.* politikk
polity *n.* statssamfunn
poll *n.* skriftlig avstemning
pollen *n.* pollen
pollster *n.* intervjuer
pollute *v.* å forurense

pollution *n.* forurensing
polo *n.* polo
polyandry *n.* polyandri
polygamous *adj.* polygam
polygamy *n.* polygami
polyglot *adj.* flerspråklig
polygraph *n.* polygraf
polytechnic *n.* yrkesorientert høyskole
polytheism *n.* polyteisme
polytheistic *adj.* polyteistisk
pomegranate *n.* granateple
pomp *n.* pomp
pomposity *n.* oppblåsthet
pompous *adj.* oppblåst
pond *n.* dam
ponder *v.* å tenke på
pontiff *n.* pave
pony *n.* ponni
pool *n.* vannpytt
poor *adj.* fattig
poorly *adv.* dårlig
pop *v.* å smelle
pope *n.* pave
poplar *n.* poppel
poplin *n.* poplin
populace *n.* folket
popular *adj.* populær
popularity *n.* popularitet
popularize *v.* å spre
populate *v.* å befolke
population *n.* befolkning
populous *adj.* folkerik
porcelain *n.* porselen
porch *n.* bislag
porcupine *n.* hulepinnsvin
pore *n.* pore
pork *n.* svinekjøtt
pornography *n.* pornografi
porridge *n.* havregrøt
port *n.* havn
portable *adj.* bærbar
portage *n.* transport mellom to vannveier
portal *n.* portal
portend *v.* å bebude
portent *n.* varsel
porter *n.* bærer
portfolio *n.* mappe
portico *n.* portikus
portion *n.* del
portrait *n.* portrett
portraiture *n.* portrettkunst
portray *v.* å portrettere
portrayal *n.* skildring
pose *v.* å stå
posh *adj.* flott
posit *v.* å føre fremover
position *n.* stilling
positive *adj.* positiv
possess *v.* å besitte
possession *n.* besittelse
possessive *adj.* genitiv
possibility *n.* mulighet
possible *adj.* mulig
post *n.* post
postage *n.* porto
postal *adj.* postal
postcard *n.* postkort
postcode *n.* postkode
poster *n.* plakat
posterior *adj.* etterfølgende
posterity *n.* ettertiden
postgraduate *n.* mastergradsstudent
posthumous *adj.* posthum
postman *n.* postmann
postmaster *n.* postmester
post-mortem *n.* etter død
post office *n.* post kontor
postpone *v.* å utsette
postponement *n.* oppsettelse
postscript *n.* etterskrift

posture *n.* holdning
pot *n* . potte
potato *n.* potet
potency *n.* styrke
potent *adj.* potent
potential *adj.* potensiell
potentiality *n.* potensial
potter *v.* å rusle omkring
pottery *n.* keramikk
pouch *n.* pose
poultry *n.* fjærfe
pounce *v.* å springe
pound n. dundre
pour *v.* å tømme
poverty *n.* fattigdom
powder *n.* pulver
power *n.* evne
powerful *adj.* kraftig
practicability *n.* gjennomførlighet
practicable *adj.* gjennomførlig
practical *adj.* praktisk
practice *n.* praksis
practise *v.* å øve
practitioner *n.* allmennpraktiker
pragmatic *adj.* pragmatisk
pragmatism *n.* pragmatism
praise *v.t.* å rose
praline *n.* pralin
pram *n.* barnevogn
prank *n.* puss
prattle *v.* å skravle
pray *v.* å be
prayer *n.* bønn
preach *v.* å preke
preacher *n.* predikant
preamble *n.* introduksjon
precarious *adj.* prekær
precaution *n.* gardering
precautionary *adj.* preventiv
precede *v.* å gå foran
precedence *n.* forrang
precedent *n.* presedens
precept *n.* forskrift
precinct *n.* område
precious *adj.* dyrebar
precipitate *v.* å fremskynde
precis *n.* sammendrag
precise *adj.* nøyaktig
precision *n.* nøyaktighet
precognition *n.* forutviten
precondition *n.* nødvendig betingelse
precursor *n.* forløper
predator *n.* predator
predecessor *n.* forgjenger
predestination *n.* predestinasjon
predetermine *v.* å forutbestemme
predicament *n.* forlegenhet
predicate *n.* predikat
predict *v.* å forutsi
prediction *n.* forutsigelse
predominance *n.* overvekt
predominant *adj.* dominerende
predominate *v.* å være fremherskende
pre-eminence *n.* pre-Eminense
pre-eminent *adj.* pre-eminent
pre-empt *v.* å komme i forkjøpet
prefabricated *adj.* å prefabrikkere
preface n. forord
prefect *n.* prefekt
prefer *v.* å foretrekke
preference *n.* det man foretrekker

preferential *adj.* preferanse–
preferment *n.* frofremmelse
prefix *n.* prefiks
pregnancy *n.* svangerskap
pregnant *adj.* gravid
prehistoric *adj.* prehistorisk
prejudge *v.* å fordomme
prejudice *n.* fordom
prejudicial *adj.* skadelig
prelate *n.* prelat
preliminary *adj.* forberedende
prelude *n.* preludium
premarital *adj.* førekteskapelig
premature *adj.* forhastet
premeditate *v.* å planlegge
premeditation *n.* overlegg
premier *adj.* statsminister
premiere *n.* premiere
premise *n.* betingelse
premises *n.* betingelse
premium *n.* premie
premonition *n.* forvarsel
preoccupation *n.* opptatthet
preoccupy *v.* å oppta
preparation *n.* forberedelse
preparatory *adj.* forberedende
prepare *v.* å forberede
preponderance *n.* overvekt
preponderate *v.* å dominere
preposition *n.* preposisjon
prepossessing *adj.* tiltalende
preposterous *adj.* meningsløs
prerequisite *n.* forutsetning
prerogative *n.* prerogativ
presage *v.* å innvarsle
prescience *n.* forutviten
prescribe *v.* å foreskrive
prescription *n.* resept
presence *n.* nærvær
present *adj.* til stede
present *n.* presang
present *v.* å overrekke
presentation *n.* overrekkelse
presently *adv.* snart
preservation *n.* bevaring
preservative *n.* konserveringsmiddel
preserve *v.* å bevare
preside *v.* å presidere
president *n.* president
presidential *adj.* president-
press *v.* å presse
pressure *n.* trykk
pressurize *v.* å sette under trykk
prestige *n.* prestisje
prestigious *adj.* prestisjetung
presume *v.* å anta
presumption *n.* formodning
presuppose *v.* å anta
presupposition *n.* forutsetning
pretence *n.* foregivende
pretend *v.* å foregi
pretension *n.* pretensjon
pretentious *adj.* pretensiøs
pretext *n.* påskudd
prettiness *n.* penhet
pretty *adj.* pen
pretzel *n.* saltstang
prevail *v.* å være fremherskende
prevalence *n.* utbredelse
prevalent *adj.* utbredt
prevent *v.* å forhindre
prevention *n.* forebyggelse
preventive *adj.* forebyggende

preview *n.* forpremiere
previous *adj.* forutgående
prey *n.* bytte
price *n.* pris
priceless *adj.* uvurderlig
prick *v.* å prikke
prickle *n.* pigg
pride *n.* stolthet
priest *n.* prest
priesthood *n.* presteskap
prim *adj.* korrekt
primacy *n.* primat
primal *adj.* opprinnelig
primarily *adv.* opprinnelig
primary *adj.* grunn
primate *n.* primat
prime *adj.* viktigst
primer *n.* grunning
primeval *adj.* urinstinkt
primitive *adj.* primitiv
prince *n.* prins
princely *adj.* fyrstelig
princess *n.* prinsesse
principal *adj.* viktigst
principal *n.* rektor
principle *n.* prinsipp
print *v.* å trykke
printout *n.* utskrift
printer *n.* printer
prior *adj.* tidligere
priority *n.* fortrinn
priory *n.* kloster
prism *n.* prisme
prison *n.* fengsel
prisoner *n.* fange
pristine *adj.* opprinnelig
privacy *n.* uforstyrrethet
private *adj.* privat
privation *n.* savn
privatize *v.* å privatisere
privilege *n.* privilegium
privy *adj.* det å være medvitende
prize *n.* pris
pro *n.* profesjonell
proactive *adj.* proaktiv
probability *n.* sannsynlighet
probable *adj.* sannsynlig
probably *adv.* sannsynligvis
probate *n.* skifteattest
probation *n.* prøve
probationer *n.* person som er på prøve
probe *n.* sonde
probity *n.* rettskaffenhet
problem *n.* problem
problematic *adj.* problematisk
procedure *n.* fremgangsmåte
proceed *v.* å fortsette
proceedings *n.* møtereferat
proceeds *n.* overskudd
process *n.* prosess
procession *n.* prosesjon
proclaim *v.* proklamere
proclamation *n.* proklamasjon
proclivity *n.* hang
procrastinate *v.* å forsinke
procrastination *n.* det å trekke ut tiden
procreate *v.* å frembringe
procure *v.* å skaffe
procurement *n.* anskaffelser
prod *v.* å stikke
prodigal *adj.* ødsel
prodigious *adj.* forbløffende
prodigy *n.* vidunder
produce *v.* å produsere
producer *n.* produsent
product *n.* produkt
production *n.* produksjon

productive *adj.* produktiv
productivity *n.* produktivitet
profane *adj.* profan
profess *v.* å erklære
profession *n.* profesjon
professional *adj.* faglig
professor *n.* professor
proficiency *n.* dyktighet
proficient *adj.* dyktig
profile *n.* profil
profit *n.* profitt
profitable *adj.* lønnsom
profiteering *n.* profitørvirksomhet
profligacy *n.* umoral
profligate *adj.* utsvevende
profound *adj.* dyp
profundity *n.* dybde
profuse *adj.* overstrømmende
profusion *n.* overflod
progeny *n.* avkom
prognosis *n.* prognose
prognosticate *v.* å forutsi
programme *n.* program
progress *n.* fremgang
progressive *adj.* progressiv
prohibit *v.* å forby
prohibition *n.* forbud
prohibitive *adj.* prohibitiv
project *n.* prosjekt
projectile *n.* prosjektil
projection *n.* prosjektering
projector *n.* prosjektør
prolapse *n.* fremfall
proliferate *v.* å formere seg raskt
proliferation *n.* formering
prolific *adj.* meget produktiv
prologue *n.* prolog
prolong *v.* å forlenge
prolongation *n.* forlengelse
promenade *n.* promenade
prominence *n.* fremspring
prominent *adj.* prominent
promiscuous *adj.* promiskuøs
promise *n.* løfte
promising *adj.* lovende
promote *v.* å forfremme
promotion *n.* forfremmelse
prompt *v.* å tilskynde
prompter *n.* sufflør
promulgate *v.* å kunngjøre
prone *adj.* liggende nesegrus
pronoun *n.* pronomen
pronounce *v.* å uttale
pronunciation *n.* uttale
proof *n.* bevis
prop *n.* støtte
propaganda *n.* propaganda
propagate *v.* å spre
propagation *n.* spredning
propel *v.* å drive
propeller *n.* propell
proper *adj.* riktig
property *n.* eiendom
prophecy *n.* profeti
prophesy *v.* å profetere
prophet *n.* profet
prophetic *adj.* profetisk
propitiate *v.* å formilde
proportion *n.* prosentandel
proportional *adj.* proporsjonal
proportionate *adj.* i riktig forhold
proposal *n.* forslag
propose *v.* å foreslå
proposition *n.* forslag
propound *v.* å legge frem
proprietary *adj.* eiendoms-
proprietor *n.* innehaver

propriety *n.* anstand
prorogue *v.* å forlenge
prosaic *adj.* prosaisk
prose *n.* prosa
prosecute *v.* å straffeforfølge
prosecution *n.* rettsforfølgning
prosecutor *n.* statsadvokat
prospect *n.* utsikt
prospective *adj.* fremtidig
prospectus *n.* prospekt
prosper *v.* å blomstre
prosperity *n.* fremgang
prosperous *adj.* velstående
prostate *n.* prostata
prostitute *n.* prostituert
prostitution *n.* prostitusjon
prostrate *adj.* utstrakt
prostration *n.* nervesammenbrudd
protagonist *n.* protagonist
protect *v.* å beskytte
protection *n.* beskyttelse
protective *adj.* beskyttende
protectorate *n.* protektorat
protein *n.* protein
protest *n.* protest
protestation *n.* bedyrelse
protocol *n.* protokoll
prototype *n.* prototype
protracted *adj.* langvarig
protractor *n.* transportør
protrude *v.* å stikke frem
proud *adj.* stolt
prove *v.* å bevise
provenance *n.* opprinnelse
proverb *n.* ordtak
proverbial *adj.* ordspråksaktig
provide *v.* å skaffe
providence *n.* forsynet
provident *adj.* forsynlig
providential *adj.* heldig
province *n.* provins
provincial *adj.* provinsiell
provision *n.* det å skaffe
provisional *adj.* foreløpig
proviso *n.* klausul
provocation *n.* provokasjon
provocative *adj.* provoserende
provoke *v.* å provosere
prowess *n.* prowess
proximate *adj.* nærmest
proximity *n.* nærhet
proxy *n.* fullmektig
prude *n.* snerpete person
prudence *n.* forsiktighet
prudent *adj.* forsiktig
prudential *adj.* forsiktig
prune *n.* sviske
pry *v.* å spionere
psalm *n.* salme
pseudo *adj.* falsk
pseudonym *n.* pseudonym
psyche *n.* psyke
psychiatrist *n.* psykiater
psychiatry *n.* psykiatri
psychic *adj.* psykisk
psychological *adj.* psykologisk
psychologist *n.* psykolog
psychology *n.* psykologi
psychopath *n.* psykopat
psychosis *n.* psychoses
psychotherapy *n.* psykoterapi
pub *n.* pub
puberty *n.* pubertet
pubic *adj.* skam-
public *adj.* offentlig
publication *n.* publikasjon
publicity *n.* publisitet

publicize *v.* å reklamere
publish *v.* å utgi
publisher *n.* forlegger
pudding *n.* pudding
puddle *n.* vannpytt
puerile *adj.* barnslig
puff *n.* vindpust
puffy *adj.* hoven
pull *v.* å trekke
pulley *n.* pulley
pullover *n.* pullover
pulp *n.* bløt masse
pulpit *n.* prekestol
pulsar *n.* pulsar
pulsate *v.* å pulsere
pulsation *n.* pulsering
pulse *n.* puls
pummel *v.* å hamre løs på
pump *n.* pumpe
pumpkin *n.* gresskar
pun *n.* ordspill
punch *v.* å dra til
punctual *adj.* punktlig
punctuality *n.* punktlighet
punctuate *v.* å sette skilletegn
punctuation *n.* tegnsetting
puncture *n.* punktur
pungency *n.* skarphet
pungent *adj.* skarp
punish *v.* å straffe
punishment *n.* straff
punitive *adj.* straffe-
punter *n.* horekunde
puny *adj.* tuslete
pup *n.* valp
pupil *n.* elev
puppet *n.* marionett
puppy *n.* hundevalp
purblind *adj.* svaksynt
purchase *v.* å kjøpe
pure *adj.* ren
purgation *n.* renselse
purgative *adj.* avførende
purgatory *n.* skjærsild
purge *v.* å befri seg for
purification *n.* renselse
purify *v.* å rense
purist *n.* purist
puritan *n.* puritaner
puritanical *adj.* puritansk
purity *n.* purity
purple *n.* fiolett
purport *v.* å gi seg ut for
purpose *n.* hensikt
purposely *adv.* med hensikt
purr *v.* å male
purse *n.* pung
purser *n.* purser
pursuance *n.* i overensstemmelse
pursue *v.* å forfølge
pursuit *n.* forfølgelse
purvey *v.* å levere
purview *n.* mening
pus *n.* puss
push *v.* å dytte
pushy *adj.* pågående
puss *n.* ungjente
put *v.* å legge
putative *adj.* antatt
putrid *adj.* råtten
puzzle *v.t.* å forvirre
pygmy *n.* pygmé
pyjamas *n.* pyjamas
pyorrhoea *n.* pyoré
pyramid *n.* pyramide
pyre *n.* bål
pyromania *n.* pyromani
python pyton

quack *n* kvakksalver
quackery *n.* kvakksalveri
quad *n.* kvadrat
quadrangle *a.* firkant
quadrangular *n.* firkantet
quadrant *n.* kvadrant
quadrilateral *n.* firkant
quadruped *n.* firbent
quadruple *adj.* firesidig
quadruplet *n.* firling
quaff *v.* å drikke
quail *n.* vaktel
quaint *adj.* malerisk
quaintly *adv.* fargerikt
quake *v.* å skjelve
Quaker *n.* kveker
qualification *n.* kvalifikasjon
qualify *v.* å kvalifisere
qualitative *adj.* kvalitativ
quality *n.* kvalitet
qualm *n.* skrupler
quandary *n.* dilemma
quango *n.* halvstatlig organisasjon
quantify *v.* å kvantifisere
quantitative *adj.* kvantitativ
quantity *n.* kvantitet
quantum *n.* kvante
quarantine *n.* karantene
quark *n.* kvark
quarrel *n.* krangel
quarrelsome *adj.* kranglevoren
quarry *n.* steinbrudd
quart *n.* 1/4 gallon
quarter *n.* kvart
quarterly *adj.* kvartalsvis
quartet *n.* kvartett
quartz *n.* kvarts
quash *v.* å omgjøre
quaver *v.* å skjelve
quay *n.* brygge
queasy *adj.* ømfintlig
queen *n.* dronning
queer *adj.* underlig
quell *v.* å knuse
quench *v.* å slukke
querulous *adj.* gretten
query *n.* spørsmål
quest n. leting
question *n.* spørsmål
questionable *adj.* tvilsom
questionnaire *n.* spørreskjema
queue *n.* kø
quibble *n.* mindre innvending
quick *adj.* rask
quicken *v.* å påskynde
quickly *adv.* raskt
quid *n.* pund
quiescent *adj.* sovende
quiet adj. stille
quieten v. å berolige
quietetude n. ro
quiff *n.* pannelokk
quilt *n.* dyne
quilted *adj.* vattert
Quinn *n.* Quinn
quince *n.* kvede
quinine *n.* kinin
quintessence *n.* kvintessens
quip *n.* vits
quirk *n.* krøll
quit *v.* å slutte
quite *adv.* ganske
quits *adj.* kvitt
quiver *v.* å dirre
quixotic *adj.* underlig
quiz *n.* spørrekonkurranse
quizzical *adj.* ertende

quondam *adj.* fordum
quorum *n.* beslutningsdyktig antall
quota *n.* kvote
quotation *n.* sitat
quote *v.* å sitere
quotient n. kvotient

rabbit *n.* kanin
rabble *n.* mobb
rabid *adj.* rabid
rabies *n.* rabies
race *n.* renn
race *v.* å kjøre fort
racial *adj.* rasemessig
racialism *n.* rasisme
rack *n.* stativ
racket *n.* bråk
racketeer *n.* svindler
racy *adj.* kraftig
radar *n.* radar
radial *adj.* radial
radiance *n.* stråleglans
radiant *adj.* strålende
radiate *v.* å utstråle
radiation *n.* utstråling
radical *adj.* radikal
radio *n.* radio
radioactive *adj.* radioaktiv
radiography *n.* radiografi
radiology *n.* radiologi
radish *n.* reddik
radium *n.* radium
radius *n.* radius
raffle *n.* utlodning
raft *n.* flåte
rag *n.* klut
rage *n.* raseri
ragged *adj.* fillete
raid *n.* raid
rail *n.* tverrstang
railing *n.* reling
raillery *n.* godmodig erting
railway *n.* jernbane
rain *n* regn
rainbow *n.* regnbue
raincoat *n.* regnfrakk
rainfall *n.* nedbør
rainforest *n.* regnskog
rainy *adj.* regnfull
raise *v.* å heve
raisin *n.* rosin
rake *n.* rive
rally *n.* rally
ram *n.* vær
ramble *v.* å vandre om
ramification *n.* forgrening
ramify *v.* å forgrene seg
ramp *n.* rampe
rampage *v.* å storme omkring
rampant *adj.* grassere
rampart *n.* festningsvoll
ramshackle *adj.* falleferdig
ranch *n.* kvegfarm
rancid *adj.* harsk
rancour *n.* bitterhet
random *adj.* tilfeldig
range *n.* utvalg
ranger *n.* skogvokter
rank *n.* rekke
rank *v.* å rangere
rankle *v.* å gjøre bitter
ransack *v.* å ransake
ransom *n.* løsepenger
rant *v.* å bruke seg
rap *v.* å smekke til
rapacious *adj.* grisk
rape *v.* å voldta
rapid *adj.* rask
rapidity *n.* hurtighet

rapier *n.* støtkårde
rapist *n.* voldtektsforbryter
rapport *n.* rapport
rapprochement *n.* tilnærming
rapt *adj.* henført
rapture *n.* henrykkelse
rare *adj.* sjelden
raring *adj.* ivrig
rascal *n.* kjeltring
rash *adj.* ubesindig
rasp *n.* rasp
raspberry *n.* bringebær
rat *n.* rotte
ratchet *n.* sperreverk
rate *n.* rate
rather *adv.* temmelig
ratify *v.* å ratifisere
rating *n.* formuesskatt
ratio *n.* forhold
ration *n.* rasjon
rational *adj.* fornuftig
rationale *n.* logisk begrunnelse
rationalism *n.* rasjonalisme
rationalize *v.* å rasjonalisere
rattle *v.* å skrangle
raucous *adj.* grov
ravage *v.t.* å herje
rave *v.* å ligge i ørske
raven *n.* ravn
ravenous *adj.* grådig
ravine *n.* slukt
raw *adj.* rå
ray *n.* stråle
raze *v.* å jevne
razor *n.* barberkniv
reach *v.* å nå
react *v.* å reagere
reaction *n.* reaksjon
reactionary *adj.* reaksjonær
reactor *n.* reaktor
read *v.* å lese
reader *n.* leser
readily *adv.* gjerne
reading *n.* lesing
readjust *v.* å innstille på nytt
ready *adj.* ferdig
reaffirm *v.* å hevde på nytt
real *adj.* virkelig
realism *n.* realisme
realistic *adj.* realistisk
reality *n.* virkelighet
realization *n.* virkeligjøring
realize *v.* å realisere
really *adv.* virkelig
realm *n.* rike
ream *n.* rømme opp
reap *v.* å høste
reaper *n.* onnearbeider
reappear *v.* å dukke opp igjen
reappraisal *n.* revurdering
rear *n.* bakside
rearrange *v.* å ordne om på
reason *n.* grunn
reasonable *adj.* fornuftig
reassess *v.* å omvurdere
reassure *v.* å reassurere
rebate *n.* rabatt
rebel *v.* å gjøre opprør
rebellion *n.* opprør
rebellious *adj.* opprørsk
rebirth *n.* gjenfødelse
rebound *v.* å sprette tilbake
rebuff *v.* å avslå
rebuild *v.* å bygge opp igjen
rebuke *v.* å irettesette
rebuke *v.t.* å skjelle ut
recall *v.* å tilbakekalle
recap *v.* å banelegge
recapitulate *v.* å rekapitulere
recapture *v.* å gjenerobre

recede *v.* å trekke seg tilbake
receipt *n.* mottagelse
receive *v.* å motta
receiver *n.* mottaker
recent *adj.* nylig
recently *adv.* nylig
receptacle *n.* beholder
reception *n.* mottagelse
receptionist *n.* resepsjonist
receptive *adj.* mottagelig
recess *n.* recess
recession *n.* utgangsprosesjon
recessive *adj.* recessiv
recharge *v.* å lade opp
recipe *n.* matoppskrift
recipient *n.* mottager
reciprocal *adj.* gjensidig
reciprocate *v.* å gjengjelde
recital *n.* konsert
recite *v.* å lese opp
reckless *adj.* uvøren
reckon *v.t.* å beregne
reclaim *v.* å gjenvinne
reclamation *n.* gjenvinning
recline *v.* å lene bakover
recluse *n.* eneboer
recognition *n.* gjenkjennelse
recognize *v.i.* å gjenkjenne
recoil v. å rekylere
recollect *v.* å erindre
recollection *n.* erindring
recommend *v.* å anbefale
recommendation *n.* anbefaling
recompense *v.* å betale
reconcile *v.* å forsone
reconciliation *n.* forsoning
recondition *v.* å overhale
reconsider *v.* å overveie på nytt
reconstitute *v.* å rekondisjonere
reconstruct *v.* å gjenoppbygge
record *n.* rekord
recorder *n.* opptager
recount *v.* å fortelle
recoup *v.* å kompensere
recourse *n.* regress
recover *v.* å komme seg
recovery *n.* bedring
recreate *v.* å skape igjen
recreation *n.* rekreasjon
recrimination *n.* beskyldninger
recruit *v.* å rekruttere
rectangle *n.* rektangel
rectangular *adj.* rektangulær
rectification *n.* beriktigelse
rectify *v.* å korrigere
rectitude *n.* rettskaffenhet
rectum *n.* rektum
recumbent *adj.* liggende
recuperate *v.* å komme til krefter
recur *v.* å inntreffe igjen
recurrence *n.* gjentagelse
recurrent *adj.* tilbakevendende
recycle *v.* å resirkulere
red *adj.* rød
reddish *adj.* rødaktig
redeem *v.* å løse inn
redemption *n.* innløsning
redeploy *v.* å omgruppere
redolent *adj.* velluktende
redouble *v.* å fordoble
redoubtable *adj.* fryktinngytende
redress *v.* å erstatte
reduce *v.* å redusere
reduction *n.* reduksjon

reductive *adj.* reduserende
redundancy *n.* redundans
redundant *adj.* redundant
reef *n.* rev
reek v. å stinke av
reel *n.* trådsnelle
refer *v.* å vedrøre
referee *n.* referanse
reference *n.* henvisning
referendum *n.* folkeavstemning
refill *v.* å fylle opp igjen
refine *v.* å raffinere
refinement *n.* raffinering
refinery *n.* raffineri
refit *v.* å reparere
reflect *v.* å reflektere
reflection *n.* refleksjon
reflective *adj.* reflekterende
reflex *n.* refleks
reflexive *adj.* refleksiv
reflexology *n.* reflexologi
reform v. å reformere
reformation *n.* reformering
reformer *n.* reformator
refraction *n.* refraksjon
refrain *v.t.* å avholde seg fra
refresh *v.* å forfriske
refreshment *n.* forfriskninger
refrigerate *v.* å fryse ned
refrigeration *n.* nedkjøling
refrigerator *n.* kjøleskap
refuge *n.* tilfluktssted
refugee *n.* flyktning
refulgence *adj.* stråleglans
refulgent *adj.* strålende
refund *v.* å refundere
refund *v.* å betale tilbake
refurbish *v.* å polere opp
refusal *n.* avslag
refuse *v.* å nekte
refuse *n.* søppel
refutation *n.* gjendrivelse
refute *v.* å motbevise
regain *v.* å nå tilbake til
regal *adj.* kongelig
regard *v.* å betrakte
regarding *prep.* angående
regardless *adv.* tross alt
regenerate *v.* å regenerere
regeneration *n.* regenerasjon
regent *n.* regent
reggae *n.* reggae
regicide *n.* kongemorder
regime *n.* regime
regiment *n.* regiment
region *n.* område
regional *adj.* regional
register *n.* register
registrar *n.* dommerfullmektig
registration *n.* registrering
registry *n.* arkivrom
regress *v.* å bevege seg bakover
regret *n.* anger
regrettable *adj.* beklagelig
regular *adj.* regelmessig
regularity *n.* regelmessighet
regularize *v.* å gjøre regelmessig
regulate *v.* å regulere
regulation *n.* regulering
regulator *n.* regulator
rehabilitate *v.* å rehabilitere
rehabilitation *n.* rehabilitering
rehearsal *n.* prøve
rehearse *v.* å prøve
reign *v.* å regjere
reimburse *v.* å rembursere
rein *n.* reindeer
reincarnate *v.* å reinkarnere

reinforce *v.* å forsterke
reinforcement *n.* forsterkning
reinstate *v.* å gjeninnsette
reinstatement *n.* gjeninnsettelse
reiterate *v.* å gjenta
reiteration *n.* jentagelse
reject *v.* å vrake
rejection *n.* vraking
rejoice *v.* å glede seg
rejoin *v.* å vende tilbake til
rejoinder *n.* svar
rejuvenate *v.* å forynge
rejuvenation *n.* foryngelse
relapse *v.* å fåtilbakefall
relate *v.* å reagere på
relation *n.* forhold
relationship *n.* slektskap
relative adj. relativ
relativity *n.* relativitet
relax *v.* å slappe av
relaxation *n.* avslapping
relay *n.* relé
release *v.* å løslate
relegate *v.* å relegere
relent *v.* å gi etter
relentless *adj.* ubarmhjertig
relevance *n.* relevans
relevant *adj.* relevant
reliable *adj.* pålitelig
reliance *n.* avhengighet
relic *n.* relikvie
relief *n.* lettelse
relieve *v.* å lindre
religion *n.* religion
religious *adj.* religiøs
relinquish *v.* å oppgi
relish *v.* å sette pris på
relocate *v.* å omplassere
reluctance *n.* ulyst
reluctant *adj.* motvillig
rely *v.* å stole på
remain *v.* å være igjen
remainder *n.* rest
remains *n.* levninger
remand *v.* å varetektsfengsle noen
remark *v.* å bemerke
remarkable *adj.* bemerkelsesverdig
remedial *adj.* hjelpe-
remedy *n.* remedy
remember *v.* å huske
remembrance *n.* minne
remind *v.* å minne
reminder *n.* påminnelse
reminiscence *v.* erindring
reminiscent *adj.* som minner om
remiss *adj.* forsømmelig
remission *n.* ettergivelse
remit *n.* ansvarsområde
remittance *n.* remisse
remnant *n.* rest
remonstrate *v.* å protestere
remorse *n.* anger
remote *adj.* fjerntliggende
removable *adj.* demonterbar
removal *n.* fjerning
remove *v.* å fjerne
remunerate *v.* å betale
remuneration *n.* betaling
remunerative *adj.* innbringende
renaissance *n.* renessansen
render *v.* å yte
rendezvous *n.* rendezvous
renegade *n.* overløper
renew *v.* å fornye
renewal *adj.* fornyelse
renounce *v.t.* å forsake
renovate *v.* å renovere
renovation *n.* restaurering

renown *n.* berømmelse
renowned *adj.* berømt
rent *n.* forpaktningsavgift
rental *n.* sum
renunciation *n.* avkall
reoccur *v.* å inntreffe igjen
reorganize *v.* å organisere igjen
repair *v.* å reparere
repartee *n.* kjapt
repatriate *v.* årepatriere
repatriation *n.* repatriering
repay *v.* å betale tilbake
repayment *n.* tilbakebetaling
repeal *v.* å oppheve
repeat *v.* å gjenta
repel *v.* å avvise
repellent *adj.* frastøtende
repent *v.* å angre
repentance *n.* angerfølelse
repentant *adj.* angrende
repercussion *n.* etterdønning
repetition *n.* gjentagelse
replace *v.* å erstatte
replacement *n.* utskifting
replay *v.* å spille om igjen
replenish *v.* å komplettere
replete *adj.* mett
replica *n.* kopi
replicate *v.* å duplisere
reply *v.* å replisere
report *v.* å rapportere
reportage *n.* reportasje
reporter *n.* reporter
repose *n.* hvile
repository *n.* gjemme
repossess *v.* å ta tilbake
reprehensible *adj.* klanderverdig
represent *v.* å representere
representation *n.* representasjon
representative *adj.* representativ
repress *v.* å undertrykke
repression *n.* undertrykkelse
reprieve *v.* å benåde
reprimand *v.* å irettesette en
reprint *v.* å trykke opp igjen
reprisal *n.* gjengjeldelse
reproach *v.* å bebreide
reprobate *n.* forherdet synder
reproduce *v.* å reprodusere
reproduction *n.* reproduksjon
reproductive *adj.* reproduktiv
reproof *n.* bebreidelse
reprove *v.* å bebreide
reptile *n.* krypdyr
republic *n.* republikk
republican *adj.* republikansk
repudiate *v.* å benekte
repudiation *n.* benektelse
repugnance *n.* motvilje
repugnant *adj.* motbydelig
repulse *v.* å avvise
repulsion *n.* vemmelse
repulsive *adj.* frastøtende
reputation *n.* omdømme
repute *n.* rykte
request *n.* anmodning
requiem *n.* rekviem
require *v.* å behøve
requirement *n.* krav
requisite *adj.* nødvendig
requisite *n.* nødvendighetsartikkel
requisition *n.* rekvisisjon

requite *v.t.* å gjengjelde
rescind *v.* å oppheve
rescue *v.* å redde
research *n.* forskning
resemblance *n.* likhet
resemble *v.* å ligne
resent *v.* ikke like
resentment *n.* ergrelse
reservation *n.* reservasjon
reserve *v.* å forbeholde
reservoir *n.* reservoar
reshuffle *v.* å ommøblere
reside *v.* å bo
residence *n.* bosted
resident *n.* fastboende
residential *adj.* bolig-
residual *adj.* resterende
residue *n.* rest
resign *v.* å si opp
resignation *n.* oppsigelse
resilient *adj.* elastisk
resist *v.* å motstå
resistance *n.* motstand
resistant *adj.* motstandsdyktig
resolute *adj.* resolutt
resolution *n.* resolusjon
resolve *v.* å beslutte
resonance *n.* resonans
resonant *adj.* som gir gjenlyd
resonate *v.* å lyde igjen
resort *n.* feriested
resound *v.* å gjenlyde
resource *n.* ressurs
resourceful *adj.* snarrådig
respect *n.* respekt
respectable *adj.* respektabel
respectful *adj.* ærbødig
respective *adj.* respektive
respiration *n.* pusting
respirator *n.* respirator
respire *v.* å puste
respite *n.* henstand
resplendent *adj.* strålende
respond *v.* å svare
respondent *n.* respondent
response *n.* svar
responsibility *n.* ansvar
responsible *adj.* ansvarlig
responsive *adj.* lydhør
rest *v.* å hvile
restaurant *n.* restaurant
restaurateur *n.* restauratør
restful *adj.* rolig
restitution *n.* erstatning
restive *adj.* urolig
restoration *adj.* restaurering
restore *v.* å restaurere
restrain *v.* å hindre
restraint *n.* beherskelse
restrict *v.* å begrense
restriction *n.* begrensning
restrictive *adj.* restriktiv
result *n.* resultat
resultant *adj.* som blir resultatet
resume *v.* å gjenoppta
resumption *n.* gjenopptagelse
resurgence *a.* gjenoppblussing
resurgent *adj.* gjenoppblussende
resurrect *v.* å kalle til live igjen
retail *n.* detalj
retailer *n.* detaljist
retain *v.i.* å beholde
retainer *n.* stopp[illegible]
retaliate *v.* [illegible]
retaliati[illegible]
retar[illegible]
ret[illegible]

retarded *adj.* utviklingshemmet
retch *v.* å brekke seg
retention *n.* tilbakeholdelse
retentive *adj.* om holder godt på
rethink *v.* å revurdere
reticent *adj.* ordknapp
retina *n.* netthinne
retinue *n.* følge
retire *v.* å gå av
retirement *n.* det å gå av
retiring *adj.* avgående
retort *v.* å svare skarpt
retouch *v.* å retusjere
retrace *v.t.* å beskrive
retract *v.* å ta tilbake
retread *v.* å banelegge
retreat *v.t.* å trekke seg tilbake
retrench *v.* å spare
retrenchment *n.* økonomisering
retrial *n.* gjenopptagelse
retribution *n.* gjengjeldelse
retrieve *v.* å få igjen
retriever *n.* retriever
retro *adj.* retro-
retroactive *adj.* tilbakevirkende
retrograde *adj.* tilbakegående
retrospect *n.* tilbakeblikk
retrospective *adj.* tilbakeevirkende
return *v.* å komme tilbake
return *n.* tilbakekomst
reunion *n.* gjenforening
[illegible] å gjenforene
[illegible] om igjen
[illegible] å

revel *v.* å holde kalas
revelation *n.* avsløring
revenge *n.* hevn
revenue *n.* inntekter
reverberate *v.* å gi gjenlyd
revere *v.* å vise stor respekt for
revered *adj.* respektert
reverence *n.* ærefrykt
reverend *adj.* ærverdig
reverent *adj.* ærbødig
reverential *adj.* ærbodig
reverie *n.* drømmeri
reversal *n.* omgjøring
reverse *v.* å rygge
reversible *adj.* reversible
revert *v.* å vende tilbake
review *n.* anmeldelse
revile *v.* å forhåne
revise *v.* å revidere
revision *n.* revisjon
revival *n.* gjenopplivelse
revivalism *n.* vekkelsesbevegelse
revive *v.* å gjenopplive
revocable *adj.* gjenkallelig
revocation *n.* opphevelse
revoke *v.* å tilbakekalle
revolt *v.* å gjøre opprør
revolution *n.* revolusjon
revolutionary *adj.* revolusjonær
revolutionize *v.* å revolusjonere
revolve *v.* å dreie
revolver *n.* revolver
revulsion *n.* revulsion
reward *n.* belønning
rewind *v.* å vikle
rhapsody *n.* rapsodi
rhetoric *n.* retorikk
rhetorical *adj.* retorisk

rheumatic *adj.* revmatisk
rheumatism *n.* revmatisme
rhinoceros *n.* neshorn
rhodium *n.* rhodium
rhombus *n.* rombe
rhyme *n.* rim
rhythm *n.* rytme
rhythmic *adj.* rytmisk
rib *n.* ribben
ribbon *n.* bånd
rice *n.* ris
rich *adj.* rik
richly *adv.* rikt
richness *n.* rikhet
rick *n.* stakk
rickets *n.* engelsk syke
rickety *adj.* vaklevoren
rickshaw *n.* rickshaw
rid *v.* å befri
riddance *n.* det å bli kvitt av noen
riddle *n.* gåte
riddled *adj.* sortert
ride *v.* å ri
rider *n.* rytter
ridge *n.* høydedrag
ridicule *n.* latterliggjøring
ridiculous *adj.* latterlig
rife *adj.* grassere
rifle *n.* gevær
rifle *v.* å plyndre
rift *n.* revne
rig *v.* å rigge
rigging *n.* rigg
right *adj.* riktig
right *n* rettighet
righteous *adj.* rettskaffen
rightful *adj.* rettmessig
rigid *adj.* stiv
rigmarole *n.* meningsløs harang
rigorous *adj.* rigorøs
rigour *n.* strenghet
rim *n.* rand
ring *n.* klang
ring *v.* å ringe
ringlet *n.* krøll
ringworm *n.* ringorm
rink *n.* skøytebane
rinse *v.* å skylle
riot *n.* tumulter
rip *v.* å få revet opp
ripe *adj.* moden
ripen *v.* å bli moden
riposte *n.* motstøt
ripple n. krusning
rise *v.* å stige
risible *adj.* lattermild
rising *n.* oppstand
risk *n.* risiko
risky *adj.* risikabel
rite *n.* rite
ritual *n.* ritual
rival *n.* rival
rivalry *n.* konkurranse
rive *v.* å rive
river *n.* elv
rivet *n.* nagle
rivulet *n.* bekk
road *n.* vei
roadwork *n.* løptrening
roadworthy *adj.* kjørbar
roadster *n.* roadster
roam *v.* å vandre
roar *n.* brøl
roar *v.* å brøle
roast *v.* å steke
rob *v.* å plyndre
robber *n.* ransmann
robbery *n.* ran
robe *n.* kappe
robot *n.* robot
robust *adj.* robust
rock *n.* stein

rocket *n.* rakett
rocky *adj.* klippefylt
rod *n.* kjepp
rodent *n.* gnager
rodeo *n.* rodeo
roe *n.* rogn
rogue *n.* kjeltring
roguery *n.* kjeltringstreker
roguish *adj.* skøyeraktig
roister *v.* å bråke
role *n.* rolle
roll *v.i.* å rulle
roll *n.* rull
roll-call *n.* anrop
roller *n.* trommel
rollercoaster *n.* tivuli
romance *n.* romantikk
romantic *adj.* romantisk
romp *v.* å leke viltert
roof *n.* tak
roofing *n.* takmaterialer
rook n. tårn
rookery *n.* kråkekoloni
room *n.* rom
roomy *adj.* rommelig
roost *n.* soveplass
rooster *n.* hane
root *n.* rot
rooted *adj.* rotfestet
rope *n.* tau
rosary *n.* rosenkrans
rose *n.* rose
rosette *n.* rosevindu
roster *n.* vaktliste
rostrum *n.* talerstol
rosy *adj.* rosenrød
rot *v.* å råtne
rota *n.* liste
rotary *adj.* roterende
rotate *v.* å rotere
rotation *n.* omdreining
rote *n.* utenat
rotor *n.* rotor
rotten *adj.* råtten
rouge *n.* rouge
rough *adj.* ru
roulette *n.* rulett
round *adj.* rund
roundabout *n.* karusell
rounded *adj.* avrundet
roundly *adv.* uten omsvøp
rouse *v.* å vekke
rout *n.* flukt
route *n.* rute
routine *n.* rutinemessig
rove *v.* å vandre
rover *n.* vandrer
roving *adj.* omreisende
row *n.* rekke
rowdy *n.* bråkmaker
royal *n.* røyl
royalist *n.* rojalist
royalty *n.* royalty
rub *n.* massasje
rub *v.* å gni
rubber *n.* gummi
rubbish *n.* søppel
rubble *n.* murbrokker
rubric *n.* rubrikk
ruby *n.* rubin
rucksack *n.* ryggsekk
ruckus *n.* katastrof
rudder *n.* ror
rude *adj.* uhøflig
rudiment *n.* rudiment
rudimentary *adj.* rudimentær
rue *v.* å angre
rueful *adj.* bedrøvet
ruffian *n.* banditt
ruffle *v.* å kruse
rug *n.* rye
rugby *n.* rugby
rugged *adj.* forreven
ruin *n.* ruin

ruinous *adj.* ødeleggende
rule *n.* regel
rule *v.* å styre
ruler *n.* hersker
ruling *n.* linjering
rum *n.* rum
rumble *v.* å buldre
rumbustious *adj.* larmende
ruminant *n.* drøvtygger
ruminate *v.* å tygge drøv
rumination *n.* jorting
rummage *v.* å rote
rummy *n.* rummy
rumour *n.* rykte
rumple *v.* å skrukke
rumpus *n.* ballade
run *n.* løpetur
run *v.* å løpe
runaway *adj.* som har rømt
rundown *adj.* flatt
runway *n.* rullebane
rung *n.* trinn
runnel *n.* liten strøm
runner *n.* løper
runny *adj.* altfor bløtt
rupture *v.t.* å bryte
rural *adj.* landlig
ruse *n.* list
rush *v.* å styrte
Rusk *n.* kavring
rust *n.* rust
rustic *adj.* bondsk
rusticate *v.* å bortvise
rustication *n.* bortvisning
rusticity *n.* landlighet
rustle *v.* å knitre
rusty *adj.* rusten
rut *n.* brunst
ruthless *adj.* grusom
rye n. rug

S

Sabbath *n.* sabbat
sabotage *v.* å sabotere
sabre *n.* ryttersabel
saccharin *n.* sakkarin
saccharine *adj.* sukker-
sachet *n.* liten pose
sack *n.* sekk
sack *v.* å fylle i sekk
sacrament *n.* sakrament
sacred *adj.* religiøs
sacrifice *n.* ofring
sacrifice *v.* å ofre
sacrificial *adj.* offer-
sacrilege *n.* helligbrøde
sacrilegious *adj.* som er helligbrøde
sacrosanct *adj.* sakrosankt
sad *adj.* trist
sadden *v.* å gjøre bedrøvet
saddle *n.* sal
saddler *n.* salmaker
sadism *n.* sadisme
sadist *n.* sadist
safari *n.* safari
safe *adj.* sikker
safe *n.* pengeskap
safeguard *n.* beskyttelse
safety *n.* sikkerhet
saffron *n.* safran
sag *v.* å henge ned
saga *n.* saga
sagacious *adj.* skarpsindig
sagacity *n.* skarpsindighet
sage *n.* salvie
sage *adj.* klok
sail *n.* seil
sail *v.* å seile
sailor *n.* sjømann
saint *n.* helgen

saintly *adj.* helgenaktig
sake *n.* sake
saleable *adj.* salgbar
salad *n.* salat
salary *n.* gasje
sale *n.* salg
salesman *n.* selger
salient *adj.* fremtredende
saline *adj.* saltholdig
salinity *n.* saltholdighet
saliva *n.* spytt
sallow *adj.* gusten
sally *n.* utfall
salmon *n.* laks
salon *n.* salong
saloon *n.* salong
salsa *n.* salsa
salt *n.* salt
salty *adj.* saltholdig
salutary *adj.* gagnlig
salutation *n.* hilsen
salute *n.* hilsen
salvage *v.* å berge
salvation *n.* frelse
salver *n.* presenterbrett
salvo *n.* salve
Samaritan *n.* samaritan
same *adj.* samme
sample *n.* prøve
sampler *n.* prøvetaker
sanatorium *n.* sanatorium
sanctification *n.* helliggjørelse
sanctify *v.* å helliggjøre
sanctimonious *adj.* skinnhellig
sanction *v.* å godkjenne
sanctity *n.* hellighet
sanctuary *n.* helligdom
sanctum *n.* hellig sted
sand *n.* sand
sandal *n.* sandal
sandalwood *n.* sandel
sander *n.* grinder
sandpaper *n.* sandpaper
sandwich *n.* sandwich
sandy *adj.* sandet
sane *adj.* tilregnelig
sangfroid *n.* kaldblodighet
sanguinary *adj.* blodig
sanguine *adj.* optimistisk
sanatorium *n.* sanatorium
sanitary *adj.* sanitær
sanitation *n.* hygiene
sanitize *v.* å sterilisere
sanity *n.* helse
sap n. sevje
sapling *n.* sapling
sapphire *n.* safir
sarcasm *n.* sarkasme
sarcastic *adj.* sarkastisk
sarcophagus *n.* sarkofag
sardonic *adj.* sardonisk
sari *n.* sari
sartorial *adj.* skredder
sash *n.* skulderskjerf
Satan *n.* Satan
satanic *adj.* satanisk
Satanism *n.* Satanisme
satchel *n.* ransel
sated *adj.* overmett
satellite *n.* satellitt
satiable *adj.* som kan mettes
satiate *v.* å mette helt
satiety *n.* overmetthet
satin *n.* atlask
satire *n.* satire
satirical *adj.* satirisk
satirist *n.* satiriker
satirize *v.* å gjøre satire om noen
satisfaction *n.* tilfredsstillelse

satisfactory *adj.* tilfredsstillende
satisfy *v.* å tilfredsstille
saturate *v.* å mette
saturation *n.* metning
Saturday *n.* lørdag
saturnine *adj.* dyster
sauce *n.* saus
saucer *n.* skål
saucy *adj.* nesevis
sauna *n.* sauna
saunter *v.* å slentre
sausage *n.* pølse
savage *adj.* rasende
savagery *n.* villskap
save *v.* å redde
savings *n.* sparing
saviour *n.* frelser
savour *v.t.* å smake av
savoury *adj.* pikant
saw *n.* sag
saw *v.* å sage
sawdust *n.* sagflis
saxophone *n.* saksofon
say *v.* å si
saying *n.* munnhell
scab *n.* skorpe
scabbard *n.* skjede
scabies *n.* skabb
scabrous *adj.* ru
scaffold *n.* skafott
scaffolding *n.* stillas
scald *v.* å skålde
scale *n.* vektskål
scallop *n.* kammusling
scalp *n.* hodebunn
scam *n.* svindel
scamp *n.* slubbert
scamper *v.t.* å fare
scan *v.* å avsøke
scanner *n.* skanner
scandal *n.* skandale
scandalize *v.* å skandalisere
scant *adj.* knapp
scanty *adj.* knapp
scapegoat *n.* syndebukk
scar *n.* arr
scarce *adj.* sjelden
scarcely *adv.* knapt
scare *v.* å skremme
scarecrow *n.* fugleskremsel
scarf *n.* skaut
scarlet *n.* purpurrødt
scarp *n.* skrent
scary *adj.* skremmende
scathing *adj.* bitende
scatter *v.* å spre
scavenge *v.* å renovere
scenario *n.* scenario
scene *n.* scene
scenery *n.* landskap
scenic *adj.* scenisk
scent *n.* duft
sceptic *n.* skeptiker
sceptical *adj.* skeptisk
sceptre *n.* septer
schedule *n.* ramme
schematic *adj.* skjematisk
scheme *n.* plan
schism *n.* skisma
schizophrenia *n.* schizofreni
scholar *n.* stipendiat
scholarly *adj.* vitenskapelig
scholarship *n.* stipend
scholastic *adj.* skolemessig
school *n.* skole
sciatica *n.* isjias
science *n.* vitenskap
scientific *adj.* vitenskapelig
scientist *n.* vitenskapsmann
scintillating *adj.* som funkler
scissors *n.* saks
scoff *v.i.* å håne

scold *v.* å skjenne på
scoop *n.* øsekar
scooter *n.* scooter
scope *n.* rekkevidde
scorch *v.* å svi
score *n.* snes
score *v.* å ripe
scorer *n.* regnskapsfører
scorn *n.* forakt
scornful *adj.* foraktelig
scorpion *n.* skorpion
Scot *v.* Scot
scot-free *adv.* uten straff
scoundrel *n.* skurk
scour *v.* å skrubbe
scourge *n.* svøpe
scout *n.* speider
scowl *n.* skulende
scrabble *v.* å skrape
scraggy *adj.* tynn
scramble *v.* å klatre
scrap *n.* stump
scrape *v.* å skrubbe
scrappy *adj.* usammenhengende
scratch *v.t.* å rispe
scrawl *v.* å rable
scrawny *adj.* knoklete
screech *n.* hvin
scream *v.* å skrike
screech *n.* skingrende
screed *n.* harang
screen *n.* skjerm
screw *n.* skrue
screwdriver *n.* skrutrekker
scribble *v.* å rable
scribe *n.* skriver
scrimmage *n.* batalje
scrimp *v.* å spinke
script *n.* skrifttype
scripture *n.* bibelhistorie
scroll *n.* skriftrulle
scrooge *n.* gjerrigknark
scrub *v.* å skrubbe
scruffy *adj.* fattigslig
scrunch *v.* å knuse
scruple *n.* skruppel
scrupulous *adj.* samvittighetsfull
scrutinize *v.* å granske
scrutiny *n.* gransking
scud *v.* å jage
scuff *v.* å slepe bena etter seg
scuffle *n.* håndgemeng
sculpt *v.* å meisle
sculptor *n.* skulptør
sculptural *adj.* som ble hugget
sculpture *n.* billedhoggerkunst
scum *n.* avskum
scurrilous *adj.* uforskammet
scythe *n.* ljå
sea *n.* hav
seagull *n.* sjøfugl
seal *n.* sel
sealant *n.* dekke
seam *n.* søm
seamless *adj.* sømløs
seamy *adj.* rynkete
sear *v.* å svi
search *v.* å søke
seaside *n.* kyst
season *n.* sesong
seasonable *adj.* normal
seasonal adj. sesong-
seasoning n. lagring
seat *n.* plass
seating *n.* sitteplasser
secede *v.* å bryte med
secession *n.* løsrivelse
seclude *v.* å isolere
secluded *adj.* bortgjemt

seclusion *n.* avsondrethet
second *adj.* andre
secondary *adj.* sekundær
secrecy *n.* diskresjon
secret *adj.* hemmelig
secretariat *n.* sekretariat
secretary *n.* sekretær
secrete *v.* å utsondre
secretion *n.* utsondring
secretive *adj.* hemmelighetsfull
sect *n.* sekt
sectarian *adj.* sekterisk
section *n.* seksjon
sector *n.* sektor
secular *adj.* verdslig
secure *adj.* trygg
security *n.* sikkerhet
sedan *n.* sedan
sedate *adj.* sedat
sedation *n.* sedering
sedative *n.* beroligende middel
sedentary *adj.* stillesittende
sediment *n.* bunnfall
sedition *n.* oppvigleri
seditious *adj.* oppviglersk
seduce *v.* å forføre
seduction *n.* forføring
seductive *adj.* forførerisk
sedulous *adj.* flittig
see v. å se
seed *n.* frø
seedy *adj.* full av frø
seek *v.i.* å søke
seem *v.* synes
seemly *adj.* passende
seep *v.* å sive
seer *n.* profet
see-saw *n.* huske
segment *n.* segment
segregate *v.* å segregere
segregation *n.* segregasjon
seismic *adj.* seismisk
seize *v.* å gripe
seizure *n.* beslagleggelse
seldom *adv.* sjelden
select *v.* å velge
selection *n.* utvelging
selective *adj.* selektiv
self *n.* jeg
selfish *adj.* egoistisk
selfless *adj.* uselvisk
self-made *adj.* selv-lagt
sell *v.* å selge
seller *n.* selger
selvedge *n.* jare
semantic *adj.* semantisk
semblance *n.* noe som ligner
semen *n.* sæd
semester *n.* semester
semicircle *n.* halvsirkel
semicolon *n.* semikolon
seminal *adj.* seminal
seminar *n.* seminar
Semitic *adj.* semittisk
senate *n.* senat
senator *n.* senator
senatorial *adj.* som består av senatorer
send *v.* å sende
senile *adj.* senil
senility *n.* senilitet
senior *adj.* senior
seniority *n.* ansiennitet
sensation *n.* følelse
sensational *adj.* sensasjonell
sensationalize *v.* å gjøre sensasjonell
sense *n.* sans
senseless *adj.* bevisstløs
sensibility *n.* følsomhet

sensible *adj.* fornuftig
sensitive *adj.* følsom
sensitize *v.* å sensibilisere
sensor *n.* sensor
sensory *adj.* sensorisk
sensual *adj.* sanselig
sensualist *n.* sensualist
sensuality *n.* sensualitet
sensuous *adj.* sanselig
sentence *n.* setning
sententious *adj.* pompøs
sentient *adj.* sansende
sentiment *n.* følelse
sentimental *adj.* sentimental
sentinel *n.* skiltvakt
sentry *n.* skiltvakt
separable *adj.* om kan atskilles
separate *v.* å skille
separation *n.* utskillelse
separatist *n.* separatist
sepsis *n.* sepsis
September *n.* September
septic *adj.* septisk
sepulchral *adj.* grav-
sepulchre *n.* grav
sepulchre *n.* grav
sequel *n.* fortsettelse
sequence *n.* orden
sequential *adj.* følgende
sequester *v.* å konfiskere
serene *adj.* fredelig
serenity *n.* sinnsro
serf *n.* livegen
serge *n.* sars
sergeant *n.* sersjant
serial *adj.* føljetong
serialize *v.* å gjøre noen om en serie
series *n.* serie
serious *adj.* seriøs
sermon *n.* preken
sermonize *v.* å preke
serpent *n.* slange
serpentine *adj.* buktet
serrated *adj.* sagtakkete
servant *n.* tjener
serve *v.* å tjene
server *n.* serve
service *n.* tjeneste
serviceable *adj.* brukbar
serviette *n.* serviett
servile *adj.* servil
servility *n.* kryping
serving *n.* i aktiv tjeneste
sesame *n.* sesam
session *n.* sesjon
set *v.* å sette
set *n* sett
settee *n.* kanapé
setter *n.* setter
setting *n.* innfatning
settle *v.* å anbringe
settlement *n.* ordning
settler *n.* nybygger
seven *adj. & n.* sju
seventeen *adj. & n.* sytten
seventeenth *adj. & n.* syttende
seventh *adj. & n.* sjuende
seventieth *adj. & n.* sytti
seventy *adj. & n.* syttitall
sever *v.* å kutte av
several *adj. & pron.* noen
severance *n.* løsrivelse
severe *adj.* alvorlig
severity *n.* strenghet
sew *v.* å sy
sewage *n.* kloakkinnhhold
sewer *n.* syerske
sewerage *n.* kloakkvann
sex *n.* kjønn
sexism *n.* kjønnsdiskriminering

sexton *n.* graver
sextuplet *n.* en av sex tvillinger
sexual *adj.* seksuell
sexuality *n.* seksualitet
sexy *adj.* sexy
shabby *adj.* loslitt
shack *n.* ussel
shackle *n.* lenke
shade *n.* skygge
shade *v.* å skygge for
shadow *n.* skygge
shadow *v.* å kaste skygge
shadowy *adj.* skyggefull
shady *adj.* skyggefull
shaft *n.* skaft
shag *n.* toppskarv
shake *v.* å riste
shaky *adj.* skjelvende
shall *v.* å skulle
shallow *adj.* grunn
sham *n.* humbug
shamble *v.* å sjokke
shambles *n.* rot
shame *n.* skam
shameful *adj.* skammelig
shameless *adj.* skamløs
shampoo *n.* shampoo
shank *n.* legg
shanty *n.* ussel
shape *n.* form
shapeless *adj.* uformelig
shapely *adj.* velformet
shard *n.* potteskår
share *n.* andel
shark *n.* hai
sharp *adj.* skarp
sharpen *v.* å skjerpe
sharpener *n.* knivsliper
shatter *v.t.* å smadre
shattering *adj.* knusende
shave *v.* å barbere
shaven *adj.* barbert
shaving *n.* barbering
shawl *n.* sjal
she *pron.* hun
sheaf *n.* nek
shear *v.* å klippe
sheath *n.* skjede
shed *n.* skur
sheen *n.* skinn
sheep *n.* sau
sheepish *adj.* fårete
sheer *adj.* gjennomsiktig
sheet *n.* laken
shelf *n.* hylle
shell *n.* skall
shelter *n.* ly
shelve *v.* å skrinlegge
shepherd *n.* sauegjeter
shield *n.* skjold
shift *v.* å skifte plass
shiftless *adj.* udugelig
shifty *adj.* listig
shimmer *v.* å skimre
shin *n.* skinneben
shine *v.* å skinne
shingle *n.* singel
shiny *adj.* blank
ship *n.* skip
shipment *n.* forsendelse
shipping *n.* skip
shipwreck *n.* vrak
shipyard *n.* skipsverft
shire *n.* grevskap
shirk *v.* å skulke
shirker *n.* skulker
shirt *n.* skjorte
shiver *v.* å småhutre
shoal *n.* stim
shock *n.* støt
shock *v.* å sjokkere
shocking *adj.* sjokkerende
shoddy *adj.* av dårlig kvalitet

shoe *n.* sko
shoestring *n.* meget beskjedne middel
shoot *v.* å skyte
shooting *n.* skyting
shop *n.* butikk
shopkeeper *n.* handlende
shoplifting *n.* butikktyveri
shopping *n.* shopping
shore *n.* kyst
short *adj.* kort
shortage n. knapphet
shortcoming *n.* mangel
shortcut *n.* snarvei
shorten *v.* å gjøre kortere
shortfall *n.* svikt
shortly *adv.* kort
should *v.* burde
shoulder *n.* skulder
shout *v.i.* å rope
shove *v.* å dytte
shovel *n.* skuffe
show v. å vise
showcase n. utstillingsmontre
showdown *n.* oppgjør
shower *n.* dusj
showy *adj.* glorete
shrapnel *n.* shrapnel
shred *n.* fille
shrew *n.* spissmus
shrewd *adj.* skarpsindig
shriek *v.* å hyle
shrill *adj.* skingrende
shrine *n.* helgenskrin
shrink *v.* å krype
shrinkage *n.* krymping
shrivel *v.* å skrumpe inn
shroud *n.* liksvøp
shrub *n.* busk
shrug *v.* å trekke på skuldrene
shudder *v.* å grøsse
shuffle *v.t.* å sjokke
shun *v.t.* sky
shunt *v.* å parallellkople
shut *v.* å lukke
shutter *n.* skodde
shuttle *n.* skyttel
shuttlecock *n.* fjærball
shy *adj.* lettskremt
sibilant *adj.* sibilant
sibling *n.* søsken
sick *adj.* syk
sickle *n.* sigd
sickly *adj.* sykelig
sickness *n.* sykdom
side *n.* side
sideline *n.* sidelinje
siege *n.* beleiring
siesta *n.* siesta
sieve *n.* dørslag
sift *v.* å sikte
sigh *v.i.* å sukke
sight *n.* synsevne
sighting *n.* observasjon
sightseeing *n.* sightseeing
sign *n.* tegn
signal *n.* signal
signatory *n.* underskriver
signature *n.* underskrift
significance *n.* betydning
significant *n.* betydningsfull
signification *n.* betydning
signify *v.* å tilkjennegi
silence *n.* stillhet
silencer *n.* lydpotte
silent *adj.* stille
silhouette *n.* silhuett
silicon *n.* silisium
silk *n.* silke
silken *adj.* av silke
silkworm *n.* silkeorm
silky *adj.* silkeaktig

sill *n.* svill
silly *adj.* dum
silt *n.* slam
silver *n.* sølv
similar *adj.* lignende
similarity *n.* likhet
simile *n.* lignelse
simmer *v.* å småkoke
simper *v.* å smile tåpelig
simple *adj.* enkel
simpleton *n.* enfoldig tosk
simplicity *n.* enkelhet
simplification *n.* forenkling
simplify *v.* å forenkle
simulate *v.* å simulere
simultaneous *adj.* samtidig
sin *n.* synd
since *prep.* siden
sincere *adj.* oppriktig
sincerity *n.* oppriktighet
sinecure *n.* sinekyre
sinful *adj.* syndig
sing *v.* å singe
singe *v.* å svi
singer *a.* sanger
single *adj.* enkelt
singlet *n.* singlet
singleton *n.* singleton
singular *adj.* bemerkelsesverdig
singularity *n.* besynderlighet
singularly *adv.* separat
sinister *adj.* illevarslende
sink *v.* å synke
sink *n.* oppvaskkum
sinner *n.* synder
sinuous *adj.* buktet
sinus *n.* sinus
sip *v.* å nippe til
siphon *n.* hevert
sir *n.* sir
siren *n.* sirene
sissy *n.* bløtfisk
sister *n.* søster
sisterhood *n.* nonneorden
sisterly *adj.* søsterlig
sit *v.* å sitte
site *n.* tomt
sitting *n.* møte
situate *v.* å anbringe
situation *n., a* situasjon
six *adj.& n.* seks
sixteen *adj. & n.* seksten
sixteenth *adj. & n.* sekstende
sixth *adj. & n.* sjettedel
sixtieth *adj. & n.* sekstiende
sixty *adj. & n.* seksti
size *n.* størrelse
sizeable *adj.* meget stor
sizzle *v.* å frese
skate *n.* skøyte
skateboard *n.* rullebrett
skein *n.* garnhespel
skeleton *n.* skjelett
sketch *n.* skisse
sketchy *adj.* overfladisk
skew *v.* å gjøre skjev
skewer *n.* stekespidd
ski *n.* ski
skid *v.* å skrense
skilful *adj.* dyktig
skill *n.* ferdighet
skilled *adj.* faglært
skim *v.* å skumme
skimp *v.* å spare
skin *n.* hud
skinny *adj.* radmager
skip *v.* å hoppe
skipper *n.* skipper
skirmish *n.* trefning
skirt *n.* skjørt
skirting *n.* skjørtestoff
skit *n.* sketsj

skittish *adj.* skvetten
skittle *n.* kjegle
skull *n.* hodeskalle
sky *n.* himmel
skylight *n.* takvindu
skyscraper *n.* skyskraper
slab *n.* plate
slack *adj.* slakk
slacken *v.* å løsne
slag *n.* slagg
slake *v.t.* å stille
slam *v.* å smelle med
slander *n.* bakvaskelse
slanderous *adj.* baktalerisk
slang *n.* slang
slant *v.* å skråne
slap *v.t.* å slå
slash *v.* å spjære
slat *n.* spile
slate *n.* skifer
slattern *n.* sjuske
slatternly *adj.* lurvete
slaughter *n.* slakting
slave *n.* slave
slavery *n.* slaveri
slavish *adj.* slavisk
slay *v.* å slå i hjel
sleaze *n.* snusk
sleazy *adj.* snuskete
sledge *n.* kjelke
sledgehammer *n.* slegge
sleek *adj.* blank
sleep *n.* søvn
sleeper *n.* sovende
sleepy *adj.* søvnig
sleet *n.* sludd
sleeve *n.* erme
sleigh *n.* slede
sleight *n.* fingerferdighet
slender *adj.* slank
sleuth *n.* detektiv
slice *n.* skive
slick *adj.* glatt
slide *v.* å gli
slight *adj.* svak
slightly *adv.* litt
slim *adj.* slank
slime *n.* slim
slimy *adj.* slimete
sling *n.* fasle
slink *v.* å luske
slip *v.* å skli
slipper *n.* tøffel
slippery *adj.* glatt
slit *v.t.* å spalte
slither *v.* å rutsje
slob *n.* slask
slobber *v.* å sikle
slogan *n.* slagord
slope *v.* å skråne
sloppy *adj.* våt
slot *n.* sprekk
sloth *n.* dovenskap
slothful *adj.* uvillig
slouch *v.* å ha en slapp holdning
slough *n.* skinn
slovenly *adj.* sjuskete
slow *adj.* langsom
slowly *adv.* langsomt
slowness *n.* treghet
sludge *n.* kloakkslam
slug *n.* skogsnegl
sluggard *n.* dovenpels
sluggish *adj.* tregtflytende
sluice *n.* sluse
slum *n.* slum
slumber *v.* å slumre
slump *v.* å falle tungt
slur *v.* å uttale utydelig
slurp *v.* å slurpe
slush *n.* snøslaps
slushy *adj.* slapsete
slut *n.* sjuske

sly *adj.* slu
smack *n.* smekk
small *adj.* liten
smallpox *n.* kopper
smart *adj.* smart
smarten *v.* å pynte på
smash *v.* å gå i stykker
smashing *adj.* kjempefin
smattering *n.* lite kunnskap
smear *v.* å smøre
smell *n.* lukt
smelly *adj.* illeluktende
smidgen *n.* dråp
smile *v.* å smile
smirk *v.* å smile selvtilfreds
smith *n.* smed
smock *n.* arbeidskittel
smog *n.* tåke
smoke *n.* røyk
smoky *adj.* røykfylt
smooch *v.* å kysse og kline
smooth *adj.* glatt
smoothie *n.* fruktshake
smother *v.* å kvele
smoulder *v.* å ulme
smudge *v.* å gni utover
smug *adj.* selvtilfreds
smuggle *v.* å smugle
smuggler *n.* smugler
snack *n.* matbit
snag *n.* spiss
snail *n.* snegl
snake *n.* slange
snap *v.* å glefse
snapper *n.* blackfordi
snappy *adj.* bisk
snare *n.* snare
snarl *v.* å snerre
snarl *v.t.* å forkludre fullstendig
snatch *v.* å snappe
snazzy *adj.* fiks
sneak *v.* å snike
sneaker *n.* gymsko
sneer *n.* hånlig fli
sneeze *v.i.* å nyse
snide *adj.* hånlig
sniff *v.* å snufse
sniffle *v.* å snuse
snigger *n.* fnise
snip *v.* å klippe av
snipe *v.* å snikskyte
snippet *n.* bruddstykke
snob *n.* snobb
snobbery n. snobberi
snobbish *adj.* snobbete
snooker *n.* snooker
snooze *n.* blund
snore *n.* snork
snort *n.* snøft
snout *n.* snute
snow *n.* snø
snowball *n.* snøball
snowy *adj.* snødekt
snub *v.* å fornærme
snuff *v.* å slukke
snuffle *v.* å snufse
snug *adj.* koselig
snuggle *v.* å bore
so *adv.* så
soak *v.* å bløte opp
soap *n.* såpe
soapy *adj.* såpeaktig
soar *v.i.* å sveve
sob *v.* å hulke
sober *adj.* edru
sobriety *n.* nøkternhet
soccer *n.* fotball
sociability *n.* omgjengelighet
sociable *adj.* omgjengelig
social *adj.* sosial
socialism *n.* sosialisme
socialist *n. & adj.* sosialistisk

socialize *v.* å sosialisere
society *n.* samfunn
sociology *n.* sosiologi
sock *n.* strømpe
socket *n.* leddskål
sod *n.* gresstorv
soda *n.* soda
sodden *adj.* gjennomvåt
sodomy *n.* sodomi
sofa *n.* sofa
soft *adj.* bløt
soften *v.* å gjøre bløt
soggy *adj.* vasstrukken
soil *n.* jord
sojourn *n.* opphold
solace *n.* trøst
solar *adj.* solar
solder *n.* loddetinn
soldier *n.* soldat
sole *n.* sjøtunge
solely *adv.* utelukkende
solemn *adj.* høytidelig
solemnity *n.* høytidelighet
solemnize *v.* å hylle
solicit *v.* å anmode om
solicitation *n.* inntrengende bønn
solicitor *n.* advokat
solicitous *adj.* bekymret
solicitude *n.* bekymring
solid *adj.* fast
solidarity *n.* solidaritet
soliloquy *n.* monolog
solitaire *n.* solitær
solitary *adj.* alene
solitude *n.* ensomhet
solo *n.* solo
soloist *n.* solist
solubility *n.* oppløselighet
soluble *adj.* oppløselig
solution *n.* oppløsning
solve *v.* å løse
solvency *n.* solvens
solvent *n.* oppløsningsmiddel
sombre *adj.* mørk
some *adj.* noen
somebody *pron.* en eller annen
somehow *adv.* på den ene eller den andre måten
someone *pron.* en eller annen
somersault *n.* saltomortale
somnolent *adj.* søvnig
something *pron.* noe
somewhat *adv.* noe
somewhere *adv.* et eller annet sted
somnambulism *n.* søvngjengeri
somnambulist *n.* søvngjenger
somnolence *n.* søvnighet
somnolent *adj.* søvnig
son *n.* sønn
song *n.* sang
songster *n.* sanger
sonic *adj.* lydmur
sonnet *n.* sonett
sonority *n.* sonoritet
soon *adv.* snart
soot *n.* sot
soothe *v.* å lindre
sophism *n.* sofisme
sophist *n.* sofist
sophisticate *n.* en som er sofistikert
sophisticated *adj.* sofistikert
sophistication *n.* blaserthet
soporific *adj.* beroligende
sopping *adj.* våt
soppy *adj.* søtladen
sorbet *n.* sorbett

sorcerer *n.* trollmann
sorcery *n.* trolldom
sordid *adj.* skitten
sore *adj.* sår
sorely *adv.* sårt
sorrow *n.* sorg
sorry *adj.* lei seg
sort *n.* sort
sortie *n.* utfall
sough *v.* å sukke
soul *n.* sjel
soulful *adj.* sjelfull
soulless *adj.* sjelløs
soul mate *n.* tvillingsjel
sound *n.* lyd
soundproof *adj.* lydtett
soup *n.* suppe
sour *adj.* sur
source *n.* kilde
souse *v.* å gjøre gjennomvåt
south *n.* sør
southerly *adj.* sørlig
southern *adj.* sørlig
souvenir *n.* suvenir
sovereign *n.* regjerende fyrste
sovereignty *n.* uavhengighet
sow *n.* sugge
spa *n.* kurbad
space *n.* rom
spacious *adj.* romslig
spade *n.* spade
spam *n.* søppelpost
span *n.* spenn
Spaniard *n.* spanjol
spaniel *n.* spaniel
Spanish *n.* spansk
spank *v.* å smekke
spanking *adj.* strykende
spanner *n.* skiftenøkkel
spare *adj.* ekstra
sparing *adj.* forsiktig
spark *n.* gnist
sparkle *v.* å glitre
sparkling *n.* glitrende
sparrow *n.* spurv
sparse *adj.* spredt
spasm *n.* spasme
spasmodic *adj.* spasmodisk
spastic *adj.* spastisk
spat *n.* østersyngel
spate *n.* flom
spatial *adj.* romlig
spatter *v.* å sprute
spawn *v.* å gyte
spay *v.* å sterilisere
speak *v.* å snakke
speaker *n.* taler
spear *n.* spyd
spearhead *n.* angrepsspiss
spearmint *n.* grønnmynte
special *adj.* spesiell
specialist *n.* spesialist
speciality *n.* spesialitet
specialization *n.* spesialisering
specialize *v.* å spesialisere
species *n.* art
specific *adj.* presis
specification *n.* spesifisering
specify *v.* å spesifisere
specimen *n.* prøve
specious *adj.* bestikkende
speck *n.* liten flekk
speckle *n.* flekk
spectacle *n.* syn
spectacular *adj.* imponerende
spectator *n.* tilskuer
spectral *adj.* spøkelsesaktig
spectre *n.* spøkelse
spectrum *n.* spektrum
speculate *v.* å spekulere
speculation *n.* spekulasjon

speech *n.* taleevne
speechless *adj.* målløs
speed *n.* fart
speedway *n.* motorvei
speedy *adj.* rask
spell *v.t.* å stave
spellbound *adj.* bergtatt
spelling *n.* ortografi
spend *v.* å tilbringe
spendthrift *n.* en som sløser med pengene
sperm *n.* sæd
sphere *n.* kule
spherical *n.* krum
spice *n.* krydder
spicy *adj.* krydret
spider *n.* edderkopp
spike *n.* pigg
spiky *adj.* piggete
spill *v.* å spille
spillage *n.* spill
spin *v.* å rotere
spinach *n.* spinat
spinal *adj.* spinal-
spindle *n.* spindel
spindly *adj.* tynn
spine *n.* ryggrad
spineless *adj.* virvelløs
spinner *n.* spinner
spinster *n.* peppermø
spiral *adj.* spiralformet
spire *n.* spir
spirit *n.* ånd
spirited *adj.* dristig
spiritual *adj.* åndelig
spiritualism *n.* spiritualisme
spiritualist *n.* spiritualist
spirituality *n.* åndelighet
spit *n.* spidd
spite *n.* ondskap
spiteful *adj.* ondskapsfull
spittle *n.* spytt
spittoon *n.* spyttebakke
splash *v.* å skvette
splatter *v.* å plaske
splay *v.* å gjøre skrå
spleen *n.* milt
splendid *adj.* strålende
splendour *n.* glans
splenetic *adj.* irritabel
splice *v.* å skjøte
splint *n.* fragment
splinter *n.* splint
split *v.* å spalte
splutter *v.* å frese
spoil *v.* spoil
spoiler *n.* spoiler
spoke *n.* eike
spokesman *n.* talsmann
sponge *n.* svamp
sponsor *n.* sponsor
sponsorship *n.* sponsing
spontaneity *n.* spontanitet
spontaneous *adj.* spontan
spool *n.* spole
spoon n. skje
spoonful *n.* skjefull
spoor *n.* spor
sporadic *adj.* sporadisk
spore *n.* spore
sport *n.* idrett
sporting *adj.* sporty
sportive *adj.* leken
sportsman *n.* sportsmann
spot n. prikk
spotless *adj.* plettfri
spousal *n.* spousal
spouse *n.* ektefelle
spout *n.* tut
sprain *v.t.* å forstue
sprat *n.* brisling
sprawl *v.* å ligge utstrakt
spray *n.* sjøsprøyt
spread *v.* å bre ut

spreadsheet *n.* regneark
spree *n.* rangel
sprig *n.* kvist
sprightly *adj.* vital
spring *v.* å springe
sprinkle *v.i.* å drysse
sprinkler *n.* spreder
sprinkling *n.* dryss
sprint *v.* å sprinte
sprinter *n.* sprinter
sprout *v.* å spire
spry *adj.* kvikk
spume *n.* skum
spur *n.* spore
spurious *adj.* falsk
spurn *v.* å avvise med forakt
spurt *v.* å sprute
sputum *n.* oppspytt
spy *n.* spion
squabble *n.* skjenneri
squad *n.* lag
squadron *n.* eskadron
squalid *adj.* skitten
squall *n.* stormkast
squander *v.* å kaste bort
square *n.* kvadrat
squash *v.* å knuse
squat *v.i.* å sitte på huk
squawk v. å skrike hest
squeak *n.* pip
squeal *n.* hvin
squeeze *v.* å klemme
squib *n.* gresshoppe
squid *n.* tiarmet blekksprut
squint *v.* å skjele
squire *n.* væpner
squirm *v.* å sno seg
squirrel *n.* ekorn
squirt *v.* å sprøyte
squish *v.* å svuppe
stab *v.* å stikke
stability *n.* stabilitet
stabilization *n.* stabilitet
stabilize *v.* å stabilisere
stable *adj.* stø
stable *n.* stall
stack *n.* stabel
stadium *n.* stadium
staff *n.* stang
stag *n.* hjort
stage *n.* scene
stagecoach *n.* skyssvogn
stagger *v.* å rave
staggering *adj.* svimlende
stagnant *adj.* stillestående
stagnate *v.* å stagnere
stagnation *n.* stagnasjon
staid *adj.* adstadig
stain *v.t.* å sette flekker
stair *n.* trapp
staircase *n.* trapp
stake *n.* pæl
stale *adj.* dovent
stalemate *n.* fastlåst situasjon
staleness *n.* det å være utmattet
stalk *n.* stengel
stalker *n.* stalker
stall *n.* spilltau
stallion *n.* hingst
stalwart *adj.* pålitelig
stamen *n.* støvbærer
stamina *n.* utholdenhet
stammer *v.* å stamme
stamp *n.* stempel
stamp *v.* å stampe
stampede *n.* stormløp
stance *n.* ktoppsholdning
stanchion *n.* bøylebindsel
stand *v.* å stå
standard *n.* standard
standardization *n.* standarisering

standardize *v.* å standarisere
standing *n.* det å stå
standpoint *n.* standpunkt
standstill *n.* stoppe helt opp
stanza *n.* strofe
staple *n.* krampe
staple *v.* å hefte
stapler *n.* stiftemaskin
star *n.* stjerne
starch *n.* stivelse
starchy *adj.* stivelsesholdig
stare *v.* å stirre
stark *adj.* skarpt avtegnet
starlet *n.* ung filmstjerne
startling *n.* oppsiktsvekkende
starry *adj.* stjerneklar
start *v.* å starte
starter *n.* forrett
startle *v.* å gi en støkk
starvation *n.* sult
starve *v.* å sulte
stash *v.* å gjemme unna
state *n.* tilstand
stateless *adj.* statsløs
stately *adj.* verdig
statement *n.* konstatering
statesman *n.* statsmann
static *adj.* statisk
statically *adv.* statisk
station *n.* stasjon
stationary *adj.* stasjonær
stationer *n.* papirhandler
stationery *n.* skrivesaker
statistical *adj.* statistisk
statistician *n.* statistiker
statistics *n.* statistikk
statuary *n.* statuer
statue *n.* statue
statuesque *adj.* statuelignende
statuette *n.* statuett
stature *n.* ry
status *n.* status
statute *n.* statutt
statutory *adj.* lovfestet
staunch *adj.* pålitelig
stave *n.* tønnestav
stay *v.* å oppholde seg
stead *n.* i ens sted
steadfast *adj.* lojal
steadiness *n.* stabilitet
steady *adj.* stø
steak *n.* biff
steal *v.* å stjele
stealth *n.* sniking
stealthily *adv.* stealthily
stealthy *adj.* listende
steam *n.* damp
steamer *n.* dampskip
steed *n.* ganger
steel *n.* stål
steep *adj.* bratt
steeple *n.* spir
steeplechase *n.* steeplechase
steer *v.* å styre
stellar *adj.* stjerne-
stem *n.* stilk
stench *n.* stank
stencil *n.* sjablon
stenographer *n.* stenograf
stenography *n.* stenografi
stentorian *adj.* med stentorrøst
step *n.* skritt
steppe *n.* steppe
stereo *n.* stereo
stereophonic *adj.* stereofonisk

stereoscopic *adj.* stereoskopisk
stereotype *n.* stereotype
sterile *adj.* steril
sterility *n.* sterilitet
sterilization *n.* sterilisering
sterilize *v.* å sterilisere
sterling *n.* sterling
stern *adj.* barsk
sternum *n.* brystben
steroid *n.* steroid
stertorous *adj.* snorkende
stethoscope *n.* stetoskop
stew *n.* lapskaus
steward *n.* lugartjener
stick *n.* kjepp
sticker *n.* klistremerke
stickleback *n.* stingsild
stickler *n.* nøye
sticky *adj.* klebrig
stiff *adj.* stiv
stiffen *v.* å gjøre stiv
stifle *v.* å kvele
stigma *n.* skamplett
stigmata *n.* stigma
stigmatize *v.* å stigmatisere
stile *n.* korsbom
stiletto *n.* stilett
still *adj.* rolig
stillborn *n.* dødfødt
stillness *n.* stillhet
stilt *n.* stylte
stilted *adj.* stilted
stimulant *n.* stimulerende middel
stimulate *v.* å stimulere
stimulus *n.* stimulus
sting *n.* stikk
stingy *adj.* gjerrig
stink *v.* å stinke
stint *n.* distanse
stipend *n.* stipend
stipple *v.* å stolpe
stipulate *v.* å stipulere
stipulation *n.* betingelse
stir *v.* å røre om
stirrup *n.* stigbøyle
stitch *n.* maske
stitch *v.* å sy
stock *n.* beholdning
stockbroker *n.* aksjemegler
stockade *n.* palisade
stocking *n.* strømpe
stockist *n.* forhandler
stocky *adj.* undersetsig
stoic *n.* stoiker
stoke *v.* å legge kull i
stoker *n.* fyrbøter
stole *n.* stola
stolid *adj.* upåvirkelig
stomach *n.* mage
stomp *n.* sourdough bread
stone *n.* stein
stony *adj.* steinete
stooge *n.* løpegutt
stool *n.* krakk
stoop *v.* å bøye seg
stop *v.* å stoppe
stoppage *n.* stans
stopper *n.* plugg
storage *n.* lagring
store *n.* lager
storey *n.* etasje
stork *n.* stork
storm *n.* uvær
stormy *adj.* stormende
story *n.* historie
stout *adj.* kraftig
stove *n.* ovn
stow *v.* å gjemme bort
straddle *v.* å skreve
straggle *v.* å gå enkeltvis
straggler *n.* etternøler
straight *adj.* rett

straighten *v.* å rette
straightforward *adj.* enkel
straightway *adv.* straks
strain *v.* å anspenne
strain *n.* belastning
strained *adj.* anspent
strait *n.* trang
straiten *v.i.* å begrense
strand *v.* å strande
strange *adj.* fremmed
stranger *n.* fremmed
strangle *v.* å kvele
strangulation *n.* kvelning
strap *n.* reim
strapping *adj.* sterk
stratagem *n.* krigslist
strategic *adj.* strategisk
strategist *n.* strateg
strategy *n.* strategi
stratify *v.* å lagdele
stratum *n.* strata
straw *n.* halm
strawberry *n.* jordbær
stray *v.* å komme bort
streak *n.* strime
streaky *adj.* stripete
stream *n.* strøm
streamer *n.* vimpel
streamlet *n.* liten strøm
street *n.* gate
strength *n.* styrke
strengthen *v.* å bli sterkere
strenuous *adj.* anstrengende
stress *n.* stress
stress *v.t.* å stresse
stretch *v.* å strekke
stretch *n.* strekning
stretcher *n.* båre
strew *v.* å strø
striation *n.* striasjon
stricken *adj.* rammet av
strict *adj.* streng
strictly *adv.* strengt
stricture *n.* forsnevring
stride *v.* å gå
strident *adj.* skjærende
strife *n.* strid
strike *v.* arbeidsnedleggelse
striker *n.* streikende
striking *adj.* streik
string *n.* hyssing
stringency *n.* strenghet
stringent *adj.* streng
stringy *adj.* senete
strip *v.t.* å kle av seg
stripe *n.* stripe
stripling *n.* ungdom
stripper *n.* stripper
strive *v.* å kjempe mot
strobe *n.* roterende lys
stroke *n.* slag
stroll *v.* å spasere
strong *adj.* sterk
stronghold *n.* befestning
strop *n.* strykerem
stroppy *adj.* vanskelig
structural *adj.* strukturell
structure *n.* struktur
strudel *n.* strudel
struggle *v.* å kjempe
strum *v.* å klimpre
strumpet *n.* tøs
strut *n.* stiver
Stuart *adj.* Stuart
stub *n.* stump
stubble *n.* skjeggstubb
stubborn *adj.* sta
stucco *n.* stukkatur
stud *n.* stender
stud *v.* å sette knotter under
student *n.* student
studio *n.* studio
studious *adj.* flittig

study *n.* studie
study *v.* å studere
stuff n. ting
stuffing *n.* fyll
stuffy *adj.* dårlig ventilert
stultify *v.* å umuliggjøre
stumble *v.* å snuble
stump *n.* stump
stun *v.* å svimeslå
stunner *n.* prakteksemplar
stunning *adj.* deilig
stunt *v.* å hemme
stupefy *v.* å forbløffe
stupendous *adj.* formidabel
stupid *adj.* dum
stupidity *n.* dumhet
stupor *n.* sløvhet
sturdy *adj.* sterk og sunn robust
stutter *v.* å stamme
sty *n.* sti
stygian *adj.* dyster
style *n.* stil
stylish *adj.* stilig
stylist *n.* stilist
stylistic *adj.* stilistisk
stylized *adj.* stilisert
stylus *n.* grammofonstift
stymie *v.* å legge hindringer i veien
styptic *adj.* blodstillende
suave *adj.* urban
subaltern *n.* lavere offiser
subconscious *adj.* underbevisst
subcontract *v.* å sette bort som underentreprise
subdue *v.* å underkue
subedit *v.* å gjøre trykkeklart
subject *n.* subjekt
subjection *n.* undertrykkelse
subjective adj. subjektiv
subjudice *adj.* under bedømmelse
subjugate *v.* å undertvinge
subjugation *n.* underkuelse
subjunctive *adj.* konjunktiv
sublet *v.t.* å fremleie
sublimate *v.* å sublimere
sublime *adj.* sublim
subliminal *adj.* subliminal
submarine *n.* undersjøisk
submerge *v.* å senke ned i vann
submerse *v.* å senke ned i vann
submersible *adj.* som kan senkes under vann
submission *n.* underkastelse
submissive *adj.* underdanig
submit *v.* å underkaste seg
subordinate *adj.* underordnet
subordination *n.* underordning
suborn *v.* å bestikke noen
subscribe *v.* å abonnere på
subscript *adj.* tegn under linjen
subscription *n.* abonnement
subsequent *adj.* påfølgende
subservience *n.* underdanighet
subservient *adj.* underdanig
subside *v.* å synke
subsidiary *adj.* underordnet
subsidize *v.* å støtte økonomisk
subsidy *n.* statstilskudd
subsist *v.* å eksistere
subsistence *n.* eksistens
subsonic *adj.* subsonisk
substance *n.* stoff

substantial *adj.* betydelig
substantially *adv.* betraktelig
substantiate *v.* å bekrefte
substantiation *n.* styrkelse
substantive *n.* substantiv
substitute *n.* erstatning
substitution *n.* substitusjon
subsume *v.* å subsumere
subterfuge *n.* knep
subterranean *adj.* subterranean
subtitle *n.* filmtekst
subtle *adj.* svak
subtlety *n.* skarpsindighet
subtotal *n.* delsum
subtract *v.* å subtrahere
subtraction *n.* subtraksjon
subtropical *adj.* subtropisk
suburb *n.* forstad
suburban *adj.* forstads-
suburbia *n.* forstedene
subversion *n.* omveltning
subversive *adj.* samfunnsnedbrytende
subvert *v.i.* å velte
subway *n.* fotgjengerundergang
succeed *v.* å etterfølge
success *n.* suksess
successful *adj.* vellykket
succession *n.* rekkefølge
successive *adj.* suksessiv
successor *n.* etterfølger
succinct *adj.* konsis
succour *n.* hjelp
succulent *adj.* saftig
succumb *v.* å dø
such *adj.* slik
suck *v.* å suge
sucker *n.* sugeskål
suckle *v.* å amme
suckling *n.* spedbarn
suction *n.* suging
sudden *adj.* plutselig
suddenly *adv.* plutselig
Sudoku *n.* Sudoku
sue *v.t.* å anlegge sak
suede *n.* semsket skinn
suffer *v.i.* å lide
sufferance *n.* stilltiende tillatelse
suffice *v.* å være tilstrekkelig
sufficiency *n.* tilstrekkelig
sufficient *adj.* nok
suffix *n.* suffiks
suffocate *v.* å kvele
suffocation *n.* kvelning
suffrage *n.* stemmerett
suffuse *v.* å bre seg over
sugar *n.* sukker
suggest *v.* å foreslå
suggestible *adj.* suggestibel
suggestion *n.* forslag
suggestive *adj.* suggestive
suicidal *adj.* selvmords-
suicide *n.* selvmord
suit *n.* dress
suitability *n.* skikkethet
suitable *adj.* å passende
suite *n.* suite
suitor *n.* frier
sulk *v.* å furte
sullen *adj.* sur
sully *v.* å skitne til
sulphur *n.* svovel
sultana *n.* sultans kone
sultry *adj.* lummer
sum *n.* sum
summarily *adv.* summarisk
summarize *v.* å oppsummere
summary *n.* sammendrag
summer *n.* sommer

summit *n.* topp
summon *v.* å tilkalle
summons *n.* innkalling
sumptuous *adj.* overdådig
sun *n.* sol
sun *v.* å ligge i sola
sundae *n.* is med krem og frukt
Sunday *n.* Sunday
sunder *v.* å dele
sundry *adj.* forskjellige
sunken *adj.* sunket
sunny *adj.* sollys
super *adj.* super
superabundance *adj.* overflod
superabundant *adj.* meget rikelig
superannuation *n.* pensjonering
superb *adj.* prektig
supercharger *n.* kompressor
supercilious *adj.* overlegen
superficial *adj.* overfladisk
superficiality *n.* overfladiskhet
superfine *adj.* superfin
superfluity *n.* overflødighet
superfluous *adj.* overflødig
superhuman *adj.* overmenneskelig
superimpose *v.* å legge ovenpå
superintend *v.* å føre tilsyn med
superintendence *n.* overoppsyn
superintendent *n.* overbetjent
superior *adj.* overlegen
superiority *n.* overlegenhet
superlative *adj.* superlativisk
supermarket *n.* supermarked
supernatural *adj.* overnaturlig
superpower *n.* supermakt
superscript *adj.* kommando tegn opp
supersede *v.* å avløse
supersonic *adj.* supersonisk
superstition *n.* overtro
superstitious *adj.* overtroisk
superstore *n.* stormarked
supervene *v.* å inntreffe
supervise *v.* å ha oppsyn med
supervision *n.* overoppsyn
supervisor *n.* arbeidsleder
supper *n.* kveldsmat
supplant *v.* å fortrenge
supple *adj.* smidig
supplement *n.* supplement
supplementary *adj.* supplerende
suppliant *n.* ydmyk
supplicate *v.* å bønnfalle
supplier *n.* leverandør
supply *v.* å levere
support *v.* å støtte
support *n.* støtte
suppose *v.* å anta
supposition *n.* antagelse
suppository *n.* stikkpille
suppress *v.* å knuse
suppression *n.* undertrykkelse
suppurate *v.* å suppurere
supremacy *n.* overherredømme
supreme *adj.* høyest
surcharge *n.* tilleggsgebyr

sure *adj.* sikker
surely *adv.* sikkert
surety *n.* garanti
surf *n.* brenning
surface *n.* flate
surfeit *n.* altfor mye
surge *n.* dønning
surgeon *n.* kirurg
surgery *n.* kirurgi
surly *adj.* tverr
surmise *v.t.* å gjette
surmount *v.* å overvinne
surname *n.* etternavn
surpass *v.* å overgå
surplus *n.* overskudd
surprise *n.* overraskelse
surreal *adj.* surrealistisk
surrealism *n.* surrealisme
surrender *v.* å overgi seg
surrender *n.* overgivelse
surreptitious *adj.* stjålen
surrogate *n.* skiftedommer
surround *v.* å omringe
surroundings *n.* omgivelser
surtax *n.* progressiv ekstraskatt
surveillance *n.* overvåking
survey *v.t.* å måle opp
surveyor *n.* landmåler
survival *n.* overlevelse
survive *v.* å overleve
susceptible *adj.* påvirkelig
suspect *v.* å mistenke
suspect *n* mistenkt
suspend *v.* å henge opp
suspense *n.* spenning
suspension *n.* suspendering
suspicion *n.* mistanke
suspicious *adj.* mistenksom
sustain *v.* å opprettholde
sustainable *adj.* som kan opprettholdes
sustenance *n.* næring
suture *n.* sutur
svelte *adj.* slank
swab *n.* svaber
swaddle *v.* å reive
swag *n.* bytte
swagger *v.* å braute
swallow *v.* å svelge
swamp *n.* sump
swan *n.* svane
swank *v.* å skryte
swanky *adj.* flott
swap *v.* å bytte
swarm *n.* sverm
swarthy *adj.* mørkhudet
swashbuckling *adj.* storskrytende
swat *v.* å smekke
swathe *v.* å forbinde
sway *v.* å svaie
swear *v.* å sverge
sweat *n.* svette
sweater *n.* genser
sweep *v.* å feie
sweeper *n.* gatefeier
sweet *adj.* søt
sweet *n.* sukkertøy
sweeten *v.* å søte
sweetheart *n.* kjæreste
sweetmeat *n.* sukkertøy
sweetener *n.* søtningsmiddel
sweetness *n.* søthet
swell *v.* å hovne opp
swell *n.* dønning
swelling *n.* hevelse
swelter *v.* å kovne
swerve *v.* å svinge
swift *adj.* rask
swill *v.* å drikke
swim *v.* å svømme
swimmer *n.* svømmer
swindle *v.* å svindle

swindler *n.* bedrager
swine *n.* svin
swing *n.* svingning
swing *v.* å svinge
swingeing *adj.* sviende
swipe *v.* å slå
swirl *n.* virvel
swish *adj.* smart
switch *n.* kontakt
swivel *v.* å dreie seg
swoon *v.* å besvime
swoop *v.* å gripe plutselig
sword *n.* sverd
sybarite *n.* sybarite
sycamore *n.* morbærfikentre
sycophancy *n.* slesk smiger
sycophant *n.* spyttslikker
syllabic *adj.* syllabisk
syllable *n.* stavelse
syllabus *n.* syllabuses
syllogism *n.* syllogisme
sylph *n.* sylfe
sylvan *adj.* skogrik
symbiosis *n.* symbiose
symbol *n.* symbol
symbolic *adj.* symbolisk
symbolism *n.* symbolikk
symbolize *v.* symbolisere
symmetrical *adj.* symmetrisk
symmetry *n.* symmetri
sympathetic *adj.* medfølende
sympathize *v.* å sympatisere
sympathy *n.* sympati
symphony *n.* symfoni
symposium *n.* symposium
symptom *n.* symptom
symptomatic *adj.* symptomatisk
synchronize *v.* å synchronisere
synchronous *adj.* synkron
syndicate *n.* syndikat
syndrome *n.* syndrom
synergy *n.* synergi
synonym *n.* synonym
synonymous *adj.* synonym
synopsis *n.* synopsis
syntax *n.* syntaks
synthesis *n.* syntheses
synthesize *v.* å syntetisere
synthetic *adj.* syntetisk
syringe *n.* sprøyte
syrup *n.* saft
system *n.* system
systematic *adj.* systematisk
systematize v. å systematisere
systemic *adj.* systemisk

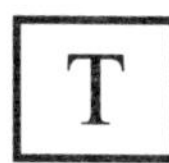

tab *n.* liten klaff
table *n.* bord
tableau *n.* tablå
tablet *n.* tablett
tabloid *n.* tabloid
taboo *n.* tabu
tabular *adj.* tabellarisk
tabulate *v.* å tabulere
tabulation *n.* tabellarisk oppstilling
tabulator *n.* tabulator
tachometer *n.* turteller
tacit *adj.* stilltiende
taciturn *adj.* fåmælt
tack *n.* stift
tackle *v.t.* å takle
tacky *adj.* klebrig
tact *n.* takt
tactful *adj.* taktfull
tactic *n.* taktikk

tactician *n.* taktiker
tactical *adj.* taktisk
tactile *adj.* taktil
tag *n.* merkelapp
tail *n.* stuss
tailor *n.* skredder
taint *v.* å infisere
take *v.* å ta
takeaway *n.* gatekjøkken
takings *n.* dagens omsetning
talc *n.* talk
tale *n.* historie
talent *n.* talent
talented *adj.* evnerik
talisman *n.* talisman
talk *v.* å snakke
talkative *adj.* snakkesalig
tall *adj.* høy
tallow *n.* talg
tally *n.* karvestokk
talon *n.* rovfuglklo
tamarind *n.* tamarind
tambourine *n.* tamburin
tame *adj.* tam
tamely *adv.* føyelig
tamp *n.* end
tamper *v.* å tukle med
tampon *n.* tampong
tan n. garvebark
tandem *n.* tandemsykkel
tang *n.* kelp
tangent *n.* tangent
tangerine *n.* mandarin
tangible *adj.* håndgripelig
tangle *v.t.* å filtre seg sammen
tank *n.* tank
tanker *n.* tanker
tanner *n.* garver
tannery *n.* garveri
tantalize *v.* å fryste
tantamount *adj.* være ensbetydende med
tantrum *n.* anfall av dårlig humør
tap *n.* kran
tapas *n.* tapas
tape *n.* bendelbånd
tape *v.i.* å feste med tape
taper *v.* å tilspisse
tapestry *n.* gobelin
tappet *n.* ventilløfter
tar *n.* tjære
tardy *adj.* sen
target *n.* target
tariff *n.* tariff
tarn *n.* tjern
tarnish *v.* å anløpe
tarot *n.* tarot
tarpaulin *n.* presenning
tart *n.* kake
tartar *n.* tannstein
task *n.* oppgave
tassel *n.* dusk
taste *n.* smak
taste *v.* å smake
tasteful *adj.* smakfull
tasteless *adj.* smakløs
tasty *adj.* lekker
tatter *v.* å rive
tattle *n.* sladder
tattoo *n.* tatovering
tatty *adj.* lurvete
taunt *n.* spydighet
taut *adj.* tott
tavern *n.* vertshus
tawdry *adj.* glorete
tax *n.* skatt
taxable *adj.* skattepliktig
taxation *n.* skattepålegg
taxi *n.* drosje
taxi *v.* å takse
taxonomy *n.* taksonomi

tea *n.* te
teach *v.* å undervise
teacher *n.* lærer
teak *n.* teak
team *n.* lag
tear *v.* å rive
tear *n.* tåre
tearful *adj.* tårefull
tease *v.* å erte
teat *n.* patte
technical *adj.* teknisk
technicality *n.* formalitet
technician *n.* tekniker
technique *n.* teknikk
technological *adj.* teknologisk
technologist *n.* teknolog
technology *n.* teknologi
tedious *adj.* kjedelig
tedium *n.* kjedsommelighet
teem *v.* å myldre av
teenager *n.* tenåring
teens *adj.* i tenårene
teeter *v.* å vingle
teethe *v.* å få tenner
teetotal *adj.* totalavholdende
teetotaller *n.* totalavholdsmann
telecast *v.t.* å sende i fjernsyn
telecommunications *n.* telekommunikasjoner
telegram *n.* telegram
telegraph *n.* telegraf
telegraphic *adj.* telegrafisk
telegraphy *n.* telegrafi
telepathic *adj.* telepatisk
telepathist *n.* telepat
telepathy *n.* telepati
telephone *n.* telefon
teleprinter *n.* teleprinter
telescope *n.* teleskop
teletext *n.* tekst-TV
televise *v.* å sende i fjernsyn
television *n.* fjernsyn
tell *v.* å fortelle
teller *n.* stemmeteller
telling *adj.* virkningsfull
telltale *adj.* avslørende
temerity *n.* dristighet
temper *n.* temperament
temperament *n.* temperament
temperamental *adj.* temperamentsfull
temperance *n.* måtehold
temperate *adj.* behersket
temperature *n.* temperatur
tempest *n.* uvær
tempestuous *adj.* voldsom
template *n.* sjablon
temple n. tempel
tempo n. tempo
temporal *adj.* verdslig
temporary *adj.* midlertidig
temporize *v.* å ta tid
tempt *v.* å friste
temptation *n.* fristelse
tempter *n.* frister
ten *adj. & adv.* ti
tenable *adj.* holdbar
tenacious *adj.* hardnakket
tenacity *n.* hardnakkethet
tenancy *n.* leietid
tenant *n.* leieboer
tend *v.* å gjete
tendency *n.* tendens
tendentious *adj.* tendensiøs
tender *adj.* bløt
tender *n.* tender
tendon *n.* sene
tenement *n.* leiekaserne
tenet *n.* grunnsetning
tennis *n.* tennis

tenor *n.* tenor
tense *adj.* spent
tensile *adj.* strekkbar
tension *n.* spenning
tent *n.* telt
tentacle *n.* føletråd
tentative *adj.* tentativ
tenterhook *n.* glødende kull
tenth *adj. & n.* tiende
tenuous *adj.* tynn
tenure *n.* besittelse
tepid *adj.* halvkald
term *n.* periode
termagant *n.* rivjern
terminal *adj.* slutt-
terminate *v.* å slutte
termination *n.* slutt
terminological *adj.* terminologisk
terminology *n.* terminologi
terminus *n.* endestasjon
termite *n.* termitt
terrace *n.* terrasse
terracotta *n.* terrakotta
terrain *n.* terreng
terrestrial *adj.* jord-
terrible *adj.* forferdelig
terrier *n.* terrier
terrific *adj.* forferdelig
terrify *v.* å vettskremme
territorial *adj.* territorial
territory *n.* område
terror *n.* terror
terrorism *n.* terrorisme
terrorist *n.* terrorist
terrorize *v.* å terrorisere
terry *n.* frottéstoff
terse *adj.* fyndig
tertiary *adj.* tertiær
test *n.* prøve
testament *n.* testament
testate *adj.* som har etterlatt testament
testicle *n.* testikkel
testify *v.* å vitne mot
testimonial *n.* attest
testimony *n.* vitneforklaring
testis *n.* testikkel
testosterone *n.* testosteron
testy *adj.* pirrelig
tetchy *adj.* irritabel
tether *v.t.* å tjore
text *n.* tekst
textbook *n.* lærebok
textual *adj.* tekst-
textile *n* tekstil
textual *adj.* tekst-
texture *n.* tekstur
thank *v.* å takke
thankful *adj.* takknemlig
thankless *adj.* utakknemlig
that *pron. & adj.* den /det
thatch *n.* stråtak
thaw *v.* å tø
the *adj.* ...en /...et
theatre *n.* teater
theatrical *adj.* teatralsk
theft *n.* tyveri
their *adj.* deres
theism *n.* teisme
them *pron.* dem
thematic *adj.* tematisk
theme *n.* emne
themselves *pron.* seg selv
then *adv.* dengang
thence *adv.* derfra
theocracy *n.* teokrati
theodolite *n.* teodolitterært
theologian *n.* teolog
theology *n.* theologi
theorem *n.* teorem
theoretical *adj.* teoretisk
theorist *n.* teorist

theorize *v.* å teorisere
theory *n.* teori
theosophy *n.* theosofi
therapeutic *adj.* terapeutisk
therapist *n.* terapeut
therapy *n.* terapi
there *adv.* der
thermal *adj.* termal
thermodynamics *n.* termodynamikk
thermometer *n.* termometer
thermos *n.* termosflaske
thermosetting *adj.* hardplast
thermostat *n.* termostat
thesis *n.* avhandling
they *pron.* de
thick *adj.* tykk
thicken *v.* å gjøre tykkere
thicket *n.* kratt
thief *n.* tyv
thigh *n.* lår
thimble *n.* fingerbøl
thin *adj.* tynn
thing *n.* ting
think *v.* å tenke
thinker *n.* tenker
third *adj.* tredje
thirst *n.* tørst
thirsty *adj.* tørst
thirteen *adj.* & *n.* tretten
thirteen *adj.* & *n.* tretten
thirteenth *adj.* & *n.* tretten
thirtieth *adj.* & *n.* trettiende
thirtieth *adj.* & *n.* trettiende
thirty *adj.* & *n.* tretti
thirty *adj.* & *n.* tretti
this *pron.& adj.* denne/dette
thistle *n.* tistel
thither *adv.* derhen
thong *n.* tynn lærreim
thorn *n.* torn
thorny *adj.* tornete
thorough *adj.* grundig
thoroughfare *n.* gjennomfartsvei
though *conj.* enda
thoughtful *adj.* tankefull
thoughtless *adj.* tankeløs
thousand *adj.* & *n.* tusen
thrall *n.* trell
thrash *v.* å pryle
thread *n.* tråd
threat *n.* trussel
threaten *v.* å true
three *adj.* & *n.* tre
thresh *v.* å treske
threshold *n.* terskel
thrice *adv.* tre ganger
thrift *n.* nøysomhet
thrifty *adj.* sparsommelig
thrill *n.* velbehagelig gys
thriller *n.* kriminalkomedie
thrive *v.* trives
throat *n.* hals
throaty *adj.* dyp
throb *v.* å dunke
throes *n.* kamp
throne *n.* trone
throng *n.* menneskemengde
throttle *n.* spjeldventil
through *prep. &adv.* gjennom
throughout *prep.* gjennom hele
throw *v.* å kaste
thrush *n.* trost
thrust *v.* å dytte
thud *n.* dunk
thug *n.* råtamp
thumb *n.* tommelfinger
thunder *n.* torden
thunderous *adj.* tordnende
Thursday *n.* torsdag
thus *adv.* således

thwart *v.* å komme på tvers av
thyroid *n.* skjoldbrusk–
tiara *n.* tiara
tick *n.* tikk
ticket *n.* billett
ticking *n.* tikking
tickle *v.* å kile
ticklish *adj.* kilen
tidal *adj.* tidevanns-
tidally *n.* bundet rotasjon
tide *n.* tidevann
tidings *n.* nyhet
tidiness *n.* ryddighet
tidy *adj.* ryddig
tie *v.* å knytte
tie *n.* slips
tied *adj.* knyttet
tier *n.* rekke
tiger *n.* tiger
tight *adj.* tett
tighten *v.* å stramme
tile *n.* takstein
till *prep.* inntil
tiller *n.* rorkult
tilt *v.* å turnere
timber *n.* tømmer
time *n.* tid
timely *adj.* i rette tid
timid *adj.* engstelig
timidity *n.* engstelighet
timorous *adj.* frightened
tin *n.* tinn
tincture *n.* tinktur
tinder *n.* tønder
tinge *n.* anstrøk
tingle *v.* å prikke
tinker *v.* å klusse med
tinkle *v.* å ringe
tinsel *n.* flitterstas
tint *n.* tontrykk
tiny *adj.* bitte liten
tip *n.* spiss
tipple *v.* å drikke
tipster *n.* tips selger
tipsy *adj.* pussa
tiptoe *v.* å liste seg
tirade *n.* tirade
tire *v.* å trette
tired *adj.* trett
tireless *adj.* utrettelig
tiresome *adj.* kjedelig
tissue *n.* vev
titanic *adj.* gigantisk
titbit *n.* godbit
tithe *n.* tiende
titillate *v.* å kildre
titivate *v.* å pynte seg
title *n.* tittel
titled *adj.* betitlet
titular *adj.* nominell
to *prep.* til
toad *n.* padde
toast *n.* toast
toaster *n.* brødrister
tobacco *n.* tobakk
today *adv.* i dag
toddle *v.* å stabbe
toddler *n.* smårolling
toe *n.* tå
toffee *n.* fløtekaramell
tog *n.* tog
toga *n.* toga
together *adv.* sammen
toggle *n.* ters
toil *v.i.* å slite
toilet *n.* toalett
toiletries *n.* toalettartikler
toil *n.* slit
token *n.* polett
tolerable *adj.* tålelig
tolerance *n.* toleranse
tolerant *adj.* tolerant
tolerate *v.* å tåle

toleration *n.* toleration
toll *n.* bompenger
tomato *n.* tomat
tomb *n.* grav
tomboy *n.* galneheie
tome *n.* stort verk
tomfoolery *n.* narrestreker
tomorrow *adv.* i morgen
ton *n.* tonn
tone *n.* tone
toner *n.* toner
tongs *n.* tang
tongue *n.* tunge
tonic *n.* tonikum
tonight *adv.* i kveld
tonnage *n.* tonnasje
tonne *n.* tonn
tonsil *n.* mandel
tonsure *n.* tonsur
too *adv.* for
tool *n.* verktøy
tooth *n.* tann
toothache *n.* tannpine
toothless *adj.* tannløs
toothpaste *n.* tannkrem
toothpick *n.* tannpirker
top *n.* topp
topaz *n.* topas
topiary *n.* planteskulptur
topic *n.* tema
topical *adj.* aktuell
topless *adj.* toppløs
topographer *n.* topograf
topographical *adj.* topografisk
topography *n.* topografi
topping *n.* pynt
topple *v.* å velte
tor *n.* knaus
torch *n.* lommelykt
toreador *n.* toreador
torment *n.* kval
tormentor *n.* plageånd
tornado *n.* tornado
torpedo *n.* torpedo
torpid *adj.* dvask
torrent *n.* strøm
torrential *adj.* stri
torrid *adj.* brennende
torsion *n.* vridning
torso *n.* torso
tort *n.* skadevoldende handling
tortoise *n.* landskilpadde
tortuous *adj.* snodd
torture *n.* tortur
toss *v.* å kaste
tot *n.* dram
total *adj.* total
total *n.* total
totalitarian *adj.* totalitær
totality *n.* helhet
tote *v.* å gå med
totter *v.* å vakle
touch *v.* å røre
touching *adj.* rørende
touchy *adj.* ømfintlig
tough *adj.* seig
toughen *v.* å gjøre seig
toughness *n.* seighet
tour *n.* tur
tourism *n.* turisme
tourist *n.* turist
tournament *n.* turnering
tousle *v.* å buste
tout *v.* å forsøke å selge
tow *v.* å slepe
towards *prep.* mot
towel *n.* håndkle
towelling *n.* frotté
tower *n.* tårn
town *n.* by
township *n.* administrativ enhet

toxic *adj.* giftig
toxicology *n.* toksikologi
toxin *n.* toksin
toy *n.* leketøy
trace *v.t.* å følge sporet etter
traceable *adj.* påviselig
tracing *n.* ettersporing
track *n.* spor
tracksuit *n.* treningsdrakt
tract *n.* egn
tractable *adj.* medgjørlig
traction *n.* strekk
tractor *n.* traktor
trade *n.* handel
trademark *n.* varemerke
trader *n.* handlende
tradesman *n.* bud
tradition *n.* tradisjon
traditional *adj.* tradisjonell
traditionalist *n.* tradisjonalist
traduce *v.* å bakvaske
traffic *n.* trafikk
trafficker *n.* narkotikahandler
trafficking *n.* trafficking
tragedian *n.* tragedieskuespiller
tragedy *n.* tragedie
tragic *adj.* tragisk
trail *n.* spor
trailer *n.* tilhenger
train *n.* tog
train *v.* å trene
trainee *n.* praktikant
trainer *n.* trener
training *n.* trening
traipse *v.* å labbe
trait *n.* trekk
traitor *n.* forræder
trajectory *n.* bane
tram *n.* doorstep
trammel *v.* å vikle inn
tramp *v.* å trampe
trample *v.* å tråkke
trampoline *n.* trampoline
trance *n.* transe
tranquil *adj.* rolig
tranquillity *n.* stillhet
tranquillize *v.* å berolige
transact *v.* å utføre
transaction *n.* transaksjon
transatlantic *adj.* transatlantisk
transceiver *n.* transceiver
transcend *v.* å overgå
transcendent *adj.* transcendent
transcendental *adj.* transcendental
transcontinental *adj.* transkontinental
transcribe *v.* å transkribere
transcript *n.* avskrift
transcription *n.* transkripsjon
transfer *v.* å forflytte
transferable *adj.* overførbar
transfiguration *n.* forklarelse
transfigure v. å forvandle
transform *v.* å omforme
transformation *n.* omforming
transformer *n.* transformator
transfuse *v.* å overføre
transfusion *n.* transfusjon
transgress *v.* å bryte
transgression *n.* overtredelse a
transient *adj.* forbigående
transistor *n.* transistor
transit *n.* transitt
transition *n.* overgang
transitive *adj.* transitiv

transitory *adj.* forgjengelig
translate *v.* å oversette
translation *n.* oversettelse
transliterate *v.* å translitterere
translucent *adj.* gjennemskinnelig
transmigration *n.* det å ta bolig i et annet legeme
transmission *n.* overføring
transmit *v.* å bringe videre
transmitter *n.* transmitter
transmute *v.* å transmutere
transparency *n.* gjennomsiktighet
transparent *adj.* gjennomsiktig
transpire *v.* å hende
transplant *v.* å omplante
transport *v.* å transportere
transportation *n.* transportering
transporter *n.* transporter
transpose *v.* å transponere
transsexual *n.* transseksual
transverse *adj.* tverrgående
transvestite *n.* transvestitt
trap *n.* felle
trapeze *n.* trapes
trash *n.* søppel
trauma *n.* trauma
travel *v.* å reise
traveller *n.* reisende
travelogue *n.* reisebrev
traverse *v.* å krysse
travesty *n.* travesti
trawler *n.* tråler
tray *n.* brett
treacherous *adj.* forrædersk
treachery *n.* forræderi
treacle *n.* lys sirup
tread *v.* å trå
treadle *n.* fotbrett
treadmill *n.* tredemølle
treason *n.* forræderi
treasure *n.* skatt
treasurer *n.* kasserer
treasury *n.* skattkammer
treat *v.* å behandle
treatise *n.* avhandling
treatment *n.* behandling
treaty *n.* traktat
treble *adj.* tredobbel
tree *n.* tre
trek *n.* tog
trellis *n.* sprinkelverk
tremble *v.* å skjelve
tremendous *adj.* enorm
tremor *n.* skjelving
tremulous *adj.* skjelvende
trench *n.* løpegrav
trenchant *adj.* skarp
trend *n.* ankerhals
trendy *adj.* trendy
trepidation *n.* engstelse
trespass *v.* å synde
tress *n.* lokker
trestle *n.* bukk
trial *n.* prøve
triangle *n.* trekant
triangular *adj.* trekantet
triathlon *n.* triathlon
tribal *adj.* stamme
tribe *n.* stamme
tribulation *n.* trengsel
tribunal *n.* domstol
tributary *n.* bielv
tribute *n.* skatt
trice *n.* på et øyeblikk
triceps *n.* triceps
trick *n.* knep
trickery *n.* lureri
trickle *v.* å sildre
trickster *n.* lurendreier

tricky *adj.* vanskelig
tricolour *n.* trefarget
tricycle *n.* trehjulssykkel
trident *n.* trident
Trier *n.* Trier
trifle *n.* bagatell
trigger *n.* avtrekker
trigonometry *n.* trigonometri
trill *n.* trille
trillion *adj & n.* trillion
trilogy *n.* trilogi
trim *v.* å trimme
trimmer *n.* redskap som beskjærer
trimming *n.* trimming
trinity *n.* treenigheten
trinket *n.* billig smykke
trio *n.* trio
trip *v.* å snuble
tripartite *adj.* tredelt
triple *n.* trippel
triplet *n.* triplet
triplicate *adj.* i tre eksemplarer
tripod *n.* fotostativ
triptych *n.* tredelt altertavle
trite *adj.* banal
triumph *n.* triumf
triumphal *adj.* triumf-
triumphant *adj.* triumferende
trivet *n.* kokestativ
trivia *n.* detaljer
trivial *adj.* uvesentlig
troll *n.* troll
trolley *n.* tralle
troop *n.* flokk
trooper *n.* kavalerist
trophy *n.* trofé
tropic *n.* vendekrets
tropical *adj.* tropisk
trot *v.* å trave
trotter *n.* travhest
trouble *n.* bekymring
trouble-shooter *n.* person som løser flokene
troublesome *adj.* brysom
trough *n.* tro
trounce *v.* å slå
troupe *n.* trupp
trousers *n.* bukse
trousseau *n.* brudeutstyr
trout *n.* ørret
trowel *n.* murskje
troy *n.* Troja
truant *n.* skulker
truce *n.* våpenhvile
truck *n.* tuskhandel
trucker *n.* lastebilsjåfør
truculent *adj.* aggressiv
trudge *v.* å gå tungt
true *adj.* sann
truffle *n.* trøffel
trug *n.* lang kurv
truism *n.* truisme
trump *n.* trumf
trumpet *n.* trompet
truncate *v.* å beskjære
truncheon *n.* kommandostav
trundle *v.* å rulle
trunk *n.* torso
truss *n.* knippe
trust *n.* tillit
trustee *n.* bobestyrer
trustful *adj.* tillitsfull
trustworthy *adj.* troverdig
trusty *adj.* pålitelig
truth *n.* sannhet
truthful *adj.* sannferdig
try *v.* å prøve
trying *adj.* trying
tryst *n.* stevnemøte
tsunami *n.* tsunami
tub *n.* balje

tube *n.* rør
tubercle *n.* tuberkel
tuberculosis *n.* tuberkulose
tubular *adj.* rørformet
tuck *v.* å brette
Tuesday *n.* tirsdag
tug *v.* å nappe
tuition *n.* undervisning
tulip *n.* tulipan
tumble *v.* å falle
tumbler *n.* vannglass
tumescent *adj.* blodfylt
tumour *n.* svulst
tumult *n.* tumult
tumultuous *adj.* larmende
tun *n.* fat
tune *n.* melodi
tuner *n.* tuner
tunic *n.* tunika
tunnel *n.* tunnel
turban *n.* turban
turbid *adj.* gjørmete
turbine *n.* turbin
turbocharger *n.* turbolader
turbulence *n.* turbulens
turbulent *adj.* voldsomt urolig
turf *n.* gresstorv
turgid *adj.* oppsvulmet
turkey *n.* kalkun
turmeric *n.* gurkemeie
turmoil *n.* forvirring
turn *v.* å snu
turner *n.* dreier
turning *n.* sving
turnip *n.* kålrot
turnout *n.* utrykning
turnover *n.* omsetning
turpentine *n.* terpentin
turquoise *n.* turkis
turtle *n.* havskilpadde
tusk *n.* støttann
tussle *n.* strid
tutelage *n.* formynderskap
tutor *n.* tutor
tutorial *n.* tutorial
tuxedo *n.* smoking
tweak *v.* å nappe
twee *adj.* nusselig
tweed *n.* tweed
tweet *v.* å kvitre
tweeter *n.* diskanthøyttaler
tweezers *n.* pinsett
twelfth *adj.&n.* tolvte
twelfth *adj.&n.* tolvtedel
twelve *adj.&n.* tolv
twentieth *adj.&n.* tjuende
twentieth *adj.&n.* tjuendedel
twenty *adj.&n.* tjue
twice *adv.* to ganger
twiddle *v.* å skru på
twig *n.* kvist
twilight *n.* tusmørke
twin *n.* tvilling
twine *n.* snor
twinge *n.* stikk
twinkle *v.* å blinke
twirl *v.* å virvle rundt
twist *v.* å sno
twitch *v.* å nappe i
twitter *v.* å kvidre
two *adj.&n.* to
twofold *adj.* dobbelt
tycoon *n.* finansfyrste
type *n.* skrift
typesetter *n.* komponist
typhoid *n.* tyfoidfeber
typhoon *n.* tyfon
typhus *n.* flekktyfus
typical *adj.* typisk
typify *v.* å symbolisere
typist *n.* skrivemaskindame
tyrannize *v.* å tirannisere
tyranny *n.* tyranni

tyrant *n.* tyrann
tyre n. dekk

ubiquitous *adj.* allestedsnærværende
udder *n.* jur
ugliness *n.* stygghet
ugly *adj.* stygg
ulcer *n.* ulcus
ulterior *adj.* bakenforliggende
ultimate *adj.* endelig
ultimately *adv.* omsider
ultimatum *n.* ultimatum
ultra *pref.* ultra
ultramarine *n.* ultramarin
ultrasonic *adj.* ultrasonisk
ultrasound *n.* ultralyd
umber *n.* umbra
umbilical *adj.* navle–
umbrella *n.* paraply
umpire *n.* dommer
unable *adj.* ikke i stand til å
unanimity *a.* enstemmighet
unaccountable *adj.* uforklarlig
unadulterated *adj.* ren
unalloyed *adj.* ulegert
unanimous *adj.* enstemmig
unarmed *adj.* ubevæpnet
unassailable *adj.* uinntagelig
unassuming *adj.* upretensiøs
unattended *adj.* ubetjent
unavoidable *adj.* uunngåelig
unaware *adj.* ikke klar over
unbalanced *adj.* ubalansert
unbelievable *adj.* utrolig
unbend *v.* å løsne
unborn *adj.* ufødt
unbridled *adj.* utøylet
unburden *v.* å lette seg
uncalled *adj.* uoppfordret
uncanny *adj.* uhyggelig
unceremonious *adj.* uhøytidelig
uncertain *adj.* usikker
uncharitable *adj.* uvennlig
uncle *n.* onkel
unclean *adj.* uren
uncomfortable *adj.* ubekvem
uncommon *adj.* uvanlig
uncompromising *adj.* kompromissløs
unconditional *adj.* betingelsesløs
unconscious *adj.* bevisstløs
uncouth *adj.* ubehjelpelig
uncover *v.* å avdekke
unctuous *adj.* oljeaktig
undeceive *v.* å åpenbare sannheten
undecided *adj.* ikke avgjort
undeniable *adj.* ubestridelig
under *prep.* under
underarm *adj.* underarms-
undercover *adj.* spaner
undercurrent *n.* understrøm
undercut *v.* å hogge bort
underdog *n.* den underlegne
underestimate *v.* å undervurdere
undergo *v.* å gjennomgå
undergraduate *n.* student
underground *adj.* underjordisk
underhand *adj.* fordektig
underlay *n.* underlag
underline *v.t.* å underskrive

underling *n.* underordnet
undermine *v.* å undergrave
underneath prep. under
underpants n. underbukse
underpass n. underføring
underprivileged adj. underprivilegert
underrate v. å undervurdere
underscore v. understreke
undersigned n. undertegnede
understand *v.t.* å forstå
understanding *n.* forståelse
understate *v.* å være for tilbakeholdende
undertake *v.* å garantere
undertaker *n.* bedemann
underwear *n.* undertøy
underworld *n.* underverdenen
underwrite *v.* å forsikre
undesirable *adj.* uønsket
undo *v.* å knyte opp
undoing *n.* ruin
undone *adj.* ugjort
undress *v.* å kle av
undue *adj.* utilbørlig
undulate *v.* å bølge
undying *adj.* udødelig
unearth *v.* å grave opp
uneasy *adj.* urolig
unemployable *adj.* ikke arbeidsfør
unemployed *adj.* arbeidsløs
unending *adj.* uendelig
unequalled *adj.* uovertruffet
uneven *adj.* ujevn
unexceptionable *adj.* uklanderlig
unexceptional *adj.* ikke uvanlig
unexpected *adj.* uventet
unfailing *adj.* ufeilbarlig
unfair *adj.* urettferdig
unfaithful *adj.* utro
unfit *adj.* uegnet
unfold *v.* å brette ut
unforeseen *adj.* unforeseen
unforgettable *adj.* uforglemmelig
unfortunate *adj.* uheldig
unfounded *adj.* ugrunnet
unfurl *v.* å folde ut
ungainly *adj.* klossete
ungovernable *adj.* uregjerlig
ungrateful *adj.* utakknemlig
unguarded *adj.* ubevoktet
unhappy *adj.* ulykkelig
unhealthy *adj.* usunn
unheard *adj.* uten å bli hørt
unholy *adj.* gudløs
unification *n.* samling
uniform *adj.* enhetlig
unify *v.* å forene
unilateral *adj.* ensidig
unimpeachable *adj.* uklanderlig
uninhabited *adj.* ubebodd
union *n.* union
unionist *n.* unionist
unique *adj.* entydig
unisex *adj.* unisex
unison *n.* samklang
unit *n.* enhet
unite *v.* å forene
unity *n.* samhold
universal *adj.* universal-
universality *adv.* allmenngyldighet
universe *n.* univers
university *n.* universitet
unjust *adj.* urettferdig
unkempt *adj.* uflidd
unkind *adj.* uvennlig

unknown *adj.* ukjent
unleash *v.* å slippe hunden løs
unless *conj.* med mindre
unlike *prep.* i motsetning til
unlikely *adj.* usannsynlig
unlimited *adj.* ubegrenset
unload *v.* å lesse av
unmanned *adj.* ubemannet
unmask *v.* å avsløre
unmentionable *adj.* unevnelig
unmistakable *adj.* umiskjennelig
unmitigated *adj.* absolutt
unmoved *adj.* upåvirket
unnatural *adj.* unaturlig
unnecessary *adj.* unødvendig
unnerve *v.* å skremme
unorthodox *adj.* ukonvensjonell
unpack *v.* å pakke ut
unpleasant *adj.* ubehagelig
unpopular *adj.* upopulær
unprecedented *adj.* presedens
unprepared *adj.* uforberedt
unprincipled *adj.* prinsippløs
unprofessional *adj.* uprofesjonell
unqualified *adj.* ukvalifisert
unreasonable *adj.* ufornuftig
unreliable *n* upålitelig
unreserved *adj.* ikke reservert
unrest *n.* uro
unrivalled *adj.* uovertruffet
unruly *adj.* ustyrlig
unscathed *adj.* uskadd
unscrupulous *adj.* samvittighetsløs
unseat *v.* å kaste av
unselfish *adj.* uselvisk
unsettle *v.* å gjøre urolig
unshakeable *adj.* urokkelig
unskilled *adj.* ukyndig
unsocial *adj.* usosial
unsolicited *adj.* ubedt
unstable *adj.* ustabil
unsung *adj.* ubesunget
unthinkable *adj.* ufattelig
untidy *adj.* rotete
until *prep.* inntil
untimely *adj.* altfor tidlig
untold *adj.* ufortalt
untouchable *adj.* kasteløs
untoward *adj.* uheldig
unusual *adj.* ualminnelig
unutterable *adj.* ubeskrivelig
unveil *v.* å avduke
unwarranted *adj.* uberettiget
unwell *adj.* utilpass
unwilling *adj.* uvillig
unwind *v.* å spole av
unwise *adj.* uklok
unwittingly *adv.* uforvarende
unworldly *adj.* verdensfjern
unworthy *adj.* uverdig
up *adv.* oppe
upbeat *adj.* munter
upbraid *v.* å bebreide
upcoming *adj.* kommende
update *v.* å ajourføre
upgrade *v.* å oppgradere
upheaval *n.* landhevning
uphold *v.* å holde oppe
upholster *v.* å stoppe
upholstery *n.* møbelstopping
uplift *v.* å løfte
upload *v.* å laste opp
upper *adj.* øvre
upright *adj.* oppreist

uprising *n.* oppstand
uproar *n.* larm
uproarious *adj.* støyende
uproot *v.* å rykke opp med roten
upset *v.* å velte
upshot *n.* resultatet
upstart *n.* oppkomling
upsurge *n.* sterk stig-ning
upturn *n.* oppsving
upward *adv.* oppover
urban *adj.* bymessig
urbane *adj.* urban
urbanity *n.* urbanitet
urchin *n.* gutt
urge *v.* å henstille
urgent *adj.* inntrengende
urinal *n.* urinal
urinary *adj.* urin–
urinate *v.* å urinere
urine *n.* urin
urn *n.* urne
usable *adj.* brukbar
usage *n.* behandling
use *v.t.* å bruke
useful *adj.* nyttig
useless *adj.* unyttig
user *n.* bruker
usher *n.* plassanviser
usual *adj.* vanlig
usually *adv.* vanligvis
usurp *v.* å tilrane seg
usurpation *n.* egenmektig tilegnelse
usury *n.* åger
utensil *n.* redskap
uterus *n.* livmor
utilitarian *adj.* nyttepreget
utility *n.* nytte
utilization *n.* benyttelse
utilize *v.* å benytte
utmost *adj.* ytterst
utopia *n.* Utopia
utopian *adj.* utopisk
utter *adj.* fullstendig
utterance *n.* ytring
uttermost adj. & n. ytterst

vacancy *n.* ledig stilling
vacant *adj.* ledig
vacate *v.* å fraflytte
vacation *n.* ferie
vaccinate *v.* å vaksinere
vaccination *n.* vaksinering
vaccine *n.* vaksine
vacillate *v.* å vingle
vacillation *n.* vingling
vacuous *adj.* enfoldig
vacuum *n.* vakuum
vagabond *n.* vagabond
vagary n. lune
vagina *n.* vagina
vagrant *n.* omflakkende
vague *adj.* uklar
vagueness *n.* unøyaktighet
vain *adj.* forfengelig
vainglorious *adj.* pralende
vainly *adv.* forgjeves
valance *n.* hyllebord
vale *n.* dal
valediction *n.* avskjedshilsen
valency *n.* valens
valentine *n.* kjæreste
valet *n.* kammertjener
valetudinarian *n.* hypokonder
valiant *adj.* tapper
valid *adj.* gyldig
validate *v.* å bekrefte
validity *n.* gyldighet

valise *n.* reiseveske
valley n. dal
valour *n.* tapperhet
valuable *adj.* verdifull
valuation *n.* taksering
value *n.* verdi
valve *n.* spjeld
vamp *n.* improvisert akkompagnement
vampire *n.* vampyr
van *n.* van
vandal *n.* vandal
vandalize *v.* å vandalisere
vane *n.* værhane
vanguard *n.* avantgarde
vanish *v.* å forsvinne
vanity *n.* forfengelighet
vanquish *v.* å overvinne
vantage *n.* fordel
vapid *adj.* kjedelig
vaporize *v.* å fordampe
vapour *n.* damp
variable *adj.* foranderlig
variance *n.* i strid med
variant *n.* variant
variation *n.* variasjon
varicose *adj.* varikøs
varied *adj.* variert
variegated *adj.* brokete
variety *n.* variasjon
various *adj.* forskjellige
varlet *n.* væpner
varnish *n.* lakk
vary *v.* å variere
vascular *adj.* kar–
vase *n.* vase
vasectomy *n.* vasektomi
vassal *n.* vasall
vast *adj.* enorm
vaudeville *n.* varieteforestilling
vault *n.* hvelv
vaunted *adj.* å skryte av
veal *n.* kalvekjøtt
vector *n.* vektor
veer *n.* dreining
vegan *n.* vegan
vegetable *n.* grønnsak
vegetarian *n.* vegetarianer
vegetate *v.* å vegetere
vegetation *n.* vegetasjon
vegetative *adj.* vegetativ
vehement *adj.* heftig
vehicle *n.* kjøretøy
vehicular *adj.* kjørende
veil *n.* slør
vein *n.* vene
velocity *n.* hastighet
velour *n.* velour
velvet *n.* fløyel
velvety *adj.* fløyelsaktig
venal *adj.* bestikkelig
venality *n.* venalitet
vend *v.* å selge
vendetta *n.* hevn
vendor *n.* selger
veneer *n.* finér
venerable *adj.* ærverdig
venerate *v.* å akte
veneration *n.* høyaktelse
venetian *adj.* venetiansk
vengeance *n.* hevn
vengeful *adj.* hevngjerrig
venial *adj.* tilgivelig
venom *n.* ondskap
venomous *adj.* giftig
venous *adj.* venøs
vent *n.* luftventil
ventilate *v.* å ventilere
ventilation *n.* ventilasjon
ventilator *n.* ventilator
venture *n.* foretagende
venturesome *adj.* dristig
venue *n.* sted

veracious *adj.* sanndru

veracity *n.* sannferdighet

veranda *n.* veranda

verb *n.* verb

verbal *adj.* verbal

verbally *adv.* verbalt

verbalize *v.* å skrive referat

verbatim *adv.* ordrett

verbiage *n.* ordgyteri

verbose *adj.* vidløftig

verbosity *n.* vidløftighet

verdant *adj.* grønn

verdict *n.* kjennelse

verge *n.* kant

verification *n.* verifisering

verify *v.* å verifisere

verily *adv.* sannelig

verisimilitude *n.* sannsynlighet

veritable *adj.* veritable

verity *n.* sannhet

vermillion *n.* vermillion

vermin *n.* utøy

vernacular *n.* folkemål

vernal *adj.* vårlig

versatile *adj.* allsidig

versatility *n.* allsidighet

verse *n.* vers

versed *adj.* bevandret

versification *n.* versifisering

versify *v.* å skrive vers

version *n.* versjon

verso *n.* bakside

versus *prep.* mot

vertebra *n.* virvel

vertebrate *n.* virveldyr

vertex *n.* topp

vertical *adj.* loddrett

vertiginous *adj.* svimlende

vertigo *n.* vertigo

verve *n.* begeistring

very *adv.* meget

vesicle *n.* liten blære

vessel *n.* beholder

vest *n.* undertrøye

vestibule *n.* vestibyle

vestige *n.* antydning

vestment *n.*

vestry *n.* sakristi

veteran *n.* veteran

veterinary *adj.* dyrlege-

veto *n.* veto

vex *v.* å ergre

vexation *n.* irritasjon

via *prep.* via

viable *adj.* levedyktig

viaduct *n.* viadukt

vial *n.* liten flaske

viands *n.* levnetsmidler

vibe *n.* stemning

vibrant *adj.* vibrerende

vibraphone *n.* vibrafon

vibrate *v.* å vibrere

vibration *n.* vibrasjon

vibrator *n.* vibrator

vicar *n.* sogneprest

vicarious *adj.* delegert

vice *n.* skrustikke

viceroy *n.* visekonge

vice-versa *adv.* omvendt

vicinity *n.* nabolag

vicious *adj.* lastefull

vicissitude *n.* livets omskiftelser

victim *n.* offer

victimize *n.* å gjøre man til å bli offer

victor *n.* vinner

victorious *adj.* seirende

victory *n.* seier

victualler *n.* leverandør

victuals *n.* mat

video *n.* video

vie *v.* å konkurrere om noen

view *n.* utsikt
vigil *n.* våking
vigilance *n.* vaktsomhet
vigilant *adj.* årvåken
vignette *n.* vignett
vigorous *adj.* energisk
vigour *n.* energi
Viking *n.* Viking
vile *adj.* fryktelig
vilify *v.* å bakvaske
villa *n.* villa
village *n.* landsby
villager *n.* landsbyboer
villain *n.* skurk
vindicate *v.* å rettferdiggjøre
vindication *n.* rettferdiggjørelse
vine *n.* ranke
vinegar *n.* eddik
vintage *n.* vinhøst
vintner *n.* vinhandler
vinyl *n.* vinyl
violate *v.* å krenke
violation *n.* krenkelse
violence *n.* voldsomhet
violent *adj.* voldsom
violet *n.* fiol
violin *n.* fiolin
violinist *n.* fiolinist
virago *n.* arrig kvinnfolk
viral *adj.* virus–
virgin *n.* jomfru
virginity *n.* jomfruelighet
virile *adj.* viril
virility *n.* virilitet
virtual *adj.* virkelig
virtue *n.* dyd
virtuous *adj.* dydig
virulence *n.* ondartethet
virulent *adj.* virulent
virus *n.* virus
visa *n.* visum
visage *n.* ansikt
viscid *adj.* glatt
viscose *n.* viskos
viscount *n.* adelsmann
viscountess *n.* adelskvinne
viscous *adj.* seig
visibility *n.* sikt
visible *adj.* synlig
vision *n.* syn
visionary *adj.* fantast
visit *v.* å besøke
visitation *n.* besøk
visitor *n.* besøkende
visor *n.* hjelmgitter
vista *n.* utsyn
visual *adj.* syns-
visualize *v.* å visualisere
vital *adj.* vital
vitality *n.* livskraft
vitalize *v.* å vitalisere
vitamin *n.* vitamin
vitiate *v.* å skjemme bort
viticulture *n.* vindyrking
vitreous *adj.* glassaktig
vitrify *v.* å forglasse
vitriol *n.* vitriol
vituperation *n.* utskjelling
vivacious *adj.* livlig
vivacity *n.* livlighet
vivarium *n.* vivarium
vivid *adj.* livlig
vivify *v.* å levendegjøre
vixen *n.* revetispe
vocabulary *n.* vokabular
vocal *adj.* vokal
vocalist *n.* vokalist
vocalize *v.* å uttrykke
vocation *n.* kall
vociferous *adj.* skrålende
vogue *n.* mote
voice *n.* stemme
voicemail *n.* telefonsvarer

void *adj.* blottet for
voile *n.* voile
volatile *adj.* flyktig
volcanic *adj.* vulkansk
volcano *n.* vulkan
volition *n.* en viljesakt
volley *n.* volley
volt *n.* volt
voltage *n.* spenning
voluble *adj.* pratsom
volume *n.* bind
voluminous *adj.* voluminøs
voluntarily *adv.* frivillig
voluntary *adj.* frivillig
volunteer *n.* frivillig
voluptuary *n.* vellysting
voluptuous *adj.* vellystig
vomit *v.* å kaste opp
voodoo *n.* voodoo
voracious *adj.* grådig
vortex *n.* virvelvind
votary *n.* forkjemper
vote *n.* stemme
voter *n.* velger
votive *adj.* votiv-
vouch *v.* å garantere for
voucher *n.* regnskapsbilag
vouchsafe *v.* å nedla
vow *n.* løfte
vowel *n.* vokal
voyage *n.* reise
voyager *n.* reisende
vulcanize *v.* å vulkanisere
vulgar *adj.* vulgær
vulgarian *n.* vulgær person
vulgarity *n.* vulgaritet
vulnerable *adj.* sårbar
vulpine *adj.* reveaktig
vulture n. gribb

W

wacky *adj.* sprø
wad *n.* klump
waddle *v.* å vralte
wade *v.* å vade
wader *n.* vadefugl
wadi *n.* wadi
wafer *n.* kjeks
waffle *v.* å tullprate
waft *v.* å drive
wag *v.* å logre
wage *n.* lønn
wager *n.* & *v.* veddemål
waggle *v.* å vrikke med
wagon *n.* vogn
wagtail *n.* linerle
waif *n.* herreløst gods
wail *n.* klagende skrik
wain *n.* vogn
wainscot *n.* panel
waist *n.* liv
waistband *n.* linning
waistcoat *n.* vest
wait *v.* å vente
waiter *n.* servitør
waitress *n.* servitør
waive *v.* å frafalle
wake *v.* å våkne
wakeful *adj.* våken
waken *v.* å våkne
walk *v.* å gå
wall *n.* mur
wallaby *n.* wallaby
wallet *n.* lommebok
wallop *v.* å pryle
wallow *v.* å velte seg
Wally *n.* drittsekk
walnut *n.* valnøtt
walrus *n.* hvalross
waltz *n.* vals

wan *adj.* blek
wand *n.* tryllestav
wander *v.* å vandre
wane *v.* å avta
wangle *v.* å ordne
want *v.* å ville
wanting *adj.* som mangler
wanton *adj.* sanseløs
war *n.* krig
warble *v.* å synge
warbler *n.* sangfugl
ward *n.* sengestue
warden *n.* bestyrer
warder *n.* fengselsbetjent
wardrobe *n.* garderobeskap
ware *n.* ...tøy
warehouse *n.* lager
warfare *n.* krigføring
warlike *adj.* krigersk
warm *adj.* varm
warmth *n.* varme
warn *v.* å advare
warning *n.* advarsel
warp *v.* å varpe
warrant *n.* bemyndigelse
warrantor *n.* garantist
warranty *n.* garanti
warren *n.* kaningård
warrior *n.* kriger
wart *n.* vorte
wary *adj.* forsiktig
wash *v.* å vaske
washable *adj.* vaskbar
washer *n.* pakning
washing *n.* vasking
wasp *n.* veps
waspish *adj.* irritabel
wassail *n.* wassail
wastage *n.* spill
waste *v.* å kaste bort
wasteful *adj.* ødsel
watch *v.* å betrakte
watchful *adj.* vaktsom
watchword *n.* feltrop
water *n.* vann
water *n.* vann
waterfall *n.* foss
watermark *n.* vannstandsmerke
watermelon *n.* vannmelon
waterproof *adj.* vanntett
watertight *adj.* vanntett
watery *adj.* vandig
watt *n.* watt
wattage *n.* wattytelse
wattle *n.* kvistflettverk
wave *v.* å bølge
waver *v.* å vakle
wavy *adj.* bølgende
wax *n.* voks
way *n.* vei
waylay *v.* å overfalle fra bakhold
wayward *adj.* selvrådig
we *pron.* vi
weak *adj.* svak
weaken *v.* å svekke
weakling *n.* svekling
weakness *n.* svakhet
weal *n.* stripe
wealth *n.* rikdom
wealthy *adj.* velstående
wean *v.* å venne fra
weapon *n.* våpen
wear *v.* å ha på seg
wearisome *adj.* trettende
weary *adj.* trett
weasel *n.* mus
weather *n.* vær
weave *v.* å veve
weaver *n.* vever
web *n.* svømmehud
webby *adj.* webby
webpage *n.* nettside

website *n.* nettside
wed *v.* å gifte seg
wedding *n.* bryllup
wedge *n.* kile
wedlock *n.* ektestand
Wednesday *n.* onsdag
weed *n.* ugress
week *n.* uke
weekday *n.* ukedag
weekly *adj.* ukentlig
weep *v.* å gråte
weepy *adj.* som føler trang til å gråte
weevil *n.* snutebille
weigh *v.* å veie
weight *n.* vekt
weighting *n.* vekttall
weightlifting *n.* weightlifting
weighty *adj.* vektig
weir *n.* fiskedam
weird *adj.* underlig
welcome *n.* velkomst
weld *v.* å sveise
welfare *n.* velferd
well *adv.* godt
well *n.* brønn
wellington *n.* wellington
welt *n.* skoning
welter *n.* virvar
wen *n.* aterom
wench *n.* jente
wend *v.* å vandre
west *n.* vest
westerly *adv.* vestlig
western *adj.* vestlig
westerner *n.* person fra veststatene
westernize *v.* å vestliggjøring
wet *adj.* våt
wetness *n.* væte
whack *v.* å dra til
whale *n.* hval
whaler *n.* hvalfanger
whaling *n.* hvalfangst
wharf *n.* brygge
wharfage *n.* kaiplass
what *pron. & adj.* hvilken
whatever *pron.* uansett hva
wheat *n.* hvete
wheaten *adj.* av hvete
wheedle *v.* å smiske
wheel *n.* hjul
wheeze *v.* å puste tungt
whelk *n.* trompetsnegl
whelm *v.* å svelge
whelp *n.* valp
when *adv.* når
whence *adv.* hvorfra
whenever *conj.* når som helst
where *adv.* hvor
whereabouts *adv.* hvor omtrent
whereas *n.* mens
whet *v.* å bryne
whether conj. om
whey n. myse
which *pron. & adj.* hvilket
whichever *pron.* uansett hvilken
whiff *n.* pust
while *n.* stund
whilst *conj.* mens
whim *n.* lune
whimper *v.* å klynke
whimsical *adj.* lunefull
whimsy *n.* lune
whine *n.* sipping
whinge *v.* å klage
whinny *n.* knegging
whip *n.* pisk
whir *n.* surre
whirl *v.* å virvle

whirligig *n.* snurrebass
whirlpool *n.* strømvirvel
whirlwind *n.* virvelvind
whirr *v.* å svirre
whisk *v.* å piske
whisker *n.* værhår
whisky *n.* whisky
whisper *v.* å hviske
whist *n.* whist
whistle *n.* fløyt
whit *n.* grann
white *adj.* hvit
whitewash *n.* hvittekalk
whither *adv.* hvorfra
whiting *n.* hvitting
whittle *v.* å spikke
whiz *v.* å plystre
who *pron.* hvem
whoever *pron.* hvem som enn
whole *adj.* hel
whole-hearted *adj.* hjertelig
wholesale *n.* engrossalg
wholesaler *n.* grossist
wholesome *adj.* sunn
wholly *adv.* helt
whom *pron.* hvem
whoop *n.* høyt skrik
whopper *n.* sværing
whore *n.* hore
whose *adj.* & *pron.* hvem
why *adv.* hvorfor
wick *n.* veke
wicked *adj.* ond
wicker *n.* vidjekvist
wicket *n.* grind
wide *adj.* bred
widen *v.* å gjøre bredere
widespread *adj.* utbredt
widow *n.* enke
widower *n.* enkemann
width *n.* vidde
wield *v.* å bruke
wife *n.* kone
wig *n.* parykk
wiggle *v.* å sno seg
Wight *n.* Wight
wigwam *n.* wigwam
wild *adj.* vilt
wilderness *n.* villmark
wile *n.* lureri
wilful *adj.* egensindig
will *v.* å ville
willing *adj.* villig
willingness *adj.* beredvillighet
willow *n.* pil
wily *adj.* slu
wimble *n.* redskap for å grave huller
wimple *n.* hodelin
win *v.* å vinne
wince *v.* å rykke til
winch *n.* vinsj
wind *n.* vind
windbag *n.* pratmaker
winder *n.* svingtrinn
windlass *n.* ankerspill
windmill *n.* vindmølle
window *n.* vindu
windy *adj.* forblåst
wine *n.* vin
winery *n.* vinindustri
wing *n.* vinge
wink *v.* å blunke
winkle *n.* strandsnegl
winner *n.* vinner
winning *adj.* som vinner
winnow *v.* å renske
winsome *adj.* sjarmerende
winter *n.* vinter
wintry *adj.* vinterlig
wipe *v.* å tørke
wire *n.* tråd

wireless *adj.* trådløs
wiring *n.* ledningsnett
wisdom *n.* visdom
wise *adj.* klok
wish *v.* å ønske
wishful *adj.* ønske-
wisp *n.* dott
wisteria *n.* blåregn
wistful *adj.* vemodig
wit *n.* vidd
witch *n.* heks
witchcraft *n.* hekseri
witchery *n.* fortryllelse
with *prep.* med
withal *adv.* for øvrig
withdraw *v.* å trekke tilbake
withdrawal *n.* uttak
withe *n.* vidjebånd
wither *v.* å visne
withhold *v.* å holde tilbake
within *prep.* inne i
without *prep.* uten
withstand *v.* å motstå
witless *adj.* tåpelig
witness *n.* vitne
witter *v.* å skravle
witticism *n.* vittighet
witty *adj.* vittig
wizard *n.* trollmann
wizened *adj.* vissen
woad *n.* vaid
wobble *v.* å vakle
woe *n.* vanskelighet
woeful *adj.* bedrøvet
wok *n* wok
wold *n.* lynghei
wolf *n.* ulv
woman *n.* kvinne
womanhood *n.* kvinnekjønnet
womanize *v.* womanize
womb *n.* livmor
wonder *v.* undres
wonderful *adj.* praktfull
wondrous *adj.* vidunderlig
wonky *adj.* ustø
wont *n.* vane
wonted *adj.* vanlig
woo *v.* å beile til
wood n. tre
wooded *adj.* skogkledd
wooden *adj.* av tre
woodland *n.* skog
woof *n.* vev
woofer *n.* basshøyttaler
wool *n.* ull
woollen *adj.* av ull
woolly *adj.* av ull
woozy *adj.* omtåket
word *n.* ord
wording *n.* ordlyd
wordy *adj.* ordrik
work *n.* arbeid
workable *adj.* gjennomførbar
workaday *adj.* hverdags-
worker *n.* arbeider
working *n.* arbeid
workman *n.* arbeider
workmanship *n.* fagmessighet
workshop *n.* verksted
world *n.* verden
worldly *adj.* verdslig
worm *n.* mark
wormwood *n.* malurt
worried *adj.* bekymret
worrisome *adj.* bekymringsfull
worry *v.* å bekymre
worse *adj.* verre
worsen *v.* å gjøre verre
worship *n.* dyrkelse
worshipper *n.* kirkegjenger
worst *adj.* verst

worsted *n.* kamgarnsstoff
worth *adj.* verdt
worthless *adj.* verdiløs
worthwhile *adj.* som lønner seg
worthy *adj.* fortjenstfull
would *v.* å ville
would-be *adj.* som streber etter
wound *n.* sår
wrack *n.* tang
wraith *n.* skrømt
wrangle *n.* krangel
wrap *v.* å vikle
wrapper *n.* papiromslag
wrath *n.* vrede
wreak *v.* å fullføre
wreath *n.* krans
wreathe *v.* å sno seg
wreck *n.* vrak
wreckage *n.* vrakrester
wrecker *n.* bilopphogger
wren *n.* medlem av Marinens kvinnekorps
wrench *v.* å rykke til
wrest *v.* å vri
wrestle *v.* å bryte
wrestler *n.* bryter
wretch *n.* frekkas
wretched *adj.* elendig
wrick *v.* å samle
wriggle *v.* å vrikke
wring *v.* å fravriste
wrinkle *n.* rynke
wrinkle *n.* rynke
wrist *n.* håndledd
writ *n.* stevning
write *v.* å skrive
writer *n.* forfatter
writhe *v.* å vri seg
writing *n.* skriving
wrong *adj.* gal
wrongful *adj.* urettferdig
wry adj. skjev

xenon *n.* xenon
xenophobia *n.* fremmedhat
Xerox *n.* fotokopi
Xmas *n.* jul
x-ray *n.* x-stråle
xylophages *adj.* xylophag
xylophilous *adj.* xylophilous
xylophone n. xylofon

yacht *n.* yacht
yachting *n.* seiling
yachtsman *n.* lystseiler
yak *n.* yak
yam *n.* yams
yap *v.* å bjeffe
yard *n.* gård
yarn *n.* garn
yashmak *n.* slør
yaw *v.* å gire
yawn *v.* å gjespe
year *n.* år
yearly *adv.* årlig
yearn *v.* å lengte
yearning *n.* lengsel
yeast *n.* gjær
yell *n.* skrik
yellow *adj.* gul
yelp *n.* bjeff
Yen *n.* Yen
yeoman *n.* fribonde
yes *excl.* ja
yesterday *adv.* i går
yet *adv.* enda

yeti *n.* yeti
yew *n.* barlind
yield *v.* å gi seg
yob *n.* vandal
yodel *v.* å jodle
yoga *n.* yoga
yogi *n.* yogi
yogurt *n.* yogurt
yoke *n.* åk
yokel *n.* bondeknoll
yolk *n.* plomme
yonder *adj.* der borte
yonks *n.* evigheter
yore *n.* før i tiden
you *pron.* du/dere
young *adj.* ung
youngster *n.* unggutt
your *adj.* din/deres
yourself *pron.* deg selv / deres selv
youth *n.* ungdom
youthful adj. ung
yowl n. hyl
yummy adj. lekker

Z

zany *adj.* sprø
zap *v.* å kverke
zeal *n.* iver
zealot *n.* fanatiker
zealous *adj.* ivrig
zebra *n.* sebra
zebra crossing *n.* gangfelt
zenith *n.* senit
zephyr *n.* mild bris
zero *adj.* zero
zest *n.* stor iver
zigzag *n.* siksak
zilch *n.* ingenting
zinc *n.* sink
zing *n.* piping
zip *n.* glidelås
zircon *n.* zirconium
zither *n.* sitar
zodiac *n.* zodiaken
zombie *n.* zombi
zonal *adj.* sone–
zone *n.* sone
zoo *n.* dyrehage
zoological *adj.* zoologisk
zoologist *n.* zoolog
zoology *n.* zoologi
zoom *v.* å suse

NORWEGIAN-ENGLISH

abbed *n.* abbot
abdikasjon *n.* abdication
abdisere *v.t,* abdicate
abonnement *n.* subscription
abonnere *v.* subscribe
abort *n.* abortion
abortere *v.* miscarry
abortere *v.i* abort
abscess *n.* abscess
absolutt *adj.* absolute
absolutt *adj.* unmitigated
absolutt *adv.* certainly
absorbere *v.* absorb
absorbere v. adsorb
abstrakt *adj.* abstract
absurd *adj.* absurd
absurditet *n.* absurdity
acajoutre *n.* cashew
acre n. acre
actinium n. actinium
adamant adj. adamant
adelig *adj.* noble
adelsdame *n.* dame
adelskap *n.* nobility
adelskvinne *n.* viscountess
adelsmann *n.* nobleman
adelsmann *n.* viscount
adelstittel *n.* peerage
adferd *n.* conduct
adgang n. admittance
adgang *n.* entry
adjektiv n. adjective
adjø n. adieu
adlyde *v.* obey
administrasjon n. administration
administrasjon *n.* management
administrativ adj. administrative
administrativ enhet *n.* township
administrere v. administer
admiral n. admiral
adobe n. adobe
adopsjon n. adoption
adoptere v. adopt
adoptiv adj. adoptive
adressat n. addressee
adresse n. address
adskille v.i. alienate
adskilt adv. apart
adstadig *adj.* staid
advare v. admonish
advare *v.* warn
advarsel *n.* caveat
advarsel *n.* warning
advarsler *adj.* monitory
advent n. advent
adverb n. adverb
advokat n. advocate
advokat n. attorney
advokat *n.* barrister
advokat *n.* solicitor
aerob n. aerobics
aeronautik n. aeronautics
aerosol n. aerosol
aforisme n. aphorism
African adj. African
aften *n.* eve
agat n. agate
agent n. agent
agglomerere v. agglomerate
aggregat n. aggregate
aggressiv adj. aggressive
aggressiv *adj.* truculent
agn *n.* bait
agnostik n. agnostic
agoni n. agony
aids n. aids

aigis n. aegis
ajourføre *v.* update
akademi *n.* academy
akademisk *adj.* academic
akk conj. alas
akklimatisere v.t acclimatise
akkompagnement n. accompaniment
akkord *n.* chord
akkordarbeid *n* contract
akkreditert adj. accredited
akrobat n. acrobat
akrobatikk n. aerobatics
akrobatisk adj. acrobatic
akryl adj. acrylic
akselelere *v.* accelerate
aksen n. axis
aksent n. accent
aksentuere v. accentuate
akseptabel adj. acceptable
akseptabel adj. admissible
akseptere v. accept
akseptering n. acceptance
aksise *n.* octroi
aksjemegler *n.* stockbroker
akte *v.* venerate
aktelse *n.* deference
aktelse *n.* esteem
akterspill *n.* capstan
akterut adv. aft
aktiv adj. active
aktivere v. activate
aktivist n. activist
aktivitet n. activity
aktuar n. actuary
aktuel adj. applicable
aktuell *adj.* topical
akupunktur n. acupuncture
akustikk adj. acoustic
akvarium n. aquarium
akvatisk adj. aquatic
alarm n alarm
alarmere v alarm
albue *n.* elbow
album n album
alder n. age
aldersdiskriminering n. ageism
alderstillegg *n.* increment
aldri *adv.* never
alene *adj.* solitary
alene adv. alone
alfa n. alpha
alfabet n. alphabet
alfabetisk adj. alphabetical
algebra n. algebra
alias adv. alias
alkali n. alkali
alkohol n. alcohol
alkoholiker adj. alcoholic
alkymi n. alchemy
alle adj. any
allegori n. allegory
allerede adv. already
allergen n. allergen
allergi n. allergy
allergisk adj. allergic
allestedsnærværelse *n.* omnipresence
allestedsnærværende *adj.* omnipresent
allestedsnærværende *adj.* ubiquitous
allianse n. alliance
alliert n. ally
allierte adj. allied
alligator n. alligator
alliterere v. alliterate
allitterasjon n. alliteration
allmakt *n.* omnipotence
allmektig *adj.* omnipotent
allmenngyldighet *adv.* universality

allmennpraktiker *n.* practitioner
allsidig *adj.* versatile
allsidighet *n.* versatility
alltid adv. always
allusinere *v.* hallucinate
allvitende *adj.* omniscient
allvitenhet *n.* omniscience
almanakk n. agenda
almanakk n. almanac
almisse n. alms
alpin adj. alpine
alt adj. all
alter n. altar
alternativ adj. alternative
altfor *adv.* overly
altfor bløtt *adj.* runny
altfor mye *n.* surfeit
altfortidlig *adj.* untimely
altruisme n. altruism
aluminium n. aluminium
alv *n.* elf
alv *n.* fairy
alvorlig *adj.* grievous
alvorlig *adj.* severe
alvorlig *adj.* dire
alvorlig *adj.* earnest
amalgam n. amalgam
amalgamere v. amalgamate
amatør n. amateur
amatørmessig adj. amateurish
Amazon n. Amazon
ambassade *n.* embassy
ambassadør n. ambassador
ambient adj. ambient
ambisiøs adj. ambitious
ambisjon n. ambition
ambisjon n. aspiration
ambivalent adj. ambivalent
ambolt n. anvil
ambrosie n. ambrosia
ambulanse n. ambulance
ambulansesjåfør *n.* paramedic
amfibie n. amphibian
amfiteater n. amphitheatre
amme *v.* suckle
ammunisjon n. ammunition
amnesti n. amnesty
amok adv. amok
amoralsk adj. amoral
amorf adj. amorphous
ampere n. ampere
amplitude n. amplitude
amulett n. amulet
anakronisme n. anachronism
anal adj. anal
analfabet *n.* illiterate
analfabetisme *n.* illiteracy
analgetikum n. analgesic
analog adj. analogous
analog adj. analogue
analogi n. analogy
analyse n. analysis
analysere v. analyse
analysere *v.* parse
analytiker n. analyst
analytisk adj. analytical
ananas *n.* pineapple
anarki n. anarchy
anarkisme n. anarchism
anarkist n. anarchist
anatomi n. anatomy
anbefale *v.* recommend
anbefaling *n.* recommendation
anbefaling *n.* commendation
anbringe *v.* settle
anbringe *v.* situate
and *n.* duck
andel *n.* share

andragende *n.* petition
andre *adj.* second
android n. android
ane *n.* forefather
anekdote n. anecdote
anelse *n.* inkling
anemi n. anaemia
anfall *n.* bout
anfall av dårlig humør *n.* tantrum
anger *n.* remorse
anger *n.* regret
angerfølelse *n.* repentance
angi *v.* denounce
angina n. angina
angivelig *adj.* ostensible
angiver *n.* informer
angiveri *n.* denunciation
angre *v.* repent
angre *v.* rue
angrende *adj.* repentant
angrep n. aggression
angrep n. assault
angrep *n.* onset
angreper n. aggressor
angrepsspiss *n.* spearhead
angripe v. assail
angripe v. attack
angst n. anxiety
angå *v.* concern
angående *prep.* concerning
angående *prep.* regarding
anheng *n.* bauble
anheng *n.* pendant
animasjon n. animation
animere v. animate
animert adj. animated
anisfrø n. aniseed
ankel n. ankle
anker n. anchor
ankerhals *n.* trend
ankerspill *n.* windlass
anklage n. accusation
anklage v. accuse
anklage *v.* blame
anklage *v.* impeach
ankomst n. arrival
anledning *n.* occasion
anledning *n.* opportunity
anlegge *v.* construct
anlegge sak *v.t.* sue
anløpe *v.* tarnish
anmeldelse *n.* critique
anmeldelse *n.* review
anmode *v.* beseech
anmode om *v.* solicit
anmodning *n.* request
annaler n. annals
annen adj. & pron. other
annullering *n.* nullification
anode n. anode
anomali n. anomaly
anonym adj. anonymous
anonymitet n. anonymity
anoreksi n. anorexia
anretning *n.* buffet
anrop *n.* roll-call
anse *v.* deem
ansette *v.* employ
ansette *v.* engage
ansiennitet *n.* seniority
ansikt *n.* visage
ansikt *n.* countenance
ansikt *n.* face
ansikts *adj.* facial
ansiktstrekk *n.* feature
anskaffelser *n.* procurement
anskuelig *adj.* perspicuous
anslå *v. t* estimate
anspenne *v.* strain
anspent *adj.* strained
anspore *v.* incite
anstand *n.* propriety
anstrengelse *n.* effort

anstrengende *adj.* laborious
anstrengende *adj.* strenuous
anstrøk *n.* tinge
ansvar *n.* liability
ansvar *n.* responsibility
ansvarlig adj. accountable
ansvarlig adj. answerable
ansvarlig *adj.* liable
ansvarlig *adj.* responsible
ansvarsområde *n.* remit
anta v. assume
anta *v.* presume
anta *v.* presuppose
anta *v.* suppose
antagelse *n.* supposition
antakelse n. assumption
Antarktis adj. Antarctic
antatt *adj.* putative
antenne n. aerial
antenne n. antenna
antenne *v.* ignite
antennelse *n.* ignition
antent *adv.* ablaze
antibiotika n. antibiotic
antikk adj. ancient
antikk adj. atavistic
antikken n. antiquity
antiklimaks n. anticlimax
antikvarisk adj. antiquarian
antikvert adj. antiquated
antilope n. antelope
antioksidant n. antioxidant
antipati n. antipathy
antiperspirant n. antiperspirant
antiseptisk adj. antiseptic
antisosial adj. antisocial
antistoff n. antibody
antitese n. antithesis
antologi n. anthology
antonym n. antonym
antrekk n. attire
antropologi n. anthropology
antydning *n.* vestige
anus n. anus
apartheid n. apartheid
apati n. apathy
apatisk *adj.* languid
ape n. ape
ape *n.* monkey
apokalypse n. apocalypse
apostel n. apostle
apostrof n. apostrophe
apotek *n.* pharmacy
apparat n. apparatus
appellere v.t. appeal
appelsinhud *n.* cellulite
appelsinmarmelade *n.* marmalade
appendiks n. appendix
appetitt n. appetite
applaudere v. applaud
applaus n. applause
aprikos n. apricot
araber n. Arab
araber n. Arabian
arabisk n. Arabic
arbeid *n.* working
arbeid *n.* labour
arbeid *n.* work
arbeide dårlig *v.* malfunction
arbeider *n.* worker
arbeider *n.* workman
arbeidsgiver *n.* employer
arbeidskittel *n.* smock
arbeidskraft *n.* manpower
arbeidsleder *n.* supervisor
arbeidsløs *adj.* unemployed
arbeidsnedleggelse *v.* strike
arbeidsom *adj.* diligent
arbeidstager *n.* employee
ardent *adj.* fervent
arena n. arena

argument n. argument
argumentere v. argue
argumenterende adj. argumentative
aristokrat n. aristocrat
aristokrati n. aristocracy
aritmetikk n. arithmetic
aritmetisk adj. arithmetical
ark n. ark
arkaisk adj. archaic
arkeologi n. archaeology
arkitekt n. architect
arkitektur n. architecture
arkiver n. archives
arkivrom *n.* registry
arktisk adj. Arctic
arm n. arm
Armageddon n. Armageddon
armbånd *n.* bangle
armbånd *n.* bracelet
aroma n. aroma
aromaterapi n. aromatherapy
arr *n.* scar
arrestasjon *n.* bust
arrestere v. arrest
arrig kvinnfolk *n.* virago
arroganse n. arrogance
arrogant adj. arrogant
arrogant *adj.* haughty
arsen n. arsenic
arsenal n. arsenal
art *n.* species
artefakt n. artefact
arterie n. artery
artikkel n. article
artilleri n. artillery
artilleri *n.* ordnance
artisjokk n. artichoke
artritt n. arthritis
arv *n.* bequest
arv *n.* inheritance
arv *n.* legacy
arv *n.* heritage
arve *v.* inherit
arvelig *adj.* hereditary
arvelighet *n.* heredity
arving *n.* heir
asbest n. asbestos
aseksuell adj. asexual
aseptisk adj. aseptic
asetat n. acetate
Asian adj. Asian
aske n. ash
asket adj. ascetic
asparges n. asparagus
aspekt n. aspect
asperges n. aspersions
aspirant n. aspirant
assimilere v. assimilate
assimilering n. assimilation
assistanse n. assistance
assistent n. aide
assistent n. assistant
assonans n. assonance
assortert adj. assorted
assosiere v. associate
asterisk n. asterisk
asteroide n. asteroid
astigmatisme n. astigmatism
astma n. asthma
astral adj. astral
astrolog n. astrologer
astrologi n. astrology
astronaut n. astronaut
astronom n. astronomer
astronomi n. astronomy
asyl n. asylum
ateisme n. atheism
ateist n. atheist
aterom *n.* wen
atlas n. atlas

atlask *n.* satin
atletisk adj. athletic
atmosfære n. atmosphere
atoll n. atoll
atom n. atom
atomær adj. atomic
atrium n. atrium
atrium *n.* patio
atten *adj. & n.* eighteen
attest *n.* certificate
attest *n.* testimonial
attraksjon n. attraction
attraktiv adj. attractive
atypisk adj. anomalous
aubergine n. aubergine
auberginеplante *n.* brinjal
audio n. audio
auditorium n. auditorium
august n August
auksjon n. auction
aura n. aura
Australian n. Australian
autentisitet n. authenticity
autentisk adj. authentic
autisme n. autism
autograf n. autograph
autokrat n. autocrat
autokrati n. autocracy
autokratisk adj. autocratic
automatisk adj. automatic
autonom adj. autonomous
autorisere v. authorize
autoritativ adj. authoritative
av *adv.* off
av *prep.* of
av dårlig kvalitet *adj.* shoddy
av hvete *adj.* wheaten
av natur *adv.* naturally
av silke *adj.* silken
av største betydning *adj.* paramount
av tre *adj.* wooden
av ull *adj.* woolly
av ull *adj.* woollen
avakt n. attendant
avantgarde *n.* vanguard
avbilde *v.* depict
avbryte *v.* interrupt
avbryte *v.* discontinue
avbrytelse *n.* interruption
avdekke *v.* uncover
avdeling *n.* compartment
avdeling *n.* department
avdrag *n.* instalment
avduke *v.* unveil
avdød *adj.* deceased
aversjon n. aversion
avfall *n.* detritus
avfallsplass *n.* dump
avfeie *v.* deflect
avfeldig *adj.* decrepit
avførende *adj.* purgative
avførende middel *n.* laxative
avgjort *adj.* decided
avgjøre *v.* decide
avgjørelse *n.* decision
avgjørende *adj.* crucial
avgjørende *adj.* decisive
avgjørende *adj.* conclusive
avgrensning *n.* demarcation
avgrunn *n.* abyss
avgudsdyrking *n.* idolatry
avgående *adj.* retiring
avhandling *n.* thesis
avhandling *n.* treatise
avhenge *v.* depend
avhengig adj. addicted
avhengig av *adj.* dependent
avhengighet *n.* reliance
avhengighetsforhold n. addiction
avholde seg fra *v.t.* refrain

avholdenhet *n.* abstinence
avhøre *v.* interrogate
avisand *n.* canard
avkall *n.* renunciation
avkle *v.* disrobe
avklipp *n.* clip
avkom *n.* progeny
avlang *adj.* oblong
avlede *v.* derive
avlede *v.* detract
avling *n.* harvest
avling *n.* crop
avlukke *n.* booth
avlyse *v.* cancel
avlysning *n.* cancellation
avløse *v.* supersede
avmystifisere *v.* demystify
avokado n. avocado
avreise *n.* departure
avrime *v.* defrost
avrundet *adj.* rounded
avsats *n.* ledge
avsette *v.* depose
avsidesliggende *adj.* outlying
avsindig *adj.* demented
avskaffe *v.t* abolish
avskaffelse v. abolition
avskjed *n.* parting
avskjedige *v.* dismiss
avskjedshilsen *n.* valediction
avskoge *v.* deforest
avskrekke *v.* deter
avskrekkingsmiddel *n.* deterrent
avskrift *n.* transcript
avskum *n.* scum
avsky *v.* detest
avsky *v.* loathe
avskyelig *adj.* loathsome
avskyelig *adj.* nefarious
avskyelig *adj.* heinous
avsl *v.* rebuff
avslag *n.* refusal
avslapping *n.* relaxation
avsliting *n.* abrasion
avslutning *n.* conclusion
avslutte *v.* conclude
avslutte *v.* finish
avsløre *v.* reveal
avsløre *v.* unmask
avslørende *adj.* telltale
avsløring *n.* exposure
avsløring *n.* revelation
avslå *v. t.* decline
avsmak *n.* distaste
avsnitt *n.* paragraph
avsondrethet *n.* seclusion
avspaseringstid *n.* lieu
avstand *n.* mileage
avstand *n.* distance
avstå *v.* cede
avstå *v.* desist
avståelse *n.* cession
avsøke *v.* scan
avta *v.* wane
avtale n. agreement
avtale n. appointment
avtale n. assignation
avtale *n.* bargain
avtale *n.* date
avtrekker *n.* trigger
avvike *v.* diverge
avvike *v.* deviate
avvike fra *v.* depart
avvikende *adj.* aberrant
avvikende *adj.* deviant
avvise *v.* discredit
avvise *v.* repel
avvise *v.* repulse
avvæpne *v.* disarm

B

Babel *n.* Babel
bable *v.* gibber
bachelor *n.* bachelor
backside *n.* backhand
bacon *n.* bacon
bad *n.* bath
bade *v.* bathe
badminton *n.* badminton
bag *n.* holdall
bagasje *n.* baggage
bagasje *n.* luggage
bagatell *n.* trifle
bagatellisere *v.* belittle
bagatellmessig *adj.* nugatory
baguette *n.* baguette
bajonett *n.* bayonet
bak *prep.* behind
bak scenen *adv.* backstage
bake *v.* bake
bakenforliggende *adj.* ulterior
baker *n.* baker
bakeri *n.* bakery
bakerskuffe *n.* peel
bakgrunn *n.* background
bakholdsangrep n. ambush
bakk *adv.* aback
bakke *n.* hill
bakover *adj.* backward
bakrus *n.* hangover
bakse *v.* flounder
bakside *n.* backside
bakside *n.* verso
bakside *n.* rear
bakstehelle *n.* griddle
baktalelse *n.* calumny
baktalerisk *adj.* slanderous
bakteppe *n.* backdrop
bakterie *n.* bacteria
bakterie *n.* germ
bakvaske *v.* traduce
bakvaske *v.* vilify
bakvaskelse *n.* slander
bakverk *n.* patisserie
balanse *n.* balance
baldakin *n.* canopy
balje *n.* tub
balkong *n.* balcony
ball *n.* ball
ballade n. ballad
ballade *n.* rumpus
balle *n.* bale
ballett *n.* ballet
ballong *n.* balloon
balsam *n.* balm
balsam *n.* balsam
balsam *n.* conditioner
balsamere *v.* embalm
bambus *n.* bamboo
banal *adj.* banal
banal *adj.* trite
banan *n.* banana
band n. band
bandasje *n.* bandage
banditt *n.* bandit
banditt *n.* ruffian
bane *n.* trajectory
bane *n.* orbit
banelegge *v.* recap
banelegge *v.* retread
bang *n.* pang
banjo *n.* banjo
bank *n.* bank
banke *v.* palpitate
bankett *n.* banquet
banking *n.* palpitation
bankmann *n.* banker
banner *n.* banner
Baptist n. Baptist
barbar *n.* barbarian

barbarisk *adj.* barbaric
barber *n.* barber
barbere *v.* shave
barbering *n.* shaving
barberkniv *n.* razor
barbert *adj.* shaven
bard *n.* bard
bardun *n.* guy
bare *adj.* mere
bare *adv.* only
bark *n.* bark
barlind *n.* yew
barmhjertig *adj.* clement
barn *n.* child
barn *n.* kid
barnaktig *adj.* infantile
barndom *n* boyhood
barndom *n.* childhood
barndom *n.* infancy
barnehage *n.* creche
barnehage *n.* kindergarten
barnelege *n.* paediatrician
barnemord *n.* infanticide
barnepike *n.* nanny
barneseng *n.* cot
barnevogn *n.* buggy
barnevogn *n.* pram
barneværelse *n.* nursery
barnslig *adj.* childish
barnslig *adj.* puerile
barometer *n.* barometer
baron *n.* baron
barrakuda *n.* barracuda
barre *n.* bullion
barriere *n.* barrier
barrikade *n.* barricade
barsk *adj.* stern
bart *n.* moustache
basar *n.* bazaar
base *n.* base
basilika *n.* basilica
basilikum *n.* basil
baske *v.* flop
bass *n.* bass
basshøyttaler *n.* woofer
bastard *n.* mongrel
bastion *n.* bastion
batalje *n.* scrimmage
bataljon *n.* battalion
bathos *n.* bathos
batik *n.* batik
batong *n.* baton
batteri *n.* battery
bavian *n.* baboon
bazooka *n.* bazooka
be *v.* pray
beagle *n.* beagle
bebo *v.* inhabit
beboelig *adj.* inhabitable
beboelig *adj.* habitable
beboelse *n.* habitation
beboer *n.* inmate
bebreide *v.* reprove
bebreide *v.* upbraid
bebreide *v.* reproach
bebreidelse *n.* reproof
bebude *v.* portend
bedemann *n.* undertaker
bedervelig *adj.* perishable
bedrag *n.* duplicity
bedrager *n.* imposter
bedrager *n.* swindler
bedre *adj.* better
bedring *n.* recovery
bedrøvet *adj.* mournful
bedrøvet *adj.* rueful
bedrøvet *adj.* woeful
bedyrelse *n.* protestation
bedøvelse n. anaesthesia
bedøvelse n. anaesthetic
befale *v.* command
befaling *n.* behest
befeste *v.* fortify
befestelse *n.* consolidation

befestning *n.* stronghold
befippe *v.* disconcert
befolke *v.* populate
befolkning *n.* population
befolkningsoverskudd *n.* overspill
befordring *n.* conveyance
befri *v.* rid
befri seg for *v.* purge
befrielse *n.* deliverance
befrier *n.* liberator
befruktningshindrende middel *n.* contraceptive
beg *v.* commit
begavet *adj.* gifted
begeistret *n.* enthusiastic
begeistring *n.* enthusiasm
begeistring *n.* verve
begeistring *n.* fervour
beger *n.* beaker
beger *n.* chalice
beger *n.* goblet
begge *adj. & pron.* both
begi seg *v.* betake
begivenhet *n.* event
begjære *v.* covet
begmened *v.* perjure
begrave *v.* bury
begrave i *v.* embed
begravelse *n.* funeral
begravelse *n.* burial
begravelsesbil *n.* hearse
begrense *v.* restrict
begrense *v.i.* straiten
begrense *v.* confine
begrenset *adj.* limited
begrensning *n.* limitation
begrensning *n.* restriction
begrep *n.* notion
begrep *n.* concept
begripelse *n.* comprehension
begyne *v.* begin
begynne *v.* commence
begynne blomstre *v.* burgeon
begynnelse *n.* beginning
begynnelse *n.* inception
begå *v.* perpetrate
behage *v.* please
behagelig adj. agreeable
behagelig *adj.* palatable
behagelig *adj.* pleasant
behandle *v.* treat
behandle uvørent *n.* manhandle
behandling *n.* usage
behandling *n.* treatment
Behemoth *n.* behemoth
behendig *adj.* deft
beherskelse n. aplomb
beherskelse *n.* restraint
behersket *adj.* temperate
beholde *v.i.* retain
beholder *n.* container
beholder *n.* receptacle
beholder *n.* vessel
beholdning *n.* stock
behøve *v.* require
behåret *adj.* hirsute
beige *n.* beige
beile til *v.* woo
beite *n.* pasture
beite *v.* graze
bek *n.* pitch
bekk *n.* beck
bekk *n.* rivulet
bekk *n.* brook
bekken *n.* pelvis
beklage v. apologize
beklage *v.* bemoan
beklagelig *adj.* regrettable
bekrefte v. affirm
bekrefte *v.* certify

bekrefte *v.* substantiate
bekrefte *v.* validate
bekrefte *v.* confirm
bekrefte *v.* corroborate
bekreftelse n. affirmation
bekreftende adj. affirmative
bekymre *v.* worry
bekymret adj. apprehensive
bekymret *adj.* solicitous
bekymret *adj.* worried
bekymring *n.* solicitude
bekymring *n.* trouble
bekymringsfull *adj.* worrisome
belastning *n.* strain
beleilig *adj.* opportune
beleire *v.* beset
beleire *v.* besiege
beleirede *adj.* beleaguered
beleiring *n.* siege
belg *n.* pod
belle *n.* belle
belte *n.* belt
belte *n.* girdle
belysning *n.* lighting
belysning *n.* illumination
belysning *n.* lightening
belønning *n.* emolument
belønning *n.* reward
beløp n. amount
bemerke *v.* remark
bemerkelsesverdig *adj.* singular
bemerkelsesverdig *adj.* notable
bemerkelsesverdig *adj.* noteworthy
bemerkelsesverdig *adj.* remarkable
bemyndige *v.* empower
bemyndigelse *n.* warrant
ben *n.* leg
ben *n.* bone
bende *v.* bend
bendelbånd *n.* tape
benekte *v.* repudiate
benektelse *n.* repudiation
benektelse *n.* denial
benevne *v.* designate
benevnelse *n.* denomination
benk *n.* bench
bensin *n.* petrol
benytte *v.* utilize
benyttelse *n.* utilization
benåde *v.* reprieve
beredvillighet *adj.* willingness
beregne *v.* compute
beregne *v.t.* reckon
beregnet på kor *adj.* choral
beregning *n.* calculation
beretning *n.* narrative
berette *n.* narration
berettige *v.* entitle
bergamott *n.* bergamot
berge *v.* salvage
bergtatt *adj.* spellbound
berike seg *v.* enrich
beriktigelse *n.* rectification
bero *n.* abeyance
berolige v. quieten
berolige *v.* tranquillize
berolige *v.* pacify
beroligende *adj.* soporific
beroligende middel *n.* sedative
beruse *v.* intoxicate
beruselse *n.* intoxication
berusende *adj.* heady
beruset *adj.* befuddled
beryktet adj. arrant
beryktet *adj.* infamous
beryktet *prep.* notorious
beryktethet *n.* notoriety

berømmelse *n.* renown
berømmelse *n.* fame
berømt *adj.* renowned
berømt *adj.* famous
berørt adj. affected
berøve *v.* divest
berøve *v.* bereaved
besatt *adj.* besotted
beseire *v. t.* defeat
besette *v.* obsess
besettelse *n.* obsession
besitte *v.* possess
besittelse *n.* dependency
besittelse *n.* occupancy
besittelse *n.* possession
besittelse *n.* tenure
beskadigelse *n.* mayhem
beskaffenhet *n.* complexity
beskjed *n.* message
beskjeden *adj.* lowly
beskjeden *adj.* modest
beskjedenhet *n.* modesty
beskjære *v.* truncate
beskjære *v.* lop
beskrive *v.* describe
beskrive *v.t.* retrace
beskrivelse *n.* description
beskyldninger *n.* recrimination
beskytte *v.* protect
beskyttelse *n.* patronage
beskyttelse *n.* protection
beskyttelse *n.* safeguard
beskyttende *adj.* protective
beslagleggelse *n.* seizure
beslagleggelse *n.* confiscation
beslektet adj. akin
beslutning *n.* fudge
beslutningsdyktig antall *n.* quorum
beslutte *v.* resolve
beslutsomhet *n.* determination
beslå *v.* furl
bestanddel *adj.* constituent
beste *adj.* best
bestemme *v. t* determine
bestemme ved lov *v.* enact
bestemor *n.* grandmother
besti *v.* consist
bestige v. ascend
bestige *v.* mount
bestikke *v. t.* bribe
bestikke noen *v.* suborn
bestikkelig *adj.* venal
bestikkende *adj.* specious
bestrebe seg p *v.* endeavour
bestride *v. i* dispute
bestråle *v.* irradiate
bestyrer *n.* warden
bestyrtelse *n.* consternation
besvime *v.* swoon
besynderlighet *n.* singularity
besøk *n.* visitation
besøke *v.* visit
besøkende *n.* visitor
betalbar *n.* payable
betale *v.* defray
betale *v.* remunerate
betale *v.* pay
betale *v.* recompense
betale tilbake *v.* repay
betale tilbake *v.* refund
betale ut *v.* disburse
betaling *n.* remuneration
betaling *n.* payment
bete *n.* beet
betennelse *n.* inflammation
betennelses- *adj.* inflammatory
betingelse *n.* premise
betingelse *n.* premises

betingelse *n.* stipulation
betingelsesløs *adj.* unconditional
betitlet *adj.* titled
betong *n.* concrete
betrakte *v.* regard
betrakte *v.* watch
betraktelig *adv.* substantially
betro *v.* depute
betro *v.* entrust
betro seg *v.* confide
bety *v.* mean
bety *v. t* denote
betydelig adj. appreciable
betydelig *adj.* substantial
betydelig *adj.* considerable
betydning *n.* meaning
betydning *n.* significance
betydning *n.* signification
betydningsfull *adj.* important
betydningsfull *adj.* momentous
betydningsfull *n.* significant
beundre v. admire
beundre *v.i* marvel
beundring n. admiration
bevandret *adj.* versed
bevare *v.* preserve
bevare *v. t* conserve
bevaring *n.* conservation
bevaring *n.* preservation
bevart *adj.* extant
bevege *v.* budge
bevege *v.* move
bevege seg bakover *v.* regress
bevegelig *adj.* mobile
bevegelig *adj.* movable
bevegelse *n.* locomotion
bevegelse *n.* motion
bevegelse *n.* movement
bever *n.* beaver
bevilge v. allocate
bevirke *v.* induce
bevis *n.* evidence
bevis *n.* proof
bevisbyrde *n.* onus
bevise v. attest
bevise *v.* demonstrate
bevise *v.* prove
bevislig *adj.* certifiable
bevisning *n.* demonstration
bevisst *adj.* conscious
bevisstløs *adj.* senseless
bevisstløs *adj.* unconscious
bevokte v. guard
bevoktet adj. guarded
bevæpning n. armament
bi *comb.* bi
Bibel n. Bible
bibelhistorie *n.* scripture
bibliofil *n.* bibliophile
bibliografi *n.* bibliography
bibliotek *n.* library
bibliotekar *n.* librarian
biceps *n.* biceps
bidet *n.* bidet
bidra *v.* contribute
bidrag *n.* contribution
bie *n.* bee
bielv *n.* tributary
bieneshus n. apiary
bifallsklapp *n.* plaudits
biff *n.* beef
biff *n.* steak
bifokal *adj.* bifocal
bigami *n.* bigamy
bikake *n.* honeycomb
bikini *n.* bikini
bikube *n.* hive
bil n. automobile
bil *n.* car

bilateral *adj.* bilateral
bilde *n.* image
bilde *n.* effigy
bilde *n.* picture
bilist *n.* motorist
biljard *n.* billiards
bille *n.* beetle
billed- *adj.* pictorial
billedhoggerkunst *n.* sculpture
billedspråk *n.* imagery
billedtekst *n.* caption
billet *n.* billet
billett *n.* ticket
billettpris *n.* fare
billig *adj.* cheap
billig *adj.* inexpensive
billig smykke *n.* trinket
bilopphogger *n.* wrecker
bind *n.* volume
binde *v.* bequeath
binde *v.* bind
bindestrek *n.* hyphen
binding *n.* binding
binding *n.* fixation
binokular *adj.* binocular
binær *adj.* binary
biografi *n.* biography
biografi *n.* memoir
biokjemi *n.* biochemistry
biolog *n.* biologist
biologi *n.* biology
biologisk mangfold *n.* biodiversity
biologisk nedbrytbart *adj.* biodegradable
biopsi *n.* biopsy
bisarr *adj.* fey
bisarre *adj.* bizarre
biseksuell *adj.* bisexual
bisk *adj.* snappy
biskop *n.* bishop
bislag *n.* porch
bison *n.* bison
bispelue *n.* mitre
bissel *n.* bridle
bit *n.* bit
bite *v.* bite
bite forsiktig av *v.* nibble
bitende *adj.* barbed
bitende *adj.* scathing
bitte liten *adj.* tiny
bitter *adj.* bitter
bitterhet *n.* poignancy
bitterhet *n.* rancour
bjeff *n.* yelp
bjeffe *v.* yap
bjelke *n.* joist
bjelle *n.* bell
bjørk *n.* birch
bjørn *n.* bear
bjørnbær *n.* blackberry
bla gjennom *v.* browse
blackfordi *n.* snapper
blad *n.* blade
blad *n.* magazine
blad *n.* leaf
bladverk *n.* foliage
blafre *v.t* flicker
blakk *adj.* broke
blande *v.* mix
blande *v. t* blend
blande *v.* meld
blande seg *v* mingle
blande seg bort i *v.* interfere
blande seg borti *v.* meddle
blander *n.* mixer
blanding *n.* medley
blanding *n.* mixture
blank *adj.* blank
blank *adj.* glossy
blank *adj.* shiny
blank *adj.* sleek

blant prep. amid
blant prep. among
blaserthet *n.* sophistication
blazer *n.* blazer
bleie *n.* diaper
bleie *n.* nappy
blek *adj.* wan
blek *adj.* pale
blek om nebbet *adj.* peaky
blekemiddel *adj.* bleach
blekk *n.* ink
blekne *v.* blanch
blekne *v.* blench
blemme *n.* blister
blende *v. t.* dazzle
blender *n.* blender
bli *v.* become
bli betent *v.* inflame
bli fiende v. antagonize
bli fratatt noe *v.* dispossess
bli frynsete *v.* fray
bli gravid *v. t* conceive
bli i en føderasjon *v.* federate
bli livlig *v.* liven
bli lysere *v.* brighten
bli moden *v.* ripen
bli sterkere *v.* strengthen
bli større *v.* dilate
bli svart *v.* blacken
bli venn *v.* befriend
bli verre *v.* deteriorate
blidgjøre noen *v.* mollify
blind *adj.* blind
blind forelskelse *n.* infatuation
blindhet *n.* blindness
blindtarmbetennelse n. appendicitis
blinke *v.* blink
blinke *v.* twinkle
blinke med *v.* flick
blitz *n.* blitz
blod *n.* blood
blodbad *n.* carnage
blodbestenkt *adj.* gory
blodfylt *adj.* tumescent
blodig *adj.* bloody
blodig *adj.* sanguinary
blodsbeslektet *adj.* cognate
blodskam *n.* incest
blodstillende *adj.* styptic
blodsutgytelse *n.* bloodshed
blog *n.* blog
blokade *n.* blockade
blokkering *n.* bloc
blokkering *n.* block
blomkål *n.* cauliflower
blomst *n.* flower
blomsterhandler *n.* florist
blomstre *n.* blossom
blomstre *v.* prosper
blomstret *adj.* floral
blomstret *adj.* flowery
blonde *adj.* blonde
blondestoff n. lace
bloomers *n.* bloomers
blottet for *adj.* void
blund *n.* snooze
blunke *v.* wink
blurb *n.* blurb
bluse *n.* blouse
bly *n.* lead
blyaktig *adj.* leaden
blyant *n.* pencil
blære *n.* bladder
blø *v.* bleed
blødning *n.* haemorrhage
bløt *adj.* soft
bløt *adj.* tender
bløt masse *n.* pulp
bløte opp *v.* soak
bløtfisk *n.* sissy
blå *adj.* blue

blåregn *n.* wisteria
blåse *v.* blow
blåse opp *v.* inflate
blåsebelg *n.* bellows
blåstål *n.* cuckoo
bo *v.* dwell
bo *v.* reside
bobble *n.* bobble
bobestyrer *n.* trustee
boble *n.* bubble
boikotte *v.* boycott
bok *n.* book
bokbind *n.* cover
bokføring n. accountancy
bok-handler *n.* bookseller
bokholder n. accountant
boklig *adj.* bookish
bokmerke *n.* bookmark
boks *n.* canister
bokser n. boxer
bokser *n.* fighter
boksing *n* boxing
bolig *n.* dwelling
bolig *n.* housing
bolig- *adj.* residential
bolle *n.* bun
bolle *n.* cookie
bolle *n.* bowl
boltre seg *v.i.* frolic
bom *n.* bar
bom *n.* miss
bombardement *n.* bombardment
bombardere *v.* pelt
bombardere *v.* bombard
bombe *n.* bomb
bombefly *n.* bomber
bomme *v.* miss
bommert *n.* gaffe
bompenger *n.* toll
bomull *n.* cotton
bonde *n.* pawn
bonde *n.* peasant
bonde *n.* farmer
bondeknoll *n.* yokel
bondestanden *n.* peasantry
bondsk *adj.* rustic
bonus *n.* bonus
bopel *n.* abode
bord *n.* table
bordell *n.* brothel
bore *v.* snuggle
borg *n.* castle
borg *n.* chateau
borger *n.* citizen
borgermester *n.* mayor
borgtårn *n.* keeping
bort adv. away
bortforpakter *n.* lessor
bortgang *n.* demise
bortgjemt *adj.* secluded
bortsett fra *prep.* barring
bortvise *v.* rusticate
bortvisning *n.* rustication
bosted *n.* residence
botanikk *n.* botany
botferdig *adj.* penitent
botsøvelse *n.* penance
Braille *n.* Braille
brake *v.* crash
brakke *n.* barrack
brann *n.* fire
brannstiftelse n. arson
bratt *adj* steep
braute *v.* swagger
bre seg over *v.* suffuse
bre ut *v.* spread
bred *adj.* broad
bred *adj.* wide
bredde *n.* latitude
bredde *n.* breadth
breke *v. i* bleat
brekkasje *n.* breakage
brekke *v.t* fracture

brekke seg *v.* retch
bremse *n.* brake
brenbar *adj.* flammable
brenne *v.* burn
brennende *adj.* torrid
brenner *n.* burner
brennevin *n.* liquor
brenning *n.* surf
brett *n.* board
brett *n.* tray
brette *v.* tuck
brette ut *v.* unfold
brev *n.* letter
brigade *n.* brigade
brigadegeneral *n.* brigadier
bringe *v.* bring
bringe i vanry *v.* demean
bringe uorden *v.* disarrange
bringe videre *v.* transmit
bringebær *n.* raspberry
bris *n.* breeze
brisling *n.* sprat
briste *v.* burst
britisk *adj.* British
bro *n.* bridge
broderi *n.* embroidery
broderlig *adj.* fraternal
brokade *n.* brocade
broket *adj.* motley
brokete *adj.* variegated
brokk *n.* hernia
brokkoli *n.* broccoli
bronse *n.* bronze
bror *n.* brother
brorskap *n.* fraternity
brorskap *n.* brotherhood
brosj *n.* broach
brosjyre *n.* booklet
brosjyre *n.* brochure
brud *n.* bride
brudd *n.* infringement
bruddstykke *n.* snippet
bruddstykke *n.* fragment
brude *adj.* bridal
brudeutstyr *n.* trousseau
brudgom *n.* bridegroom
brukbar *adj.* serviceable
brukbar *adj.* usable
bruke *v.* exert
bruke *v.* wield
bruke *v.t.* use
bruke galt *v.* misapply
bruke galt *v.* misuse
bruke om igjen *v.* reuse
bruke opp *v.* expend
bruke seg *v.* rant
bruker *n.* user
bruksplen *n.* lawn
brulegge *v.* pave
brunette *n.* brunette
brunst *n.* rut
brunt *n.* brown
bruse *v.* fizz
brusk *n.* cartilage
brustein *n.* cobble
brutal *adj.* brutal
brutal fyr *n.* brute
brygge *n.* quay
brygge *n.* pier
brygge *n.* wharf
brygge *v.* brew
bryggeri *n.* brewery
bryllup *n.* wedding
bryllupsseremonier *adj.* nuptial
bryn *n.* brow
bryne *v.* whet
bryophyte n. most
brysk *adj.* brusque
brysk *adj.* curt
brysom *adj.* troublesome
bryst *n.* bosom
bryst *n.* breast
bryst *n.* chest

bryst– *adj.* mammary
brystben *n.* sternum
brystvorte *n.* nipple
bryte *v.* infringe
bryte *v.* transgress
bryte *v.* wrestle
bryte *v.t.* rupture
bryte i småstykker *v.* crumble
bryte med *v.* secede
bryter *n.* wrestler
brød *n.* bread
brødrister *n.* toaster
brøk *n.* fraction
brøl *n.* roar
brøle *v.* roar
brøler *n.* howler
brønn *n.* well
bråk *n.* din
bråk *n.* racket
bråke *v.* roister
bråkmaker *n.* rowdy
bud *n.* messenger
bud *n.* tradesman
budgiver *n.* bidder
budsjett *n.* budget
bue n. arc
buegang *n.* cloister
bueskytter n. archer
buffer *n.* buffer
bug *n.* bug
buk n. abdomen
bukett *n.* bouquet
bukk *n.* bow
bukk *n.* buck
bukk *n.* trestle
bukke *v.* bow
bukkeert *n.* chickpea
bukle *v.* emboss
bukse *n.* trousers
bukspyttkjertel *n.* pancreas
bukt *n.* cove
bukt *n.* kink
buktet *adj.* serpentine
buktet *adj.* sinuous
buldre *v.* gobble
buldre *v.* rumble
bule *n.* bulge
bulevard *n.* boulevard
bulimi *n.* bulimia
bulldogg *n.* bulldog
bulle *n.* bull
bulletin *n.* bulletin
bundet rotasjon *n.* tidally
bungalow *n.* bungalow
bunke *n.* heap
bunker *n.* bunker
bunn *n.* bottom
bunnfall *n.* sediment
bunt *n.* bundle
bunt *n.* hank
bur *n.* cage
bur *n.* hutch
burde *v.* should
busemann *n.* bogey
business *n.* business
busk *n.* shrub
busk *n.* bush
busket *adj.* bushy
buss *n.* omnibus
buss *n.* bus
bust *n.* bristle
buste *v.* tousle
butikk *n.* shop
butikktyveri *n.* shoplifting
butler *n.* butler
by *n.* town
by *n.* city
bydannelse *n.* conurbation
bygg *n.* barley
bygge *v.* build
bygge opp igjen *v.* rebuild
bygging *n.* construction
byggverk *n.* edifice

bygning *n.* building
bykommune *n.* borough
bykommune *n.* municipality
bylt *n.* pack
bymessig *adj.* urban
byrd n. ancestry
byrde *n.* burden
byrdefull *adj.* onerous
byråkrat *n.* bureaucrat
byråkrati *n.* bureaucracy
bysteholder *n.* bra
byte *n.* byte
bytte *n.* lucre
bytte *n.* prey
bytte *n.* swag
bytte *v.* swap
bytte *n.* booty
bytte *n.* loot
bytte *v.* barter
bær *n.* berry
bærbar *adj.* portable
bærbart videokamera *n.* camcorder
bære *v.* carry
bære *v.t* bear
bærebjelke *n.* girder
bærende *n.* bearing
bærer *n.* porter
bæreseng *n.* litter
bøffel *n.* buffalo
bøk *n.* beech
bøkker *n.* cooper
bølge *v.* undulate
bølge *v.* wave
bølgende *adj.* wavy
bølle *n.* bully
bønn *n.* entreaty
bønn *n.* prayer
bønne *n.* bean
bønnfalle *v.* entreat
bønnfalle *v.* supplicate
bønnfalle *v.t.* implore
børste *n.* brush
bøtte *n.* bucket
bøyd *adj.* bent
bøyd adv. askew
bøye *v.* conjugate
bøye *v.* flex
bøye seg *v.* stoop
bøyelig *adj.* flexible
bøyelig *adj.* pliable
bøyelig *adj.* pliant
bøyle *n.* hoop
bøylebindsel *n.* stanchion
både *v.* bode
bål *n.* pyre
bål *n.* bonfire
bånd *n.* leash
bånd *n.* ribbon
bånd *n.* bond
båre *n.* stretcher
båt *n.* boat

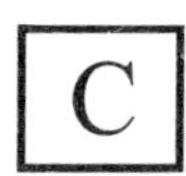

campingvogn *n.* caravan
campus *n.* campus
cannabis *n.* cannabis
cardigan *n.* cardigan
cargo *n.* cargo
Casanova *n.* Casanova
celandine *n.* celandine
celle *n.* cell
celluloid *n.* celluloid
cellulose *n.* cellulose
Celsius *n.* Celsius
celsiusgrad *adj.* centigrade
cent *n.* cent
centimeter *n.* centimetre
cerebral *adj.* cerebral
chaise *n.* chaise
champagne *n.* champagne
charter *n.* charter

chassis *n.* chassis
chilipepper *n.* chilli
chutney *n.* chutney
cisterne *n.* cistern
cockpit *n.* cockpit
cocktail *n.* cocktail
Cola *n.* coke
collage *n.* collage
college *n.* college
colossi *n.* colossus
coma *n.* coma
conjunktivitt *n.* conjunctivitis
consensenighetus *n.* consensus
couchette *n.* couchette
cow *n.* cow
credentials *n.* credentials
cricket *n.* cricket
cruiseskip *n.* cruiser
cyanid *n.* cyanide
cyanogen *n.* cyan
cyberspace *n.* cyberspace
cyste *n.* cyst
cystisk *adj.* Cystic

dag *n.* day
dagbok *n.* diary
dagens omsetning *n.* takings
daggry *n.* dawn
daglig *adj.* daily
dagligstue *n.* parlour
dakoit *n.* dacoit
dal *n.* vale
dal n. valley
dal *n.* dale
dalevende *adj.* contemporary
dam *n.* pond
dam *n.* dam
dame *n.* lady
dameundertøy *n.* lingerie
damp *n.* steam
damp *n.* vapour
dampskip *n.* steamer
dannelse *n.* flotation
danning *n.* formation
danse *v.* dance
danse omkring *v.* cavort
danser *n.* dancer
data *n.* data
database *n.* database
datamaskin *n.* computer
dato *n.* date
datorisere *v.* computerize
datter *n.* daughter
datum *n.* datum
de *pron.* they
debatt *n.* debate
debattere *v. t.* debate
debet *n.* debit
debil person *n.* moron
debitor *n.* debtor
debut *n.* debut
dedisere *v.* dedicate
defaitist *n.* defeatist
default *n.* default
defect *n.* blemish
defekt *adj.* defective
defekt *n.* defect
defekt *adj.* faulty
defensiv *adj.* defensive
definere *v.* define
definert *adj.* definite
definisjon *n.* definition
deflasjon *n.* deflation
deformere *v.* deform
deg selv / deres selv *pron.* yourself
degenerere *v.* degenerate
degradere *v.* demote

dehumanisere *v.* dehumanize
dehydrere *v.* dehydrate
deig *n.* batter
deig *n.* dough
deig *n.* paste
deilig *adj.* delectable
deilig *adj.* stunning
deilig *adj.* delicious
deja vu *n.* deja vu
dekadent adj. decadent
dekantere v. decant
dekk *n.* deck
dekk n. tyre
dekke *n.* sealant
dekke *v.* cover
deklamere *v.* declaim
deklassifisere *v.* declassify
dekning *n.* indemnity
dekomprimere *v.* decompress
dekonstruere *v.* deconstruct
dekontaminere *v.* decontaminate
dekorasjon *n.* decoration
dekorativ *adj.* decorative
dekorere v. adorn
dekorere *v.* decorate
dekorum *n.* decorum
dekrement *n.* decrement
dekret *n.* decree
dekriminalisere *v.* decriminalize
del *n.* portion
del *n.* part
delaktighet *n.* complicity
dele *v.* sunder
dele *v.* divide
dele i to *v.* bisect
dele ut *v.* mete
delegering *n.* delegation
delegert *adj.* vicarious
delegert *n.* delegate
delikat *adj.* delicate
delikatesse *n.* confection
delikatesse *n.* delicacy
delikatesseforretning *n.* delicatessen
deling n. division
deling *n.* partition
delinkvent *adj.* delinquent
delinkvent *n.* culprit
delirisk *adj.* delirious
delirium *n.* delirium
delsum *n.* subtotal
delta v. attend
delta *v.* participate
delta *n.* delta
deltager *n.* contestant
deltager *n.* participant
deluxe *adj.* deluxe
delvis *adj.* partial
delvis *adv.* partly
dem *pron.* them
dementere *v.* disclaim
demning *n.* barrage
demning *n.* embankment
demobilisere *v.* demobilize
demografi *n.* demography
demokrati *n.* democracy
demokratisk *adj.* democratic
demolarisere *v.* demoralize
demon *n.* demon
demonisere *v.* demonize
demonterbar *adj.* removable
demontere *v.* dismantle
demoralisere *v.* disempower
dempe v. allay
dempe *v.* muffle
dempe *v. t* curb
demper *n.* damper
demping *n.* bevel
den /det *pron. & adj.* that

den som overrekker et bønnskrift *n.* petitioner
den underlegne *n.* underdog
den/det *pron.* it
denasjonalisere *v.* denationalize
dengang *adv.* then
denne/dette *pron.& adj.* this
deodorant *n.* deodorant
departement *n.* ministry
deportere *v. t* deport
depot *n.* cache
depot *n.* depot
depresjon *n.* depression
deputasjon *n.* deputation
der *adv.* there
der borte *adj.* yonder
deregulate *v.* deregulate
deres *adj.* their
derfor *adv.* hence
derfra *adv.* thence
derhen *adv.* thither
derivativ *adj.* derivative
desember *n.* December
desentralisering *v.* decentralize
desertere *v.* desert
desibel *n.* decibel
desiffrere *v.* decipher
desillusjonere *v.* disenchant
desillusjonere *v.* disillusion
desimal *adj.* decimal
desimere *v.* decimate
desinfisere *v.* disinfect
desorientere *v.* disorientate
despot *n.* despot
dessert *n.* dessert
dessuten *adv.* moreover
destabilisere *v.* destabilize
destillere *v.* distil
Det britiske samveldet *n.* commonwealth
det man foretrekker *n.* preference
det nødvendige *adj.* needful
det samme på en annen måte *n.* guise
det å begrense *n.* containment
det å bli kvitt av noen *n.* riddance
det å gjøre naturlig *n.* naturalization
det å gå av *n.* retirement
det å leve *n.* living
det å likestille *n.* equation
det å skaffe *n.* provision
det å stå *n.* standing
det å ta bolig i et annet legeme *n.* transmigration
det å trekke ut tiden *n.* procrastination
det å være døgnvill *n.* jet lag
det å være ett *n.* oneness
det å være i slekt *n.* kith
det å være medvitende *adj.* privy
det å være naive *n.* naivety
det å være utmattet *n.* staleness
detalj *n.* detail
detalj *n.* retail
detaljer *n.* trivia
detaljist *n.* retailer
detektiv *n.* sleuth
detektiv *n.* detective
determinant *n.* determinant
detronisere *v.* dethrone
devaluere *v.* devalue
devise *n.* cognizance
diabetes *n.* diabetes

diagnoses *n.* diagnosis
diagnostisere *v.* diagnose
diagram *n.* chart
diagram *n.* graph
diagram *n.* diagram
dialekt *n.* dialect
dialyse *n.* dialysis
diamant *n.* diamond
diameter *n.* diameter
diaré *n.* diarrhoea
Diaspora *n.* Diaspora
didaktisk *adj.* didactic
diesel *n.* diesel
dietetiker *n.* dietician
diett *n.* diet
digital *adj.* digital
diksjon *n.* diction
dikt *n.* poem
diktat *n.* dictate
diktat *n.* dictation
diktator *n.* dictator
dikter *n.* poet
dilemma *n.* dilemma
dilemma *n.* quandary
dille *n.* craze
dimensjon *n.* dimension
din *adj.* your
dingle *v. i.* dangle
dinosaur *n.* dinosaur
diploma *n.* diploma
diplomat *n.* diplomat
diplomati *n.* diplomacy
diplomatisk *adj.* diplomatic
dipsomani *n.* dipsomania
direkt *adj.* nonstop
direkte *adj.* direct
direkte *adv.* directly
direktiv *n.* directive
dirre *v.* quiver
disig *adj.* hazy
disiplin *n.* discipline
disippel *n.* disciple
disk *n.* counter
diskanthøyttaler *n.* tweeter
disko *n.* disco
diskresjon *n.* secrecy
diskret *adj.* discreet
diskret *adj.* discrete
diskriminere *v.* discriminate
diskusjon *n.* discussion
diskutere *v.* discuss
diskvalifisere *v.* disqualify
diskvalifisering *n.* disqualification
disposisjon *n.* disposal
dissekere *v.* dissect
dissentere *v.* dissent
dissertasjon *n.* dissertation
distanse *n.* stint
distansere *v.* outstrip
distinkjoner *n.* badge
distrahere *v.* distract
distraksjon *n.* distraction
distribuere *v.* distribute
distrikt *n.* district
dividend *n.* dividend
djerv *adj.* gallant
djervhet *n.* gallantry
djevel *n.* devil
djevelen *n.* fiend
djunke *n.* junk
dobbelt *adj.* double
dobbelt *adj.* dual
dobbelt *adj.* duplex
dobbelt *adj.* twofold
dobbeltgjenger *n.* lookalike
dogmatisk *adj.* dogmatic
dogme *n.* dogma
dokk *n.* dock
doktorgrad *n.* doctorate
doktrine *n.* doctrine
dokument *n.* document
dokumentarfilm *n.* documentary

dolk *n.* dagger
dollar *n.* dollar
dom *n.* judgement
domene *n.* domain
dominere *v.* preponderate
dominere *v.* dominate
dominerende adj. ascendant
dominerende *adj.* dominant
dominerende *adj.* predominant
dominion *n.* dominion
domisil *n.* domicile
domkirke *n.* minster
dommedag *n.* doom
dommer *n.* umpire
dommer *n.* judge
dommerfullmektig *n.* registrar
dommerstanden *n.* judiciary
domprost *n.* dean
domstol *n.* tribunal
domstol *n.* court
donere *v.* donate
donor *n.* donor
doorstep *n.* tram
dorsk *adj.* lethargic
dose *n.* dose
dossering *n.* camber
dossier *n.* dossier
dotere *v.* endow
dott *n.* wisp
dovenpels *n.* sluggard
dovenskap *n.* sloth
dovent *adj.* stale
dovne seg *v.* laze
dra *v. t* drag
dra pcruise *v.* cruise
dra til *v.* punch
dra til *v.* whack
drage *n.* dragon
drakt *n.* costume
dram *n.* tot
drama *n.* drama
dramatiker *n.* dramatist
dramatisk *adj.* dramatic
dranker *adj.* drunkard
drastisk *adj.* drastic
dreie *v.* revolve
dreie seg *v.* swivel
dreiebenk *n.* lathe
dreiepunkt *n.* fulcrum
dreier *n.* turner
dreining *n.* veer
drenere *v. t* drain
drepe *v.* kill
drepende *n.* killing
dress *n.* suit
driftsteknisk *adj.* operational
drikk *n.* concoction
drikke *n.* beverage
drikke *v.* imbibe
drikke *v.* quaff
drikke *v.* swill
drikke *v.* tipple
drikke *v. t* drink
drikkepenger *n.* gratuity
drillbor *n.* drill
dristig *adj.* spirited
dristig *adj.* venturesome
dristig *adj.* daring
dristighet *n.* temerity
dristighet *n.* boldness
drittsekk *n.* bastard
drittsekk *n.* Wally
drive *v.* drift
drive *v.* loiter
drive *v.* propel
drive *v.* waft
drive krypskytteri *v.* poach
drive stemmeverving *v.* canvass
drivhus *n.* conservatory
drivstoff *n.* fuel
dronning *n.* queen

drosje *n.* cab
drosje *n.* taxi
drue *n.* grape
drukne *v.* drown
dryppe *v. i* drip
dryss *n.* sprinkling
drysse *v.i.* sprinkle
drøm *n.* dream
drømmeri *n.* reverie
drøvtygger *n.* ruminant
dråp *n.* smidgen
du *pron.* you
dublett *n.* duplicate
due *n.* pigeon
duell *n.* duel
duett *n.* duet
duft *n.* scent
duftende *adj.* odorous
dugg *n.* dew
dukke *n.* doll
dukke opp v. appear
dukke opp igjen *v.* reappear
dum *adj.* silly
dum *adj.* stupid
dum klossmajor *n.* oaf
dumhet *n.* folly
dumhet *n.* stupidity
dundre n. pound
dunk *n.* bin
dunk *n.* thud
dunke *v.* throb
dunkel *adj.* obscure
dunst *n.* fume
duo *n.* duo
duplikat *n.* ditto
duplisere *v.* replicate
dusin *n.* dozen
dusj *n.* shower
dusk *n.* tassel
duskregn *n.* drizzle
dust *n.* dullard
dvaletilstand *n.* lethargy
dvask *adj.* inert
dvask *adj.* torpid
dverg *n.* dwarf
dverg *n.* midget
dybde *n.* profundity
dybde *n.* depth
dyd *n.* virtue
dydig *adj.* virtuous
dykke *v.* dive
dyktig *adj.* able
dyktig adj. adroit
dyktig *adj.* capable
dyktig *adj.* proficient
dyktig *adj.* skilful
dyktig *adj.* eminent
dyktighet *n.* capability
dyktighet *n.* dexterity
dyktighet *n.* excellence
dyktighet *n.* proficiency
dynamikk *n.* dynamics
dynamisk *adj.* dynamic
dynamitt *n.* dynamite
dynamo *n.* dynamo
dynasti *n.* dynasty
dyne *n.* duvet
dyne *n.* quilt
dyp *adj.* deep
dyp *adj.* profound
dyp *adj.* throaty
dyp elveda *n.* canyon
dyppe *v.* dabble
dyppe *v. t* dip
dyptfølt *adj.* heartfelt
dyr *adj.* costly
dyr n. animal
dyr *n.* beast
dyrebar *adj.* precious
dyregrav *n.* pitfall
dyrehage *n.* zoo
dyrisk *adj.* beastly
dyrisk *adj.* bestial
dyrke *v.* cultivate

dyrkelse *n.* worship
dyrlege- *adj.* veterinary
dysenteri n. dysentery
dyspepsi *n.* dyspepsia
dysse noen i søvn *v.* lull
dyster *adj.* dismal
dyster *adj.* gloomy
dyster *adj.* saturnine
dyster *adj.* stygian
dytte *v.* hustle
dytte *v.* push
dytte *v.* shove
dytte *v.* thrust
dytte *v.t.* jostle
dø *v.* succumb
dø *v.* die
dø ut *v.* fizzle
død *n.* death
død *adj.* dead
død *n.* decease
dødelig *adj.* deadly
dødelig *adj.* lethal
dødelig *adj.* fatal
dødelig *adj.* mortal
dødelighet *n.* mortality
dødfødt *n.* stillborn
dødpunkt *n.* impasse
dødshjelp *n.* euthanasia
dødsulykke *n.* fatality
døende *adj.* moribund
dømme v. adjudicate
dømme v. arbitrate
dønning *n.* swell
dønning *n.* surge
døpe *v.* baptize
dør *n.* door
dørselger *n.* pedlar
dørslag *n.* sieve
døse *v.* drowse
døse *v. i* doze
døv *adj.* deaf
døv *adj.* dumb
dåkolle *n.* doe
dåp n. baptism
dårlig *adj.* bad
dårlig *adj.* foul
dårlig *adv.* badly
dårlig *adv.* poorly
dårlig ledelse *n.* mismanagement
dårlig ledelse *n.* maladministration
dårlig oppførsel *n.* misbehaviour
dårlig ventilert *adj.* stuffy
dårlig ånde *n.* halitosis

ebbe *n.* ebb
ed *n.* oath
edderkopp *n.* spider
eddik *n.* vinegar
edelmodig *adj.* magnanimous
edikt *n.* edict
edru *adj.* sober
effektiv *adj.* effective
effektiv *adj.* efficient
effektivitet *n.* efficacy
effektivitet *n.* efficiency
eføy *n.* ivy
egen *adj.* & *pron.* own
egenmektig tilegnelse *n.* usurpation
egensindig *adj.* wilful
egentlig *adj.* intrinsic
egg *n.* egg
eggehvite n. albumen
eggformet *adj.* ovate
eggstokk *n.* ovary
egn *n.* tract
ego *n.* ego

egoisme *n.* egotism
egoistisk *adj.* selfish
eiendeler *n.* belongings
eiendom *n.* property
eiendoms- *adj.* proprietary
eier *n.* owner
eierforhold *n.* ownership
eik *n.* oak
eike *n.* spoke
eikenøtt n. acorn
einstøing *n.* loner
ejakulere *v.* ejaculate
ekko *n.* echo
ekorn *n.* squirrel
eksamen *n.* exam
eksamensfest *n.* commencement
eksamenskandidat *n.* examinee
eksekutor *n.* executor
Eksellense *n.* Excellency
eksempel *n.* instance
eksempel *n.* example
eksentrisk *adj.* eccentric
eksil *n.* exile
eksistens *n.* existence
eksistens *n.* subsistence
eksistere *v.* exist
eksistere *v.* subsist
eksklusiv *adj.* exclusive
ekskursjon *n.* excursion
eksotisk *adj.* exotic
ekspedisjon *n.* expedition
eksperiment *n.* experiment
ekspert *n.* expert
eksplodere *v.* detonate
eksplodere *v.* erupt
eksplodere *v.* explode
eksplosjon *n.* explosion
eksponent *n.* exponent
eksportere *v. t.* export
ekspropriere *v.* expropriate
ekstase *n.* ecstasy
ekstra adj. additional
ekstra *adj.* extra
ekstra *adj.* spare
ekstra stor *adj.* outsize
ekstranummer *n.* encore
ekstravagant *adj.* extravagant
ekstrem *adj.* extreme
ekstremist *n.* extremist
ekstremt *adj.* mega
ekstrovert *n.* extrovert
ekstrudere *v.* extrude
ekte *adj.* genuine
ekte *adj.* bonafide
ektefelle *n.* spouse
ektemann *n.* husband
ekteskap *n.* marriage
ekteskap *n.* matrimony
ekteskapelig *adj.* conjugal
ekteskapelig *adj.* marital
ekteskapelig *adj.* matrimonial
ekteskapsbrudd *n.* misconduct
ektestand *n.* wedlock
ekthet *n.* fastness
ekvator *n.* equator
ekvivalent *adj.* equivalent
elastisk *adj.* elastic
elastisk *adj.* resilient
eldre *adj.* elderly
eldre *adj.* elder
elefant *n.* elephant
elefantfører *n.* mahout
eleganse *n.* elegance
elegant *adj.* chic
elegant *adj.* elegant
elektrifisere *v.* electrify
elektriker *n.* electrician
elektrisitet *n.* electricity
elektrisk *adj.* electric

elektronisk *adj.* electronic
elementær *adj.* elementary
elendig *adj.* wretched
elev n. alumnus
elev *n.* pupil
elfenben *n.* ivory
eliminere *v.* eliminate
elite *n.* elite
eller *conj.* or
ellers *adv.* else
ellers *adv.* otherwise
elleve *adj.* & *n.* eleven
ellipse *n.* ellipse
elske *v.* cherish
elskede *adj.* beloved
elskede *n.* darling
elskelig adj. adorable
elskelig *adj.* lovable
elsker *n.* lover
elsker *n.* devotee
elskerinne *n.* paramour
elskerinne *n.* mistress
elskverdig adj. amiable
elskverdig *adj.* courteous
elskverdig *adj.* gracious
elskverdighet *n.* courtesy
elv *n.* river
elve– *adj.* fluvial
email *n.* email
emalje *n.* enamel
emansipere *v. t* emancipate
embargo *n.* embargo
emblem *n.* emblem
embryo *n.* embryo
emfatisk *adj.* emphatic
emigrere *v.* emigrate
emissær *n.* emissary
emne *n.* theme
en adj. an
en /et *adj.* the
en annen adj. another
en av sex tvillinger *n.* sextuplet
en eller annen *pron.* somebody
en eller annen *pron.* someone
en fjerdedel gallon *n.* quart
en gang *adv.* once
en som er sofistikert *n.* sophisticate
en som lærer *n.* learner
en som sløser med pengene *n.* spendthrift
en stund adv. awhile
en viljesakt *n.* volition
en åttedel mil *n.* furlong
en/et *a.* a
end *n.* tamp
enda *adv.* yet
enda *conj.* though
enda ikke avgjort *adj.* pending
ende *n.* end
endelig *adj.* ultimate
endelig *adj.* finite
endeløs *adj.* interminable
endemisk *adj.* endemic
endestasjon *n.* terminus
endossere *v.* endorse
endre v. alter
endre *v.* change
endring n. alteration
eneboer *n.* recluse
energi *n.* energy
energi *n.* vigour
energisk *adj.* energetic
energisk *adj.* vigorous
enfoldig *adj.* vacuous
enfoldig tosk *n.* simpleton
eng *n.* meadow
engasjement *n.* engagement

engel n. angel
engelsk *n.* English
engelsk syke *n.* rickets
engrossalg *n.* wholesale
engstelig adj. anxious
engstelig *adj.* timid
engstelighet *n.* timidity
engstelse *n.* trepidation
engstelse *n.* disquiet
enhet *n.* unit
enhetlig *adj.* uniform
enighet *n.* concord
enke *n.* widow
enkel *adj.* plain
enkel *adj.* simple
enkel *adj.* straightforward
enkelhet *n.* simplicity
enkelt *adj.* individual
enkelt *adj.* single
enkemann *n.* widower
enklave *n.* enclave
enorm *adj.* enormous
enorm *adj.* immense
enorm *adj.* tremendous
enorm *adj.* vast
ensartet *a.* homogeneous
ensidig *adj.* unilateral
enskinnet jernbane *n.* monorail
enslig *adj.* lone
ensom *adj.* lonely
ensom *adj.* lonesome
ensomhet *n.* loneliness
ensomhet *n.* solitude
enstavelsesord *n.* monosyllable
enstemmig *adj.* unanimous
enstemmighet *a.* unanimity
entitet *n.* entity
entomologi *n.* entomology
entydig *adj.* unique
eon n. aeon
epidemi *n.* epidemic
epiderm *n.* epidermis
epigram *n.* epigram
epilepsi *n.* epilepsy
epilog *n.* epilogue
episode *n.* episode
epistel *n.* epistle
epistel *n.* missive
eple n. apple
epoke *n.* epoch
epos *n.* epic
equalisere *v. t* equalize
eremitt *n.* hermit
eremittbolig *n.* hermitage
erfaren adj. adept
erfaring *n.* experience
ergre *v.* vex
ergrelse *n.* pique
ergrelse *n.* resentment
erindre *v.* recollect
erindring *n.* recollection
erindring *n.* keepsake
erindring *v.* reminiscence
erindring *n.* memento
erkebiskop n. archbishop
erkeengelen n. archangel
erklære *n* declare
erklære *v.* profess
erklære *v.* convict
erklæring n. affidavit
erklæring *v. t.* declaration
erme *n.* sleeve
ernære *v.* nourish
ernæring *n.* nutrition
erobre *v.* capture
erobre *v.* conquer
erobring *n.* conquest
erodere *v.* erode
erogen *adj.* erogenous
erosjon *n.* erosion
erosjonskløft *n.* gully
erotisk *adj.* erotic

erstatning *n.* restitution
erstatning *n.* compensation
erstatning *n.* substitute
erstatte *v.* replace
erstatte *v.* compensate
erstatte *v.* redress
ert *n.* pea
erte *v.* tease
ertende *adj.* quizzical
ervervelse n. acquisition
esel *n.* jackass
esel *n.* donkey
eskadron *n.* squadron
eskapade *n.* escapade
eskorte *n.* escort
esoterisk *adj.* esoteric
espalier n. arbour
espresso *n.* espresso
ess n. ace
essay *n.* essay
essens *n.* essence
estetikk n. aesthetics
estetisk adj. aesthetic
et eller annet sted *adv.* somewhere
etablering *n.* establishment
etasje *n.* storey
etikett *n.* label
etikette *n.* etiquette
etikk *n* ethic
etisk *adj.* ethical
etnisk *adj.* ethnic
etos *n.* ethos
ettall *n.* & *adj.* one
etter adv. after
etter conj. after
etter prep. after
etter død *n.* post-mortem
etteraper *n.* mimic
etteraping *n.* mimicry
etterdønning *n.* repercussion
etterforske *v.* investigate
etterforskning *n.* investigation
etterfølge *v.* succeed
etterfølgende *adj.* posterior
etterfølger *n.* successor
ettergivelse *n.* remission
ettergivende *adj.* compliant
ettergivende *adj.* indulgent
ettergivenhet *n.* compliance
etterkomme *v.* comply
etterkommer *n.* descendant
etterligne *v.* impersonate
etterligne *v.* *t* emulate
etterligning *n.* impersonation
ettermiddagsforestilling *n.* matinee
etternavn *n.* surname
etternøler *n.* laggard
etternøler *n.* straggler
etterskrift *n.* postscript
ettersporing *n.* tracing
ettertenksom *adj.* pensive
ettertiden *n.* posterity
ettertrykk *n.* emphasis
etymologi *n.* etymology
eufori *n.* euphoria
euro *n.* euro
europeer *n.* European
evakuere *v.* evacuate
evaluere *v.* *i* evaluate
eventualitet *n.* contingency
eventyr n. adventure
eventyrlig adj. adventurous
evig adj. ageless
evig *adj.* eternal
evighet *n.* eternity
evigheter *n.* yonks
evne *n.* ability
evne *n.* capacity
evne *n.* flair

evne *n.* power
evne *n.* faculty
evnerik *adj.* talented
evnukk *n.* eunuch
expat *n.* expatriate

fabel *n.* fable
fabrikant *n.* manufacturer
fabrikk *n.* factory
fabrikkere *v.* fabricate
faderlig *adj.* paternal
fadermord *n.* parricide
fadermorder *n.* patricide
faglig *adj.* professional
faglært *adj.* skilled
fagmessighet *n.* workmanship
Fahrenheit *n.* Fahrenheit
faks *n.* fax
faksimile *n.* facsimile
faktisk adv. actually
faktor *n.* factor
faktum *n.* fact
faktura *n.* invoice
falk *n.* falcon
falle *v.* plummet
falle *v.* fall
falle *v.* tumble
falle sammen *v.* collapse
falle tungt *v.* slump
falleferdig *adj.* ramshackle
falle-ferdig *adj.* dilapidated
fallrepstrapp *n.* gangway
fallskjerm *n.* parachute
fallskjermhopper *n.* parachutist
falsk *adj.* bogus
falsk *adj.* fake
falsk *adj.* spurious
falsk *adj.* pseudo
falsk beundring n. adulation
falskhet *n.* deceit
falskhet *n.* deception
falskhet *n.* insincerity
falskneri *n.* forgery
familie *n.* family
famle *v.* fumble
famle *v.* grope
fanatiker *n.* bigot
fanatiker *n.* zealot
fanatiker *n.* fanatic
fanatisme *n.* bigotry
fancy *n.* fancy
fanfare *n.* fanfare
fang *n.* lap
fange *n.* prisoner
fange *n.* captive
fange i en felle *v. t.* entrap
fange opp *v.* intercept
fangenskap *n.* captivity
fangevokter *n.* jailer
fantasere *v.* fantasize
fantasi *n.* fantasy
fantasi *n.* imagination
fantasirik *adj.* imaginative
fantast *adj.* visionary
fantastisk *adj.* fabulous
fantastisk *adj.* fantastic
far *n.* father
farbar *adj.* navigable
fare *n.* hazard
fare *n.* jeopardy
fare *v.t.* scamper
fare *n.* danger
fare *n.* peril
farge *n.* colouring
farge *n.* colour
farge *n.* dye
farge av *v.* discolour
fargeblyant *n.* crayon
fargeløs *n.* colourless

fargerikt *adv.* quaintly
farlig *adj.* perilous
farlig *adj.* dangerous
farmasøyt *n.* pharmacist
farmasøytisk *adj.* pharmaceutical
farsarv *n.* patrimony
farse *n.* farce
farskap *n.* paternity
fart *n.* speed
farvel *interj.* farewell
fasade *n.* facade
fascinere *v.* fascinate
fascinerende adj. alluring
fascisme *n.* fascism
fase *n.* phase
fasett *n.* facet
fashion *n.* fashion
fasle *n.* sling
fast *adj.* solid
fast *adj.* firm
fast inventar *n.* fixture
fastboende *n.* resident
fastgjøre *v.* fasten
fastlåst situasjon *n.* stalemate
fastlåst situasjon *n.* deadlock
fastslå v. ascertain
fat *n.* keg
fat *n.* tun
fat *n.* dish
fatning *n.* composure
fattig *adj.* needy
fattig *adj.* poor
fattigdom *n.* poverty
fattiglem *n.* pauper
fattigslig *adj.* scruffy
fauna *n.* fauna
fav ledd *v.* dislocate
favn *n.* fathom
favorisere v.t. advantage
feber *n.* fever
febrile *adj.* febrile
februar *n.* February
fedme *n.* obesity
fedrene adj. ancestral
feide *n.* feud
feie *v.* sweep
feig *adj.* craven
feig *adj.* dastardly
feighet *n.* cowardice
feiging *n.* coward
feil *n.* error
feil *n.* failing
feil *n.* fault
feil *n.* flaw
feil *n.* mistake
feilaktig *adj.* erroneous
feilaktig *adj.* mistaken
feilbarlig *adj.* fallible
feilbedømme *v.* misjudge
feilberegne *v.* miscalculate
feildirigere *v.* misdirect
feile *v.* err
feilinformere *v.* misinform
feillese *v.* misread
feilregning *n.* miscalculation
feilsitere *v.* misquote
feilslutning *n.* fallacy
feiltenne *v.* misfire
feiltolke *v.* misconstrue
feire *v.* celebrate
feire *v.* commemorate
feiring *n.* celebration
fekting *n.* fencing
felle *v.* fell
felle *n.* trap
felles *adj.* communal
fellesherredømme *n.* condominium
fellesskap *n.* fellowship
felt *n.* field
feltprest *n.* chaplain

feltrop *n.* watchword
fem *adj. & n.* five
feminin *adj.* effeminate
feminin *adj.* feminine
femkant *n.* pentagon
femten *adj. & n.* fifteen
femti *adj. & n.* fifty
feng shui *n.* feng shui
fengende *adj.* catchy
fengsel *n.* prison
fengselsbetjent *n.* warder
fengsle *n.* jail
fengsle *v.* enthral
fengsle *v.* imprison
fengsle *v.* incarcerate
fengsle *v.* intrigue
fennikel *n.* fennel
fenomenal *adj.* phenomenal
ferdig *adj.* ready
ferdighet *n.* skill
ferie *n.* vacation
feriested *n.* resort
ferje *n.* ferry
fersk *adj.* callow
fersken *n.* peach
fervid *adj.* fervid
fest *n.* feast
festdeltaker *n.* celebrant
feste n. attache
feste v. attach
feste v.t. affix
feste med tape *v.i.* tape
festival *n.* festival
festival *n.* fete
festlig *adj.* festive
festligheter *n.* festivity
festning *n.* fortress
festningsvoll *n.* rampart
fet *adj.* obese
fet *adj.* bold
fetisj *n.* fetish
fett *n.* fat
fetter *n.* cousin
fettsuging *n.* liposuction
fhaik *v.* hitch
fiale *n.* finial
fiasko *n.* failure
fiasko *n.* fiasco
fiber *n.* fibre
fiende *n.* enemy
fiende *n.* foe
fiendskap *n.* enmity
fiendtlig *adj.* inimical
fiendtlig *adj.* hostile
fiendtlighet n. animosity
fiendtlighet *n.* hostility
figjen *v.* retrieve
figurativ *adj* figurative
fiken *n.* fig
fiks *adj.* snazzy
fikse *v.* fix
fiktiv *adj.* fictitious
fil *n.* file
filament *n.* filament
filantrop *n.* philanthropist
filantropi *n.* philanthropy
filantropisk *adj.* philanthropic
filateli *n.* philately
filipens *n.* pimple
fille *n.* shred
filler *n.* filler
fillete *adj.* ragged
film *n.* movies
film *n.* film
filmtekst *n.* subtitle
filolog *n.* philologist
filologi *n.* philology
filologisk *adj.* philological
filosof *n.* philosopher
filosofi *n.* philosophy
filosofisk *adj.* philosophical
filspon *n.* filings
filter *n.* filter

filtrat *n.* filtrate
filtre seg sammen *v.t.* tangle
filtrere *v.* percolate
fin *adj.* fine
fin herkomst *n.* gentility
finalist *n.* finalist
finans *n.* finance
finansfyrste *n.* tycoon
finansiell *adj.* financial
finansier *n.* financier
finér *n.* veneer
finesse *n.* finesse
finger *n.* digit
finger *n.* finger
fingerbøl *n.* thimble
fingerferdighet *n.* sleight
finne *v.* find
finne *n.* fin
fiol *n.* violet
fiolett *n.* purple
fiolin *n.* violin
fiolin *n.* fiddle
fiolinist *n.* violinist
firbent *n.* quadruped
fire *adj.& n.* four
firesidig *adj.* quadruple
firewall *n.* firewall
firfisle *n.* lizard
firkant *a.* quadrangle
firkant *n.* canton
firkant *n.* quadrilateral
firkantet *n.* quadrangular
firling *n.* quadruplet
firmament *n.* firmament
fisk *n.* fish
fiskal *adj.* fiscal
fiskeaktig *adj.* fishy
fiskedam *n.* weir
fisker *n.* fisherman
fiskeri *n.* fishery
fissur *n.* fissure
fjell *n.* mountain
fjellendt *adj.* mountainous
fjellklatrer *n.* mountaineer
fjellklatring *n.* mountaineering
fjerde *adj.& n.* fourth
fjern *adj.* distant
fjerne *v.* remove
fjerne giften *v.* detoxify
fjerning *n.* removal
fjernsyn *n.* television
fjerntliggende *adj.* remote
fjollete *adj.* frivolous
fjord *n.* fjord
fjorten *adj.& n.* fourteen
fjorten dage *n.* fortnight
fjær *n.* plume
fjær *n.* feather
fjærball *n.* shuttlecock
fjærestein *n.* pebble
fjærfe *n.* poultry
fjærkledning *n.* plumage
fjøs n. byre
fkrampetrekninger *n.* convulse
flagg *n.* flag
flaggermus *n.* bat
flagrant *adj.* flagrant
flagre *v.* flap
flak *n.* flake
flamme *n.* blaze
flamme *n.* flame
flammende *adj.* fiery
flanell *n.* flannel
flanke *n.* flank
flask *n.* bottle
flaske *n.* flask
flass *n.* dandruff
flat *adj.* flat
flate *n.* expanse
flate *n.* surface
flatt *adj.* rundown

flegmatisk *adj.* phlegmatic
fleipete *adj.* flippant
flekk *n.* blob
flekk *n.* blot
flekk *n.* bruise
flekk *n.* mottle
flekk *n.* speckle
flekke *v.* blur
flekkete *n.* blotch
flekktyfus *n.* typhus
fleksitid *n.* flexitime
flerkulturell *adj.* multicultural
flersidig *adj.* rnultilateral
flersifret *adj.* multiple
flerspråklig *adj.* polyglot
flertalls- *adj.* plural
flerårig *adj.* perennial
flesk *n.* flesh
flesk *n.* flab
flette *n.* plait
flink *adj.* clever
flintestein *n.* flint
flitterstas *n.* tinsel
flittig adj. assiduous
flittig *adj.* industrious
flittig *adj.* sedulous
flittig *adj.* studious
flokk *n.* bevy
flokk *n.* herd
flokk *n.* flock
flokk *n.* troop
flom *n.* spate
flom *n.* flood
flomme over *v.* overflow
flora *n.* flora
flott *adj.* dashing
flott *adj.* posh
flott *adj.* swanky
flukt *n.* flight
flukt *n.* rout
fluktuere *v.* fluctuate
fluorescerende *adj.* fluorescent
fluorid *n.* fluoride
fly n. aeroplane
fly *v.i* fly
flykte *v.* abscond
flykte *v.* flee
flyktig *adj.* volatile
flyktig *adj.* cursory
flyktning *n.* refugee
flyktning *n.* fugitive
flymaskin n. aircraft
flyplass n. aerodrome
flyte *v.* float
flyteevne *n.* buoyancy
flytende adj. afloat
flytende *adj.* fluent
flytende *adj.* natant
flyter *adj.* buoyant
flytte *v.* flit
flytte *v.* migrate
flytte på *v.* dislodge
flyvertinne *n.* hostess
flørte *v.i* flirt
fløte *n.* cream
fløtekaramell *n.* toffee
fløyel *n.* velvet
fløyelsaktig *adj.* velvety
fløyt *n.* whistle
fløyte *n.* flute
flåte *n.* fleet
flåte *n.* navy
flåte *n.* raft
fnise *n.* snigger
fnise *v.t.* giggle
foajé *n.* foyer
fokal *adj.* focal
fokus *n.* focus
folde *v.t* fold
folde ut *v.* unfurl
folio *n.* folio
folk *n.* folk

folkeavstemning *n.* referendum
folkeavstemning *n.* plebiscite
folkemål *n.* vernacular
folkerik *adj.* populous
folket *n.* populace
folketelling *n.* census
fond *n.* fund
fonetisk *adj.* phonetic
font *n.* font
fontene *n.* fountain
foolish *adj.* foolish
for *adv.* too
for *prep.* for
fôr *n.* fodder
for alltid *adv.* forever
for at... ikke *conj.* lest
for øvrig *adv.* withal
forakt *n.* scorn
forakt *n.* contempt
forakt *n.* disdain
forakte *v.* despise
foraktelig *adj.* despicable
foraktelig *adj.* scornful
foraktelig *adj.* contemptuous
foran *adj.* fore
foranderlig *adj.* variable
forannevnt *adj.* foregoing
forarme *v.* impoverish
forbannelse *n.* jinx
forbannelse *n.* malediction
forbannelse *n.* curse
forbause v. astonish
forbauselse n. amazement
forbauselse n. astonishment
forbe *n.* foreleg
forbedre v. ameliorate
forbedre *v.* improve
forbedre *v.* meliorate
forbedring n. amelioration
forbedring *n.* improvement
forbeholde *v.* reserve
forbene *v.* ossify
forberede *v.* prepare
forberedelse *n.* preparation
forberedende *adj.* preliminary
forberedende *adj.* preparatory
forbi *adj.* past
forbigående *adj.* momentary
forbigående *adj.* transient
forbinde *v.* swathe
forbinde *v.* connect
forbinde *v.* join
forbinde innbyrdes *v.* interconnect
forbindelse *n.* commissure
forbindelse *n.* liaison
forbindelse *n.* connection
forbindelsesstykke *n.* junction
forbipasserende *adj.* passing
forbitre *v.* embitter
forblinde *v.* infatuate
forbløffe v. amaze
forbløffe v. astound
forbløffe *v.* stupefy
forbløffende *adj.* prodigious
forbløffet *adj.* flabbergasted
forbløffet *adj.* nonplussed
forblåst *adj.* windy
forbrenning *n.* combustion
forbruk *n.* consumption
forbruk *n.* expenditure
forbruker *n.* consumer
forbrytelse *n.* crime
forbryter *n.* criminal
forbud *n.* prohibition
forbund *n.* league
forbund *n.* federation

forby *v.* ban
forby *v.* disallow
forby *v.* prohibit
fordampe *v.* evaporate
fordampe *v.* vaporize
fordektig *adj.* underhand
fordel n. advantage
fordel *n.* benefit
fordel *n.* vantage
fordele v.t. apportion
fordeler *n.* distributor
forderve moralsk *v.* deprave
fordi *conj.* because
fordoble *v.* redouble
fordom *n.* prejudice
fordomme *v.* prejudge
fordreie *v.* contort
fordreie *v.* distort
fordringshaver *n.* claimant
fordufte v. decamp
fordum *adj.* erstwhile
fordum *adj.* quondam
fordypning *n.* dent
fordømme *v.* damn
fordømme *v.* condemn
fordømmelig *adj.* damnable
fordømmelse *n.* condemnation
fordømmelse *n.* damnation
fordøye *v.* digest
fordøyelse *n.* digestion
forebygge v. avert
forebyggelse *n.* prevention
forebyggende *adj.* preventive
forebygging *n.* bias
foregi *v.* pretend
foregi *v.* feign
foregivende *n.* pretence
forekomme *v.* occur
foreldet *adj.* obsolescent
foreldet *adj.* obsolete
foreldet *adj.* outmoded
foreldre *n.* parent
foreldre– *adj.* parental
foreldreløst barn *n.* orphan
foreldreverdighet *n.* parentage
foreleser *n.* lecturer
forelesning *n.* lecture
foreløpig *adj.* provisional
forene v. affiliate
forene *v.* unify
forene *v.* unite
forenet *adj.* conjunct
forening n. association
forenkle *v.* simplify
forenkling *n.* simplification
forenlig *adj.* compatible
foreskrive *v.* prescribe
foreslå v. advise
foreslå *v.* propose
foreslå *v.* suggest
forestille seg *v.* envisage
forestille seg *v.t.* imagine
forestående *adj.* impending
foretagende *n.* enterprise
foretagende *n.* venture
foretrekke *v.* prefer
forevige *v.* immortalize
forevige *v.t.* perpetuate
forfader n. ancestor
forfader *n.* forebear
forfalle *n.* disrepair
forfalske v. adulterate
forfalske *v.t* forge
forfalsket *adj.* counterfeit
forfalsking n. adulteration
forfatte smededikt *v.* lampoon
forfatter n. author
forfatter *n.* writer
forfengelig *adj.* vain
forfengelighet *n.* vanity

forferde *v.* horrify
forferdelig *adj.* abominable
forferdelig adj. almighty
forferdelig adj. awful
forferdelig *adj.* terrible
forferdelig *adj.* terrific
forferdelig *adj.* horrendous
forferdelse *n.* dismay
forferdende *adj.* horrific
forflytte *v.* transfer
forfremme *v.* promote
forfremmelse n. advancement
forfremmelse *n.* promotion
forfriske *v.* refresh
forfriskninger *n.* refreshment
forfølegelse *n.* persecution
forfølge *v.* chase
forfølge *v.* persecute
forfølge *v.* pursue
forfølgelse *n.* pursuit
forføre *v.* seduce
forførerisk *adj.* seductive
forføring *n.* seduction
forgangen *adj.* bygone
forgjengelig *adj.* transitory
forgjenger *n.* predecessor
forgjeves *adj.* abortive
forgjeves *adj.* futile
forgjeves *adv.* vainly
forglasse *v.* vitrify
forglemmelse *n.* oversight
forgrene seg *v.* ramify
forgrening *n.* ramification
forgude v.t. adore
forgylle *v.* gild
forgylt *adj.* gilt
forhandle *v.* negotiate
forhandler *n.* negotiator
forhandler *n.* stockist
forhandler *n.* dealer
forhandling *n.* negotiation
forhastet *adj.* premature
forhekse *v.* bewitch
forherdet synder *n.* reprobate
forhindre *v.* forbid
forhindre *v.* prevent
forhistorie n. antecedent
forhold *n.* relation
forhold *n.* ratio
forhørsdommer *n.* magistrate
forhåndskjennskap *n.* foreknowledge
forhåne *v.* revile
fôring *n.* lining
forkjemper *n.* votary
forkjæle *v.* pamper
forkjærlighet *n.* liking
forklare *v.* explain
forklare *v. t* elucidate
forklarelse *n.* transfiguration
forkle n. apron
forkle *v.* disguise
forkludre *n.* hay
forkludre *v.* bungle
forkludre *v.* mishandle
forkludre fullstendig *v.t.* snarl
forkorte *v.t* abridge
forkorte *v.t.* abbreviate
forkortelse *n.* abbreviation
forkulle *v.* char
forlange v. arrogate
forlat *adj.* bereft
forlate *v.t.* abandon
forlate *v.t.* leave
forlegen adj. abashed
forlegenhet *n.* predicament
forlegge *v.* misplace
forlegge noe *v.* mislay
forlegger *n.* publisher

forlenge *v.* elongate
forlenge *v.* prolong
forlenge *v.* prorogue
forlenge *v.* extend
forlengelse *n.* extension
forlengelse *n.* prolongation
forlovede *n.* fiance
forløp *n.* lapse
forløper *n.* forerunner
forløper *n.* precursor
form *n.* fettle
form *n.* form
form *n.* shape
formalitet *n.* formality
formalitet *n.* technicality
formann *n.* foreman
format *n.* format
formel *n.* formula
formell *adj.* formal
formere seg *v.* breed
formere seg raskt *v.* proliferate
formering *n.* proliferation
formidabel *adj.* stupendous
formidable *adj.* formidable
formidle *v.* convey
formilde *v.* placate
formilde *v.* propitiate
forminske *v.* diminish
formodning *n.* presumption
formue *n.* fortune
formuesskatt *n.* rating
formulere *v.* formulate
formynderskap *n.* tutelage
formørkelse *n.* eclipse
formålsløshet *n.* futility
fornavn *n.* forename
fornedre *v.* debase
fornedre *v.* degrade
fornekte *v.* abjure
fornekte *v.* disown
fornuftig *adj.* rational
fornuftig *adj.* reasonable
fornuftig *adj.* sensible
fornye *v.* renew
fornyelse *adj.* renewal
fornyer *n.* innovator
fornærme *v.* offend
fornærme *v.t.* insult
fornærme *v.* snub
fornærmelse *n.* offence
fornærmet *n.* dudgeon
fornøyelse n. amusement
forord *n.* foreword
forord n. preface
forordning *n.* ordinance
forpaktningsavgift *n.* rent
forpliktelse *n.* commitment
forpliktelse *n.* obligation
forpliktet *adj.* obligated
forpremiere *n.* preview
forrang *n.* precedence
forretninger *n.* commerce
forretningsmann *n.* entrepreneur
forretningsmann *n.* businessman
forrett n. appetizer
forrett *n.* starter
forrette *v.* officiate
forreven *adj.* rugged
forræder *n.* traitor
forræderi *n.* impeachment
forræderi *n.* treachery
forræderi *n.* treason
forrædersk *adj.* perfidious
forrædersk *adj.* treacherous
forråd *n.* hoard
forråde *v.* betray
forsake *v.t.* renounce
forsendelse *n.* shipment
forside *n.* obverse
forsikre v. assure
forsikre *v.* insure

forsikre *v.* underwrite
forsikret adj. assured
forsikring n. assurance
forsikring *n.* insurance
forsiktig *adj.* careful
forsiktig *adj.* cautious
forsiktig *adj.* chary
forsiktig *adj.* circumspect
forsiktig *adj.* prudent
forsiktig *adj.* sparing
forsiktig *adj.* wary
forsiktig *adv.* lightly
forsiktig *adj.* prudential
forsiktighet *n.* care
forsiktighet *n.* prudence
forsiktighet *n.* caution
forsinke *v.* procrastinate
forsinke *v. t* delay
forsinkelse *n.* retardation
forsinket *adj.* belated
forsinket *adj.* overdue
forskanse *v.* entrench
forskjell *n.* difference
forskjell *n.* distinction
forskjellig *adj.* different
forskjellig *adj.* diverse
forskjellige *adj.* sundry
forskjellige *adj.* various
forskjønne *v.* embellish
forskning *n.* research
forskrift *n.* precept
forskyve *v. t* displace
forslag n. advice
forslag *n.* proposal
forslag *n.* proposition
forslag *n.* suggestion
forslagsstiller *n.* mover
forslukenhet *n.* gluttony
forsnevring *n.* stricture
forsone *v.* conciliate
forsone *v.* reconcile
forsoning *n.* reconciliation
forspill *n.* foreplay
forst *v.* comprehend
forstad *n.* suburb
forstads- *adj.* suburban
forstedene *n.* suburbia
forsteine *v.* petrify
forsterke v. amplify
forsterke *v.* reinforce
forsterker n. amplifier
forsterker *n.* booster
forsterkning n. amplification
forsterkning *n.* reinforcement
forstokket *adj.* obdurate
forstokkethet *n.* obduracy
forstue *v.t.* sprain
forstyrre v. accost
forstyrre *v.* disturb
forstyrre *v.* disrupt
forstyrrelse *n.* intrusion
forstørre *v.* enlarge
forstørre *v.* magnify
forstå *v.t.* understand
forståelig *adj.* comprehensible
forståelig *adj.* intelligible
forståelse *n.* understanding
forsvar *n.* defence
forsvare *v.* defend
forsvarlig *adj.* justifiable
forsverge *v.* forswear
forsvinne *v.* vanish
forsvinne *v.* disappear
forsynet *n.* providence
forsynlig *adj.* provident
forsøke v. attempt
forsøke selge *v.* tout
forsømme *v.* neglect
forsømmelig *adj.* remiss
fort *n.* fort
fortapelse *n.* perdition
fortapt *adj.* forlorn

fortau *n.* pavement
fortauskant *n.* kerb
fortelle *v.* narrate
fortelle *v.* recount
fortelle *v.* tell
forteller *n.* narrator
fortersket *adj.* hackneyed
fortjene *v. t.* deserve
fortjenstfull *adj.* worthy
fortjenstfullhet *n.* merit
fortløpende *adv.* consecutively
fortolke *v.* construe
fortrenge *v.* oust
fortrenge *v.* supplant
fortrinn *n.* priority
fortrolig *adj.* confidential
fortrolig venn *n.* confidant
fortrylle *v.* enrapture
fortryllelse *n.* witchery
fortryllelse *n.* glamour
fortsette *v.* proceed
fortsette *v.* continue
fortsettelse *n.* sequel
fortsettelse *n.* continuation
fortvilelse *n.* despair
fortvilet *adj.* desperate
fortynne *v.* dilute
fortøyningsplass *n.* moorings
forulempe *v.* molest
forulempelse *n.* molestation
forum *n.* forum
forundret *adj.* bemused
forurense *v.* pollute
forurensing *n.* pollution
forurolige *v.* perturb
forutbestemme *v.* predetermine
forutgående *adj.* previous
forutse v. anticipate
forutse *v.* foresee
forutsetning *n.* prerequisite
forutsetning *n.* presupposition
forutsi *v.* foretell
forutsi *v.* predict
forutsi *v.* prognosticate
forutsi *v.t* forecast
forutsigelse *n.* prediction
forutviten *n.* precognition
forutviten *n.* prescience
forvalte *v.* manage
forvandle v. transfigure
forvanske *v.* garble
forvarsel *n.* premonition
forventning n. anticipation
forventningsfull *adj.* expectant
forverre v. aggravate
forverring n. aggravation
forviklinger *n.* complication
forvirre *v.* baffle
forvirre *v.* discomfit
forvirre *v.* perplex
forvirre *v.t* bewilder
forvirre *v.t.* puzzle
forvirre *v.* confuse
forvirring *n.* flurry
forvirring *n.* haze
forvirring *n.* imbroglio
forvirring *n.* perplexity
forvirring *n.* turmoil
forvirring *n.* confusion
forvise *v.* banish
forvisning *n.* banishment
forynge *v.* rejuvenate
foryngelse *n.* rejuvenation
fosfat *n.* phosphate
fosfor *n.* phosphorus
foss *n.* waterfall
fossil *n.* fossil
fostre opp *v.* foster
fot *n.* foot

fotball *n.* football
fotball *n.* soccer
fotbrett *n.* treadle
fotfeste *n.* footing
fotgjengerundergang *n.* subway
foto *n.* photo
fotograf *n.* photographer
fotografering *n.* photography
fotografi *n.* photograph
fotografisk *adj.* photographic
fotokopi *n.* photocopy
fotokopi *n.* Xerox
fotostat *n.* photostat
fotostativ *n.* tripod
fotpleier *n.* pedicure
fotstykke *n.* pedestal
fottur *n.* hike
fra *prep.* from
fradrag *n.* deduction
frafalle *v.* waive
fraflytte *v.* vacate
fragment *n.* splint
frakk *n.* overcoat
frakople *v.* disconnect
fraksjon *n.* faction
fraktgods *n.* freight
frammøte n. attendance
fransk *adj.* French
fraråde *v.* dissuade
frase *n.* phrase
fraseologi *n.* phraseology
fraskilt kvinne *n.* divorcee
frastøtende *adj.* repulsive
frastøtende *adj.* repellent
frata for noen *v.* deprive
fravriste *v.* wring
fravær *n.* absence
fraværende *adj.* absent
fraværende *n.* absentee
fred *n.* peace
fredag *n.* Friday
fredelig *adj.* peaceful
fredelig *adj.* serene
fredløs *n.* outlaw
fredsommelig *adj.* peaceable
fregne *n.* freckle
frekk *adj.* blatant
frekk *adj.* cheeky
frekk tøs *n.* minx
frekkas *n.* wretch
frekkhet *n.* insolence
frelse *n.* salvation
frelser *n.* saviour
frem *adv.* forth
frembringe *v.* procreate
fremdrift n. advance
fremfall *n.* prolapse
fremgang *n.* progress
fremgang *n.* prosperity
fremgangsmåte *n.* procedure
fremkommelig *adj.* passable
fremleie *v.t.* sublet
fremmadgående *adv. &adj.* forward
fremmed adj. alien
fremmed *adj.* estranged
fremmed *adj.* strange
fremmed *n.* outsider
fremmed *n.* stranger
fremmedhat *n.* xenophobia
fremover adv. ahead
fremover *adv.* onward
fremragende *adj.* outstanding
fremskynde v. antedate
fremskynde *v.* precipitate
fremspring *n.* prominence
fremst *adj.* foremost
fremstilling *n.* making

fremsyn *n.* foresight
fremtid *n.* future
fremtidig *adj.* prospective
fremtredende *adj.* salient
frese *v.* splutter
frese *v.* sizzle
frevet opp *v.* rip
fri *adj.* free
fri for *adj.* devoid
fribonde *n.* yeoman
frier *n.* suitor
frieri *n.* courtship
frifinne *v.* absolve
frifinne v. acquit
frifinnelse *n.* absolution
frifinnelse n. acquittal
frightened *adj.* timorous
frigivelse *n.* liberation
frigjøre *v.* disengage
frigjøre *v.* extricate
frihet *n.* liberty
frihet *n.* freedom
frihetsberøvelse *n.* detention
frikjenne *v.* exonerate
friksjon *n.* friction
frisk *adj.* fresh
frisk adj. fit
frist *n.* deadline
friste *v.* tempt
fristelse *n.* temptation
frister *n.* tempter
frisyre *n.* hairstyle
fritatt adj. exempt
fritid *n.* leisure
frivillig *adj.* voluntary
frivillig *adv.* voluntarily
frivillig *n.* volunteer
frodig *adj.* lush
frodig *adj.* luxuriant
frofremmelse *n.* preferment
frokost *n.* breakfast
from *adj.* devout
from *adj.* pious
fromasj *n.* mousse
fromhet *n.* piety
front *n.* front
frosk *n.* frog
frost *adj.* frosty
frotté *n.* towelling
frottéstoff *n.* terry
frue *n.* madam
frukt *n.* fruit
fruktbar *adj.* fruitful
fruktbar *adj.* fertile
fruktbarhet *n.* fertility
frukthage *n.* orchard
fruktshake *n.* smoothie
frustrere *v.* frustrate
frydefull *adj.* blithe
frykt *n.* fear
frykte *v.t* dread
fryktelig adj. atrocious
fryktelig *adj.* dreadful
fryktelig *adj.* ghastly
fryktelig *adj.* gruesome
fryktelig *adj.* vile
fryktelig *adj.* horrible
fryktinngytende *adj.* redoubtable
fryktløs *adj.* fearless
fryktløs *adj.* dauntless
fryktløs *adj.* intrepid
fryktsom *adj.* fearful
frynse *n.* fringe
fryse *v.* freeze
fryse ned *v.* refrigerate
fryser *n.* freezer
fryste *v.* tantalize
frø *n.* seed
ftak i *v.* nab
ftenner *v.* teethe
fugelhus n. aviary
fugl *n.* bird

fugl *n.* buzzard
fugleinfluensa *n.* bird flu
fugleskremsel *n.* scarecrow
fugleunge *n.* nestling
fukte *v.* dampen
fukte *v.* moisten
fuktig *adj.* damp
fuktig *adj.* fusty
fuktig *adj.* moist
fuktig *adj.* humid
fuktighet *n.* dampness
fuktighet *n.* humidity
fuktighet *n.* moisture
fuktigvarm *adj.* muggy
full *adj.* full
full av ben *adj.* bony
full av frø *adj.* seedy
full og tåpelig *adj.* maudlin
fullastet *adj.* laden
fullbyrde *v.* consummate
fullføre *v.* wreak
fullførelse *n.* completion
fullmektig *n.* proxy
fullstendig *adj.* utter
fullstendig *adj.* complete
fundamental *adj.* fundamental
fungere som forbindelsesoffiser *v.* liaise
funkle *v.* glitter
funksjon *n.* function
funksjonell *adj.* functional
funky *adj.* funky
furte *v.* sulk
fusjon *n.* merger
futuristisk adj. futuristic
fylke *n.* county
fyll *n.* padding
fyll *n.* stuffing
fylle *v.* fill
fylle i sekk *v.* sack
fylle opp igjen *v.* refill
fylling *n.* filling
fyndig *adj.* terse
fyr *n.* beacon
fyr *n.* bloke
fyr *n.* lad
fyrbøter *n.* stoker
fyrstelig *adj.* princely
fyrstikk *n.* match
fysikk *n.* physics
fysiognomi *n.* physiognomy
fysioterapi *n.* physiotherapy
fysisk *adj.* physical
fæl *adj.* horrid
føderal *adj.* federal
føderasjon *n.* confederation
fødsel *n.* birth
fødsels- *adj.* natal
fødselskontroll *n.* contraception
født *adj.* born
føle *v.* feel
følelse *n.* emotion
følelse *n.* feeling
følelse *n.* sensation
følelse *n.* sentiment
følelsesladet *adj.* emotive
følelsesløs *adj.* insensible
følelsesløs *adj.* numb
følelsesmessig *adj.* emotional
føletråd *n.* tentacle
følge *n.* entourage
følge *n.* retinue
følge *v.* ensue
følge etter *v.* follow
følge sporet etter *v.t.* trace
følgelig adv. accordingly
følgende *adj.* sequential
følgende *adj.* consequent
følgesvenn *n.* henchman
føljetong *adj.* serial

følsom *adj.* sensitive
følsomhet *n.* sensibility
Føniks *n.* phoenix
før *adv.* before
før i tiden *n.* yore
føre fremover *v.* posit
føre tilsyn med *v.* oversee
føre tilsyn med *v.* superintend
førekteskapelig *adj.* premarital
først *adj. & n.* first
først og fremst *adv.* chiefly
førstehjelp *n.* first aid
førti *adj.& n.* forty
føydalsystem *n.* feudalism
føye v. append
føye *v.* indulge
føye inn *v.* insert
føye på *v.* behold
føyelig *adj.* complaisant
føyelig *adv.* tamely
føyelig *adj.* docile
få v. achieve
få *v.* get
få *v.* obtain
få *adj.* few
fåmælt *adj.* taciturn
fårekjøtt *n.* mutton
fårete *adj.* sheepish
fåtallighet *n.* paucity
fåtilbakefall *v.* relapse

gaffel *n.* fork
gagnlig *adj.* salutary
gal *adj.* mad
gal adj. nutty
gal *adj.* crazy
gal *adj.* wrong
gal benevnelse *n.* misnomer
galakse *n.* galaxy
galge *n.* gallows
galla *n.* gala
galle *n.* bile
galle *n.* gall
galleri *n.* gallery
gallon *n.* gallon
galneheie *n.* tomboy
galning *n.* lunatic
galopp *n.* canter
galopp *n.* gallop
galskap *n.* aberration
galskap *n.* insanity
galskap *n.* lunacy
galt adj. amiss
galvanisere *v.i.* galvanize
gambit *n.* gambit
gambler *n.* gambler
gammel adj. aged
gammel *adj.* old
gammel gjenstand n. antique
gane *n.* palate
gangart *n.* gait
ganger *n.* steed
gangfelt *n.* zebra crossing
gangster *n.* gangster
ganske *adv.* quite
garantere *v.* undertake
garantere *v.t* guarantee
garantere for *v.* vouch
garanti *n.* surety
garanti *n.* warranty
garantist *n.* guarantor
garantist *n.* warrantor
garasje *n.* garage
gardering *n.* precaution
garderobeskap *n.* wardrobe
gardin *n.* curtain
gardinbrett *n.* pelmet
garn *n.* yarn

garnbinding *n.* netting
garnere *v.* garnish
garnhespel *n.* skein
gartner *n.* gardener
garvebark n. tan
garver *n.* tanner
garveri *n.* tannery
gasbind *n.* gauze
gasje *n.* salary
gass *n.* gas
gasspedal n. accelerator
gastronomi *n.* gastronomy
gate n. avenue
gate *n.* street
gatefeier *n.* sweeper
gatekjøkken *n.* takeaway
gateselger *n.* hawker
gatestump med staller *n.* mews
gav *v.* retire
gav sporet *v. t.* derail
gave *n.* gift
gavmild *adj.* bountiful
gay *adj.* gay
geistlig *adj.* clerical
geistlig *n.* cleric
geistlighet *n.* clergy
geit *n.* goat
gel *n.* gel
gelé *n.* jelly
geleide v. accompany
gemal *n.* consort
generalisere *v.* generalize
generasjon *n.* generation
generator *n.* generator
generell *adj.* general
generere *v.* beget
generøs *adj.* generous
genesis *n.* genesis
genetisk *adj.* genetic
geni *n.* genius
genial *adj.* genial
genitiv *adj.* possessive
genkeltvis *v.* straggle
genser *n.* sweater
gentleman *n.* gentleman
geograf *n.* geographer
geografi *n.* geography
geografisk *adj.* geographical
geolog *n.* geologist
geologi *n.* geology
geometri *n.* geometry
geometrisk *adj.* geometric
gepard *n.* cheetah
gerilja *n.* guerrilla
gerundium *n.* gerund
gesandt *n.* envoy
geskjeftig *adj.* fussy
geskjeftig *adj.* officious
gevir n. antler
gevær *n.* rifle
geysir *n.* geyser
gforan *v.* precede
gfra borde *v.* disembark
gfremover v. advance
gi *v.* give
gi *v.* grant
gi avkall p *v.* forgo
gi clinch *v.* clinch
gi en støkk *v.* startle
gi et falskt bilde av noen *v.* misrepresent
gi etter *v.* relent
gi forråtnelse *v. i* decay
gi fra seg *v.* exhale
gi gjenlyd *v.* reverberate
gi lover *v.* legislate
gi lyd kraftig *v.* blare
gi melk *v.* lactate
gi noen en liten dytt *v.* nudge
gi oppløsning *v.* disintegrate
gi seg *v.* yield
gi seg i kast v. attempt

gi seg ut for *v.* purport
gi stemmerett *v.* enfranchise
gi stykker *v.* smash
gift *n.* poison
gifte seg *v.* marry
gifte seg *v.* wed
gifteferdig *a.* nubile
gifteferdig *adj.* marriageable
giftig *adj.* poisonous
giftig *adj.* toxic
giftig *adj.* venomous
gigabyte *n.* gigabyte
gigantisk *adj.* titanic
gigjen i *v.* haunt
giljotin *n.* guillotine
gimmick *n.* gimmick
ginn *v.* accede
ginn *v.* enter
gire *v.* yaw
giro *n.* giro
gispe *v.i* gasp
gissel *n.* hostage
gitar *n.* guitar
gitter *n.* grating
gitterverk *n.* lattice
gjedde *n.* pike
gjeld *n.* debt
gjelde *v.* geld
gjeldokse *n.* bullock
gjeldssikkerhet *n.* collateral
gjemme *n.* repository
gjemme *v.t* hide
gjemme bort *v.* stow
gjemme unna *v.* stash
gjendrive *v.* confute
gjendrivelse *n.* refutation
gjenerobre *v.* recapture
gjenforene *v.* reunite
gjenforening *n.* reunion
gjenfødelse *n.* rebirth
gjeng *n.* gang
gjengjeld *n.* retaliation
gjengjelde *v.* reciprocate
gjengjelde *v.t.* requite
gjengjeldelse *n.* reprisal
gjengjeldelse *n.* retribution
gjeninnsette *v.* reinstate
gjeninnsettelse *n.* reinstatement
gjenkallelig *adj.* revocable
gjenkjenne *v.i.* recognize
gjenkjennelse *n.* recognition
gjenlyde *v.* resound
gjennemskinnelig *adj.* translucent
gjennom *prep. &adv.* through
gjennom hele *prep.* throughout
gjennombløte *v.* drench
gjennombore *v.* pierce
gjennomfartsvei *n.* thoroughfare
gjennomførbar *adj.* workable
gjennomføring n. achievement
gjennomførlig *adj.* practicable
gjennomførlighet *n.* practicability
gjennomgå *v.* undergo
gjennomhulle *v.* perforate
gjennomsiktig *adj.* sheer
gjennomsiktig *adj.* transparent
gjennomsiktighet *n.* transparency
gjennomsnitt n. average
gjennomsyre *v.* pervade
gjennomsøkning *n.* perquisite
gjennomvåt *adj.* sodden

gjenoppblussende *adj.* resurgent
gjenoppblussing *a.* resurgence
gjenoppbygge *v.* reconstruct
gjenopplive *v.* revive
gjenopplivelse *n.* revival
gjenoppta *v.* resume
gjenopptagelse *n.* retrial
gjenopptagelse *n.* resumption
gjensidig *adj.* mutual
gjensidig *adj.* reciprocal
gjenstand *n.* object
gjenstridig *adj.* obstinate
gjenstridighet *n* obstinacy
gjenta *v.* iterate
gjenta *v.* reiterate
gjenta *v.* repeat
gjentagelse *n.* recurrence
gjentagelse *n.* repetition
gjenvinne *v.* reclaim
gjenvinning *n.* reclamation
gjerde *n.* fence
gjerne *adv.* readily
gjerning n. action
gjerning *n.* deed
gjerning *n.* misdeed
gjerrig *adj.* miserly
gjerrig *adj.* stingy
gjerrig person *n.* niggard
gjerrighet n. avarice
gjerrighet *n.* parsimony
gjerrigknark *n.* scrooge
gjespe *v.* yawn
gjest *n.* guest
gjestfri *adj.* hospitable
gjestfrihet *n.* hospitality
gjete *v.* tend
gjette *n. &v.* conjecture
gjette *v.i* guess
gjette *v.t.* surmise
gjær *n.* yeast
gjære *v.* ferment
gjæring *n.* fermentation
gjødsel *n.* manure
gjødsel *n.* muck
gjødsel *n.* fertilizer
gjøre *v.* do
gjøre arveløs *v.* disinherit
gjøre bedrøvet *v.* sadden
gjøre bitter *v.* rankle
gjøre bløt *v.* soften
gjøre bredere *v.* widen
gjøre en åpning i *v.* breach
gjøre flat *v.t.* flatten
gjøre flau *v.* embarrass
gjøre flekkete *v.* dapple
gjøre fortumlet *v.* daze
gjøre fruktbar *v.* fertilize
gjøre gjennomvåt *v.* souse
gjøre hard *v.* harden
gjøre holdt *v.* halt
gjøre høyere *v.* heighten
gjøre immun *v.* immunize
gjøre innsigelser mot *v.* demur
gjøre kortere *v.* shorten
gjøre kvalm *v.* nauseate
gjøre lettere *v.* facilitate
gjøre man til bli offer *n.* victimize
gjøre motløs *v.* discourage
gjøre motløs *v.* dishearten
gjøre mørkere *v.* darken
gjøre narr av *v.* mock
gjøre naturlig *v.* naturalize
gjøre nervøs *v.* fluster
gjøre noen om en serie *v.* serialize
gjøre opprør *v.* rebel
gjøre opprør *v.* revolt
gjøre rasende *v.* enrage
gjøre rasende *v.* infuriate

gjøre regelmessig *v.* regularize
gjøre satire om noen *v.* satirize
gjøre seg avholdt *v.* endear
gjøre seg den umake *v.* deign
gjøre seig *v.* toughen
gjøre sensasjonell *v.* sensationalize
gjøre sidesprang *v.* digress
gjøre skjev *v.* skew
gjøre skrå *v.* splay
gjøre stiv *v.* stiffen
gjøre tegn *v.* beckon
gjøre til slave *v.* enslave
gjøre trykkeklart *v.* subedit
gjøre tykkere *v.* thicken
gjøre ubrukbar *v.* disable
gjøre ugyldig *v.* negate
gjøre ugyldig *v.* nullify
gjøre ugyldig *v.* invalidate
gjøre uleselig *v.* deface
gjøre urolig *v.* unsettle
gjøre verre *v.* worsen
gjørmete *adj.* turbid
glad *adj.* cheerful
glad *adj.* glad
glad *adj.* joyous
glad *adj.* happy
glad *adj.* joyful
glans *n.* splendour
glans *n.* gloss
glansløs *adj.* lacklustre
glanstid *n.* heyday
glasial *adj.* glacial
glass *n.* glass
glassaktig *adj.* vitreous
glassmester *n.* glazier
glatt *adj.* slick
glatt *adj.* slippery
glatt *adj.* viscid
glatt *adj.* smooth
glede *n.* glee
glede *n.* joy
glede *v.* gladden
glede *v. t.* delight
glede seg *v.* rejoice
gledelig adj. auspicious
glefse *v.* snap
glemme *v.* forget
glemsel *n.* oblivion
glemsom *adj.* forgetful
glente *n.* kite
gli *v.* slide
glidelås *n.* zip
glider *n.* glider
glimmer *n.* mica
glimte *v.* glimmer
glinse *v.* glisten
glippe *v.* blurt
glitre *v.* sparkle
glitrende *n.* sparkling
global *adj.* global
globalisering *n.* globalization
globetrotter *n.* globetrotter
globus *n.* globe
glorete *adj.* meretricious
glorete *adj.* showy
glorete *adj.* tawdry
glorete *adj.* gaudy
glorifisere *v.* glorify
glorifisering *n.* glorification
glossar *n.* glossary
glukose *n.* glucose
glupsk *adj.* ferocious
glyserin *n.* glycerine
gløde *v.* glow
glødende kull *n.* tenterhook
gløtt *n.* glimpse
gmed *v.* tote
gnage *v.* gnaw
gnage *v.t.* fret

gnager *n.* rodent
gned *v.* descend
gni *v.* rub
gni utover *v.* smudge
gnier *n.* miser
gnist *n.* spark
gobelin *n.* tapestry
god *adj.* good
godbit *n.* titbit
godhet *n.* goodness
godkjenne v. approve
godkjenne *v.* sanction
godkjenning n. approval
godmodig erting *n.* raillery
gods *n.* estate
godsnakke med *v.* cajole
godt *adv.* well
godte seg over *v.* gloat
godter *n.* candy
godtroende *adj.* gullible
godvilje *n.* goodwill
gold *adj.* bleak
golf *n.* golf
gombord *v. t* embark
gomkring *v.t.* perambulate
gondol *n.* gondola
gongong *n.* gong
gorilla *n.* gorilla
gospel *n.* gospel
gourmet *n.* epicure
gourmet *n.* gourmet
grad *n.* degree
gradient *n.* gradient
gradvis *adj.* gradual
graffiti *n.* graffiti
grafisk *adj.* graphic
grafitt *n.* graphite
gram *n.* gram
grammatikk *n.* grammar
grammofon *n.* gramophone
grammofonstift *n.* stylus
gran *n.* fir
granat *a.* grenade
granat *n.* garnet
granateple *n.* pomegranate
grandios *adj.* grandiose
granitt *n.* granite
grann *n.* ounce
grann *n.* whit
granske *v.* scrutinize
gransking *n.* scrutiny
grasiøs *adj.* graceful
grassere *adj.* rampant
grassere *adj.* rife
gratis *adv. &adj.* gratis
gratulasjon *n.* congratulation
gratulasjoner *n.* felicitation
gratulere *v.* congratulate
gratulere *v.* felicitate
gratulere med *v. i* compliment
grav *n.* sepulchre
grav *n.* sepulchre
grav *n.* tomb
grav *n.* grave
grav- *adj.* sepulchral
grave *v.* delve
grave *v.* dig
grave opp *v.* unearth
grave ut *v.* excavate
graver *n.* sexton
gravere *v.* engrave
gravere inn *v.* inscribe
gravid *adj.* pregnant
graviditet *n.* conception
gravitas *n.* gravitas
gravitasjon *n.* gravitation
gravitere *v.* gravitate
gravlund *n.* cemetery
gravskrift *n.* epitaph
greie *v.* contrive
greie ut *v.* disentangle
grell *adj.* garish
gren *n.* branch

gren *n.* bough
grense *n.* frontier
grense *n.* boundary
grense *n.* limit
grense *v.* abut
grense v. adjoin
grenseløs *adj.* boundless
gress *n.* grass
gresse *v.* feed
gresshoppe *n.* grasshopper
gresshoppe *n.* squib
gresshoppe *n.* locust
gresskar *n.* gourd
gresskar *n.* pumpkin
gresstorv *n.* sod
gresstorv *n.* turf
gretten *adj.* grumpy
gretten *adj.* morose
gretten *adj.* querulous
grevskap *n.* shire
gribb n. vulture
grill *n.* barbecue
grille *v.* grill
grind *n.* wicket
grinder *n.* sander
grine *v.* blub
grinete *adj.* petulant
grinethet *n.* petulance
gripe *v.* grab
gripe *v.* seize
gripe *v.* catch
gripe *v.* grasp
gripe *v.* grip
gripe inn *v.* intervene
gripe inn i hverandre *v.* interact
gripe inn i hverandre *v.* interlock
gripe plutselig *v.* swoop
gripe tak i *v. t.* clutch
gris *n.* grease
gris *n.* pig
grisehus *n.* piggery
griseri *n.* filth
grisk *adj.* rapacious
griskhet *n.* cupidity
groggy *adj.* groggy
grossist *n.* merchant
grossist *n.* wholesaler
grotesk *adj.* grotesque
grotte *n.* grotto
grov *adj.* raucous
grov *adj.* coarse
grundig *adj.* exhaustive
grundig *adj.* thorough
grundig utspørring *n.* inquisition
grundighet n. alacrity
grundling *n.* gudgeon
grunn *adj.* primary
grunn *adj.* shallow
grunn *n.* basis
grunn *n.* reason
grunning *n.* primer
grunnleggende *n.* basic
grunnlegger *n.* founder
grunnlov *n.* constitution
grunnløs *adj.* baseless
grunnløs *adj.* groundless
grunnsetning *n.* tenet
grunnstoff *n.* element
gruppe *n.* group
gruppe *n.* grouping
grus *n.* gravel
grusom *adj.* ruthless
grusom *adj.* cruel
grusomhet n. atrocity
grusomhet *n.* cruelty
gruve *n.* mine
gruvearbeider *n.* miner
grynte *v.i.* grunt
gryte *n.* cauldron
gryte *n.* pan
gryterett *n.* casserole

grøft *n.* ditch
grønn *adj.* verdant
grønn *adj. & n.* green
grønnmynte *n.* spearmint
grønnsak *n.* vegetable
grønnsakhandler *n.* greengrocer
grønt *n.* greenery
grøsse *v.* shudder
grøtet masse *n.* mush
grå stær *n.* cataract
grådig adj. avid
grådig *adj.* greedy
grådig *adj.* ravenous
grådig *adj.* voracious
grådighet *n.* greed
gråsteinsmurer *n.* mason
gråte *v.* bewail
gråte *v.* weep
gråte *v.* cry
grått *n.* grey
gtungt *v.* trudge
guava *n.* guava
gud *n.* divinity
Gud *n.* god
gudbarn *n.* godchild
guddom *n.* deity
guddommeliggjøre *v.* deify
gudelig *adj.* godly
gudfar *n.* godfather
gudinne *n.* goddess
gudløs *adj.* unholy
gudmor *n.* godmother
guide *n.* guide
gul *adj.* yellow
gulbrun *adj.* fallow
gulf *n.* bay
gull *n.* gold
gullalder *n.* bonanza
gullklump *n.* nugget
gullmerke *n.* hallmark
gullsmed *n.* goldsmith
gulrot *n.* carrot
gulsott *n.* jaundice
gulv *n.* floor
gulvteppe *n.* carpet
gummi *n.* gum
gummi *n.* rubber
gunstig adj. advantageous
gunstig *adj.* beneficial
gunstig *n.* benefice
gunstig *adj.* favourable
gurdwara *n.* gurdwara
gurgle *v.* gargle
gurkemeie *n.* turmeric
gusten *adj.* sallow
gutt *n.* urchin
gutt *n.* boy
guvernante *n.* governess
guvernør *n.* governor
gyldig *adj.* valid
gyldighet *n.* validity
gyllen *adj.* golden
gymnast *n.* gymnast
gymnastisk *n.* gymnastic
gymsko *n.* sneaker
gynekologi *n.* gynaecology
gynnelsen *n.* outset
gyte *v.* spawn
gå *v.* walk
gå *v.t* go
gå(tid) *v.* elapse
gård *n.* yard
gård *n.* farm
gårdsplass *n.* courtyard
gås *n.* goose
gåte *n.* conundrum
gåte *n.* enigma
gåte *n.* riddle

ha *v.* have
ha avføring *v.* defecate
ha det *excl.* goodbye
ha eggløsning *v.* ovulate
ha en slapp holdning *v.* slouch
ha en svakhet for *n.* penchant
ha lyst til v. aspire
ha oppsyn med *v.* supervise
ha pseg *v.* wear
ha råd v.t. afford
ha utsikt over *v.* overlook
habitat *n.* habitat
hage *n.* garden
hagebruk *n.* horticulture
hagl *n.* hail
hagtorn *n.* hawthorn
hai *n.* shark
hajj *n.* hajj
hake *n.* chin
hakk *n.* notch
hakke *v.* hack
hakke *v.* pick
hakke *v.i.* peck
halal *adj.* halal
halm *n.* straw
halogen *n.* halogen
hals *n.* throat
hals *n.* neck
hals- *adj.* cervical
halsbånd *n.* necklace
halshogge v. decapitate
halshugge *v.* behead
halssmykke *n.* necklet
halsstarrig *adj.* mulish
halstørkle *n.* cravat
halt *adj.* lame
halte *v.* hobble
halte *v.* limp
halvere *v.* halve
halvkald *adj.* tepid
halvkule *n.* hemisphere
halvmørke *n.* gloom
halvmåne *n.* crescent
halvnote *n.* minim
halvsirkel *n.* semicircle
halvstatlig organisasjon *n.* quango
halvveis *adv.* midway
halvøy *n.* peninsula
halvårlig *adj.* biannual
ham *pron.* him
hamburger *n.* burger
hamburger *n.* hamburger
hammer *n.* hammer
hamre løs på *v.* pummel
hamster *n.* hamster
han *pron.* he
handbok *n.* guidebook
handel *n.* boutique
handel *n.* deal
handel *n.* trade
handelssentrum *n.* mart
handelsvarer *n.* merchandise
handikap *n.* handicapped
handikap *n.* handicap
handle med *v. i* deal
handlende *n.* shopkeeper
handlende *n.* trader
handling adj. acting
handling *n.* plot
hane *n.* rooster
hane *n.* cock
hang *n.* proclivity
hangar *n.* hangar
hanrei *n.* cuckold
hans *adj.* his
hanske *n.* glove
harang *n.* screed

hard og fortykket *adj.* callous
hardhet n. asperity
hardnakket *adj.* tenacious
hardnakkethet *n.* persistence
hardnakkethet *n.* tenacity
hardplast *adj.* thermosetting
hardt *adj.* hard
hare *n.* hare
harem *n.* harem
hareskår *n.* harelip
hark *n.* hawk
harlekin *n.* harlequin
harmløs *adj.* harmless
harmoni *n.* harmony
harmonisere *v.* harmonize
harmonisk *adj.* harmonious
harmonium *n.* harmonium
harpe *n.* harp
harrow *n.* harrow
harsk *adj.* rancid
hasesene *n.* hamstring
hast *n.* haste
hastighet *n.* velocity
hat *n.* abhorrence
hat *n.* odium
hate *v.* abhor
hate *v.* abominate
hate *v.t.* hate
hatt *n.* hat
haug *n.* batch
haug *n.* hummock
haug *n.* mound
haussebevegelse *adj.* bullish
hav *n.* sea
havbukt *n.* gulf
havfrue *n.* mermaid
havn *n.* harbour
havn *n.* port
havn *n.* haven
havnehage *n.* paddock
havre *n.* oat
havregrøt *n.* porridge
havremel *n.* oatmeal
havskilpadde *n.* turtle
heder *n.* kudos
heder *n.* glory
hederlighet *n.* integrity
hederskront *adj.* illustrious
hedning *n.* heathen
hedning *n.* pagan
hedonisme *n.* hedonism
hefte *v.* staple
hefte *v. t* detain
hefte *n.* booklet
heftig *adj.* impetuous
heftig *adj.* vehement
hegemoni *n.* hegemony
heis *n.* elevator
heise *v.* hoist
hekk *n.* hedge
hekle *v.* heckle
hekletøy *n.* crochet
heks *n.* hag
heks *n.* witch
hekseri *n.* witchcraft
hektar *n.* hectare
hektisk *adj.* hectic
hel *adj.* entire
hel *adj.* whole
helbrede *v.* heal
helbrede *v. t.* cure
helbredelig *adj.* curable
helbredende *adj.* curative
heldig *adj.* lucky
heldig *adj.* providential
heldig *adj.* fortunate
helgen *n.* saint
helgenaktig *adj.* saintly
helgenskrin *n.* shrine
helhet *n.* entirety
helhet *n.* totality

helikopter *n.* helicopter
heliport *n.* heliport
helle *v.* lean
hellekiste *n.* cist
heller *adj.* neither
heller *adv.* either
heller ikke *conj.&adv.* nor
hellig *adj.* holy
hellig sted *n.* sanctum
helligbrøde *n.* sacrilege
helligdag *n.* holiday
helligdom *n.* sanctuary
hellige *v.* hallow
helliggjøre *v.* sanctify
helliggjørelse *n.* sanctification
hellighet *n.* sanctity
helling *n.* cant
helse *n.* sanity
helsestudio *n.* gymnasium
helt adv. altogether
helt *adv.* wholly
helt *n.* hero
heltinne *n.* heroine
helvete *n.* hell
hemme *v.* inhibit
hemme *v.* stunt
hemmelig *adj.* covert
hemmelig *adj.* secret
hemmelighetsfull *adj.* secretive
hemning *n.* inhibition
hemoglobin *n.* haemoglobin
hemsko *n.* disincentive
hende *v.* transpire
hendelse *n.* incident
hendelse *n.* happening
hendelse *n.* occurrence
hendig *adj.* handy
henført *adj.* rapt
henge *v.i.* hang
henge fast *v.* cling
henge med hodet *v.* mope
henge ned *v.* droop
henge ned *v.* sag
henge opp *v.* suspend
henge sammen *v.* cohere
hengekøye *n.* hammock
hengelås *n.* padlock
hengende *adj.* pendent
henger *n.* hanger
hengiven adj. affectionate
hengivenhet n. affection
hengivenhet *n.* devotion
hengsel *n.* hinge
henna *n.* henna
henne *pron.* her
hennes *pron.* hers
henrette ved elektrisitet *v.* electrocute
henrykkelse *n.* rapture
henrykt *adj.* overjoyed
hensikt *n.* intention
hensikt *n.* purpose
hensikt n. aim
hensiktmessig adj. advisable
hensiktsmessig adj. appropriate
henstand *n.* respite
henstille *v.* urge
hensynsfull *adj.* considerate
hensynsløs *adj.* inconsiderate
hente *v.* fetch
hentyde v.t. allude
henvisning n. allusion
henvisning *n.* reference
hepatitt *n.* hepatitis
her *adv.* here
her omkring *adv.* hereabouts
herberge *n.* hospice

herdet *adj.* hardy
heretter *adv.* henceforth
herje *v.* devastate
herje *v.t.* ravage
herkomst *n.* lineage
herlig *adj.* delightful
hermed *adv.* hereby
hermetisk *adj.* hermetic
heroisk *adj.* heroic
herold *n.* herald
herpes *n.* herpes
herre *n.* lord
herredømme *n.* mastery
herregård *n.* manor
herreløst gods *n.* waif
herskapshus *n.* mansion
hersker *n.* ruler
hersker *n.* monarch
hes *adj.* hoarse
heslig *adj.* hideous
hest *n.* horse
hestekastanje *n.* conker
hestekraft *n.* horsepower
hesteslakter *v.* knacker
heterofil *adj.* heterosexual
heterogen *adj.* heterogeneous
hette *n.* hood
hevarmvirkning *n.* leverage
hevde v. assert
hevde pnytt *v.* reaffirm
heve *v.* raise
heve *v.* elevate
heve seg *v.* billow
hevelse *n.* blain
hevelse *n.* swelling
hevert *n.* siphon
hevn *n.* revenge
hevn *n.* vendetta
hevn *n.* vengeance
hevne v. avenge
hevngjerrig *adj.* vengeful
hexogen *n.* hexogen
hi *n.* burrow
hi *n.* lair
hierarki *n.* hierarchy
hikke *n.* hiccup
hilsen *n.* greeting
hilsen *n.* salutation
hilsen *n.* salute
himmel *n.* sky
himmelen *n.* heaven
himmelsk *adj.* celestial
himmelsk *adj.* heavenly
himmelsk *adj.* divine
hinder *n.* hurdle
hinder *n.* impediment
hindre *v.* encumber
hindre *v.* hinder
hindre *v.* impede
hindre *v.* restrain
hindre *v.* baulk
hindring *n.* obstacle
hindring *n.* obstruction
hindring *n.* hindrance
hingst *n.* stallion
hinke *v.* hop
hirse *n.* millet
hissig adj. arduous
histogram *n.* histogram
historie *n.* history
historie *n.* story
historie *n.* tale
historiker *n.* historian
historisk *adj.* historic
historisk *adj.* historical
hit *adv.* hither
hittil *adv.* hitherto
hjalt *n.* hilt
hjelm *n.* helmet
hjelmbusk *n.* panache
hjelmgitter *n.* visor
hjelp n. aid
hjelp *n.* succour

hjelpe v. assist
hjelpe *v.* help
hjelpe- *adj.* remedial
hjelpeløs *adj.* incapable
hjelpeløs *adj.* helpless
hjelpsom adj. ancillary
hjelpsom adj. auxiliary
hjelpsom *adj.* helpful
hjem *n.* home
hjem for foreldreløse barn *n.* orphanage
hjemlengsel *n.* nostalgia
hjemlig *adj.* homely
hjemsøke *v.* infest
hjerne *n.* brain
hjernehinnebetennelse *n.* meningitis
hjernerystelse *n.* concussion
hjernespinn *n.* figment
hjerte *n.* heart
hjerte– *adj.* cardiac
hjertelig *adj.* whole-hearted
hjertelig *adj.* hearty
hjertelig *adj.* cordial
hjerteløs *adj.* heartless
hjertesorg *n.* heartache
hjertesorg *n.* heartbreak
hjort *n.* stag
hjortedyr *n.* deer
hjul *n.* wheel
hjørne *n.* corner
hobby *n.* hobby
hockey *n.* hockey
hode *n.* head
hodebunn *n.* scalp
hodelin *n.* wimple
hodepine *n.* headache
hodepute *n.* pillow
hodeskalle *n.* skull
hodetelefon *n.* headphone
hoffmann *n.* courtier
hofte *n.* hip
hogge *v.* chop
hogge *v.* hew
hogge bort *v.* undercut
hoggjern *n.* chisel
holdbar *adj.* tenable
holde *v.* keep
holde *v.t* hold
holde kalas *v.* revel
holde oppe *v.* uphold
holde pkveles *v.* choke
holde seg unna *v.* abstain
holde tilbake *v.* withhold
holde ut *v.i.* persevere
holder *n.* nozzle
holdning n. attitude
holdning *n.* posture
holistisk *adj.* holistic
holk *n.* hulk
holme *n.* islet
holmium *n.* holmium
hologram *n.* hologram
homofil *n.* homosexual
homofobi *n.* homophobia
homogen *adj.* homogeneous
homøopat *n.* homoeopath
homøopati *n.* homeopathy
honning *n.* honey
honorær *adj.* honorary
hoppe *n.* mare
hoppe *v.t.* hop
hoppe *v.* leap
hoppe *v.* skip
hoppe *v.i* jump
hoppe over *v.* bestride
hopper *n.* jumper
horde *n.* horde
hore *n.* whore
horekunde *n.* punter
horisont *n.* horizon
horisontal *adj.* horizontal

hormon *n.* hormone
horn *n.* bugle
horn *n.* croissant
horn *n.* horn
hornhinne *n.* cornea
horoskop *n.* horoscope
hoste *v.* cough
hotel *n.* hotel
hov *n.* hoof
hoved– *adj.* main
hovedkvarter *n.* headquarters
hovedstad *n.* capital
hovedstyre *n.* executive
hovedtyngde *n.* brunt
hovedvei *n.* highway
hoven *adj.* puffy
hovmodig *adj.* lordly
hovne opp *v.* swell
hud *n.* skin
hudfarge *n.* complexion
hukommelse *n.* memory
hukommelsestap n. amnesia
hule *n.* cave
hule ut *v.* gouge
hulepinnsvin *n.* porcupine
hulke *v.* sob
hulkinnet *adj.* haggard
hull *n.* hole
hulrom *n.* cavity
humanisere *v.* humanize
humanisme *n.* humanism
humanist *adj.* humanitarian
humbug *n.* sham
humlesnegleskolm *n.* medic
hummer *n.* lobster
humor *n.* humour
humorist *n.* humorist
humpete *adj.* bumpy
hun *pron.* she
hund *n.* dog
hundehus *n.* kennel
hundevalp *n.* puppy
hundre *adj.& n.* hundred
hundreår *n.* centenary
hundre-årsdag *n.* centennial
hunter *n.* hunter
hurpe *n.* harpy
hurtighet *n.* rapidity
hus *n.* house
hushjelp *n.* maid
huske *n.* see-saw
huske *v.* remember
huskenotat *n.* memo
huslig *adj.* domestic
husmor *n.* housewife
husmor *n.* matron
hval *n.* whale
hvalfanger *n.* whaler
hvalfangst *n.* whaling
hvalross *n.* walrus
hvelv n. arch
hvelv *n.* vault
hvem *adj. & pron.* whose
hvem *pron.* whom
hvem *pron.* who
hvem som enn *pron.* whoever
hver *adj.* every
hver *adv.* each
hverdags- *adj.* workaday
hvete *n.* grain
hvete *n.* wheat
hvetebrødsdager *n.* honeymoon
hvetemel *n.* flour
hvile *v.* rest
hvile *n.* repose
hvilken *pron. & adj.* what
hvilket *pron. & adj.* which
hvin *n.* screech
hvin *n.* squeal
hvis *conj.* if

hviske *v.* whisper
hvit *adj.* white
hvitløk *n.* garlic
hvittekalk *n.* whitewash
hvitting *n.* whiting
hvor *adv.* where
hvor omtrent *adv.* whereabouts
hvor som helst adv. anywhere
hvordan *adv.* how
hvorfor *adv.* why
hvorfra *adv.* whence
hvorfra *adv.* whither
hybrid *n.* hybrid
hydrant *n.* hydrant
hydratisere *v.* hydrate
hydratisere *v.* moisturize
hydraulisk *adj.* hydraulic
hydrofoil *n.* hydrofoil
hydrogen *n.* hydrogen
hyene *n.* hyena
hyggelig *adj.* nice
hyggelig *adj.* congenial
hygiene *n.* hygiene
hygiene *n.* sanitation
hykler *n.* hypocrite
hykleri *n.* hypocrisy
hyl *n.* howl
hyl n. yowl
hyldning n. adoration
hyle *v.* shriek
hylle *n.* shelf
hylle v. acclaim
hylle *v.* solemnize
hyllebord *n.* valance
hylleknekt *n.* bracket
hyllest *n.* homage
hyper- *pref.* hyper
hyperaktiv *adj.* hyperactive
hyperbol *n.* hyperbole
hypnose *n.* hypnosis
hypnotisere *v.* hypnotize
hypnotisere *v.* mesmerize
hypnotisk *adj.* mesmeric
hypnotisme *n.* hypnotism
hypokonder *n.* valetudinarian
hypotese *n.* hypothesis
hypotetisk *adj.* hypothetical
hyppig *adj.* frequent
hyppighet *n.* incidence
hyppighet *n.* frequency
hyrdedikt *n.* idyll
hyssing *n.* string
hysteri *n.* binge
hysteri *n.* hysteria
hysterisk *adj.* hysterical
hytte *n.* chalet
hytte *n.* hut
hytte *n.* cottage
hæl *n.* heel
hær n. armada
hær n. army
høflig *adj.* polite
høflighet *n.* pleasantry
høflighet *n.* politeness
høne *n.* chicken
høne *n.* hen
hønsefugl *n.* fowl
hør *v.* hark
hørbar adj. audible
høre *v.* hear
hørsel *n.* hearing
høst n. autumn
høste *v.* reap
høvding *n.* chieftain
høvisk *adj.* courtly
høy *adj.* loud
høy *adj.* tall
høy *adj.* high
høy og ulenkelig *adj.* lanky
høyaktelse *n.* veneration
høyde n. altitude

høyde *n.* height
høydedrag *n.* ridge
høyest *adj.* supreme
høyhet *n.* highness
høylig *adv.* highly
høylytt protest *n.* outcry
høyre *adj.* offside
høysinn *n.* generosity
høyt adv. aloud
høyt (å elske) *adv.* dearly
høyt blodtrykk *n.* hypertension
høyt skrik *n.* whoop
høytidelig *adj.* ceremonious
høytidelig *adj.* solemn
høytidelighet *n.* solemnity
hån *n.* mockery
hånd *n.* hand
håndbevegelse *n.* gesture
håndbok *n.* handbook
håndflate *n.* palm
håndfull *n.* handful
håndgemeng *n.* scuffle
håndgripelig *adj.* palpable
håndgripelig *adj.* tangible
håndheve *v.* enforce
håndjern *n.* handcuff
håndjern *n.* handcuff
håndkle *n.* towel
håndlag *n.* knack
håndledd *n.* wrist
håndtak *n.* haft
håndtere *v.t* handle
håndtrykk *n.* handshake
håndverk *n.* craft
håndverker n. artisan
håndverker *n.* craftsman
håndveske *n.* handbag
håne *v.* jeer
håne *v.i.* scoff
håne *v.* gibe
hånlig *adj.* snide
hånlig fli *n.* sneer
håp *n.* hope
håpefullt *adv.* hopefully
håpløs *adj.* hopeless
hår *n.* hair
hårete *adj.* hairy
hårfin *n.* nicety
hårfjernings *adj.* depilatory
hårklipp *n.* haircut
hårtørrer *n.* dryer

i *prep.* in
i aktiv tjeneste *n.* serving
i dag *adv.* today
i det følgende *adv.* hereafter
i det siste *adv.* lately
i ens sted *n.* stead
i flammer adj. aflame
i flammer *adj.* burning
i går *adv.* yesterday
i høy grad *adv.* greatly
i kveld *adv.* tonight
i ledtog med *n.* cahoots
i løpet av *prep.* during
i mellomtiden *adv.* meantime
i menneskeskikkelse *adj.* incarnate
i morgen *adv.* tomorrow
i motsetning til *prep.* unlike
i nærheten *adv.* nearby
i overensstemmelse *n.* pursuance
i rette tid *adj.* timely
i riktig forhold *adj.* proportionate
i samme avstand *adj.* equidistant

i sin vorden *adj.* nascent
i siste del *adj.* latter
i smug *adj.* clandestine
i store mengder *adj.* galore
i strid med *n.* variance
i stykker *adj.* broken
i stykker adv. asunder
i tenårene *adj.* teens
i tre eksemplarer *adj.* triplicate
i trekk *adj.* consecutive
i verv *adj.* incumbent
ibenholt *n.* ebony
iboende *adj.* inherent
idé *n.* idea
ideal *n.* ideal
idealisere *v.* idealize
idealisme *n.* idealism
idealist *n.* idealist
idealistisk *adj.* idealistic
ideelt *adv.* ideally
identifikasjon *n.* identification
identifisere *v.* identify
identisk *adj.* identical
identitet *n.* identity
ideologi *n.* ideology
idiom *n.* idiom
idiomatisk *adj.* idiomatic
idiot *n.* berk
idiot *n.* idiot
idioti *n.* idiocy
idiotisk *adj.* idiotic
idiotsikker *adj.* foolproof
idol *n.* idol
idolisere *v.* idolize
idrett *n.* sport
idrettsutøver n. athlete
ifølge adv. according
igjen adv. again
igle *n.* leech
igloo *n.* igloo
ignorant *n.* ignoramus
ignorere *v.* ignore
ignorere *v. t* disregard
ikke *adv.* not
ikke arbeidsfør *adj.* unemployable
ikke avgjort *adj.* undecided
ikke desto mindre *adv.* nevertheless
ikke i stand til å *adj.* unable
ikke klar over *adj.* unaware
ikke konformist *n.* nonconformist
ikke lenger i bruk *adj.* defunct
ikke like *v.* resent
ikke noe *pron.* none
ikke reservert *adj.* unreserved
ikke uvanlig *adj.* unexceptional
ikke-oppretting *n.* non-alignment
ikon *n.* icon
ikte *n.* fluke
ildfull adj. ardent
ildfullhet n. ardour
ildprøve *n.* ordeal
illebefinnende n. ailment
illebefinnende *n.* malaise
illegitim *adj.* illegitimate
illeluktende *adj.* smelly
illeluktende *n.* miasma
illevarslende *adj.* ominous
illevarslende *adj.* sinister
illojal *adj.* disloyal
illuminere *v.* illuminate
illusjon *n.* illusion
illusorisk *adj.* illusory
illustrasjon *n.* illustration
illustrere *v.* illustrate
imaginær *adj.* imaginary

imellomtiden *adv.* meanwhile
imidlertid *conj.* however
imitasjon *n.* imitation
imitator *n.* imitator
imitere *v.* imitate
immanent *adj.* immanent
immatrikulere *v.* matriculate
immatrikulering *n.* matriculation
imminent *adj.* imminent
immun *adj.* immune
immunitet *n.* immunity
immunitetslære *n.* immunology
imperialisme *n.* imperialism
impertinent *adj.* impertinent
implantere *v.* implant
implisere *v.* implicate
implodere *v.* implode
imponere *v.* impress
imponerende *adj.* spectacular
imponerende *adj.* imposing
imponerende *adj.* impressive
importere *v.* import
importør *n.* importer
impotens *n.* impotence
impotent *adj.* impotent
improvisere *v.* improvise
improvisert akkompagnement *n.* vamp
impulsiv *adj.* impulsive
imøteg *v.t.* counter
incitament *n.* incentive
indeks *n.* index
inder *n.* Indian
indigestion *n.* indigestion
indignasjon *n.* indignation
indignert *adj.* indignant
indigo *n.* indigo
indikasjon *n.* indication
indikator *n.* indicator
indikere *v.* indicate
indirekte *adj.* indirect
indiskresjon *n.* indiscretion
indiskret *adj.* indiscreet
indisponert *adj.* indisposed
individualisme *n.* individualism
individualitet *n.* individuality
indolent *adj.* indolent
indre *adj.* inner
indre *adj.* inward
industri *n.* industry
industriell *adj.* industrial
ineffektiv *adj.* ineffective
ineffektiv *adj.* inefficient
inerti *n.* inertia
infanteri *n.* infantry
infeksjon *n.* infection
infernalsk *adj.* infernal
infiltrere *v.* infiltrate
infisere *v.* taint
influensa *n.* flu
influensa *n.* influenza
informativ *adj.* informative
informere v. acquaint
informere v. apprise
informere *v.* inform
infrastruktur *n.* infrastructure
infusjon *n.* infusion
ingen *pron.* nobody
ingen steder *adv.* nowhere
ingeniør *n.* engineer
ingenting *n.* zilch
ingenting *pron.* nothing
ingrediens *n.* ingredient
inhalator *n.* inhaler
initiativ *n.* initiative
injeksjon *n.* injection

injisere *v.* inject
injurie *n.* libel
inkarnasjon *n.* incarnation
inkludere *v.* include
inkludering *n.* inclusion
inkompetent *adj.* incompetent
inkonsekvent *adj.* inconsistent
inkriminere *v.i.* incriminate
inn *prep.* into
innavlet *adj.* inbred
innbilskhet *n.* conceit
innblandet i krig *adj.* embattled
innblanding *n.* interference
innblanding *n.* intervention
innbringende *adj.* remunerative
innbruddstyveri *n.* burglary
innbydende *adj.* inviting
innbygger *n.* inhabitant
innbyrdes avhengige *adj.* interdependent
inne i *prep.* within
innebære *v.* imply
innebære *v.* involve
innehaver *n.* proprietor
innehaver av transportfirma *n.* haulier
inneholde *v.t.* contain
innendørs *adj.* indoor
innenlandsk *adj.* inland
inneperiode *n.* innings
innerst *adj.* inmost
innerst *adj.* innermost
inneslutte *v.* enclose
innesperring *n.* confinement
inneværende *adj.* current
innfall *n.* caprice
innfall *n.* incursion
innfallen *adj.* hollow
innfatning *n.* setting
innflytelse *n.* influence
innflytelsesrik *adj.* influential
innfødt *n.* native
innfølingsevne *n.* empathy
innføre *v.* introduce
innføre noe nytt *v.* innovate
inngang n. access
inngang *n.* entrance
inngi *v.* imbue
inngravering *n.* inscription
inngrodd *adj.* ingrained
inngyte *v.* instil
innhegning *n.* enclosure
innhold *n.* content
innhylle *v.* envelop
innkalling *n.* summons
innkapsle *v.* encapsulate
innledende *adj.* introductory
innledende *adj.* initial
innledning *n.* introduction
innlemmelse *n.* incorporation
innlosjere v. accommodate
innløsning *n.* redemption
innprente *v.* inculcate
innredning *n.* decor
innretning n. appliance
innretning *n.* contrivance
innretning *n.* gadget
innretning *n.* device
innretting n. alignment
innrømme v. admit
innrømme v. avow
innrømme *v.* concede
innrømmelse *n.* concession
innsette *v.* inaugurate
innsette *v.* induct
innsettelse *n.* induction
innside *n.* inside

innsigelse *n.* objection
innsikt *n.* insight
innskudd *n.* deposit
innskudd *n.* insertion
innskytelse *n.* impulse
innstille pnytt *v.* readjust
inntak *n.* input
inntak *n.* intake
inntekt *n.* income
inntekter *n.* revenue
inntil *prep.* until
inntil *prep.* till
inntreffe *v.* supervene
inntreffe igjen *v.* recur
inntreffe igjen *v.* reoccur
inntrengende *adj.* urgent
inntrengende bønn *n.* solicitation
inntrengning *n.* penetration
inntrykk *n.* impression
innvandre *v.* immigrate
innvandrer *n.* immigrant
innvandring *n.* immigration
innvarsle *v.* presage
innvendig *adj.* internal
innvendig *adj.* interior
innvielses *adj.* inaugural
innviklet *adj.* intricate
innvilge v. accord
innvoller *n.* entrails
insekt *n.* insect
insektmiddel *n.* insecticide
insinuasjon *n.* insinuation
insinuere *v.* insinuate
insistere *v.* insist
insistering *n.* insistence
insolvens *n.* insolvency
insolvent *adj.* insolvent
inspeksjon *n.* inspection
inspektør *n.* inspector
inspektør *n.* invigilator
inspirasjon *n.* inspiration
inspirere *v.* inspire
installasjon *n.* installation
installere *v.* install
instinkt *n.* instinct
instinktiv *adj.* instinctive
institusjon *n.* institution
institutt *n.* institute
instruksjon *n.* instruction
instruktør *n.* instructor
instrument *n.* instrument
instrumental *adj.* instrumental
instrumentalist *n.* instrumentalist
instrumentpanel *n.* dashboard
insulin *n.* insulin
insulær *adj.* insular
intakt *adj.* intact
integral *adj.* integral
intellektuell *adj.* intellectual
intelligens *n.* intellect
intelligens *n.* intelligence
intelligent *adj.* intelligent
intens *adj.* intense
intensitet *n.* intensity
intensiv *adj.* intensive
intensivere *v.* intensify
interessant *adj.* interesting
interesse *n.* interest
interface *n.* interface
interim *n.* interim
interkom *n.* intercom
internasjonal *adj.* international
internere *v.* intern
internet *n.* internet
interpreter *n.* interpreter
intervju *n.* interview
intervjue *v.* debrief
intervjuer *n.* pollster
intetkjønns *adj.* neuter

intim *adj.* intimate
intimitet *n.* intimacy
intolerant *adj.* intolerant
intonere *v.* intone
intranet *n.* intranet
intransitiv *adj.* intransitive
introduksjon *n.* preamble
introspeksjon *n.* introspection
introspektere *v.* introspect
introvertert *n.* introvert
intuisjon *n.* intuition
intuitiv *n.* intuitive
invadere *v.* invade
invaliditet *n.* disability
invasjon *n.* invasion
invasjon i n. irruption
invektiv *n.* invective
inventarliste *n.* inventory
investere *v.t.* invest
investering *n.* investment
invigilate *adj.* invigilate
invitasjon *n.* invitation
invitere *v.* invite
irettesette *v.* rebuke
irettesette en *v.* reprimand
ironi *n.* irony
ironisk *adj.* ironical
irrasjonell *adj.* irrational
irrelevant *adj.* irrelevant
irreversibel *adj.* irreversible
irrigasjon *n.* irrigation
irrigere *v.* irrigate
irritabel *adj.* edgy
irritabel *adj.* fractious
irritabel *adj.* irritable
irritabel *adj.* moody
irritabel *adj.* pettish
irritabel *adj.* splenetic
irritabel *adj.* tetchy
irritabel *adj.* waspish
irritament *n.* irritant
irritasjon *n.* vexation
irritere v. annoy
irritere *v.* exasperate
irritere *v.* irritate
irriterende *adj.* irksome
is *n.* ice-cream
is *n.* ice
is med krem og frukt *n.* sundae
isbre *n.* glacier
isdannelse *n.* icing
isfjell *n.* iceberg
isflak *n.* floe
isjias *n.* sciatica
iskald *adj.* icy
Islam n. Islam
isobar *n.* isobar
isolasjon *n.* insulation
isolator *n.* insulator
isolere *v.* insulate
isolere *v.* isolate
isolere *v.* seclude
isolering *n.* isolation
istapp *n.* icicle
isteden *adv.* instead
italic *adj.* italic
iver *n.* zeal
ivrig *adj.* eager
ivrig *adj.* raring
ivrig *adj.* zealous
ivrig adv. avidly

ja *excl.* yes
Jacuzzi *n.* Jacuzzi
jade *n.* jade
jage *v.* scud
jakke *n.* jacket
jakte *v.* hunt
jakthund *n.* hound

jakthytte *n.* lodge
januar *n.* January
jare *n.* selvedge
jarl *n.* earl
jass *n.* jazz
jeans *n.* jeans
jeep *n.* jeep
jeg *n.* self
jeg *pron.* I
jekk *n.* jack
jekke ned *v.* deflate
jekkpott *n.* jackpot
jeksel *n.* molar
jentagelse *n.* reiteration
jente *n.* girl
jente *n.* wench
jenteaktig *adj.* girlish
jern *n.* iron
jernbane *n.* railway
jerrykanne *n.* jerry can
Jesu fødsel *n.* nativity
jet *n.* jet
jevn *adj.* even
jevne *v.* raze
jobb *n.* job
jockey *n.* jockey
jodle *v.* yodel
jogge *v.* jog
joker *n.* joker
jomfru *n.* damsel
jomfru *n.* maiden
jomfru *n.* virgin
jomfruelighet *n.* virginity
jord *n.* earth
jord *n.* ground
jord *n.* soil
jord- *adj.* terrestrial
jord- *adj.* earthen
jordbruk n. agriculture
jordbruk *n* husbandry
jordbær *n.* strawberry
jordisk *adj.* earthly
jordmor *n.* midwife
jordskjelv *n.* earthquake
jorting *n.* rumination
journalist *n.* journalist
journalistikk *n.* journalism
jovial *adj.* jovial
jovialitet *adv.* joviality
jubel *n.* jubilation
jubileum n. anniversary
jubileum *n.* jubilee
jublende *adj.* jubilant
judo *n.* judo
juks *n.* cheat
jul *n.* Christmas
jul *n.* Xmas
julesang *n.* carol
juli *n.* July
jungel *n.* jungle
juni *n.* June
junior *adj.* junior
junior *n.* junior
Jupiter *n.* Jupiter
jur *n.* udder
juridisk *adj.* judicial
jurisdiksjon *n.* jurisdiction
jurist *n.* lawyer
jury *n.* jury
jurymedlem *n.* juror
justere v. align
jute *n.* jute
juvel *n.* jewel
juveler *n.* jeweller
jåleri n. affectation

kabaret *n.* cabaret
kabel *n.* cable
kabin *n.* cabin
kabinett *n.* cabinet
kader *n.* cadre

kadett *n.* cadet
kadmium *n.* cadmium
kafè *n.* cafe
kafeteria *n.* cafeteria
kaffe *n.* coffee
kaftans *n.* kaftans
kaiplass *n.* wharfage
kakao *n.* cacao
kakao *n.* cocoa
kake *n.* cake
kake *n.* gateau
kake *n.* tart
kakedeig *n.* pastry
kakerlakk *n.* cockroach
kakling *n.* cackle
kaktus *n.* cactus
kald *adj.* cold
kaldblodighet *n.* sangfroid
kaleidoskop *n.* kaleidoscope
kalender *n.* calendar
kaliber *n.* calibre
kalibrere *v.* calibrate
kalkulator *n.* calculator
kalkulere *v.* calculate
kalkun *n.* turkey
kall *n.* calling
kall *n.* vocation
kalle til live igjen *v.* resurrect
kallenavn *n.* nickname
kalligrafi *n.* calligraphy
kalmebeltet *n.* doldrums
kalori *n.* calorie
kalsium *n.* calcium
kalv *n.* calf
kalvekjøtt *n.* veal
kam *n.* loin
kam *n.* comb
kam *n.* crest
kamé n. cameo
kamel n. camel
kamera *n.* camera
kameraderi *n.* camaraderie
kamerat *n.* chum
kamerat *n.* mate
kamerat *n.* pal
kamerat *n.* comrade
kamfer *n.* camphor
kamgarnsstoff *n.* worsted
kaminomramning *n.* mantel
kammer *n.* chamber
kammerduk *n.* cambric
kammerherre *n.* chamberlain
kammertjener *n.* valet
kammusling *n.* scallop
kamp *n.* combat
kamp *n.* conflict
kamp *n.* throes
kampanje *n.* campaign
kampleder n. arbiter
kamp-valg *n.* by-election
kampånd *n.* morale
kanal *n.* canal
kanal *n.* channel
kanal *n.* duct
kanapé *n.* settee
kandidat *n.* candidate
kandidat *n.* nominee
kanel *n.* cinnamon
kanin *n.* rabbit
kaningård *n.* warren
kanne *n.* can
kannibal *n.* cannibal
kano *n.* canoe
kanon *n.* cannon
kansellirett *n.* Chancery
kanskje *adv.* maybe
kanskje *adv.* perhaps
kansler *n.* chancellor
kant *n.* edge
kant *n.* verge
kant *n.* border
kant *n.* brim

kant *n.* hem
kantine *n.* canteen
kantonnement *n.* cantonment
kantre *v.* capsize
kaos *n.* chaos
kaotisk *adj.* chaotic
kapell *n.* chapel
kapitalisere *v.* capitalize
kapitalisme *n.* capitalism
kapitalist *n.* *&adj.* capitalist
kapittel *n.* chapter
kapitulere *v.* capitulate
kapp *n.* cape
kappe *n.* casing
kappe *n.* gown
kappe *n.* mantle
kappe *n.* robe
kappe *n.* cloak
kapre *v.* hijack
kapsel *n.* cachet
kapsel *n.* capsule
kaptein *n.* captain
kar– *adj.* vascular
karaffel n. decanter
karakter *n.* character
karakter *n.* grade
karakteristikk *n.* characteristic
karakteristikk *n.* idiosyncrasy
karamell *n.* caramel
karantene *n.* quarantine
karaoke *n.* karaoke
karat *n.* carat
karate *n.* karate
karbon *n.* carbon
kardemommeplante *n.* cardamom
kardialgi *n.* heartburn
kardinal *n.* cardinal
kardiograf *n.* cardiograph
kardiologi *n.* cardiology
karikatur *n* caricature
karisma *n.* charisma
karismatisk *adj.* charismatic
karma *n.* karma
karminrødt *n.* carmine
karneval *n.* carnival
karpal *adj.* carpal
karri *n.* curry
karriere *n.* career
kart *n.* map
kartell *n.* cartel
kartong *n.* cardboard
kartong *n.* carton
karusell *n.* roundabout
karve *n.* cumin
karvestokk *n.* tally
kasjmirull *n.* cashmere
kasse *n.* case
kasse *n.* box
kasserer *n.* cashier
kasserer *n.* treasurer
kassettspiller *n* deck
kastanje *n.* chestnut
kaste *n.* caste
kaste *v.* cast
kaste *v.* discard
kaste *v.* throw
kaste *v.* toss
kaste av *v.* unseat
kaste bort *v.* squander
kaste bort *v.* waste
kaste opp *v.* vomit
kaste skygge *v.* shadow
kaste ut *v.* evict
kaste ut *v. t* eject
kastell *n.* citadel
kasteløs *adj.* untouchable
kastrere *v.* castrate
kastrere *v.* emasculate
katalog *n.* catalogue
katalysator *n.* catalyst

katalysere *v.* catalyse
katarsis *n.* catharsis
katastrof *n.* bane
katastrof *n.* ruckus
katastrofal *adj.* disastrous
katastrofe *n.* calamity
katastrofe *n.* catastrophe
katastrofe *n.* debacle
katastrofe *n.* disaster
katedral *n.* cathedral
kategori *n.* category
kategorisk *adj.* categorical
katekisme *n.* catechism
katolsk *adj.* catholic
katt *n.* cat
katteaktig *n.* catty
kattebjørn *n.* panda
kattunge *n.* kitten
kaukasisk *adj.* Caucasian
kausal *adj.* causal
kausalitet n. causality
kausjon *n.* bail
kaustisk *adj.* caustic
kavaleri *n.* cavalry
kavalerist *n.* trooper
kavalkade *n.* cavalcade
kavring *n.* Rusk
kebab *n.* kebab
keiser *n.* emperor
keiserinne *n.* empress
keiserlig *adj.* imperial
keiserrike *n.* empire
keisersnitt *n.* caesarean
keitete *adj.* gawky
kelp *n.* tang
keltisk *adj.* Celtic
kenguru *n.* kangaroo
keramikk *n.* ceramic
keramikk *n.* pottery
ketchup *n.* ketchup
kidnappe *v.* kidnap
kidnappe *v.t.* abduct
kidnapping *n.* abduction
kikke på *v.* peek
kilde *n.* source
kildre *v.* titillate
kile *n.* gore
kile *v.* tickle
kile *n.* wedge
kilen *adj.* ticklish
kilo *n.* kilo
kilobyte *n.* kilobyte
kilometer *n.* kilometre
kiming *n.* peal
kimono *n.* kimono
Kina *n.* china
kinaplomme *n.* lychee
kinaputt *n.* banger
kinetisk *adj.* kinetic
kinin *n.* quinine
kinn *n.* cheek
kino *n* cinema
kirke *n.* church
kirkegjenger *n.* worshipper
kirkegård *n.* churchyard
kirkegård *n.* graveyard
kirkerett *n.* canon
kiromant *n.* palmist
kiromanti *n.* palmistry
Kirsten Giftekniv *n.* matchmaker
kirurg *n.* surgeon
kirurgi *n.* surgery
kiste *n.* bier
kiste *n.* coffin
kjapt *n.* repartee
kjede *n.* chain
kjede *v.* bore
kjedelig *adj.* tedious
kjedelig *adj.* tiresome
kjedelig *adj.* vapid
kjedsommelighet *n.* tedium
kjeft *n.* gob
kjefte p *v.t.* nag

kjegle *n.* cone
kjegle *n.* skittle
kjegledannet *adj.* conical
kjekk *adj.* handsome
kjeks *n.* biscuit
kjeks *n.* wafer
kjeks *n.* cracker
kjele *n.* boiler
kjelke *n.* sledge
kjeller *n.* basement
kjeller *n.* cellar
kjeltring *n.* cad
kjeltring *n.* miscreant
kjeltring *n.* rascal
kjeltring *n.* rogue
kjeltringstreker *n.* roguery
kjemi *n.* chemistry
kjemikalie *adj.* chemical
kjemiker *n.* chemist
kjemoterapi *n.* chemotherapy
kjempe *n.* plantain
kjempe *v.* struggle
kjempe- *adj.* jumbo
kjempe med *v.t.* grapple
kjempe mot *v.* strive
kjempebra adj. awesome
kjempefin *adj.* smashing
kjempesterk *adj.* herculean
kjempestor *adj.* gigantic
kjempestor *adj.* huge
kjendis *n.* celebrity
kjennelse *n.* verdict
kjennskap n. acquaintance
kjent *adj.* noted
kjepp *n.* rod
kjepp *n.* stick
kjerne *n.* core
kjerne *n.* nucleus
kjerne *v.* churn
kjernen *n.* gist
kjerre *n.* cart
kjertel *n.* gland
kjeve *n.* jaw
kjole *n.* frock
kjæledyr *n.* pet
kjære *adj.* dear
kjæreste *n.* sweetheart
kjæreste *n.* valentine
kjærlig adj. amatory
kjærlig adj. amorous
kjærlig *adj.* cuddly
kjærlig *adj.* fond
kjærlig ord *n.* endearment
kjærlighet *n.* love
kjærlighet på pinne *n.* lollipop
kjærlighet på pinne *n.* lolly
kjærtegne *v.* caress
kjøkken *n.* kitchen
kjøkkenavfall *n.* garbage
kjøkkensjef *n.* chef
kjøl *n.* keel
kjølemiddel *n.* coolant
kjøleskap *n.* refrigerator
kjøleskap *n.* fridge
kjøleskap *n.* cooler
kjølig *adj.* chilly
kjølig *adj.* frigid
kjølig *adj.* nippy
kjølig *adj.* parky
kjølig *adj.* cool
kjølighet *n.* chill
kjønn *n.* gender
kjønn *n.* sex
kjønnsdiskriminering *n.* sexism
kjøpe *v.* buy
kjøpe *v.* purchase
kjøper *n.* buyer
kjøpmann *n.* grocer
kjørbar *adj.* roadworthy
kjøre *v.* drive
kjøre forbi *v.* overtake

kjøre fort *v.* race
kjøre i hus *v.* garner
kjørende *adj.* vehicular
kjøretøy *n.* vehicle
kjøring *n.* going
kjøtt *n.* meat
kjøtteter *n.* carnivore
kjøttsuppe *n.* broth
klage *v.* whinge
klage *n.* complaint
klage *v.* complain
klagemål *n.* grievance
klagende skrik *n.* wail
klagesang *n.* lament
klam *adj.* clammy
klam *adj.* dank
klan *n.* clan
klanderverdig *adj.* reprehensible
klang *n.* ring
klappe *v.* clap
klappe *v.* fondle
klappe *v.* pat
klar *adj.* clear
klar *adj.* lucid
klar over adj. aware
klar over *adj.* mindful
klare *v.* cope
klare seg selv *v.* fend
klare seg uten *v.* dispense
klarhet *adv.* lucidity
klarhet *n.* clarity
klaring *n.* clarification
klart *adv.* clearly
klaske *v.* dab
klasse *n.* class
klassifisere *v.* categorize
klassifisere *v.* classify
klassifisering *n.* classification
klassisk adj. classic
klassisk *adj.* classical
klatre *v.* scramble
klatre *v.i* climb
klaustrofobi *n.* claustrophobia
klausul *n.* proviso
klave *n.* collar
kle av *v.* undress
kle av seg *v.t.* strip
kle p *v.* clothe
kle på *v.* dress
klebende n. adhesive
klebrig *adj.* sticky
klebrig *adj.* tacky
kledd *adj.* clad
kledning *n.* backing
kledning *n.* cladding
kledning *n.* facing
klementin *n.* Clementine
klemme *n.* clamp
klemme *v.* cuddle
klemme *v.* gripe
klemme *v.* squeeze
klemme *v.* hug
klesdrakt *n.* garb
klesplagg n. apparel
klikk *n.* click
klima *n.* climate
klimaks *n.* climax
klimpre *v.* strum
klinikk *n.* clinic
klinke *n.* latch
klippe *v.* mow
klippe *v.* shear
klippe *n.* cliff
klippe av *v.* snip
klippefylt *adj.* rocky
klipping *n.* cutting
klirr *n.* clink
klirre *v.* clash
klistremerke *n.* sticker
klo *n.* pincer
klo *n.* claw

kloakkinnhhold *n.* sewage
kloakkslam *n.* sludge
kloakkvann *n.* sewerage
klok *adj.* oracular
klok *adj.* politic
klok *adj.* sage
klok *adj.* wise
klokke *n.* clock
klokken 12 *n.* midday
klokkespill *n.* chime
klon *n.* clone
klor *n.* chlorine
kloroform *n.* chloroform
klossete *adj.* ungainly
klossete *adj.* clumsy
kloster *n.* abbey
kloster *n.* priory
kloster *adj.* monastic
klovn *n.* buffoon
klovn *n.* clown
klubbe *n.* club
klukke *v.* gurgle
klukkle *v.* chuckle
klump *n.* wad
klump *n.* lump
klusse med *v.* tinker
klut *n.* rag
klynge *n.* cluster
klynke *v.* whimper
klype *v.* nip
klype *v.* pinch
klyse *n.* clot
klær *n.* clothes
klær *n.* clothing
klø *v.i.* itch
kløyve *v.* cleave
kna *v.* knead
knapp *adj.* scant
knapp *adj.* scanty
knapp *n.* button
knappenål *n.* pin
knapphet n. shortage
knapt *adv.* barely
knapt *adv.* scarcely
knapt *adv.* hardly
knaske *v.* munch
knaus *n.* tor
kne *n.* knee
knebel *n.* gag
knebukser *n.* breeches
knee *n.* fang
knegg *n.* neigh
knegge *v.* bray
knegging *n.* whinny
knekke *v.* break
knekt *n.* knave
knele *v.* kneel
knelepute *n.* hassock
knep n. artifice
knep *n.* ploy
knep *n.* subterfuge
knep *n.* trick
kniplingaktig *adj.* lacy
knippe *n.* truss
knippe *n.* bunch
knips *n.* fillip
knipse *v.* flip
knirke *v.* creak
knirking *n.* creak
knitre *v.* rustle
knitre *v.* crackle
kniv *n.* knife
knivsliper *n.* sharpener
knoke *n.* knuckle
knoklete *adj.* scrawny
knoll *n.* loaf
knortete *adj.* knotty
knott *n.* knob
knudrete *adj.* gnarled
knurre *v.* growl
knuse *v.* crunch
knuse *v.* quell
knuse *v.* scrunch
knuse *v.* squash

knuse *v.* suppress
knusende *adj.* shattering
knuslete *adj.* niggardly
knute *n.* knot
knyte opp *v.* undo
knytte *v.* tie
knyttet *adj.* tied
koalisjon *n.* coalition
koble sammen *v.* interlink
kobolt *n.* cobalt
kobra *n.* cobra
kode *n.* code
kode *v.* encode
kode *v.* encrypt
koeffisient *n.* coefficient
kohesiv *adj.* cohesive
kokain *n.* cocaine
kokarde *n.* cockade
koke *v.i.* boil
kokekunst *n.* cuisine
kokeplate *n.* hob
kokestativ *n.* trivet
kokk *n.* cook
kokong *n.* cocoon
kokosbast *n.* coir
kokosnøtt *n.* coconut
kolera *n.* cholera
kolikk *n.* colic
kollega *n.* colleague
kollektiv *adj.* collective
kollidere *v.* collide
kollisjon *n.* collision
koloni *n.* colony
kolonial- *adj.* colonial
kolonialhandel *n.* grocery
kolossal *adj.* colossal
kombattant *n* combatant
kombinasjon *n.* combination
kombinasjonsmulighet *n.* permutation
komedie *n* comedy
komet *n.* comet
kometaktig *adj.* meteoric
komfort *n.* comfort
komfort *n.* convenience
komfortabel *adj.* comfortable
komfyr *n.* cooker
komiker *n.* comedian
komisk *adj.* comic
komité *n.* committee
komma *n.* comma
kommandant *n.* commandant
kommando tegn opp *adj.* superscript
kommandosoldat *n.* commando
kommandostav *n.* truncheon
komme v. arrive
komme *v.* come
komme bort *v.* stray
komme i forkjøpet *v.* forestall
komme i forkjøpet *v.* pre-empt
komme ptvers av *v.* thwart
komme seg *v.* recover
komme til krefter *v.* recuperate
komme til syne *v.* emerge
komme tilbake *v.* return
kommende *adj.* upcoming
kommende *adj.* forthcoming
kommentar *n.* comment
kommentere v. annotate
kommersiell n. ampersand
kommersiell *adj.* commercial
kommissær *n.* commissioner
kommunal *adj.* municipal

kommune *n.* commune
kommune- *adj.* civic
kommunestyremedlem *n.* councillor
kommunikasjon *n.* communication
kommunion *n.* communion
kommunisme *n.* communism
kompakt *adj.* compact
kompaniskap *n.* partnership
kompass *n.* compass
kompendium *n.* compendium
kompensere *v.* recoup
kompetanse n. adequacy
kompetanse *n.* competence
kompetent *adj.* competent
kompilere *v.* compile
komplement *n.* complement
komplettere *v.* replenish
kompliere *v.* complicate
kompliment *n.* compliment
komplisere *v. t* entangle
komponent *n.* component
komponere *v.* compose
komponist *n.* composer
komponist *n.* typesetter
komposisjon *n.* composition
kompost *n.* compost
kompressor *n.* supercharger
komprimere *v.* compress
kompromiss *n.* compromise
kompromissløs *adj.* uncompromising
kompulsiv *adj.* compulsive
kondensator *n.* capacitor
kondensere *v.* liquefy
kondensere *v.* condense
kondisjonalis *adj.* conditional
kondisjonerte folk *n.* gentry
konditor *n.* confectioner
konditorvarer *n.* confectionery
kondolanse *n.* condolence
kondolere *v.* condole
kondom *n.* condom
konduktør *n.* conductor
kone *n.* wife
konferanse *n.* conference
konferansier *n.* compere
konfigurasjon *n.* configuration
konfirmasjon *n.* confirmation
konfiskere *v.* sequester
konfiskere *v.* confiscate
konformitet *n.* conformity
konfrontasjon *n.* confrontation
konfrontere *v.* confront
konføderert *adj.* confederate
konge *n.* king
kongelig *adj.* regal
kongemorder *n.* regicide
kongerike *n.* kingdom
konglomerat *n.* conglomerate
konglomerat *n.* conglomeration
kongress *n.* congress
konjakk *n.* brandy
konjunksjon *n.* conjunction
konjunktiv *adj.* subjunctive
konkav *adj.* concave
konkordans *n.* concordance
konkubine *n.* concubine
konkurranse *n.* competition
konkurranse *n.* rivalry
konkurranse *n.* contest
konkurransepreget *adj.* competitive

konkurrent *n.* competitor
konkurrere *v.* compete
konkurrere *v.* contend
konkurrere om noen *v.* vie
konkurs *adj.* bankrupt
konkurs *n.* bankruptcy
konkylie *n.* conch
konsekvens *n.* consequence
konsekvent *adj.* coherent
konsekvent *adj.* consistent
konsentrasjon *n.* concentration
konsert *n.* recital
konsert *n.* concert
konservativ *adj.* conservative
konserveringsmiddel *n.* preservative
konsetrere *v.* concentrate
konsignere *v.* consign
konsis *adj.* compendious
konsis *adj.* succinct
konsistens *n.* consistency
konsolidere *v.* consolidate
konsonant *n.* consonant
konsortium *n.* consortium
konspiratør *n.* conspirator
konspirere *v.* conspire
konstabel *n.* constable
konstant *adj.* constant
konstatering *n.* statement
konstellasjon *n.* constellation
konstitusjonell *adj.* constitutional
konstruktiv *adj.* constructive
konsul *n.* consul
konsulat *n.* consulate
konsulent *n.* consultant
konsultasjon *n.* consultation
konsultere *v.* consult
konsulær *n.* consular
konsumere *v.* consume
kontakt *n.* contact
kontakt *n.* switch
kontaminere *v.* contaminate
kontanter *n.* cash
kontinent *n.* continent
kontinental *adj.* continental
kontinuerlig *adj.* continuous
kontinuitet *n.* continuity
konto n. account
kontor *n.* office
kontorist *n.* clerk
kontra *prep.* contra
kontrabande *n.* contraband
kontrakt *n.* contract
kontraktmessig *adj.* contractual
kontrast *n.* contrast
kontroll *n.* control
kontrollere *v.* inspect
kontrovers *n.* controversy
kontroversiell *adj.* contentious
kontroversiell *adj.* controversial
kontur *n.* contour
kontusjon *n.* contusion
konvensjon *n.* convention
konvergere *v.* converge
konvertere *v.* convert
konvertitt *n.* convert
konvoi *n.* convoy
konvolutt *n.* envelope
koordinere *v.* *t* coordinate
koordinering *n.* coordination
kopi *n.* copy
kopi *n.* replica
kopiere *v.* copy
kopieringsmaskin *n.* copier
kople fra *v.* detach

kopp *n.* cup
kopper *n.* smallpox
kopper *n.* copper
koppskatt *n.* capitation
kopulere *v.* copulate
kor *n.* choir
kor *n.* chorus
korall *n.* coral
korgutt n. acolyte
koriander *n.* coriander
korint *n.* currant
kork *n.* cork
korn *n.* cereal
korn *n.* corn
kornett *n.* cornet
kornkammer *n.* granary
kornmagasin *n.* barn
korporal *n.* corporal
korporasjon *n.* corporation
korps *n.* corps
korpsånd *adj.* corporate
korpulent *adj.* corpulent
korrekt *adj.* prim
korrekt *adj.* correct
korrelere *v.* correlate
korrespondanse *n.* correspondence
korrespondent *n.* correspondent
korrespondere med *v.* correspond
korridor n. aisle
korridor *n.* passage
korridor *n.* corridor
korrigere *v.* rectify
korrigerende *adj.* corrective
korrodere *v.* corrode
korroderende *adj.* corrosive
korrosjon *n.* corrosion
korrugert *adj.* corrugated
korrumpere *v.* debauch
korrumpere *v.* corrupt
korrupsjon *n.* corruption
korrupt *adj.* corrupt
korsbom *n.* stile
korstog *n.* crusade
kort *adv.* shortly
kort *n.* card
kort *adj.* brief
kort *adj.* short
kort roman *n.* novelette
kortfattet *adj.* concise
korthet *n.* brevity
kortison *n.* cortisone
koscher *adj.* kosher
kose med *v.* dandle
kose seg *v.* bask
koselig *adj.* cosy
koselig *adj.* snug
koselig *adj.* cosy
kosmetikk *n.* cosmetic
kosmetisk *adj.* cosmetic
kosmetolog *n.* beautician
kosmisk *adj.* cosmic
kosmologi *n.* cosmology
kosmopolitisk *adj.* cosmopolitan
kosmos *n.* cosmos
kost *n.* besom
kostbar *adj.* expensive
koste *v.* cost
kotelett *n.* cutlet
kovne *v.* swelter
krabbe *n.* crab
krabbe *v.* crawl
kraft *n.* force
kraftig *adj.* powerful
kraftig *adj.* racy
kraftig *adj.* stout
kraftløs *adj.* effete
kraftløs *adj.* feckless
kraftløs *adj.* nerveless
krakk *n.* stool
krampe *n.* convulsion

krampe *n.* cramp
krampe *n.* staple
kran *n.* tap
kran *n.* crane
krangel n. altercation
krangel *n.* quarrel
krangel *n.* wrangle
krangle *v.* bicker
kranglevoren *adj.* quarrelsome
krans *n.* wreath
krans *n.* garland
krass *adj.* crass
kratt *n.* thicket
krav *n.* requirement
krav *n.* demand
kreativ *adj.* creative
kreditor *n.* creditor
kreditt *n.* credit
kreft *n.* cancer
kremasjon *n.* cremation
krematorium *n.* crematorium
kremere *v.* cremate
kremmer *n.* monger
krengning *n.* lurch
krenke *v.* violate
krenkelse n. affront
krenkelse *n.* violation
kresen *adj.* finicky
kretsløp *n.* circuit
kreve *v.* claim
krevende *adj.* demanding
krig *n.* war
kriger *n.* warrior
krigersk *adj.* bellicose
krigersk *adj.* martial
krigersk *adj.* warlike
krigførende *adj.* belligerent
krigføring *n.* warfare
krigslist *n.* stratagem
krigsmateriell *n.* munitions
kriminalkomedie *n.* thriller
kriminologi *n.* criminology
kringkaste *v. t* broadcast
krise *n.* crisis
kristen *adj.* Christian
kristendommen *n.* Christianity
kristtorn *n.* holly
Kristus *n.* Christ
kriterium *n.* criterion
kritiker *n.* critic
kritikk *n.* criticism
kritikksyk *adj.* censorious
kritisere *v.* criticize
kritisere sterkt *v.* censure
kritisere sterkt *v.* excoriate
kritisk *adj.* critical
kritisk situasjon *n.* emergency
kritt *n.* chalk
kro *n.* inn
krok *n.* hook
krokete *adj.* crooked
krokodille *n.* crocodile
krom *n.* chrome
kronblad *n.* petal
krone *n.* coronet
krone *n.* crown
krone *v.* crown
kroning *n.* coronation
kronisk *adj.* chronic
kronograf *n.* chronograph
kronologi *n.* chronology
kropp *n.* body
kroppsarbeider *n.* labourer
kroppsbygning *n.* physique
kroppslig *adv.* bodily
kroppsvisitere *v.* frisk
krukke *n.* pitcher
krukke *n.* jar
krum *adj.* hooked
krum *n.* spherical
krumstav *n.* crook

krus *n.* mug
kruse *v.* ruffle
krusning n. ripple
kry *adj.* cocky
krybbe *n.* crib
krybbe *n.* manger
krydder *n.* condiment
krydder *n.* spice
kryddernellik *n.* clove
krydret *adj.* spicy
krykke *n.* crutch
krympe seg *v.* flinch
krymping *n.* shrinkage
krypdyr *n.* reptile
krype *v.* grovel
krype *v.* shrink
krype *v.* creep
krype sammen v. cower
krype sammen *v.* cringe
kryping *n.* servility
krypt *n.* crypt
kryss *n.* cross
kryss *n.* crossing
krysse *v.* traverse
krystall *n.* crystal
krøke seg sammen *v.* crouch
krøll *n.* quirk
krøll *n.* ringlet
krølle *v.* curl
krølle seg *v.* crumple
krønike *n.* chronicle
krøpling *n.* cripple
kråke *n.* crow
kråkekoloni *n.* rookery
ktoppsholdning *n.* stance
kubisk *adj.* cubical
kubus *n.* cube
kulde *n.* frost
kule *n.* sphere
kule *n.* orb
kulinarisk *adj.* culinary
kull *n.* brood
kull *n.* coal
kullgruve *n.* colliery
kullhydrat *n.* carbohydrate
kullsyreholdig *adj.* fizzy
kulminere *v.* culminate
kult *n.* cult
kultivert *adj.* genteel
kultur *n.* culture
kulturell *adj.* cultural
kumulativ *adj.* cumulative
kunde *n.* client
kunde *n.* customer
kung fu *n.* kung fu
kunne *v.* can
kunngjøre v. announce
kunngjøre *v.* promulgate
kunngjøring n. announcement
kunnskap *n.* lore
kunnskap *n.* knowledge
kunst n. art
kunsterisk adj. artful
kunstferdig *adj.* elaborate
kunsthåndverk *n.* handicraft
kunstig adj. artificial
kunstig *adj.* factitious
kunstmaler *n.* painter
kunstner n. artist
kunstnerisk adj. artistic
kupé *n.* coupe
kuplett *n.* couplet
kupong *n.* counterfoil
kupong *n.* coupon
kupp *n.* coup
kuppel *n.* dome
kurator *n.* curator
kurbad *n.* spa
kursiv *adj.* cursive
kursopplegg *n.* course
kurtisane *n.* courtesan

kurv *n.* basket
kurve *n.* curve
kusma *n.* mumps
kutte av *v.* bob
kutte av *v.* sever
kvadrant *n.* quadrant
kvadrat *n.* quad
kvadrat *n.* square
kvakksalver *n* quack
kvakksalveri *n.* quackery
kval n. anguish
kval *n.* torment
kvalifikasjon *n.* qualification
kvalifisere *v.* qualify
kvalitativ *adj.* qualitative
kvalitet *n.* quality
kvalme *n.* nausea
kvalmende *adj.* nauseous
kvante *n.* quantum
kvantifisere *v.* quantify
kvantitativ *adj.* quantitative
kvantitet *n.* quantity
kvapsete *adj.* flaccid
kvark *n.* quark
kvart *n.* quarter
kvartalsvis *adj.* quarterly
kvartett *n.* quartet
kvartnote *n.* crotchet
kvarts *n.* quartz
kvede *n.* quince
kveg *n.* cattle
kvegfarm *n.* ranch
kveker *n.* Quaker
kvekk *n.* croak
kveld *n.* evening
kveldsmat *n.* supper
kvele v. asphyxiate
kvele *v.* smother
kvele *v.* stifle
kvele *v.* strangle
kvele *v.* suffocate
kvelning *n.* suffocation
kvelning *n.* strangulation
kverke *v.* zap
kvern *n.* mill
kverulantisk *adj.* cantankerous
kvestor *n.* bursar
kvestur *n.* bursary
kvidre *v.* twitter
kvidring *n.* cheep
kvikk *adj.* spry
kvikksølv *adj.* mercurial
kvikksølv *n.* mercury
kvikne til *v.* perk
kvinne *n.* woman
kvinnekjønnet *n.* womanhood
kvinnelig *adj.* female
kvinnesaken *n.* feminism
kvintessens *n.* quintessence
kvise n. acne
kvise *n.* pimple
kvist *n.* sprig
kvist *n.* twig
kvistflettverk *n.* wattle
kvistværelse *n.* garret
kvitre *v.* tweet
kvitt *adj.* quits
kvote *n.* quota
kvotient n. quotient
kyber– *comb.* cyber
kyle *v.* fling
kyniker *n.* cynic
kyskhet *n.* chastity
kysse *v.t.* kiss
kysse og kline *v.* smooch
kyst *n.* seaside
kyst *n.* shore
kyst *n.* coast
kystskipper *n.* coaster
kø *n.* queue
Køln *n.* cologne
køye *n.* berth

kål *n.* cabbage
kålorm *n.* caterpillar
kålrot *n.* turnip
kåpe *n.* coat

la *v.* let
labbe *v.* traipse
labial *adj.* labial
laboratorium *n.* laboratory
labyrint *n.* maze
labyrint *n.* labyrinth
lacrosse *n.* lacrosse
lade opp *v.* recharge
lade opp *v.* charge
ladeapparat *n.* charger
lag *n.* layer
lag *n.* team
lag *n.* squad
lag *n.* coating
lagdele *v.* stratify
lage *v.* make
lage mat *v.* cook
lager *n.* lager
lager *n.* warehouse
lager *n.* store
lagring n. seasoning
lagring *n.* storage
lagune *n.* lagoon
lake *n.* pickle
lakei *n.* minion
laken *n.* sheet
lakk *n.* varnish
lakkferniss *n.* lacquer
lakonisk *adj.* laconic
laks *n.* salmon
lakserolje *a.* castor oil
laktose *n.* lactose
lakune *n.* lacuna
lam *n.* lamb
laminere *v.* laminate
lammelse *n.* paralysis
lampe *n.* lamp
land *n.* country
land *n.* land
landbruks adj. agricultural
landhevning *n.* upheaval
landing *n.* landing
landlig *adj.* rural
landlighet *n.* rusticity
landmåler *n.* surveyor
landsbruks adj. agrarian
landsby *n.* village
landsbyboer *n.* villager
landskap *n.* landscape
landskap *n.* scenery
landskilpadde *n.* tortoise
landsmann *n.* compatriot
lang adj. long
lang kurv *n.* trug
lange gamasjer *n.* leggings
langlivethet *n.* longevity
langs prep. along
langs prep. alongside
langsiktig obligasjon *n.* debenture
langsom *adj.* poky
langsom *adj.* slow
langsomt *adv.* slowly
langt *adv.* far
langt unna adv. afar
langt unna adv. afield
langvarig *adj.* abiding
langvarig *adj.* protracted
lanse *n.* lance
lansenér *n.* lancer
lanterne *n.* lantern
lapp *n.* lobe
lapp *n.* patch
lappeskomaker *n.* cobbler
lappet *adj.* patchy
laps *n.* dandy

lapskaus *n.* hotchpotch
lapskaus *n.* stew
larm n. ado
larm *n.* uproar
larm *n.* clamour
larmende *adj.* rumbustious
larmende *adj.* tumultuous
larve *n.* larva
lasagna *n.* lasagne
laser *n.* laser
lass *n.* load
laste ned *v.* download
laste opp *v.* upload
lastebil *n.* lorry
lastebilsjåfør *n.* trucker
lastebåt *n.* freighter
lastefull *adj.* vicious
lat *adj.* lazy
latent *adj.* latent
latrine *n.* latrine
latter *n.* laughter
latter *n.* mirth
latterlig *adj.* laughable
latterlig *adj.* ludicrous
latterlig *adj.* ridiculous
latterliggjøre *v.* debunk
latterliggjøring *n.* ridicule
lattermild *adj.* risible
laudabel *adj.* laudable
laug *n.* guild
laurbærsmykket *n.* laureate
laurbærtre *n.* laurel
lav adj. low
lava *n.* lava
lavendel *n.* lavender
lavere *adj.* inferior
lavere *adj.* lower
lavere offiser *n.* subaltern
lavt blodtrykk *n.* hypotension
le *v.* laugh
ledd *n.* link
ledd *n.* juncture
leddskål *n.* socket
lede *v.* conduct
lede *v.* lead
leder *n.* leader
leder *n.* manager
leder- *adj.* managerial
lederskap *n.* leadership
ledig *adj.* vacant
ledig stilling *n.* vacancy
lediggang *n.* idleness
lediggjenger *n.* idler
ledningsnett *n.* wiring
ledsagende *adj.* concomitant
legalitet *n.* legality
lege *n.* physician
lege *n.* doctor
legemliggjøring *n.* embodiment
legendarisk *adj.* legendary
legende *n.* legend
legering n. alloy
legg *n.* pleat
legg *n.* shank
legge *v.* put
legge *v.* lay
legge frem *v.* propound
legge hindringer i veien *v.* stymie
legge kull i *v.* stoke
legge merke til *v.* observe
legge ovenpå *v.* superimpose
legion *n.* legion
lei seg *adj.* sorry
leid *adj.* mercenary
leie *v.t* hire
leieboer *n.* tenant
leieboer *n.* lodger
leiekaserne *n.* tenement
leiekontrakt *n.* lease
leier *n.* lessee

leier *n.* occupant
leietid *n.* tenancy
leilighet n. apartment
leilighet *n.* maisonette
leilighetsvis *adj.* occasional
leilighetsvis *adv.* occasionally
leir *n.* camp
leire n. clay
lek *n.* game
leke *v.i.* play
leke viltert *v.* romp
leken *adj.* sportive
lekeplass *n.* playground
leketøy *n.* toy
lekkasje *n.* leakage
lekke *v.* leak
lekker *adj.* tasty
lekker adj. yummy
lekmann *n.* layman
leksikalsk *adj.* lexical
leksikon *n.* encyclopaedia
leksikon *n.* lexicon
leksjon *n.* lesson
lekte *n.* lath
lekter *n.* barge
lem *n.* limb
lemleste *v.* maim
lemleste *v.* mutilate
lemlestelse *n.* mutilation
lene bakover *v.* recline
lengde *n.* footage
lengde *n.* length
lengde *n.* longitude
lenger *adv.* further
lengre *adj.* lengthy
lengre foredrag *n.* discourse
lengsel *n.* longing
lengsel *n.* yearning
lengst unna *adj.& adv.* furthest
lengte *v.* yearn
lengte etter *v. t* crave
lenke *n.* shackle
lenkeforbindelse *n.* linkage
lensherre *n.* liege
leopard *n.* leopard
leppe *n.* lip
lepra *n.* leprosy
lerke *n.* lark
lerret *n.* canvas
lesbe *n.* lesbian
lese *v.* peruse
lese *v.* read
lese opp *v.* recite
leselig *adj.* legible
leseplan *n.* curriculum
leser *n.* reader
lesing *n.* perusal
lesing *n.* reading
lesping *n.* lisp
lesse av *v.* unload
leting n. quest
lett *adj.* easy
lett *adj.* facile
lett å styre *adj.* manageable
lettantennelig *adj.* combustible
lettantennelig *adj.* inflammable
lette seg *v.* unburden
lettelse *n.* relief
letthet *n.* ease
letthet *n.* facility
lettroenhet *n.* credulity
lettskremt *adj.* shy
lettstelt *adj.* convenient
leve *v.* live
leve lenger enn *v.* outlast
leve lenger enn *v.* outlive
leve sammen *v.* cohabit
leve side om side *v.* coexist
levebrød *n.* livelihood

levedyktig *adj.* viable
levende adj. alive
levendegjøre *v.* vivify
lever *n.* liver
leverandør *n.* contractor
leverandør *n.* supplier
leverandør *n.* victualler
levere *v.* cater
levere *v.* deliver
levere *v.* purvey
levere *v.* supply
levering *n.* delivery
levnetsmidler *n.* viands
levninger *n.* remains
liberal *adj.* liberal
libido *n.* libido
lidderlig *adj.* lascivious
lidderlig *adj.* lewd
lidderlig *adj.* lustful
lide v. agonize
lide *v.i.* suffer
lidelse n. affliction
lidelse *n.* misery
lidende adj. ailing
lidenskap *n.* passion
lidenskapelig *adj.* impassioned
lidenskapelig *adj.* passionate
lidenskapsløs *adj.* dispassionate
ligament *n.* ligament
ligge etter *v.* lag
ligge henslengt *v.* loll
ligge henslengt *v.* lounge
ligge i sola *v.* sun
ligge i vinterdvale *v.* hibernate
ligge i ørske *v.* rave
ligge utstrakt *v.* sprawl
liggebrett *n.* creeper
liggende *adj.* recumbent
liggende nesegrus *adj.* prone
lighter *n.* lighter
ligne *v.* resemble
lignelse *n.* simile
lignelse *n.* parable
lignende *adj.* similar
lignitt *n.* lignite
lik *n.* cadaver
lik *n.* cadaver
lik *n.* corpse
like adj. alike
like *adj.* equal
likegyldig *adj.* indifferent
likegyldighet *n.* indifference
likegyldighet *n.* nonchalance
likemann *n.* peer
likesidet *adj.* equilateral
likevekt *n.* equilibrium
likevekt *n.* poise
likevel *a.* nonetheless
likhet n. affinity
likhet *n.* likeness
likhet *n.* resemblance
likhet *n.* similarity
likhus *n.* morgue
likhus *n.* mortuary
likklede *n.* pall
likskue *n.* inquest
liksvøp *n.* shroud
likvidasjon *n.* liquidation
likvidere *v.* liquidate
lilla *n.* lilac
lim *n.* glue
limbus *n.* limbo
limerick *n.* limerick
limettsitron *n.* lime
limonade *n.* lemonade
limousin *n.* limousine
lindre v. alleviate
lindre v. assuage

lindre *v.* relieve
lindre *v.* soothe
lindrende *adj.* emollient
lindring n. alleviation
lindring n. mitigation
linerle *n.* wagtail
linfrø *n.* linseed
lingo *n.* lingo
lingvist *adj.* linguist
lingvistisk *adj.* linguistic
linje *n.* line
linjering *n.* ruling
linning *n.* waistband
linse *n.* lens
linse *n.* lentil
lintøy *n.* linen
lisens *n.* licence
lisenshaver *n.* licensee
list *n.* ruse
liste *n.* list
liste *n.* rota
liste seg *v.* tiptoe
listende *adj.* stealthy
listig adj. astute
listig *adj.* shifty
listig *adj.* cunning
lite aktiv *adj.* inactive
lite avlukke *n.* cubicle
lite forutseende *adj.* improvident
lite gjemme *n.* nook
lite grann *n.* modicum
lite kunnskap *n.* smattering
lite notat *n.* chit
lite stykke *n.* morsel
lite uhell *n.* mishap
liten *adj.* small
liten bakke *n.* hillock
liten blære *n.* vesicle
liten brikke *n.* cog
liten dal *n.* dell
liten flaske *n.* phial
liten flaske *n.* vial
liten flekk *n.* speck
liten klaff *n.* tab
liten landsby *n.* hamlet
liten og nett *adj.* petite
liten pai *n.* patty
liten pose *n.* sachet
liten strøm *n.* runnel
liten strøm *n.* streamlet
liten tur *n.* jaunt
liten øks *n.* chopper
liter *n.* litre
litt *adv.* slightly
litteratur *n.* literature
litterær *adj.* literary
liv *n.* life
liv *n.* waist
livegen *n.* serf
livets omskiftelser *n.* vicissitude
livlig *adj.* brisk
livlig *adj.* lively
livlig *adj.* vivacious
livlig *adj.* vivid
livlig *adj.* hale
livlig adj. alert
livlighet n. alacritous
livlighet *n.* vivacity
livløs *adj.* inanimate
livløs *adj.* lifeless
livmor *n.* uterus
livmor *n.* womb
livré *n.* livery
livrente n. annuity
livskraft *n.* vitality
livstykke *n.* bodice
livsvarig *adj.* lifelong
livvakt *n* bodyguard
ljå *n.* scythe
lobby *n.* lobby
lodde *v.* plumb
loddetinn *n.* solder

loddrett *adj.* vertical
loddrett *adj.* perpendicular
lodotter *n.* fluff
loft *n.* loft
logaritme *n.* logarithm
logikk *n.* logic
logisk *adj.* logical
logisk begrunnelse *n.* rationale
logistikk *n.* logistics
logo *n.* logo
logre *v.* wag
lojal *adj.* steadfast
lojalitet *adj.* fidelity
lokalisere *v.* localize
lokalitet *n.* locale
lokalitet *n.* locality
lokke *v.* entice
lokke *v.* lure
lokke fram *v.* elicit
lokkedue *n.* decoy
lokker *n.* tress
lokomotiv *n.* locomotive
lomme *n.* pocket
lommebok *n.* wallet
lommelykt *n.* torch
lommetørkle *n.* handkerchief
loppe *n.* flea
losji n. accommodation
losji *n.* lodging
loslitt *adj.* shabby
lotion *n.* lotion
lotteri *n.* lottery
lotus *n.* lotus
Louvre *n.* Louvre
lov *n.* law
lovbryter *n.* offender
lovende *adj.* promising
lovfestet *adj.* statutory
lovgivende forsamling *n.* legislature
lovgiver *n.* legislator
lovgivning *n.* legislation
lovgivnings *adj.* legislative
lovlig *adj.* lawful
lovlig *adj.* legal
lovlig *adj.* legitimate
lovliggjøre *v.* legalize
lovløs *adj.* lawless
lovprise *v.* laud
lue *n.* cap
luft n. air
luftfart n. aerospace
luftfart n. aviation
luftspeiling *n.* mirage
luftveis *adj.* bronchial
luftventil *n.* vent
lugartjener *n.* steward
luke *n.* hatch
lukke *v.* occlude
lukke *v.* shut
lukking *n.* closure
lukrativ *adj.* lucrative
luksuriøs *adj.* luxurious
luksus *n.* luxury
lukt *n.* odour
lukt *n.* smell
lummer *adj.* sultry
lunar *adj.* lunar
lune *n.* freak
lune n. vagary
lune *n.* whim
lune *n.* whimsy
lunefull *adj.* whimsical
lunge *n.* lung
lunken *adj.* lukewarm
lunsj *n.* luncheon
lunsj *n.* lunch
lur *n.* nap
lure *v.* beguile
lure *v.* bluff
lure *v.* deceive
lure *v.* dupe

lure *v.* hoodwink
lure *v.* lurk
lurendreier *n.* trickster
lureri *n.* chicanery
lureri *n.* trickery
lureri *n.* wile
lurvete *adj.* slatternly
lurvete *adj.* tatty
lus *n.* louse
lusete *adj.* lousy
luske *v.* slink
lustre *n.* lustre
lutt *n.* lute
ly *n.* shelter
lyd *n.* noise
lyd *n.* sound
lyddemper *n.* muffler
lyde igjen *v.* resonate
lydhør *adj.* responsive
lydig *adj.* biddable
lydig *adj.* obedient
lydighet *n.* obedience
lydmur *adj.* sonic
lydpotte *n.* silencer
lydsignal *n.* buzzer
lydtett *adj.* soundproof
lykke *n.* bliss
lykke *n.* felicity
lykke *n.* happiness
lykke *n.* luck
lykkelig *adj.* mirthful
lykt *n.* flash light
lymfe *n.* lymph
lynghei *n.* wold
lyngmo *n.* heath
lynsje *n.* lynch
lyre *n.* lyre
lyrisk *adj.* lyrical
lyrisk dikt n. lyric
lys *n.* light
lys sirup *n.* treacle
lyse *v.* flash
lyse opp *v.* lighten
lyse sterkere enn *v.* outshine
lysekrone *n.* chandelier
lysende *adj.* lucent
lysende *adj.* luminous
lysende himmellegeme *n.* luminary
lyserød *adj.* pink
lyskaster *n.* headlight
lyske *n.* groin
lysning *n.* glade
lysningsblad *n.* gazette
lysstyrke *n.* brilliance
lyst *n.* lust
lysthus *n.* gazebo
lysthus *n.* bower
lystig *adj.* jolly
lystig *adj.* merry
lystighet *n.* hilarity
lystne blikk på *v.* ogle
lystseiler *n.* yachtsman
lytte *v.* listen
lyve *v.* lie
lærd *adj.* erudite
lærd *adj.* learned
lære *v.* learn
lærebok *n.* textbook
lærer *n.* teacher
læring *n.* learning
lærling n. apprentice
lærlingekontrakt *n.* indenture
lød *n.* hue
løfte *v.* heave
løfte *v.* uplift
løfte *n.* promise
løfte *n.* vow
løfte *v.t.* lift
løgnaktig *adj.* mendacious
løgner *n.* liar
løk *n.* onion

løk *n.* bulb
løkke *n.* noose
løkke *n.* loop
lønn *n.* maple
lønn *n.* wage
lønne seg *v.* befit
lønnet *adj.* gainful
lønnsom *adj.* profitable
løpe *v.* run
løpe fortere enn *v.* outrun
løpe med lange byks *v.* lope
løpegrav *n.* trench
løpegutt *n.* stooge
løper *n.* runner
løpeseddel *n.* handout
løpeseddel *n.* handbill
løpetur *n.* run
løptrening *n.* roadwork
lørdag *n.* Saturday
løs *adj.* loose
løse *v.* solve
løse inn *v.* redeem
løse på *v.* loosen
løse seg opp *v. t* dissolve
løsepenger *n.* ransom
løsgjøring *n.* detachment
løslate *v.* release
løsne *v.* slacken
løsne *v.* unbend
løsningsmiddel n. acetone
løsrivelse *n.* severance
løsrivelse *n.* secession
løve *n.* lion
Løven *n.* Leo
løvetann *n.* dandelion
løybenk *n.* couch
løytnant *n.* lieutenant
lån *n.* loan
låne *v.* lend
låne *v.* borrow
lår *n.* haunch
lår *n.* thigh
lås *n.* lock
låsbart skap *n.* locker
låskasse *n.* breech
låve *n.* grange

madrass *n.* mattress
Mafia *n.* Mafia
mage *n.* belly
mage *n.* stomach
mage– *adj.* gastric
magenta *n.* magenta
mager *adj.* meagre
mager *adj.* lank
mageregion *a.* abdominal
magi *n.* magic
magmatisk *adj.* igneous
magnat *n.* magnate
magnet *n.* magnet
magnetisk *adj.* magnetic
magnetisme *n.* magnetism
magnetplate *n.* disc
mahogni *n.* mahogany
mai *n.* May
mail *n.* mail
mail order *n.* mail order
majestet *n.* majesty
majestetisk *adj.* majestic
majones *n.* mayonnaise
makaber *adj.* macabre
makelig *adj.* leisurely
makeløs *adj.* nonpareil
make-up *n.* make-up
maksime *n.* maxim
maksimisere *v.* maximize
maksimum *n.* maximum
malaria *n.* malaria
male *v.* mince
male *v.* purr

maleri *n.* painting
malerisk *adj.* picturesque
malerisk *adj.* quaint
maling *n.* paint
malm *n.* ore
malt *n.* malt
maltraktere *v.* maul
malurt *n.* wormwood
mamma *n.* mum
mammon *n.* mammon
mammut *n.* mammoth
mandag *n.* Monday
mandarin *n.* tangerine
mandat *n.* mandate
mandel n. almond
mandel *n.* tonsil
mandig *adj.* manly
manér *n.* mannerism
manet *n.* jellyfish
mangan *n.* manganese
mange *adj.* many
mange slags *adj.* multifarious
mangeformet *adj.* multiform
mangel *n.* deficiency
mangel *n.* discrepancy
mangel *n.* shortcoming
mangel *n.* dearth
mangel *n.* lack
mangel på disiplin *n.* indiscipline
mangel på respekt *n.* disrespect
mangelfull *adj.* deficient
mangfold *n.* diversity
mangfoldige *adj.* manifold
mangfoldighet *n.* multiplicity
manglende *adj.* missing
manglende evne *n.* incapacity
manglende evne *n.* inability
mango *n.* mango
mani *n.* mania
manifest *n.* manifesto
manifestasjon *n.* manifestation
manikyr *n.* manicure
manipulere *v.* manipulate
manipulering *n.* manipulation
manisk person *n.* maniac
manke *n.* mane
mann *n.* man
mann som forestår likskue *n.* coroner
manna *n.* manna
manndom *n.* manhood
mannekeng *n.* mannequin
mannfolk *n.* male
mannskap *n.* crew
mansjett *n.* cuff
mantra *n.* mantra
manuell *adj.* manual
manuskript *n.* manuscript
manøver *n.* manoeuvre
mappe *n.* portfolio
maraton *n.* marathon
mareritt *n.* nightmare
marg *n.* margin
margarin *n.* margarine
marginal *adj.* marginal
marigull *n.* marigold
marihøne *n.* ladybird
marin *adj.* marine
marina *n.* marina
marinade *n.* marinade
marinere *v.* marinate
marionett *n.* marionette
marionett *n.* puppet
maritim *adj.* maritime
mark *n.* worm
marked *n.* market
markedsføring *n.* marketing
markør *n.* cursor

marmor *n.* marble
marodere *v.* maraud
marodør *n.* marauder
mars *n.* march
Mars *n.* Mars
marshmallow *n.* marshmallow
marsipan *n.* marzipan
marsjere *v.* march
marskalk *n.* marshal
martyr *n.* martyr
martyrdøden *n.* martyrdom
marxisme *n.* Marxism
mascara *n.* mascara
mase i stykker *v.* crush
maske *n.* mask
maske *n.* mesh
maske *n.* stitch
maskepi *n.* collusion
maskerade *n.* masquerade
maskin *n.* machine
maskin *n.* engine
maskineri *n.* machinery
maskot *n.* mascot
maskulin *adj.* macho
maskulin *adj.* masculine
masochisme *n.* masochism
massakre *n.* massacre
massasje *n.* rub
massasje *n.* massage
masse *n.* mass
masseødeleggelse *n.* holocaust
massiv *adj.* massive
massør *n.* masseur
mast *n.* mast
mastergradsstudent *n.* postgraduate
mat *n.* food
mat *n.* victuals
matador *n.* matador
matbit *n.* snack
matematiker *n.* mathematician
matematikk *n.* mathematics
matematisk *adj.* mathematical
materiale *n.* material
materialisere *v.* materialize
materialisme *n.* materialism
materie *n.* matter
matoppskrift *n.* recipe
matriark *n.* matriarch
matrise n. array
matrise *n.* matrix
matte *n.* mat
maur n. ant
maurer *n.* moor
mausoleum *n.* mausoleum
med *prep.* with
med funksjons-feil *adj.* dysfunctional
med hensikt *adj.* intentional
med hensikt *adv.* purposely
med mindre *conj.* unless
med stentorrøst *adj.* stentorian
medalje *n.* medal
medaljevinner *v.i.* medallist
medaljong *n.* medallion
medaljong *n.* locket
meddele *v.* impart
meddele *v.* notify
meddele *v.* communicate
medfødt *adj.* congenital
medfødt *adj.* innate
medfødt *adj.* inborn
medfølende *adj.* sympathetic
medgift *n.* dowry
medgjørlig adj. amenable
medgjørlig *adj.* tractable
media *n.* media
medisin *n.* medicine

medisinering *n.* medication
medisinsk *adj.* medical
medisinsk *adj.* medicinal
meditere *v.* meditate
medium *n.* medium
medlem *n.* member
medlem av Marinens kvinnekorps *n.* wren
medlemskap *n.* membership
medlidenhet *n.* compassion
medlidenhet *n.* pity
medskyldig n. accomplice
medskyldig *adj.* complicit
medvirkning *n.* participation
meg *pron.* me
megabyte *n.* megabyte
megafon *n.* megaphone
megahertz *n.* megahertz
megalith *n.* megalith
megalithic *adj.* megalithic
megapixel *n.* megapixel
meget *adv.* very
meget alvorlig *adj.* concerted
meget beskjedne middel *n.* shoestring
meget forsiktig *adv.* gingerly
meget høy *adj.* lofty
meget liten *adj.* minute
meget produktiv *adj.* prolific
meget rikelig *adj.* superabundant
meget stor *adj.* sizeable
meget streng *adj.* harsh
megetsigende *adj.* knowing
megle *v.* intercede
megle *v.* mediate
megler *n.* broker
meglerselskap n. agency
megling *n.* mediation
meieri *n.* dairy
meiose *n.* myosis
meisle *v.* sculpt
mekaniker *n.* mechanic
mekaniker *n.* mechanics
mekanisk *adj.* mechanical
mekanisme *n.* gear
mekanisme *n.* mechanism
mektig *adj.* mighty
melaktig *adj.* mealy
melamin *n.* melamine
melange *n.* melange
melankoli *n.* melancholia
melasse *n.* molasses
melde p *v.* enrol
melding *n.* notification
melk *n.* latte
melk *n.* milk
melkeaktig *adj.* milky
mellom *adv.* between
mellom personer av forskjellig rase *adj.* interracial
mellomfornøyd *adj.* disgruntled
mellomgulv n. midriff
mellomkomst *n.* mediation
mellomliggende *adj.* intermediate
mellommann *n.* intermediary
mellommann *n.* middleman
mellomrom *n.* interval
mellomstadium *n.* gradation
mellomstatlig *adj.* interstate
melodi *n.* melody
melodi *n.* tune
melodisk *adj.* melodic
melodisk *adj.* melodious
melodrama *n.* melodrama
melodramatisk *adj.* melodramatic

melon *n.* melon
membran *n.* membrane
memorandum *n.* memorandum
men *conj.* but
mened *n.* perjury
mengde *n.* multitude
mening *n.* opinion
mening *n.* purview
meningsløs adj. pointless
meningsløs *adj.* preposterous
meningsløs harang *n.* rigmarole
menneskeheten *n.* humanity
menneskeheten *n.* mankind
menneskelig *adj.* human
menneskelig *adj.* humane
menneskemengde *n.* throng
menneskemengde *n.* crowd
mennesker *n.* people
mens *conj.* whilst
mens *n.* whereas
menstruasjon *n.* menstruation
menstruell *adj.* menstrual
mental *adj.* mental
mentalitet *n.* mentality
mentor *n.* mentor
meny *n.* menu
mer *n.* more
mergel *n.* marl
meridian *n.* meridian
merkantil *adj.* mercantile
merkbar *adj.* noticeable
merkbar *adj.* perceptible
merke *n.* brand
merke *n.* mark
merke *n.* marker
merke *v.* detect
merke *v.* perceive
merke *v.* imprint
merkebøye *n.* buoy
merkelapp *n.* docket
merkelapp *n.* tag
merkelig *adj.* outlandish
merkelig *adj.* peculiar
merking *n.* marking
merkverdig *adj.* extraordinary
mesallianse *n.* misalliance
meske *v.t* mash
meslinger *n.* measles
messanin *n.* mezzanine
Messias *n.* messiah
messing *n.* brass
mest nær *adj.* nearest
mesteparten *n.* bulk
mester *n.* champion
mester *n.* master
mesterverk *n.* masterpiece
metabolisme *n.* metabolism
metafor *n.* metaphor
metafysikk *n.* metaphysics
metafysisk *adj.* metaphysical
metall *n.* metal
metallisk *adj.* metallic
metallurgi *n.* metallurgy
metamorfose *n.* metamorphosis
meteor *n.* meteor
meteorologi *n.* meteorology
metning *n.* saturation
metode *n.* method
metodisk *adj.* methodical
metodologi *n.* methodology
metrisk *adj.* metric
metrisk *adj.* metrical
metropol *n.* metropolis
mett *adj.* replete
mette *v.* saturate
mette helt *v.* satiate
midd *n.* mite

middag *n.* dinner
middag *n.* noon
middel *n.* means
middelalder *adj.* medieval
middelhavs– *adj.* Mediterranean
middelmådig *adj.* mediocre
middelmådighet *n.* mediocrity
middels *adj.* middling
midlertidig *adj.* temporary
midnatt *n.* midnight
midt i *adj.* midst
midtre *adj.* median
midtre *adj.* mid
midtre *adj.* middle
midtsommer *adj.* midsummer
migrene *n.* migraine
mikrobiologi *n.* microbiology
mikrobrikke *n.* microchip
mikrobølge *n.* microwave
mikrofilm *n.* microfilm
mikrofon *n.* microphone
mikrokirurgi *n.* microsurgery
mikrometer *n.* micrometer
mikroprosessor *n.* microprocessor
mikroskop *n.* microscope
mikroskopisk *adj.* microscopic
mild *adj.* gentle
mild *adj.* mild
mild bris *n.* zephyr
mildhet *n.* clemency
mildhet *n.* leniency
mildne *v.* mitigate
mildnet *adj.* mellow
mile *n.* mile
milesten *n.* milestone
militant adj. militant
militant *n.* militant
milits *n.* militia
militær *adj.* military
miljø *n.* environment
miljø *n.* milieu
miljøskadd *adj.* maladjusted
milkshake *n.* milkshake
millennium *n.* millennium
milliard *n.* billion
milliardær *n.* billionaire
milligram *n.* milligram
millimeter *n.* millimetre
million *n.* million
millionær *n.* millionaire
milt *n.* spleen
miltbrann n. anthrax
mime *n.* mime
mime *n.* mime
min *adj.* my
min *pron.* mine
minaret *n.* minaret
mindre *adj.* lesser
mindre *adj. & pron.* less
mindre forseelse *n.* misdemeanour
mindre innvending *n.* quibble
mindreverdig *adj.* menial
mindreverdighet *n.* inferiority
mindreårig *adj.* minor
mindreårighet *n.* minority
mineral *n.* mineral
mineralogi *n.* mineralogy
minestronesuppe *n.* minestrone
miniatyr– *adj.* miniature
minidrosje *n.* minicab
minimal *adj.* minimal
minimisere *v.* minimize
minimum *n.* minimum
miniskjørt *n.* miniskirt
minister *n.* minister

ministeriell *adj.* ministerial
mink *n.* mink
minke *v.* decrease
minne *n.* remembrance
minne *v.* remind
minnefest *n.* commemoration
minnesmerke *n.* memorial
minske *v.* lessen
minst *adj.& pron.* least
minus *prep.* minus
minuskel *adj.* minuscule
minutt *n.* minute
mirakel *n.* miracle
mirakuløs *adj.* miraculous
misbilligelse *n.* disapproval
misbruke *v.* abuse
misdannelse *n.* deformity
misdannelse *n.* malformation
misdeder *n.* malefactor
miserabel *adj.* abject
miserable *adj.* miserable
misfornøyd person *n.* malcontent
misforstå v. misapprehend
misforstå *v.* misunderstand
misforståelse *n.* misapprehension
misforståelse *n.* misunderstanding
mishag *n.* disfavour
mishandle *v.* maltreat
mishandle *v.* mistreat
misjon *n.* mission
misjonslege n. missionary
mislike *v.* disapprove
mislike *v.* dislike
mislykke *v.* fail
misnøye *n.* discontent
misnøye *n.* displeasure
misnøye *n.* dissatisfaction
misoppfatning *n.* misconception
misoppfatte *v.* misconceive
mistanke *n.* suspicion
miste *v.* forfeit
miste *v.* lose
misteltein *n.* mistletoe
mistenke *n.* misgiving
mistenke *v.* suspect
mistenksom *adj.* suspicious
mistenkt *n* suspect
mistro *n.* distrust
mistro *v.* mistrust
mistyde *v.* misinterpret
misunnelig *adj.* envious
misunnelse *n.* envy
misunnelsesverdig *adj.* enviable
mjaue *v.* mew
mjød *n.* mead
mobb *n.* mob
mobb *n.* rabble
mobil *n.* cell phone
mobilitet *n.* mobility
modalitet *n.* modality
modell *n.* model
modem *n.* modem
moden *adj.* mature
moden *adj.* ripe
modenhet *n.* maturity
moderasjon *n.* moderation
moderat *adj.* moderate
moderator *n.* moderator
moderlig *adj.* maternal
moderlig *adj.* motherly
modermord *n.* matricide
moderne *adj.* modern
moderne *adj.* modish
moderne *n.* modernity
moderne *adj.* fashionable
modernisere *v.* modernize
modernisme *n.* modernism

modifisere *v.t.* modify
modifisering *n.* modification
modig *adj.* brave
modig *adj.* gamely
modig *adj.* gutsy
modig *adj.* manful
modig *adj.* courageous
modul *n.* module
modulere *v.* inflect
modulere *v.* modulate
modus *n.* mood
mokka *n.* mocha
moldvarp *n.* mole
molekyl *n.* molecule
molekylær *adj.* molecular
moment *n.* momentum
monarki *n.* monarchy
monetarisme *n.* monetarism
monetær *adj.* monetary
monitor *n.* monitor
mono *n.* mono
monodi *n.* monody
monofonisk *adj.* monophonic
monogami *n.* monogamy
monografi *n.* monograph
monogram *n.* monogram
monokkel *n.* monocle
monokrom *n.* monochrome
monokular *adj.* monocular
monolatri *n.* monolatry
monolog *n.* soliloquy
monolog *n.* monologue
monopol *n.* monopoly
monopolisere *v.* monopolize
monopolist *n.* monopolist
monoteisme *n.* monotheism
monoteist *n.* monotheist
monoton *adj.* monotonous
monotoni *n.* monotony
monstrum *n.* monster
monsun *n.* monsoon
montasje *n.* montage
montere v. assemble
montering n. assembly
montør *n.* fitter
monument *n.* monument
monumental *adj.* monumental
moped *n.* moped
mopp *n.* mop
mor *n.* mother
mor *n.* mother
moral *n.* morality
moralisere *v.* moralize
moralist *n.* moralist
moralsk *adj.* moral
morass *n.* morass
morbiditet *adv.* morbidity
morbær *n.* mulberry
morbærfikentre *n.* sycamore
mord *n.* murder
mord *n.* homicide
mord n. assassination
morder n. assassin
morder *n.* murderer
more v. amuse
morene *n.* moraine
morfin *n.* morphine
morfologi *n.* morphology
morganatisk *adj.* morganatic
morgen *n.* morning
morgendagen *n.* morrow
moro *n.* fun
morskap *n.* maternity
morskap *n.* motherhood
morsom *adj.* funny
morsom *adj.* humorous
morsomt *adj.* hilarious
mosaikk *n.* mosaic
mose *n.* moss
moské *n.* mosque
moskovitt *n.* muscovite

moskus *n.* musk
mot n. anti
mot prep. against
mot *prep.* towards
mot *prep.* versus
mot *n.* courage
motarbeide aktivt *v.* militate
motbevise *v.* refute
motbevise *v.* disprove
motbydelig *adj.* abhorrent
motbydelig *adj.* odious
motbydelig *adj.* repugnant
mote *n.* vogue
motehandler *n.* milliner
motell *n.* motel
motgang *n.* hardship
motgift n. antidote
motherboard *n.* motherboard
motiv *n.* motive
motiv *n.* motif
motivere *v.* motivate
motivering *n.* motivation
motløs *adj.* dispirited
motor *n.* motor
motorsykkel *n.* motorcycle
motorsykkeleskorte *n.* outrider
motorsykkelhanske *n.* gauntlet
motorvei *n.* motorway
motorvei *n.* speedway
motsatt *adj.* opposite
motsatt *adj.* contrary
motsetningsforhold n. antagonism
motsette seg *v.* oppose
motsi *v.* contradict
motsigelse *n.* contradiction
motstand *n.* opposition
motstand *n.* resistance
motstander n. adversary
motstander *n.* opponent
motstander n. antagonist
motstandsdyktig *adj.* resistant
motstrebende *adj.* grudging
motstykke *n.* counterpart
motstøt *n.* riposte
motstå *v.* resist
motstå *v.* withstand
motta *v.* receive
mottagelig *adj.* receptive
mottagelse *n.* receipt
mottagelse *n.* reception
mottager *n.* recipient
mottaker *n.* receiver
motto *n.* motto
motvilje n. adversity
motvilje *n.* repugnance
motvillig adj. adverse
motvillig *adj.* reluctant
motvirke *v.* counteract
mozzarella *n.* mozzarella
mudder *n.* mud
muesli *n.* muesli
muffin *n.* muffin
mugge *n.* jug
muggen *adj.* musty
mulatt *n.* mulatto
muldyr *n.* mule
mulig *adj.* feasible
mulig *adj.* possible
mulighet *n.* possibility
mulla *n.* mullah
multimedia *n.* multimedia
multipleks *n.* multiplex
multiplikasjon *n.* multiplication
multiplisere *v.* multiply
mumie *n.* mummy
mumifisere *v.* mummify
mumle *v.* bumble
mumle *v.* mumble

mumle *v.* mutter
mumle *v.* babble
mumle *v.* murmur
mungo *n.* mongoose
muniment *n.* muniment
munk *n.* monk
munkekloster *n.* monastery
munkevesenet *n.* monasticism
munn *n.* mouth
munnfull *n.* mouthful
munnhell *n.* saying
munnkurv *n.* muzzle
munter *adj.* cheery
munter *adj.* convivial
munter *adj.* jaunty
munter *adj.* upbeat
munterhet *n.* gaiety
munterhet *n.* levity
muntert *adv.* gaily
muntlig *adj.* oral
muntlig *adv.* orally
muntre opp *v.* enliven
muntre opp *v.* exhilarate
mur *n.* wall
murbrokker *n.* debris
murbrokker *n.* rubble
murskje *n.* trowel
murstein *n.* brick
murverk *n.* masonry
mus *n.* weasel
mus *n.* mouse
muse *n.* muse
museum *n.* museum
musikalsk *adj.* musical
musiker *n.* musician
musikk *n.* music
muskel *n.* muscle
musketer *n.* musketeer
muskett *n.* musket
muskuløs *adj.* beefy
muskuløs *adj.* muscular
muslim *n.* Muslim
musling *n.* mussel
musselin *v.* muslin
mustang *n.* mustang
mutasjon n. mutation
mutere *v.* mutate
myalgi *n.* myalgia
mye pron. lot
mye *pron.* much
mygg *n.* gnat
mygg *n.* mosquito
myke opp *v.* limber
myldre av *v.* teem
mynde *n.* greyhound
myndig *adj.* magisterial
myndighet n. authority
myndighetsalder *n.* majority
mynt n. mint
mynt *n.* coin
mynting *n.* coinage
myr *n* marsh
myr *n.* bog
myrde v. assassinate
myrra *n.* myrrh
myrt *n.* myrtle
myse n. whey
mysterium *n.* mystery
mystifisere *v.* mystify
mystiker *n.* mystic
mystikk *n.* mystique
mystisisme *n.* mysticism
mystisk *adj.* mysterious
mystisk *adj.* mystical
myte *n.* myth
mytisk *adj.* mythical
mytologi n. mythology
mytologisk *adj.* mythological
mytteri *n.* mutiny
møbelstopping *n.* upholstery
møbler *n.* furniture
møblere *v.* furnish

møblering *n.* furnishing
møll *n.* moth
mønster *n.* pattern
mønstre *v.* muster
mørk *adj.* sombre
mørk *adj.* dark
mørk og dyster *adj.* murky
mørke *n.* darkness
mørke *n.* murk
mørkhudet *adj.* swarthy
mørtel *n.* mortar
møte *n.* sitting
møte *n.* meeting
møte *v.* meet
møte *v.* encounter
møtereferat *n.* proceedings
måke *n.* gull
mål *a.* measure
mål *n.* goal
måle *v.* measure
måle opp *v.t.* survey
måler *n.* metre
måler *n.* meter
måling *n.* measurement
mållinje *n.* by-line
målløs *adj.* speechless
måltid *n.* meal
målvokter *n.* goalkeeper
måne *n.* moon
måned *n.* month
månedlig *adj.* monthly
måneskinn *n.* moonlight
måte *n.* manner
måte *n.* mode
måtehold *n.* temperance
måtte *v.* may
måtte *v.* must

nabo *n.* neighbour
nabolag *n.* neighbourhood
nabolag *n.* vicinity
nabovennlig *adj.* neighbourly
nacho n. nacho
nadir *n.* nadir
naftalin *n.* naphthalene
nag *n* grudge
nage *v.* fester
nagle *n.* rivet
naken *adj.* bare
naken *adj.* naked
naken *adj.* nude
nakenhet *n.* nudity
nakken *n.* nape
Namsmann *n.* bailiff
nappe *v.* tug
nappe *v.* tweak
nappe *v.* pluck
nappe i *v.* twitch
narkoman *n.* narcotic
narkotikahandler *n.* trafficker
narre *v.* delude
narrestreker *n.* tomfoolery
narsiss *n.* narcissus
narsissisme *n.* narcissism
nasal- *adj.* nasal
nasjon *n.* nation
nasjonal *adj.* national
nasjonalisere *v.* nationalize
nasjonalisering *n.* nationalization
nasjonalisme *n.* nationalism
nasjonalist *n.* nationalist
nasjonalitet *n.* nationality
natt *n.* night
natten over *adv.* overnight

nattkjole *n.* nightie
nattlig *adj.* nocturnal
nattverdsgjest *n.* communicant
natur *n.* nature
naturgjødsel *n.* dung
naturisme *n.* naturism
naturlaist *n.* naturalist
naturlig *adj.* natural
nautisk *adj.* nautical
nav *n.* hub
navigasjon *n.* navigation
navigatør *n.* navigator
navigere *v.* navigate
navle– *adj.* umbilical
navn *n.* name
navnebror *n.* namesake
nebb *n.* beak
nebbtang *n.* pliers
ned *adv.* down
nedbrytning *n.* decomposition
nedbør *n.* rainfall
nedenfor *prep.* below
nedkjøling *n.* refrigeration
nedla *v.* vouchsafe
nedrakking *n.* obloquy
nedre *adj.* nether
nedrustning *n.* disarmament
nedsenking *n.* immersion
nedsettende *adj.* derogatory
nedsettende *adj.* pejorative
nedslåtthet *n.* dejection
nedstigning *n.* descent
nedstigningsbrønn *n.* manhole
nedtrykt *adj.* glum
nedvurdere *v.* denigrate
nedvurdere *v.* deprecate
negativ *adj.* negative
negativitet *n.* negativity
neger *n.* negro
negerkvinne *n.* negress
negl *n.* nail
negligibel *adj.* negligible
neglisjere *v.* override
nei *adj.* no
nei *adv.* nay
nek *n.* sheaf
nekrolog *n.* obituary
nekropolis *n.* necropolis
nektar *n.* nectar
nektarin *n.* nectarine
nekte *v.* refuse
nekte *v. i.* deny
nektelse *n.* negation
Nemesis *n.* nemesis
nemlig *n.* namely
neoklassisk *adj.* neoclassical
neolittisk *adj.* Neolithic
neon *n.* neon
nepotism *n.* nepotism
Neptune *n.* Neptune
nerd *n.* geek
nerd *n.* nerd
Nerve *n.* Nerve
nerve– *adj.* neural
nervesammenbrudd *n.* prostration
nervøs *adj.* fraught
nervøs *adj.* nervous
nervøs *adj.* nervy
nervøsitet n. agitation
nese *n.* nose
nesebor *n.* nostril
nesespary *n.* decongestant
nesevis *adj.* saucy
nesevishet *n* impertinence
neshorn *n.* rhinoceros
nesle *n.* nettle
nest siste *adj.* penultimate
neste *adj.* next

nestekjærlighet *n.* charity
nesten adv. almost
nesten *adv.* nearly
nett *n.* net
netthinne *n.* retina
nettleser *n.* browser
nettside *n.* webpage
nettside *n.* website
nettverk *n.* network
neve *n.* fist
nevne *v.* mention
nevner *n.* denominator
nevrolog *n.* neurologist
nevrologi *n.* neurology
nevrose *n.* neurosis
nevrotisk *adj.* neurotic
nevø *n.* nephew
nexus *n.* nexus
ni *adj. & n.* nine
niende *adj. & n.* ninth
niese *n.* niece
nigger *n.* nigger
nihilisme *n.* nihilism
nikke *v.* nod
nikkel *n.* nickel
nikotin *n.* nicotine
nimbus n. nimbus
nippe til *v.* sip
Nirvana *n.* nirvana
nisje n. alcove
nisje *n.* niche
nisse *n.* hobgoblin
nitrogen *n.* nitrogen
nitten *adj. & n.* nineteen
nittendedel *adj. & n.* nineteenth
nitti *adj. & n.* ninety
nittiende *adj. & n.* ninetieth
nivå *n.* level
node *n.* node
noe *adv.* somewhat
noe pron. anything
noe *pron.* something
noe som er meget nyttig *n.* boon
noe som ligner *n.* semblance
noe som passer dårlig *n.* misfit
noen *adj. & pron.* several
noen pron. anyone
noen *adj.* some
noen gang *adv.* ever
noen som debuterer i selskapslivet *n.* debutante
nok *adj.* sufficient
nok *pron.* plenty
nok *adj.* enough
nomade *n.* nomad
nomadisk *adj.* nomadic
nomenklatur *n.* nomenclature
nominasjon *n.* nomination
nominell *adj.* notional
nominell *adj.* titular
nominere *v.* nominate
nonne *n.* nun
nonnekloster *n.* nunnery
nonnekloster *n.* convent
nonneorden *n.* sisterhood
nonsens *n.* nonsense
nord *n.* north
nordisk *adj.* Nordic
nordlig *adj.* northern
nordlig *adj.* northerly
norm *n.* norm
normal *adj.* normal
normal *adj.* seasonable
normalisere *v.* normalize
normalitet *n.* normalcy
normativ *adj.* normative
nostrum *n.* nostrum
notarius *n.* notary

note *n.* note
notere *v.t.* jot
notis *n.* notice
notisbok *n.* notebook
november *n.* November
ntilbake til *v.* regain
nudist *n.* nudist
nudler *n.* noodles
nugat *n.* nougat
nukleær *adj.* nuclear
null *n.* nil
null *n.* nought
numerisk *adj.* numerical
nummer *n.* number
nusselig *adj.* twee
nut *n.* peak
ny *adj.* new
ny *adv.* newly
nyanse *n.* nuance
nybegynner *n.* novice
nybygger *n.* settler
nyfødt *n.* babe
nyfødt *n.* baby
nyhet *n.* news
nyhet *n.* tidings
nyhetsartikkel *n.* novelty
nylig *adj.* recent
nylig *adv.* recently
nylon *n.* nylon
nylon tråd *n.* halyard
nymfe n. nymph
nynne *v.* hum
nyomvendt *n.* neophyte
nyre *n.* kidney
nyse *v.i.* sneeze
nysgjerrig *adj.* nosy
nysgjerrig *adj.* curious
nysgjerrighet *n.* curiosity
nyte *v.* enjoy
nytelse *n.* delectation
nytelse *n.* pleasure
nytte *n.* utility
nytte v. avail
nyttepreget *adj.* utilitarian
nyttig *adj.* useful
nyvinning *n.* innovation
nær *adv.* nigh
nær *adj.* close
nær *adv.* near
nærende *adj.* nutritious
nærhet *n.* proximity
næring *n.* nourishment
næring *n.* sustenance
nærings– adj. nutritive
næringsmiddel n. alimony
næringsstoff *n.* nutrient
nærliggende adj. adjacent
nærme seg *v.i.* near
nærmest *adj.* proximate
nærsynt *adj.* myopic
nærsynthet *n.* myopia
nærvær *n.* presence
nød *n.* necessity
nødbluss *n.* flare
nødlidende *adj.* destitute
nødvendig *adj.* necessary
nødvendig *adj.* requisite
nødvendig betingelse *n.* precondition
nødvendiggjøre *v.* necessitate
nødvendighet *n.* exigency
nødvendighetsartikkel *n.* requisite
nødvendighetsartikkel *n.* chattel
nødvendigvis *adv.* necessarily
nødvendigvis *adv.* perforce
nøkkel *n.* key
nøkkelhull *n.* keyhole
nøkkerose *n.* lily
nøkternhet *n.* sobriety
nøle *v.* dither

nøle *v.* hesitate
nøle *v.* linger
nølende *adj.* halting
nølende *adj.* hesitant
nøtt *n.* nut
nøtte *n.* kernel
nøtteskrike *n.* jay
nøyaktig *adj.* precise
nøyaktig *adj.* exact
nøyaktighet *n.* precision
nøye *n.* stickler
nøysomhet *n.* thrift
nøytral *adj.* neutral
nøytralisere *v.* neutralize
nøytron *n.* neutron
nå *v.* reach
nå *adv.* now
nåde *n.* mercy
nådig adj. merciful
nål *n.* needle
når *adv.* when
når som helst *conj.* whenever

oase *n.* oasis
obduksjon n. autopsy
oberst *n.* colonel
objektivt *adv.* objectively
obligatorisk *adj.* mandatory
obligatorisk *adj.* obligatory
obligatorisk *adj.* compulsory
observasjon *n.* observation
observasjon *n.* sighting
observatorium *n.* observatory
obskøn *adj.* obscene
obskønitet *n.* obscenity
obstipasjon *n.* constipation
odde *adj.* odd
odds *n.* odds
ode *n.* ode
odyssé *n.* odyssey
offensiv *adj.* offensive
offentlig *adj.* public
offer *n.* victim
offer *n.* bud
offer- *adj.* sacrificial
offergave *n.* offering
offergave *n.* oblation
offisiell *adj.* official
offisielt *adv.* officially
offshore *adj.* offshore
ofre *v.* immolate
ofre *v.* sacrifice
ofring *n.* sacrifice
ofte *adv.* often
ofte *adv.* oft
og conj. and
og så videre adv. et cetera
også adv. also
okay *adj.* okay
okkultisme *n.* occult
okkupere *v.* occupy
okse *n.* ox
oksid *n.* oxide
oksygen *n.* oxygen
oktav *n.* octave
oktavo *n.* octavo
oktober *n.* October
oligarki *n.* oligarchy
oliven *n.* olive
olje *n.* oil
oljeaktig *adj.* oily
oljeaktig *adj.* unctuous
olympisk *adj.* Olympic
om conj. whether
om *prep.* about
om holder godt på *adj.* retentive

om kan atskilles *adj.* separable
ombord *adv.* aboard
omdannelse *n.* conversion
omdirigere *v. t* divert
omdreining *n.* rotation
omdømme *n.* reputation
omelett *n.* omelette
omfatte *v.* comprise
omfatte *v.* encompass
omfatte *v.* incorporate
omfattende *adj.* comprehensive
omfavne *v.* clasp
omfavne *v.* enfold
omfavne *v.* embrace
omflakkende *n.* vagrant
omforme *v.* transform
omforming *n.* transformation
omgivelser *n.* surroundings
omgjengelig adj. affable
omgjengelig *adj.* sociable
omgjengelighet *n.* sociability
omgjøre *v.* quash
omgjøring *n.* reversal
omgruppere *v.* redeploy
omhyggelig *adj.* meticulous
omhyggelig *adj.* painstaking
omkjøring *n.* diversion
omkjøringsvei n. bypass
omkomme *v.* perish
omkrets *n.* circumference
omlydelig *adj.* mutable
ommøblere *v.* reshuffle
omplante *v.* transplant
omplassere *v.* relocate
omreisende *adj.* roving
omringe *v.* surround
omringe *v. t* encircle
omriss *n.* outline
område n. area
område *n.* precinct
område *n.* region
område *n.* territory
omsetning *n.* turnover
omsette *v.* decode
omsider *adv.* eventually
omsider *adv.* ultimately
omskjære *v.* circumcise
omskrive *v.* circumscribe
omslutte *v.* encase
omsorgsperson *n.* carer
omstendighet *n.* circumstance
omstendighet *n.* mischance
omtrent adv. about
omtrentlig adj. approximate
omtåket *adj.* woozy
omvei *n.* detour
omveltning *n.* subversion
omvendt *adj.* inverse
omvendt *adv.* vice-versa
omvurdere *v.* reassess
onanere *v.* masturbate
ond *adj.* malign
ond *adj.* malignant
ond *adj.* wicked
ond adj. evil
ondartethet *n.* virulence
ondskap *n.* malice
ondskap *n.* spite
ondskap *n.* venom
ondskapsfull *adj.* malicious
ondskapsfull *adj.* spiteful
onkel *n.* uncle
onnearbeider *n.* harvester
onnearbeider *n.* reaper
onomatopoetikon *n.* onomatopoeia
onsdag *n.* Wednesday
ontologi *n.* ontology
onvoverbevisning *n.* conviction
onyks *n.* onyx

opal *n.* opal
opera *n.* opera
operasjon *n.* operation
operativ *adj.* operative
operatør *n.* operator
operere *v.* operate
opium *n.* opium
oppankring n. anchorage
oppbevaringssted *n.* depository
oppblåst *adj.* flatulent
oppblåst *adj.* pompous
oppblåsthet *n.* pomposity
oppdage *v.* discover
oppdagelse *n.* discovery
oppdemmingspolitikk *n.* policy
oppdra *v.* nurture
oppe *adv.* up
oppfinne *v.* invent
oppfinnelse *n.* invention
oppfinner *n.* inventor
oppfylle *v.* fulfil
oppfyllelse *n.* fulfilment
oppføre seg *v.* behave
oppføre seg *v.* comport
oppføre seg dårlig *v.* misbehave
oppføre seg nedlatende *v.* condescend
oppførsel *n.* behaviour
oppgave n. assignment
oppgave *n.* task
oppgi *v.* relinquish
oppgitt *adj.* given
oppgjør *n.* showdown
oppgradere *v.* upgrade
opphavsmann *n.* originator
opphengning *n.* hanging
oppheve *v.* abrogate
oppheve v. annul
oppheve *v.* rescind
oppheve *v.* repeal
opphevelse *n.* revocation
opphisse *v.i* excite
opphisselse *n.* excitement
opphisset *adj.* feisty
opphold *n.* sojourn
oppholde seg *v.* stay
opphopning n. accumulation
opphøre v. cease
opphøye *v.* exalt
oppkomling *n.* upstart
opplagt *adj.* obvious
opplyse *v.* enlighten
opplysninger *n.* information
oppløse *v.* disband
oppløselig *adj.* soluble
oppløselighet *n.* solubility
oppløsning *n.* solution
oppløsningsmiddel *n.* solvent
oppmerksom *adj.* observant
oppmerksomhet n. attention
oppmerksomhetens midpunkt *n.* cynosure
oppmerksomme adj. attentive
oppmuntre *v.* encourage
oppmuntre *v.* instigate
oppmuntre *v.* embolden
oppmuntre *v.* hearten
oppmuntrende *adj.* heartening
oppn *v.* gain
oppnå v. acquire
oppnå v. attain
oppnåelse n. attainment
opportunisme *n.* opportunism
oppover adv. aloft
oppover *adv.* upward
oppreist *adj.* upright
oppreist *adj.* erect

opprette *v.* establish
opprette *v.* found
opprettelse *n.* foundation
opprettholde *v.* sustain
oppriktig *adj.* candid
oppriktig *adj.* frank
oppriktig *adj.* sincere
oppriktighet *n.* candour
oppriktighet *n.* sincerity
opprinnelig *adj.* aboriginal
opprinnelig *adj.* primal
opprinnelig *adj.* pristine
opprinnelig *adv.* primarily
opprinnelig *adj.* original
opprinnelig hjemmehørende *adj.* indigenous
opprinnelse *n.* origin
opprinnelse *n.* provenance
opprivende *adj.* harrowing
opprør *n.* rebellion
opprørende *adj.* outrageous
opprører *n.* insurgent
opprørsk *adj.* mutinous
opprørsk *adj.* rebellious
oppsetsig *adj.* insubordinate
oppsetsighet *n.* insubordination
oppsettelse *n.* postponement
oppsigelse *n.* resignation
oppsiktsvekkende *adj.* flamboyant
oppsiktsvekkende *n.* startling
oppslagstavle *n.* noticeboard
oppsluke *v.* engross
oppsnapping *n.* interception
oppspytt *n.* sputum
oppstand *n.* insurrection
oppstand *n.* rising
oppstand *n.* uprising
oppstigning n. ascent
oppstå v. arise
oppsummere *v.* summarize
oppsving *n.* boom
oppsving *n.* upturn
oppsvulmet *adj.* turgid
oppsynsmann *n.* overseer
oppta *v.* preoccupy
opptager *n.* recorder
opptak n. admission
opptatt *adj.* busy
opptatthet *n.* preoccupation
opptelling *v.* count
opptog *n.* pageant
opptrappe *v.* escalate
opptredende *n.* performer
oppumping *n.* inflation
oppvarming *n.* heating
oppvaskkum *n.* sink
oppveie *v.* outweigh
oppveie *v.* offset
oppvigleri *n.* sedition
oppviglersk *adj.* seditious
oppå *prep.* above
opsjon *n.* option
optiker *n.* optician
optimal *adj.* optimum
optimalisere *v.* optimize
optimisme *n.* optimism
optimist *n.* optimist
optimistisk *adj.* optimistic
optimistisk *adj.* sanguine
optisk *adj.* optic
orakel *n.* oracle
oransje *n.* orange
orbital *adj.* orbital
ord *n.* word
ordblindhet *n.* dyslexia
ordbok *n.* dictionary
orden *n.* sequence
ordgyteri *n.* verbiage

ordinær *adj.* mundane
ordknapp *adj.* reticent
ordlyd *n.* wording
ordne v. arrange
ordne *v.* wangle
ordne *v. t* dispose
ordne om på *v.* rearrange
ordning n. arrangement
ordning *n.* settlement
ordre *n.* order
ordrett *adj.* literal
ordrett *adv.* verbatim
ordrik *adj.* wordy
ordspill *n.* pun
ordspråksaktig *adj.* proverbial
ordtak *n.* dictum
ordtak *n.* proverb
organ *n.* organ
organisasjon *n.* organization
organisere *v.* organize
organisere igjen *v.* reorganize
organisk *adj.* organic
organisme *n.* organism
orgasme *n.* orgasm
orgie *n.* orgy
orgripe seg på *v.* encroach
orientere *v.* orientate
orientering *n.* briefing
origami *n.* origami
originalitet *n.* originality
originalpakke *n.* packet
orkan *n.* hurricane
orkester *n.* orchestra
orkester- *adj.* orchestral
orkidé *n.* orchid
orlogs- *adj.* naval
ormegress *n.* fern
ornament *n.* ornament
ornamental *adj.* ornamental
ornamentering *n.* ornamentation
ortodoks *adj.* orthodox
ortodoksi *n.* orthodoxy
ortografi *n.* spelling
ortopedi *n.* orthopaedics
oscillering *n.* oscillation
oseanisk *adj.* oceanic
oss selv *pron.* ourselves
ost *n.* cheese
ostemasse *n.* curd
osteopati *n.* osteopathy
oter *n.* otter
ottoman *n.* ottoman
output *n.* output
ouverture *n.* overture
oval *adj.* oval
ovasjon *n.* ovation
over *adv.* above
over *adv.* overhead
over *prep.* over
over havet *adv.* overseas
overbebyrde *v.* overburden
overbelaste *v.* overload
overbetjent *n.* superintendent
overbevise *v.* convince
overbevisende *adj.* cogent
overbord *adv.* overboard
overby *v.* outbid
overbærende *adj.* charitable
overbærende *adj.* lenient
overbærenhet *n.* indulgence
overdose *n.* overdose
overdreven *adj.* excessive
overdreven *adj.* fulsome
overdreven *adj.* overweening
overdrevent dekorert *adj.* ornate
overdrive *v.* overdo
overdrive *v.* exaggerate

overdrivelse *n.* exaggeration
overdådig *adj.* lavish
overdådig *adj.* opulent
overdådig *adj.* sumptuous
overfalle fra bakhold *v.* waylay
overfladisk *adj.* perfunctory
overfladisk *adj.* sketchy
overfladisk *adj.* superficial
overfladiskhet *n.* superficiality
overflod *adj.* superabundance
overflod *n.* glut
overflod *n.* plethora
overflod *n.* profusion
overflødig *adj.* otiose
overflødig *adj.* superfluous
overflødighet *n.* superfluity
overfylling *n.* congestion
overfylt *adj.* congested
overførbar *adj.* communicable
overførbar *adj.* transferable
overføre *v.* transfuse
overføring *n.* transmission
overgang *n.* transition
overgangsalder *n.* menopause
overgi seg *v.* surrender
overgir *n.* overdrive
overgivelse *n.* surrender
overgrodd *adj.* overgrown
overgå *v.* excel
overgå *v.* outdo
overgå *v.* surpass
overgå *v.* transcend
overhale *v.* recondition
overhale *v.* overhaul
overhengende adv. afoot
overherredømme *n.* supremacy
overholdelse *n.* observance
overhøre *v.* overhear
overlappe *v.* overlap
overlegen *adj.* cavalier
overlegen *adj.* nonchalant
overlegen *adj.* overbearing
overlegen *adj.* supercilious
overlegen *adj.* superior
overlegen intelligens *n.* mastermind
overlegenhet *n.* superiority
overlegg *n.* premeditation
overlegg *n.* intent
overleve *v.* survive
overlevelse *n.* survival
overligger *n.* lintel
overløper *n.* renegade
overmanne *v.* overpower
overmanne *v.* overwhelm
overmenneskelig *adj.* superhuman
overmett *adj.* sated
overmetthet *n.* satiety
overmål *n.* excess
overnaturlig *adj.* supernatural
overoppsyn *n.* supervision
overoppsyn *n.* superintendence
overraskelse *n.* surprise
overreagere *v.* overreact
overrekke *v.* present
overrekkelse *n.* presentation
oversette *v.* translate
oversettelse *n.* translation
oversikt *n.* overview
overskride *v.* overstep
overskrift *n.* heading
overskrift *n.* headline
overskudd *n.* proceeds

overskudd *n.* surplus
overskyet *adj.* overcast
overskyet *adj.* cloudy
overskygge *v.* overshadow
overspent *adj.* overwrought
overspille *v.* overact
overstige *v.* exceed
overstrømmende *adj.* profuse
oversvømme *v.* inundate
oversvømme *v.* overrun
overtale *v.* persuade
overtale noen *v.* coax
overtalelse *n.* persuasion
overtid *n* overtime
overtone *n.* overtone
overtre *v.* contravene
overtredelse a *n.* transgression
overtrekke *v.* overdraw
overtro *n.* superstition
overtroisk *adj.* superstitious
overtrukket beløp *n.* overdraft
overutsprunget *adj.* overblown
overveie pnytt *v.* reconsider
overveielse *n.* consideration
overveielse *n.* contemplation
overveielse *n.* deliberation
overvekt *n.* predominance
overvekt *n.* preponderance
overvinne *v.* surmount
overvinne *v.* vanquish
overvurdere *v.* overestimate
overvurdere *v.* overrate
overvåking *n.* surveillance
ovn *n.* furnace
ovn *n.* stove
ozon *n* ozone

P

pacemaker *n.* pacemaker
padde *n.* toad
padleåre *n.* paddle
pagode *n.* pagoda
pai *n.* pie
paisley *n.* paisley
pakkasse *n.* crate
pakke *n.* package
pakke *n.* parcel
pakke ut *v.* unpack
pakking *n.* packing
pakkurv *n.* hamper
pakning *n.* gasket
pakning *n.* washer
pakt *n.* covenant
pakt *n.* pact
palassaktig *adj.* palatial
palatal *adj.* palatal
palett *n.* palette
palisade *n.* stockade
pall *n.* pallet
pamflett *n.* pamphlet
pandemonium *n.* pandemonium
panegyrikk *n.* panegyric
panel *n.* wainscot
panel *n.* panel
panikk *n.* panic
panisk *adj.* frantic
panne *n.* forehead
pannekake *n.* flapjack
pannekake *n.* pancake
pannelokk *n.* quiff
panorama *n.* panorama
pant *n.* mortgage
Pantalone *n.* pantaloon
panteisme *n.* pantheism
panteist *adj.* pantheist
pantelåner *n.* pawnbroker

panter *n.* panther
panterett *n.* lien
panthaver *n.* mortgagee
pantomime *n.* mummer
pantomime *n.* pantomime
pantsetter *n.* mortgagor
papegøye *n.* parrot
paperback *n.* paperback
papir *n.* paper
papirhandler *n.* stationer
papiromslag *n.* wrapper
pappa *n* dad
paprika *n.* capsicum
par *n.* couple
par *n.* pair
par *n.* par
parade *n.* parade
paradis *n.* paradise
paradoks *n.* paradox
paradoksal *adj.* paradoxical
parafin *n.* paraffin
parafin *n.* kerosene
parafrasere *v.* paraphrase
paragon *n.* paragon
paragraf *n.* clause
parallell *n.* parallel
parallellkople *v.* shunt
parallellogram *n.* parallelogram
paralysere *v.* paralyse
paralytisk *adj.* paralytic
parameter *n.* parameter
paraply *n.* umbrella
parasitt *n.* parasite
parasoll *n.* parasol
parentes *n.* parenthesis
parere *v.* parry
parese *n.* palsy
parfyme *n.* perfume
parfymere *adv.* perfume
pariah *n.* pariah
paritet *n.* parity
park *n.* park
parlamentariker *n.* parliamentarian
parlamentarisk *adj.* parliamentary
parlamentering *n.* parley
parodi *n.* burlesque
parodi *n.* parody
parti *n.* party
partikkel *n.* granule
partikkel *n.* particle
partisan *n.* partisan
partisk *adj.* biased
partiskhet *n.* partiality
partner *n.* partner
parykk *n.* wig
pasient *n.* patient
pasifist *n.* pacifist
pass *n.* passport
passasjer *n.* passenger
passe *v.* beware
passe *v.* pertain
passende *adj.* suitable
passende adj. apposite
passende adj. apt
passende *adj.* seemly
passende *n.* fitting
passere *v.* pass
passiv *adj.* passive
pasta *n.* pasta
pastell *n.* pastel
pasteurisert *adj.* pasteurized
pastill *n.* lozenge
pastoral *adj.* pastoral
paté *n.* pasty
patent *n.* patent
patetisk *adj.* pathetic
patologi *n.* pathology
patologisk *adj.* morbid
patos *n.* pathos
patriark *n.* patriarch
patriot *n.* patriot

patriotisk *adj.* patriotic
patriotisme *n.* patriotism
patron *n.* cartridge
patruljere *v.* patrol
patte *n.* teat
pattedyr *n.* mammal
pause *n.* interlude
pause *n.* intermission
pause *n.* pause
pave *n.* pontiff
pave *n.* pope
pavedømme *n.* papacy
pavelig *adj.* papal
paviljong *n.* pavilion
peanøtt *n.* peanut
pedagog *n.* pedagogue
pedagogikk *n.* pedagogy
pedal *n.* pedal
pedant *n.* pedant
pedantisk *adj.* pedantic
pediatri *n.* paediatrics
pedofil *n.* paedophile
peis *n.* hearth
pekannøtt *n.* pecan
pekefinger *n.* forefinger
pelikan *n.* pelican
pellet *n.* pellet
pels *n.* fur
pen *adj.* pretty
pence *n.* penny
pendel *n.* pendulum
pengekiste *n.* coffer
pengelens *adj.* penniless
penger *n.* money
pengeskap *n.* safe
penhet *n.* prettiness
penis *n.* penis
penn *n.* pen
pensjon *n.* pension
pensjonering *n.* superannuation
pensjonist *n.* pensioner
pepper *n.* pepper
peppermynte *n.* peppermint
peppermø *n.* spinster
peptisk *adj.* peptic
per *prep.* per
perfeksjon *n.* perfection
perfekt *adj.* perfect
periferi *n.* periphery
periode *n.* period
periode *n.* term
periodevis *adj.* periodical
periodisk *adj.* cyclic
periodisk *adj.* periodic
perkolator *n.* percolator
perkolere *v.* leach
perky *adj.* perky
perle *n.* bead
perle *n.* gem
perle *n.* pearl
perleformet *adj.* beady
permanens *n.* permanence
permanent *adj.* permanent
permeabel *adj.* permeable
Perry *n.* Perry
persepsjon *n.* perception
person *n.* persona
person *n.* person
person fra veststatene *n.* westerner
person i åttiårene *n.* octogenarian
person man har forsørgelsesplikt overfor *n.* dependant
person med akademisk utdannelse *n.* graduate
person skyldig i forbrytelse *n.* felon
person som er på prøve *n.* probationer
person som holder disiplin *n.* martinet

person som holder en fanget *n.* captor
person som holdes tilbake *n.* detainee
person som løser flokene *n.* trouble-shooter
personal *adj.* personal
personalisere *v.* customize
personasje *n.* personage
personell *n.* personnel
personifisere *v.* personify
personifisering *n.* personification
personlighet *n.* personality
perspektiv *n.* perspective
pervers *adj.* perverse
perversitet *n.* perversity
perversjon *n.* perversion
pervertere *v.* pervert
pese *v.* pant
pessimisme *n.* pessimism
pessimist *n.* pessimist
pessimistisk *adj.* pessimistic
pest *n.* pest
pest *n.* pestilence
pest *n.* plague
pesticid *n.* pesticide
phenomena *n.* phenomenon
pianist *n.* pianist
piano *n.* piano
piazza *n.* piazza
piazza *n.* plaza
picnic *n.* picnic
pigg *n.* prickle
pigg *n.* spike
piggete *adj.* spiky
pigmè *n.* pigmy
pigment *n.* pigment
pikant *adj.* piquant
pikant *adj.* savoury
piktogram *n.* pictograph
pil n. arrow
pil *n.* dart
pil *n.* willow
pilar *n.* pillar
pilegrim *n.* pilgrim
pilegrimsreise *n.* pilgrimage
pilk *n.* jig
pille *n.* pill
pilot n. aviator
pilot *n.* pilot
pimpe *v.* guzzle
pingvin *n.* penguin
pinlig nøyaktig *adv.* minutely
pinsett *n.* forceps
pinsett *n.* tweezers
pint *n.* pint
pioner *n.* pioneer
pip *n.* beep
pip *n.* bleep
pip *n.* squeak
pipe *v.* chirp
pipette *n.* pipette
piping *n.* zing
piratvirksomhet *n.* piracy
pirke *v.* niggle
pirrelig *adj.* testy
pisk *n.* whip
piske *v.* flagellate
piske *v.* flog
piske *v.* lash
piske *v.* whisk
pisking *n.* lashings
pistol *n.* gun
pistol *n.* pistol
pistolhylster *n.* holster
pixel *n.* pixel
pizza *n.* pizza
plage n. annoyance
plage *n.* nuisance
plage *n.* harassment

plage v. afflict
plage v. ail
plage *v.* harass
plage *v.* pester
plage *v.* bother
plageånd *n.* tormentor
plagg *n.* garment
plakat *n.* placard
plakat *n.* poster
plan *n.* scheme
plan *n.* plan
planet *n.* planet
planetarisk *adj.* planetary
planke n. axle
planke *n.* plank
plankeverk *n.* hoarding
planlegge *v.* premeditate
plant *n.* plant
plantasje *n.* plantation
plante *n.* herb
planteskulptur *n.* topiary
plaske *v.* splatter
plass *n.* locus
plass *n.* seat
plassanviser *n.* usher
plassere *v.* locate
plassering *n.* placement
plaster *n.* plaster
plastikk *n.* plastic
platan *n.* plane
plate *n.* plate
plate *n.* platelet
plate *n.* slab
platelager *n.* hard drive
platina *n.* platinum
platonisk *adj.* platonic
plattform *n.* platform
platå *n.* plateau
plausibel *adj.* plausible
plebeiisk *adj.* plebeian
pledere *v.* plead
plettfri *adj.* spotless
plikt *n.* duty
plikttro *adj.* dutiful
plint *n.* plinth
plog *n.* plough
plogfår *n.* furrow
plogmann *n.* ploughman
plomme *n.* yolk
plomme *n.* plum
plugg *n.* stopper
plugg *n.* peg
plugg *n.* plug
pluralitet *n.* plurality
pluss prep. plus
plutselig *adj.* sudden
plutselig *adv.* suddenly
plyndre *v.* rifle
plyndre *v.* rob
plyndre *v.* plunder
plyndringstokt *n.* foray
plysj *n.* plush
plystre *v.* whiz
pløybar adj. arable
pneumatisk *adj.* pneumatic
pneumoni *n.* pneumonia
podagra *n.* gout
podcast *n.* podcast
podium *n.* podium
podium *n.* dais
podning *n.* graft
poesi *n.* poetry
poker *n.* poker
pol *n.* pole
polar *adj.* polar
polemikk *n.* polemic
polere opp *v.* refurbish
polett *n.* token
poliklinisk pasient *n.* outpatient
politi *n.* police
politiker *n.* politician
politikk *n.* politics
politi-korps *n.* constabulary

politimann *n.* policeman
politisk *adj.* political
politur *n.* polish
pollen *n.* pollen
polo *n.* polo
polyandri *n.* polyandry
polygam *adj.* polygamous
polygami *n.* polygamy
polygraf *n.* polygraph
polyteisme *n.* polytheism
polyteistisk *adj.* polytheistic
pomp *n.* pomp
pompøs *adj.* sententious
ponni *n.* pony
poplin *n.* poplin
poppel *n.* poplar
popularitet *n.* popularity
populær *adj.* popular
pore *n.* pore
pornografi *n.* pornography
porselen *n.* porcelain
porsjon *n.* helping
port *n.* gate
portal *n.* portal
portforbud *n.* curfew
portikus *n.* portico
porto *n.* postage
portrett *n.* portrait
portrettere *v.* portray
portrettkunst *n.* portraiture
pose *n.* bag
pose *n.* pouch
positiv *adj.* positive
post *n.* post
post kontor *n.* post office
postal *adj.* postal
posthum *adj.* posthumous
postkode *n.* postcode
postkort *n.* postcard
postmann *n.* postman
postmester *n.* postmaster
pote *n.* paw
potensial *n.* potentiality
potensiell *adj.* potential
potent *adj.* potent
potet *n.* potato
pott *n.* kitty
potte *n .* pot
potteskår *n.* shard
pragmatisk *adj.* pragmatic
pragmatism *n.* pragmatism
praksis *n.* practice
prakt *n.* grandeur
prakteksemplar *n.* stunner
praktfull *adj.* magnificent
praktfull *adj.* wonderful
praktikant *n.* trainee
praktisk *adj.* practical
pralende *adj.* vainglorious
praleri *n.* ostentation
pralin *n.* praline
prate *v. i.* chat
prate i vei *v.* burble
pratmaker *n.* windbag
pratsom *adj.* voluble
predator *n.* predator
predestinasjon *n.* predestination
predikant *n.* preacher
predikat *n.* predicate
pre-Eminense *n.* pre-eminence
pre-eminent *adj.* pre-eminent
prefabrikkere *adj.* prefabricated
prefekt *n.* prefect
preferanse– *adj.* preferential
prefiks *n.* prefix
prehistorisk *adj.* prehistoric
preke *v.* preach
preke *v.* sermonize
preken *n.* sermon
prekestol *n.* pulpit

prektig *adj.* superb
prekær *adj.* precarious
prelat *n.* prelate
preludium *n.* prelude
premie *n.* premium
premiere *n.* premiere
premiere v. award
preposisjon *n.* preposition
prerogativ *n.* prerogative
presang *n.* present
presedens *adj.* unprecedented
presedens *n.* precedent
presenning *n.* tarpaulin
presenterbrett *n.* salver
president *n.* president
president- *adj.* presidential
presidere *v.* preside
presis adj. accurate
presis *adj.* specific
presisere *v.* clarify
press *n.* crease
presse *v.* extort
presse *v.* press
presse *v.t.* jam
presse sammen *v.* clench
prest *n.* priest
prest *n.* pastor
prestasjon *n.* feat
prestegjeld *n.* parish
presteskap *n.* priesthood
prestisje *n.* prestige
prestisjetung *adj.* prestigious
pretensiøs *adj.* pretentious
pretensjon *n.* pretension
preventiv *adj.* precautionary
prikk *n.* dot
prikk n. spot
prikke *v.* tingle
prikke *v.* prick
primat *n.* primacy
primat *n.* primate
primitiv *adj.* primitive
prins *n.* prince
prinsesse *n.* princess
prinsipp *n.* principle
prinsippløs *adj.* unprincipled
printer *n.* printer
pris *n.* charge
pris *n.* price
pris *n.* prize
prisme *n.* prism
prisverdig adj. admirable
prisverdig *adj.* meritorious
prisverdig *adj.* creditable
privat *adj.* private
privatisere *v.* privatize
privatsjåfør *n.* chauffeur
privilegium *n.* privilege
proaktiv *adj.* proactive
problem *n.* problem
problematisk *adj.* problematic
produksjon *n.* production
produkt *n.* product
produktiv *adj.* productive
produktivitet *n.* productivity
produsent *n.* producer
produsere *v.* generate
produsere *v.* manufacture
produsere *v.* produce
profan *adj.* profane
profesjon *n.* profession
profesjonell *n.* pro
professor *n.* professor
profet *n.* prophet
profet *n.* seer
profetere *v.* prophesy
profeti *n.* prophecy
profetisk *adj.* prophetic
profil *n.* profile
profitt *n.* profit

profitørvirksomhet *n.* profiteering
prognose *n.* prognosis
program *n.* programme
progressiv *adj.* progressive
progressiv ekstraskatt *n.* surtax
prohibitiv *adj.* prohibitive
proklamasjon *n.* proclamation
proklamere *v.* proclaim
prolog *n.* prologue
promenade *n.* promenade
prominent *adj.* prominent
promiskuøs *adj.* promiscuous
pronomen *n.* pronoun
propaganda *n.* propaganda
propell *n.* propeller
proporsjonal *adj.* proportional
proppe *v.* huddle
proppe *v.* cram
prosa *n.* prose
prosadiktning *n.* fiction
prosaisk *adj.* prosaic
prosaisk *n.* pedestrian
prosedere *v.* litigate
prosederende part *n.* litigant
prosentandel *n.* proportion
prosentsats *n.* percentage
prosesjon *n.* procession
prosess *n.* process
prosjekt *n.* project
prosjektering *n.* projection
prosjektil *n.* projectile
prosjektil *n.* bullet
prosjektør *n.* projector
prosjektør *n.* floodlight
prospekt *n.* prospectus
prostata *n.* prostate
prostituert *n.* prostitute
prostitusjon *n.* prostitution
protagonist *n.* protagonist
protein *n.* protein
protektorat *n.* protectorate
protest *n.* protest
protestere *v.* remonstrate
protokoll *n.* protocol
prototype *n.* prototype
provins *n.* province
provinsiell *adj.* provincial
provisjon *n.* commission
provokasjon *n.* provocation
provosere *v.* provoke
provoserende *adj.* provocative
prowess *n.* prowess
prute *v.* haggle
pryde *v.* dignify
pryle *v.* thrash
pryle *v.* wallop
prøve *n.* rehearsal
prøve *n.* sample
prøve *n.* specimen
prøve *n.* probation
prøve *n.* trial
prøve *v.* rehearse
prøve *n.* test
prøve *v.* try
prøveopptreden n. audition
prøvetaker *n.* sampler
pseudonym *n.* pseudonym
psevdomyn n. alias
psychoses *n.* psychosis
psyke *n.* psyche
psykiater *n.* psychiatrist
psykiatri *n.* psychiatry
psykisk *adj.* psychic
psykolog *n.* psychologist
psykologi *n.* psychology
psykologisk *adj.* psychological
psykopat *n.* psychopath

psykoterapi *n.* psychotherapy
ptoalettet *n.* loo
pub *n.* pub
pubertet *n.* puberty
publikasjon *n.* publication
publikum n. audience
publisitet *n.* publicity
pudding *n.* pudding
puff *n.* gust
pukkel *n.* hump
puller *n.* bollard
pulley *n.* pulley
pullover *n.* pullover
pull-over *n.* jersey
puls *n.* pulse
pulsar *n.* pulsar
pulsere *v.* pulsate
pulsering *n.* pulsation
pult *n.* desk
pulver *n.* powder
pumpe *n.* pump
pund *n.* quid
pung *n.* purse
pungdyr *n.* marsupial
punkt n. point
punkt n. pointing
punkt *n.* item
punktlig *adj.* punctual
punktlighet *n.* punctuality
punktur *n.* puncture
purist *n.* purist
puritaner *n.* puritan
puritansk *adj.* puritanical
purity *n.* purity
purpurlyng *n.* heather
purpurrødt *n.* scarlet
purre *n.* leek
purser *n.* purser
puseformede *adj.* baggy
puss *n.* prank
puss *n.* pus
pussa *adj.* tipsy
pussig *adj.* droll
pust *n.* whiff
pust *n.* breath
puste *v.* breathe
puste *v.* respire
puste inn *v.* inhale
puste tungt *v.* wheeze
pusting *n.* respiration
pute *n.* cushion
pute *n.* pad
pygmé *n.* pygmy
pyjamas *n.* pyjamas
pynt *n.* topping
pynte *v.* beautify
pynte hesten *v.* caparison
pynte på *v.* revamp
pynte på *v.* smarten
pynte seg *v.* titivate
pyntelig *adj.* neat
pyoré *n.* pyorrhoea
pyramide *n.* pyramid
pyromani *n.* pyromania
pyton n. python
pæl *n.* stake
pæl *n.* picket
pære *n.* pear
pølse *n.* sausage
på prep. on
på den ene eller den andre måten *adv.* somehow
på en vennlig måte *adv.* kindly
på et øyeblikk *n.* trice
på forhånd *adv.* beforehand
på klem adv. ajar
på lignende måte *adv.* likewise
på neste side *adv.* overleaf
på nytt adv. afresh
på nytt adv. anew
på stedet *adv.* outright

pådra seg *v.* incur
påfallende *adj.* conspicuous
påfugl *n.* peacock
påfuglhøne *n.* peahen
påfunn *n.* fad
påfølgende *adj.* subsequent
pågripe v. apprehend
pågripelse n. apprehension
pågående *adj.* insistent
pågående *adj.* pushy
påkalle *v.* invoke
påkalling *n.* invocation
påkledning *n.* dressing
pålegg *n.* injunction
pålegge *v.* impose
pålegge v.t. apply
pålegge *v.* levy
påleggelse *n.* imposition
pålitelig *adj.* reliable
pålitelig *adj.* stalwart
pålitelig *adj.* staunch
pålitelig *adj.* trusty
påminnelse *n.* reminder
påske *n.* Easter
påskelilje *n.* daffodil
påskudd *n.* pretext
påskynde *v.* expedite
påskynde *v.* quicken
påst v. allege
påstand n. allegation
påstand *n.* plea
påstand *n.* contention
påstå v.t. adjudge
påtrengende *adj.* intrusive
påvirke v. affect
påvirkelig *adj.* susceptible
påviselig *adj.* traceable

rabatt *n.* rebate
rabatt *n.* discount
rabid *adj.* rabid
rabies *n.* rabies
rable *v.* scrawl
rable *v.* scribble
radar *n.* radar
radial *adj.* radial
radikal *adj.* radical
radio *n.* radio
radioaktiv *adj.* radioactive
radiografi *n.* radiography
radiologi *n.* radiology
radium *n.* radium
radius *n.* radius
radmager *adj.* skinny
raffinere *v.* refine
raffineri *n.* refinery
raffinering *n.* refinement
raid *n.* raid
rakett *n.* missile
rakett *n.* rocket
rally *n.* rally
ramme *n.* schedule
ramme *n.* frame
rammet av *adj.* stricken
rammeverk *n.* framework
ramp *n.* hooligan
rampe *n.* ramp
rampelyset *n.* limelight
ran *n.* robbery
rand *n.* rim
rand *n.* brink
rangel *n.* spree
rangere *v.* rank
ranke *n.* vine
ransake *v.* ransack
ransel *n.* satchel
ransmann *n.* robber

rape *v.* belch
rapport *n.* rapport
rapportere *v.* report
rapsodi *n.* rhapsody
rase *v.* bluster
rasemessig *adj.* racial
rasende adj. apoplectic
rasende *adj.* furious
rasende *adj.* irate
rasende *adj.* savage
raseri *n.* fury
raseri *n.* rage
rasisme *n.* racialism
rasjon *n.* ration
rasjonalisere *v.* rationalize
rasjonalisme *n.* rationalism
rask *adj.* nimble
rask *adj.* rapid
rask *adj.* swift
rask *adj.* hasty
rask *adj.* fast
rask *adj.* quick
rask *adj.* speedy
raskt adv. apace
raskt *adv.* quickly
rasp *n.* rasp
rastløs adj. agog
rate *n.* rate
ratifisere *v.* ratify
raute *v.* bellow
raute *v.* moo
rav n. amber
rave *v.* stagger
ravn *n.* raven
reagere *v.* react
reagere på *v.* relate
reaksjon *n.* reaction
reaksjonær *adj.* reactionary
reaktor *n.* reactor
realisere v. accomplish
realisere *v.* realize
realisering n. accomplishment
realisert adj. accomplished
realisme *n.* realism
realistisk *adj.* realistic
reassurere *v.* reassure
recess *n.* recess
recessiv *adj.* recessive
redaksjonell *adj.* editorial
redaktør *n.* editor
redd adj. afraid
redde *v.* rescue
redde *v.* save
reddik *n.* radish
redigere *v.* edit
redsel *n.* fright
redsel *n.* horror
redselsfull *adj.* deplorable
redskap *n.* utensil
redskap *n.* implement
redskap for å grave huller *n.* wimble
redskap som beskjærer *n.* trimmer
reduksjon *n.* diminution
reduksjon *n.* reduction
redundans *n.* redundancy
redundant *adj.* redundant
redusere *v.* commute
redusere *v.* reduce
redusere *v.t.* abate
redusere *v.* curtail
reduserende *adj.* reductive
reel adj. actual
referanse *n.* referee
referent *n.* commentator
refleks *n.* reflex
refleksiv *adj.* reflexive
refleksjon *n.* reflection
reflektere *v.* reflect
reflekterende *adj.* reflective
reflexologi *n.* reflexology

reformator *n.* reformer
reformere v. reform
reformering *n.* reformation
refraksjon *n.* refraction
refse *v.* chastise
refundere *v.* refund
regel *n.* rule
regelmessig *adj.* regular
regelmessighet *n.* regularity
regenerasjon *n.* regeneration
regenerere *v.* regenerate
regent *n.* regent
reggae *n.* reggae
regime *n.* regime
regiment *n.* regiment
regional *adj.* regional
regissør *n.* director
register *n.* register
registrering *n.* registration
registrert *adj.* chartered
regjere *v.* govern
regjere *v.* reign
regjerende fyrste *n.* sovereign
regjering *n.* government
regjeringsmedlem *n.* frontbencher
regjeringstro person *n.* loyalist
regn *n* rain
regnbue *n.* rainbow
regnbuehinne *n.* iris
regne opp *v. t* enumerate
regneark *n.* spreadsheet
regnfrakk *n.* mackintosh
regnfrakk *n.* raincoat
regnfull *adj.* rainy
regning *n.* bill
regnskapsbilag *n.* voucher
regnskapsfører *n.* scorer
regnskog *n.* rainforest
regnskyll *n.* downpour
regress *n.* recourse
regulator *n.* regulator
regulere *v.* regulate
regulere v. adjust
regulering n. adjustment
regulering *n.* regulation
rehabilitere *v.* rehabilitate
rehabilitering *n.* rehabilitation
reim *n.* strap
reindeer *n.* rein
reinkarnere *v.* reincarnate
reir *n.* nest
reise *v.* travel
reise *n.* journey
reise *n.* voyage
reise tiltale mot noen *v.* indict
reisebrev *n.* travelogue
reiseleder *n.* courier
reisemål *n.* destination
reisende *n.* traveller
reisende *n.* voyager
reiserute *n* itinerary
reiseveske *n.* valise
reive *v.* swaddle
rekapitulere *v.* recapitulate
rekke *n.* row
rekke *n.* tier
rekke *n.* rank
rekke av begivenheter *n.* concatenation
rekke forretninger *n.* mall
rekkefølge *n.* succession
rekkevidde *n.* scope
rekkverk *n.* banisters
reklame n. advertisement
reklamepakke *n.* freebie
reklamere v. advertise
reklamere *v.* publicize

rekondisjonere *v.* reconstitute
rekord *n.* record
rekreasjon *n.* recreation
rekruttere *v.* recruit
rektangel *n.* rectangle
rektangulær *adj.* rectangular
rektor *n.* headmaster
rektor *n.* principal
rektum *n.* rectum
rekviem *n.* requiem
rekvisisjon *n.* requisition
rekylere v. recoil
relatere *v.* interrelate
relativ adj. relative
relativitet *n.* relativity
relé *n.* relay
relegere *v.* relegate
relevans *n.* relevance
relevant *adj.* pertinent
relevant *adj.* relevant
relevant for *adj.* germane
religion *n.* religion
religiøs *adj.* religious
religiøs *adj.* sacred
relikvie *n.* relic
reling *n.* railing
rembursere *v.* reimburse
remedier *n.* paraphernalia
remedy *n.* remedy
remisse *n.* remittance
remittent *n.* payee
ren *adj.* pure
ren *adj.* unadulterated
ren *adj.* clean
rendezvous *n.* rendezvous
renessansen *n.* renaissance
renn *n.* race
renne *v.i* flow
rennestein *n.* gutter
renovere *v.* renovate
renovere *v.* scavenge
rense *v.* purify
rense *v.* cleanse
renselse *n.* ablutions
renselse *n.* purification
renselse *n.* purgation
renske *v.* winnow
renslighet *n.* cleanliness
rep *n.* halter
reparere *v.* mend
reparere *v.* refit
reparere *v.* repair
repatriering *n.* repatriation
replisere *v.* reply
reportasje *n.* reportage
reportasje *n.* commentary
reporter *n.* reporter
representasjon *n.* representation
representativ *adj.* representative
representere *v.* represent
reproduksjon *n.* reproduction
reproduktiv *adj.* reproductive
reprodusere *v.* reproduce
republikansk *adj.* republican
republikk *n.* republic
resepsjonist *n.* receptionist
resept *n.* prescription
reseptur *n.* dispensary
reservasjon *n.* reservation
reservert adj. aloof
reservoar *n.* reservoir
resirkulere *v.* recycle
resitasjon n. acting
reskontro *n.* ledger
resolusjon *n.* resolution
resolutt *adj.* resolute
resonans *n.* resonance
respekt *n.* respect

respektabel *adj.* respectable
respektere *v.i* abide
respektert *adj.* revered
respektive *adj.* respective
respirator *n.* respirator
respondent *n.* respondent
ressurs n. asset
ressurs *n.* resource
rest *n.* remainder
rest *n.* remnant
rest *n.* residue
restanse *n.* backlog
restaurant *n.* carvery
restaurant *n.* restaurant
restauratør *n.* restaurateur
restaurere *v.* restore
restaurering *adj.* restoration
restaurering *n.* renovation
rester *n.* pickings
resterende *adj.* residual
restriktiv *adj.* restrictive
restskatt n. arrears
resultat *n.* offspring
resultat *n.* outcome
resultat *n.* result
resultatet *n.* upshot
retning *n.* direction
retorikk *n.* rhetoric
retorisk *adj.* rhetorical
retriever *n.* retriever
retro- *adj.* retro
rett *adj.* straight
rette v. amend
rette *v.* straighten
rette *v.* correct
rette feil *v.* emend
rettelse n.pl. amendment
rettelse *n.* correction
rettferdig *adj.* equitable
rettferdig *adj.* fair
rettferdig *adj.* just
rettferdig *adv.* fairly
rettferdiggjøre *v.* justify
rettferdiggjøre *v.* vindicate
rettferdiggjørelse *n.* justification
rettferdiggjørelse *n.* vindication
rettferdighet *n.* equity
rettferdighet *n.* justice
rettighet *n* right
rettmessig *adj.* rightful
rettmessighet *n.* legitimacy
rettsforfølgning *n.* prosecution
rettskaffen *adj.* righteous
rettskaffenhet *n.* probity
rettskaffenhet *n.* rectitude
rettslærd *n.* jurist
rettstvist *n.* litigation
rettsvitenskap *n.* jurisprudence
returnere *v.* backtrack
retusjere *v.* retouch
rev *n.* reef
rev *n.* fox
reveaktig *adj.* vulpine
reverens *n.* obeisance
reversible *adj.* reversible
revetispe *n.* vixen
revidere *v.* revise
revisjon n. audit
revisjon *n.* revision
revmatisk *adj.* rheumatic
revmatisme *n.* rheumatism
revne *n.* rift
revolusjon *n.* revolution
revolusjonere *v.* revolutionize
revolusjonær *adj.* revolutionary
revolver *n.* revolver
revulsion *n.* revulsion
revurdere *v.* rethink

revurdering *n.* reappraisal
rhodium *n.* rhodium
ri *v.* ride
ribbe for *v.* denude
ribben *n.* rib
rickshaw *n.* rickshaw
ridder *n.* knight
ridderlig *adj.* chivalrous
ridderlighet *n.* chivalry
ridderskap *n.* knighthood
ridderslag n. accolade
rigg *n.* rigging
rigge *v.* rig
rigorøs *adj.* rigorous
rik *adj.* rich
rikdom *n.* opulence
rikdom *n.* wealth
rike *n.* realm
rikelig *adj.* abundant
rikelig *adj.* copious
rikhet *n.* abundance
rikhet *n.* richness
rikt *adv.* richly
riktig *adj.* proper
riktig *adj.* right
rim *n.* rhyme
ringe *v.* call
ringe *v.* ring
ringe *v.* tinkle
ringorm *n.* ringworm
ringspill *n.* hoopla
ripe *v.* score
ris *n.* rice
rise *n.* giant
risikabel *adj.* risky
risikabel *adj.* hazardous
risiko *n.* risk
rispe *v.t.* scratch
riste v. agitate
riste *v.* shake
risting *n.* jitters
rite *n.* rite
ritual *n.* ritual
rival *n.* rival
rive *n.* rake
rive *v.* rive
rive *v.* deject
rive *v.* tatter
rive *v.* tear
rive ned *v.* demolish
rivjern *n.* grater
rivjern *n.* termagant
ro n. quietetude
roadster *n.* roadster
robot *n.* robot
robust *adj.* robust
rodeo *n.* rodeo
roe v. appease
rogn *n.* roe
rojalist *n.* royalist
rolig *adj.* restful
rolig *adj.* tranquil
rolig *adj.* still
rolle *n.* role
rom *n.* pigeonhole
rom *n.* room
rom *n.* space
roman *n.* novel
romanforfatter *n.* novelist
romantikk *n.* romance
romantisk *adj.* romantic
rombe *n.* rhombus
romlig *adj.* spatial
rommelig *adj.* roomy
romslig *adj.* capacious
romslig *adj.* spacious
rope *v.i.* shout
rope hurra *v. t.* cheer
ror *n.* rudder
ror *n.* helm
rorkult *n.* tiller
rose *n.* rose
rose *v.t.* praise
rose *v.* commend

rosenkrans *n.* rosary
rosenrød *adj.* rosy
rosevindu *n.* rosette
rosin *n.* raisin
rosverdig *adj.* commendable
rot *n.* root
rot *n.* shambles
rote *v.* rummage
rote sammen *v.* muddle
rotere *v.* gyrate
rotere *v.* rotate
rotere *v.* spin
roterende *adj.* rotary
roterende lys *n.* strobe
rotete *adj.* untidy
rotfestet *adj.* rooted
rotor *n.* rotor
rotte *n.* rat
rouge *n.* blusher
rouge *n.* rouge
rovfuglklo *n.* talon
royalty *n.* royalty
ru *adj.* rough
ru *adj.* scabrous
rubin *n.* ruby
rubrikk *n.* rubric
rudiment *n.* rudiment
rudimentær *adj.* rudimentary
rug n. rye
rugby *n.* rugby
ruge *v.* incubate
ruin *n.* ruin
ruin *n.* undoing
rulett *n.* roulette
rull *n.* roll
rulle *v.* mangle
rulle *v.* trundle
rulle *v.i.* roll
rullebane *n.* runway
rullebrett *n.* skateboard
rullestein *n.* boulder
rulletrapp *n.* escalator
rum *n.* rum
rumle *v.* grumble
rummy *n.* rummy
rumpe n. ass
rumpe *n.* bum
rumpeballe *n.* buttock
rund *adj.* round
rundhåndet *adj.* munificent
rundhåndethet *n.* largesse
rundt adv. around
rusgift *n.* drug
rusle omkring *v.* potter
rust *n.* rust
rusten *adj.* husky
rusten *adj.* rusty
rustkammer n. armoury
rustning n. armour
rute *n.* route
rute *n.* pane
rutenett *n.* grid
rutinemessig *n.* routine
rutsje *v.* slither
ry *n.* stature
ryddig *adj.* tidy
ryddighet *n.* tidiness
rydding *n.* clearance
rye *n.* rug
rygge *v.* reverse
ryggrad *n.* backbone
ryggrad *n.* spine
ryggsekk *n.* backpack
ryggsekk *n.* rucksack
rykke inn *v.* indent
rykke opp med roten *v.* uproot
rykke til *v.* wince
rykke til *v.* wrench
rykte *n.* rumour
rykte *n.* repute
rynke *n.* wrinkle
rynke *n.* wrinkle

rynke pannen *v.i* frown
rynkekappe *n.* frill
rynkete *adj.* seamy
ryste *v.* jiggle
rytme *n.* rhythm
rytmisk *adj.* rhythmic
rytter *n.* rider
ryttersabel *n.* sabre
rytterstatue *adj.* equestrian
rød *adj.* red
rød i ansiktet *adj.* crimson
rødaktig *adj.* reddish
rødbete *n.* beetroot
rødbrun *n.* ginger
rødbrunt *n.* maroon
rødme *v.* blush
rødme *v.* flush
røkelse *n.* incense
røkelseskar *n.* censer
rømme *v.* elope
rømme *v.i* escape
rømme opp *n.* ream
rønne *n.* hovel
røpe *v.* disclose
røpe *v.* divulge
rør *n.* pipe
rør *n.* tube
røre *v.* touch
røre om *v.* stir
rørende *adj.* moving
rørende *adj.* touching
rørformet *adj.* tubular
rørlegger *n.* plumber
røyk *n.* smoke
røyke ut *v.* fumigate
røykfylt *adj.* smoky
røyl *n.* royal
røyte *v.* moult
rå *adj.* raw
råd *n.* counsel
råde *v.* counsel
rådgiver *n.* counsellor
rådsforsamling *n.* council
rådvill *adj.* nonplussed
råolje *n.* petroleum
råtamp *n.* thug
råtne *v.* rot
råtne *v.* decompose
råtten adj. addled
råtten *adj.* putrid
råtten *adj.* rotten

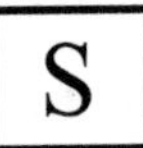

sabbat *n.* Sabbath
sabotere *v.* sabotage
sadisme *n.* sadism
sadist *n.* sadist
safari *n.* safari
safir *n.* sapphire
safran *n.* saffron
saft *n.* juice
saft *n.* syrup
saftig *adj.* juicy
saftig *adj.* luscious
saftig *adj.* succulent
sag *n.* saw
saga *n.* saga
sage *v.* saw
sagflis *n.* sawdust
sagtakkete *adj.* serrated
sak n. affair
sak *n.* issue
sake *n.* sake
sakkarin *n.* saccharin
sakkunnskap *n.* expertise
saklig *adj.* objective
sakrament *n.* sacrament
sakristi *n.* vestry
sakrosankt *adj.* sacrosanct
saks *n.* scissors
saksofon *n.* saxophone
saksøker *n.* plaintiff

saksøkt *n.* defendant
saktne farten *v.* decelerate
sal *n.* saddle
sal *n.* hall
salat *n.* salad
salg *n.* sale
salgbar *adj.* saleable
salgjord *n.* girth
salighet *n.* beatitude
salmaker *n.* saddler
salme *n.* hymn
salme *n.* psalm
salong *n.* salon
salong *n.* saloon
salsa *n.* salsa
salt *n.* salt
saltholdig *adj.* salty
saltholdig *adj.* saline
saltholdighet *n.* salinity
saltomortale *n.* somersault
saltstang *n.* pretzel
saltvannsoppløsning *n.* brine
salve *n.* ointment
salve *n.* salvo
salvie *n.* sage
salær *n.* fee
samarbeid *n.* collaboration
samarbeid *n.* cooperation
samarbeide *v.* collaborate
samarbeide *v.* cooperate
samaritan *n.* Samaritan
sameksistens *n.* coexistence
samfunn *n.* society
samfunn *n.* community
samfunnskunnskap *n.* civics
samfunnsnedbrytende *adj.* subversive
samhold *n.* unity
samklang *n.* unison
samkvem *n.* intercourse
samle v. amass
samle *v.* gather
samle *v.* wrick
samle *v.* collect
samle v. accumulate
samle inn *v.* glean
samle seg *v.* congregate
samle seg v.t. accrue
samler *n.* collector
samlet *adj.* inclusive
samlet *adj.* overall
samling *n.* collection
samling *n.* unification
samme *adj.* same
sammen *adv.* together
sammendrag *n.* epitome
sammendrag *n.* precis
sammendrag *n.* summary
sammenfall *n.* concourse
sammenfallende *adj.* concurrent
sammenheng *n.* cohesion
sammenheng *n.* context
sammenkalle *v.* convene
sammenkallelse *n.* convocation
sammenligne *v.* collate
sammenligne *v.* liken
sammenligne *v.* compare
sammenlignende *adj.* comparative
sammenligning *n.* comparison
sammenløp *n.* confluence
sammenløpende *adj.* confluent
sammenpressing *n.* compression
sammensatt *adj.* complex
sammensatt *adj.* composite

sammensetning *n.* compound
sammenslåing n. amalgamation
sammensvergelse *n.* conspiracy
sammentreff *n.* coincidence
sammentreff *n.* conjuncture
sammentrekning *n.* contraction
samsvar *n.* correlation
samsvarende *adj.* congruent
samtale *n.* dialogue
samtale *n.* conversation
samtalepartner *n.* interlocutor
samtidig *adj.* simultaneous
samtykke n. assent
samtykke v. adhere
samtykke *v.t.* consent
samtykke *n.* consent
samundervisning *n.* co-education
samvittighet *n.* conscience
samvittighetsfull *adj.* scrupulous
samvittighetsløs *adj.* unscrupulous
samvittighetsnag *n.* compunction
sanatorium *n.* sanatorium
sanatorium *n.* sanatorium
sand *n.* sand
sandal *n.* sandal
sandel *n.* sandalwood
sandet *adj.* sandy
sandkorn *n.* grit
sandpaper *n.* sandpaper
sandwich *n.* sandwich
sang n. anthem
sang *n.* song
sang *n.* chant
sanger *a.* singer
sanger *n.* songster
sangfugl *n.* warbler
sanitær *adj.* sanitary
sann *adj.* true
sanndru *adj.* veracious
sannelig *adv.* verily
sannferdig *adj.* truthful
sannferdighet *n.* veracity
sannhet *n.* truth
sannhet *n.* verity
sannsynlig *adj.* probable
sannsynlig *adj.* likely
sannsynlighet *n.* likelihood
sannsynlighet *n.* probability
sannsynlighet *n.* verisimilitude
sannsynligvis *adv.* probably
sans *n.* sense
sanselig *adj.* carnal
sanselig *adj.* sensual
sanselig *adj.* sensuous
sanseløs *adj.* wanton
sansende *adj.* sentient
sansevar *adj.* perceptive
sapling *n.* sapling
sardonisk *adj.* sardonic
sari *n.* sari
sarkasme *n.* sarcasm
sarkastisk *adj.* sarcastic
sarkofag *n.* sarcophagus
sars *n.* serge
Satan *n.* Satan
satanisk *adj.* satanic
Satanisme *n.* Satanism
satellitt *n.* satellite
satire *n.* satire
satiriker *n.* satirist
satirisk *adj.* satirical
sau *n.* sheep
sauegjeter *n.* shepherd

sauna *n.* sauna
saus *n.* gravy
saus *n.* sauce
savn *n.* privation
scenario *n.* scenario
scene *n.* scene
scene *n.* stage
scenisk *adj.* scenic
schizofreni *n.* schizophrenia
scooter *n.* scooter
Scot *v.* Scot
se v. see
se *v.* gaze
se *v.* look
se *v.i.* glance
se igjennom fingrene *v.* connive
sebra *n.* zebra
sedan *n.* sedan
sedat *adj.* sedate
seder *n.* cedar
sedering *n.* sedation
sedvanlig *adj.* customary
seg *pron.* itself
seg *pron.* herself
seg *pron.* himself
seg *pron.* oneself
seg selv *pron.* themselves
segment *n.* segment
segregasjon *n.* segregation
segregere *v.* segregate
seier *n.* victory
seig *adj.* tough
seig *adj.* viscous
seighet *n.* toughness
seil *n.* sail
seile *v.* sail
seiling *n.* yachting
seire over *v.* overcome
seirende *adj.* victorious
seismisk *adj.* seismic
sekk *n.* sack
sekretariat *n.* secretariat
sekretær *n.* secretary
seks *adj.& n.* six
seksjon *n.* section
seksten *adj. & n.* sixteen
sekstende *adj. & n.* sixteenth
seksti *adj. & n.* sixty
sekstiende *adj. & n.* sixtieth
seksualitet *n.* sexuality
seksuell *adj.* sexual
sekt *n.* sect
sekterisk *adj.* sectarian
sektor *n.* sector
sekundær *adj.* secondary
sel *n.* seal
selektiv *adj.* selective
seletøy *n.* harness
selge *v.* sell
selge *v.* vend
selge ved dørene *v.* peddle
selger *n.* salesman
selger *n.* seller
selger *n.* vendor
selskap *n.* company
selv *pron.* myself
selv om conj. albeit
selv om conj. although
selvbiografi n. autobiography
selv-lagt *adj.* self-made
selvmord *n.* suicide
selvmords- *adj.* suicidal
selvrådig *adj.* wayward
selvstendig *adj.* independent
selvstendighet *n.* independence
selvtilfreds *adj.* complacent
selvtilfreds *adj.* smug
semantisk *adj.* semantic
sement *n.* cement

sementvelling *n.* grout
semester *n.* semester
semikolon *n.* semicolon
seminal *adj.* seminal
seminar *n.* seminar
semittisk *adj.* Semitic
semsket skinn *n.* suede
sen *adj.* tardy
sen *adj.* late
senat *n.* senate
senator *n.* senator
sende *v.* dispatch
sende *v.* send
sende i fjernsyn *v.* televise
sende i fjernsyn *v.t.* telecast
sene *n.* tendon
senete *adj.* stringy
seng *n.* bed
seng *n.* bunk
sengestue *n.* ward
sengetøy *n.* bedding
senil *adj.* gaga
senil *adj.* senile
senilitet *n.* senility
senior *adj.* senior
senit *n.* zenith
senke ned i vann *v.* submerse
senke ned *v.* immerse
senke ned i vann *v.* submerge
sennep *n.* mustard
sensasjon *n.* furore
sensasjonell *adj.* sensational
sensibilisere *v.* sensitize
sensor *n.* sensor
sensor *n.* censor
sensorisk *adj.* sensory
sensualist *n.* sensualist
sensualitet *n.* sensuality
sensur *n.* censorship
sentimental *adj.* sentimental
sentral *adj.* central
sentralisere *v.* centralize
sentrum *n.* center
sentrum *n.* centre
separat *adv.* singularly
separatist *n.* separatist
sepsis *n.* sepsis
September *n.* September
septer *n.* sceptre
septisk *adj.* septic
seremoni *n.* ceremony
seremoniell *adj.* ceremonial
serie *n.* series
seriøs *adj.* serious
sersjant *n.* sergeant
serve *n.* server
serviett *n.* serviette
serviett *n.* napkin
servil *adj.* servile
servitør *n.* waitress
servitør *n.* waiter
sesam *n.* sesame
sesjon *n.* session
sesong *n.* season
sesong- adj. seasonal
setning *n.* sentence
sett *n* set
sett *n.* kit
sette *v.* set
sette bind for øyene p *v.* blindfold
sette bort deler av driften *v.* outsource
sette bort som underentreprise *v.* subcontract
sette flekker *v.t.* stain
sette fri *v.* liberate
sette glass *v.* glaze
sette i fare *v.* jeopardize

sette i gang *v.* initiate
sette i stand til *v.* enable
sette knotter under *v.* stud
sette mot *v.* mobilize
sette ned prisen *v. t.* cheapen
sette pgang v. actuate
sette pris p *v.* relish
sette ptronen *v.* enthrone
sette sammen *v.* concoct
sette seg godt til rette *v.* nestle
sette skilletegn *v.* punctuate
sette under trykk *v.* pressurize
setter *n.* compositor
setter *n.* setter
sevje n. sap
sexy *adj.* sexy
shabby *adj.* disreputable
shampoo *n.* shampoo
shopping *n.* shopping
shrapnel *n.* shrapnel
si *v.* say
si opp *v.* resign
sibilant *adj.* sibilant
side *n.* side
side *n.* page
side om side *adv.* abreast
sidebane *n.* feeder
sidehengslet vindu *n.* casement
sidelinje *n.* sideline
siden adv. ago
siden *prep.* since
sider *n.* cider
sidestille *v.* equate
siesta *n.* siesta
sigar *n.* cigar
sigarett *n.* cigarette
sigd *n.* sickle
sightseeing *n.* sightseeing
signal *n.* signal
sigøyner *n.* gypsy
sikker *adj.* certain
sikker *adj.* safe
sikker *adj.* sure
sikker *adj.* confident
sikkerhet *n.* security
sikkerhet *n.* safety
sikkerhet *n.* pledge
sikkert *adv.* surely
sikle *v.* slobber
sikre *v.* belay
sikre seg *v.* enlist
siksak *n.* zigzag
sikt *n.* visibility
sikte *v.* sift
sikte v.i. aim
sild *n.* bloater
sild *n.* herring
sildre *v.* trickle
silhuett *n.* silhouette
silisium *n.* silicon
silke *n.* silk
silkeaktig *adj.* silky
silkeorm *n.* silkworm
simulere *v.* simulate
sinekyre *n.* sinecure
singe *v.* sing
singel *n.* shingle
singlet *n.* singlet
singleton *n.* singleton
sink *n.* zinc
sinke *v.* retard
sinn n. mind
sinne n. anger
sinneanfall *n.* paddy
sinnsforvirret *adj.* deranged
sinnslikevektig *adj.* placid
sinnsro *n.* serenity
sinnssyk *adj.* insane
sint adj. angry
sint *adj.* fierce

sinus *n.* sinus
sipping *n.* whine
sir *n.* sir
sirene *n.* siren
sirkel *n.* circle
sirkelrund *adj.* circular
sirkulasjon *n.* circulation
sirkulere *v.* circulate
sirkus *n.* circus
sirlig *adj.* dapper
sist *adj.* last
sist *adj.* final
sitar *n.* zither
sitat *n.* quotation
sitere v. adduce
sitere *v.* quote
sitere *v.* cite
sitron *n.* lemon
sitronsyre *adj.* citric
sitrus *n.* citrus
sitte *v.* sit
sitte phuk *v.i.* squat
sittende med spredt beina prep. astride
sitteplasser *n.* seating
situasjon *n., a* situation
sive *v.* seep
sive *v.i.* ooze
sivil *adj.* civil
sivilisasjon *n.* civilization
sivilisere *v.* civilize
sivilist *n.* civilian
sjablon *n.* template
sjablon *n.* stencil
sjakal *n.* jackal
sjakk *n.* chess
sjakkmatt *n* checkmate
sjakt *n.* pit
sjal *n.* shawl
sjalu *adj.* jealous
sjalusi *n.* jealousy
sjanse *n.* chance
sjargong *n.* jargon
sjarlatan *n.* charlatan
sjarm n. allure
sjarm *n.* charm
sjarmere *v.* captivate
sjarmere *v. t* enamour
sjarmerende *adj.* charming
sjarmerende *adj.* winsome
sjasmin *n.* jasmine
sjef *n.* chief
sjef *n.* boss
sjef *n.* commander
sjefete *adj.* bossy
sjekk *n.* cheque
sjekke *v.* check
sjel *n.* soul
sjelden *adj.* infrequent
sjelden *adj.* rare
sjelden *adj.* scarce
sjelden *adv.* seldom
sjelfull *adj.* soulful
sjelløs *adj.* soulless
sjelsstyrke *n.* fortitude
sjenert *adj.* bashful
sjenert adj. coy
sjenert *adj.* demure
sjettedel *adj. & n.* sixth
sjimpanse *n.* chimpanzee
sjiraff *n.* giraffe
sjokke *v.* shamble
sjokke *v.t.* shuffle
sjokkere *v.* shock
sjokkerende *adj.* shocking
sjokolade *n.* chocolate
sjonglere *v.* juggle
sjonglør *n.* juggler
sju *adj. & n.* seven
sjuende *adj. & n.* seventh
sjukant *n.* heptagon
sjuske *n.* slattern
sjuske *n.* slut
sjuskete *adj.* slovenly

sjø *n.* lake
sjøfugl *n.* seagull
sjømann *n.* mariner
sjømann *n.* sailor
sjørøver *n.* pirate
sjøsette *v.* launch
sjøsprøyt *n.* spray
sjøtunge *n.* sole
sjåfør *n.* driver
sjåvinisme *n.* chauvinism
sjåvinist *n.* *&adj.* chauvinist
skabb *n.* scabies
skade *n.* damage
skade *n.* detriment
skade *n.* harm
skade *n.* injury
skade v. aggrieve
skade *v.* hurt
skade *v.* impair
skade *v.* injure
skadelig *adj.* deleterious
skadelig *adj.* injurious
skadelig *adj.* noxious
skadelig *adj.* pernicious
skadelig *adj.* prejudicial
skadelig *adj.* harmful
skadevoldende handling *n.* tort
skaffe *v.* procure
skaffe *v.* provide
skafott *n.* scaffold
skaft *n.* shaft
skake på *v.* joggle
skala *n.* gamut
skall *n.* husk
skall *n.* shell
skallet *adj.* bald
skam *n.* indignity
skam *n.* shame
skam- *adj.* pubic
skamfull adj. ashamed
skamløs *adj.* shameless
skammelig *adj.* shameful
skamplett *n.* stigma
skandale *n.* scandal
skandalisere *v.* scandalize
skanner *n.* scanner
skap *n.* closet
skap *n.* cupboard
skape *v.* create
skape *v.* originate
skape igjen *v.* recreate
skapelse *n.* creation
skaper *n.* creator
skarp adj. acute
skarp *adj.* canny
skarp *adj.* incisive
skarp *adj.* percipient
skarp *adj.* pungent
skarp *adj.* trenchant
skarp *adj.* keen
skarp *adj.* sharp
skarphet n. acrimony
skarphet *n.* keenness
skarphet *n.* pungency
skarpsindig *adj.* sagacious
skarpsindig *adj.* shrewd
skarpsindighet *n.* subtlety
skarpsindighet *n.* sagacity
skarpt avtegnet *adj.* stark
skatoll *n.* bureau
skatt *n.* tribute
skatt *n.* tax
skatt *n.* treasure
skatte *v.* enshrine
skattepliktig *adj.* taxable
skattepålegg *n.* taxation
skattkammer *n.* exchequer
skattkammer *n.* treasury
skaut *n.* scarf
skaut *n.* kerchief
skeptiker *n.* sceptic
skeptisk *adj.* sceptical
sketsj *n.* skit

ski *n.* ski
skifer *n.* slate
skifte plass *v.* shift
skifteattest *n.* probate
skiftedommer *n.* surrogate
skiftenøkkel *n.* spanner
skikk *n.* custom
skikkelig *adj.* decent
skikkelse *n.* figure
skikkethet *n.* suitability
skildring *n.* portrayal
skille *v.* separate
skille mellom *v. t* distinguish
skilsmisse *n.* divorce
skiltvakt *n.* sentinel
skiltvakt *n.* sentry
skimre *v.* shimmer
skingrende *adj.* shrill
skingrende *n.* screech
skinke *n.* ham
skinn *n.* leather
skinn *n.* sheen
skinn *n.* fleece
skinn *n.* slough
skinne *v.* gleam
skinne *v.* shine
skinne nådeløst *v.i* glare
skinneben *n.* shin
skinnende *adj.* bright
skinnhellig *adj.* sanctimonious
skip *n.* nave
skip *n.* shipping
skip *n.* ship
skipper *n.* skipper
skipsverft *n.* shipyard
skisma *n.* schism
skisse *n.* sketch
skissere *v.* delineate
skitne *v.* besmirch
skitne *v. t* defile
skitne til *v.* sully
skitt *n.* grime
skitt *n.* dirt
skitten *adj.* bedraggled
skitten *adj.* dingy
skitten *adj.* sordid
skitten *adj.* squalid
skitten *adj.* dirty
skive *n.* slice
skje *v.* befall
skje *v.* happen
skje n. spoon
skjebne *n.* destiny
skjebne *n.* fate
skjebnesvanger *adj.* fateful
skjede *n.* sheath
skjede *n.* scabbard
skjefull *n.* spoonful
skjegg *n.* beard
skjeggstubb *n.* stubble
skjele *v.* squint
skjelett *n.* skeleton
skjelle ut *v.* berate
skjelle ut *v.* lambast
skjelle ut *v.t.* rebuke
skjelne *v.* discern
skjelve *v.* quaver
skjelve *v.* tremble
skjelve *v.* quake
skjelvende *adj.* shaky
skjelvende *adj.* tremulous
skjelving *n.* tremor
skjematisk *adj.* schematic
skjemme bort *v.* vitiate
skjendig *adj.* ignoble
skjenne på *v.* chide
skjenne på *v.* scold
skjenneri *n.* squabble
skjerm *n.* screen
skjerpe *v.* sharpen
skjev adj. wry
skjevt adv. askance

skjevt adv. awry
skjold *n.* shield
skjoldbrusk– *n.* thyroid
skjorte *n.* shirt
skjule *v.* dissimulate
skjule *v.* conceal
skjære *n.* magpie
skjære *v.* carve
skjære *v.* cut
skjære hverandre *v.* intersect
skjære ut *n.* excise
skjærende *adj.* biting
skjærende *adj.* strident
skjærsild *n.* purgatory
skjødesløs *adj.* negligent
skjødesløshet *n.* negligence
skjønnhet *n.* beauty
skjønnsom *adj.* judicious
skjør *adj.* fragile
skjørt *n.* kilt
skjørt *n.* skirt
skjørtestoff *n.* skirting
skjøt *n.* joint
skjøte *v.* splice
skli *v.* slip
sko *n.* shoe
skodde *n.* mist
skodde *n.* shutter
skog *n.* forest
skog *n.* woodland
skoggerlatter *n.* guffaw
skogindustri *n.* forestry
skogkledd *adj.* wooded
skogrik *adj.* sylvan
skogsnegl *n.* slug
skogsplantering n. afforestation
skogvokter *n.* ranger
skole *n.* school
skolemessig *adj.* scholastic
skolopender *n.* centipede
skoning *n.* welt
skorpe *n.* scab
skorpe *n.* crust
skorpion *n.* scorpion
skorstein *n.* chimney
skottelue *n.* bonnet
skrangle *v.* rattle
skrangling *n.* jingle
skrape *v.* scrabble
skravle *v.* chatter
skravle *v.* gab
skravle *v.* jabber
skravle *v.* prattle
skravle *v.* witter
skredder *adj.* sartorial
skredder *n.* tailor
skreddersydd *adj.* bespoke
skrekk *n.* phobia
skrekkelig *adj.* abysmal
skrelle *v.* pare
skremme v. appal
skremme *v.* flutter
skremme *v.* frighten
skremme *v.* intimidate
skremme *v.* overawe
skremme *v.* scare
skremme *v.* unnerve
skremme *v.* daunt
skremmende *adj.* scary
skremming *n.* intimidation
skremt adj. aghast
skrense *v.* skid
skrent *n.* scarp
skreve *v.* straddle
skrift *n.* type
skriftlig avstemning *n.* poll
skriftrulle *n.* scroll
skrifttype *n.* script
skrik *n.* hoot
skrik *n.* yell
skrik *n.* cry
skrike *v.* bawl

skrike *v.* scream
skrike hest v. squawk
skrinlegge *v.* shelve
skritt *n.* pace
skritt *n.* step
skritteller *n.* pedometer
skrive *v.* write
skrive referat *v.* verbalize
skrive ut *v.* discharge
skrive vers *v.* versify
skrivemaskindame *n.* typist
skriver *n.* scribe
skrivesaker *n.* stationery
skriving *n.* writing
skrog *n.* hull
skrott *n.* carcass
skru på *v.* twiddle
skrubbe *v.* scour
skrubbe *v.* scrape
skrubbe *v.* scrub
skrubbsulten *adj.* famished
skrue *n.* screw
skrukke *v.* rumple
skrumpe inn *v.* shrivel
skrupler *n.* qualm
skruppel *n.* scruple
skrustikke *n.* vice
skrutrekker *n.* screwdriver
skryte *v.* boast
skryte *v.* swank
skryte *v.* brag
skryte av *adj.* vaunted
skrømt *n.* wraith
skrøpelig *adj.* frail
skrå *adj.* oblique
skrålende *adj.* vociferous
skråne *v.* incline
skråne *v.* slant
skråne *v.* slope
skråning *n.* declivity
skubbe til noen *v.* nudge
skuddpenger *n.* bounty
skuespiller a. actress
skuespiller n. actor
skuespillforfatter *n.* playwright
skuffe *v.* belie
skuffe *v.* foil
skuffe *n.* shovel
skuffe *v.* disappoint
skulder *n.* shoulder
skulderskjerf *n.* sash
skulende *n.* scowl
skulke *v.* shirk
skulker *n.* truant
skulker *n.* shirker
skulle *v.* shall
skulptør *n.* sculptor
skum *n.* dross
skum *n.* foam
skum *n.* froth
skum *n.* spume
skumme *v.* skim
skumpe *v.t.* jolt
skumring *n.* dusk
skur *n.* hindsight
skur *n.* shed
skurk *n.* villain
skurk *n.* scoundrel
skutte seg *v.* hunch
skvette *v.* splash
skvetten *adj.* skittish
sky *v.t.* shun
sky *n.* cloud
skygge *n.* shade
skygge *n.* shadow
skygge for *v.* shade
skyggefull *adj.* shadowy
skyggefull *adj.* shady
skygglapp *n.* blinkers
skyld *n.* guilt
skylde *v.* owe
skyldig *adj.* guilty
skyldig *adj.* culpable

skylle *v.* rinse
skynde seg *v.* hasten
skynde seg *v.* hurry
skyndelse *n.* inducement
skyskraper *n.* skyscraper
skyssvogn *n.* stagecoach
skyte *v.* shoot
skyte inn *v.* interject
skyte over *v.* overshoot
skyting *n.* shooting
skyttel *n.* shuttle
skytter *n.* marksman
skøyeraktig *adj.* mischievous
skøyeraktig *adj.* roguish
skøyte *n.* skate
skøytebane *n.* rink
skål *n.* basin
skål *n.* saucer
skålde *v.* scald
skår *n.* chip
skår *n.* nick
sl *v.* knock
sl *v.t.* slap
sladder *n.* tattle
sladder *n.* gossip
slag *n.* battle
slag *n.* kind
slag *n.* stroke
slagg *n.* slag
slagord *n.* slogan
slagsmål n. affray
slakk *adj* slack
slakter *n.* butcher
slakting *n.* slaughter
slam *n.* silt
slamp *n.* lout
slang *n.* slang
slange *n.* hose
slange *n.* serpent
slange *n.* snake
slank *adj.* slender
slank *adj.* svelte
slank *adj.* slim
slapp *adj.* floppy
slapp *adj.* lax
slapp *adj.* listless
slappe av *v.* relax
slapphet *n.* laxity
slapsete *adj.* slushy
slask *n.* slob
slaskete *adj.* flabby
slave *n.* slave
slavenesfrigjøring *n.* manumission
slaveri *n.* slavery
slavisk *adj.* slavish
slede *n.* sleigh
slegge *n.* sledgehammer
slektninger *n.* kin
slektskap *n.* relationship
slektskap *n.* kinship
slentre *v.* saunter
slepe *v.* tow
slepe bena etter seg *v.* scuff
slesk smiger *n.* sycophancy
slette *v.* efface
slette *v. i* delete
slette *v.* erase
sletting *n.* deletion
sli hjel *v.* slay
slik *adj.* such
slikke *v.* lick
slim *n.* slime
slim *n.* mucus
slimete *adj.* mucous
slimete *adj.* slimy
slimstoff *n.* mucilage
slipe *v.* grind
sliper *n.* grinder
slippe *v.* drop
slippe hunden løs *v.* unleash
slips *n.* tie

slit *n.* toil
slite *v.i.* toil
slite og slepe *v.* moil
slmed en kjepp *v.* belabour
slokke *v.* extinguish
slott *n.* palace
sltilbake *v.* backfire
sltilbake *v.* retaliate
slu *adj.* sly
slu *adj.* wily
slubbert *n.* scamp
sludd *n.* sleet
sluke *v.* engulf
sluke *v.* gulp
sluke *v.* devour
slukhals *n.* glutton
slukke *v.* quench
slukke *v.* snuff
slukt *n.* ravine
slum *n.* slum
slumre *v.* slumber
slurpe *v.* slurp
slurvete *adj.* careless
sluse *n.* sluice
slutning *n.* inference
slutt *n.* termination
slutt- *adj.* terminal
slutte *v.* deduce
slutte *v.* infer
slutte *v.* quit
slutte *v.* terminate
slynge *v.* hurl
slynge seg *v.* meander
slør *n.* yashmak
slør *n.* veil
sløse bort *v.* fritter
sløv *adj.* blunt
sløv *adj.* dull
sløvhet *n.* stupor
sløvsinn *n.* dementia
slå *v.* beat
slå *v.* swipe
slå *v.* trounce
slå *n.* bolt
slåss *n.* brawl
slåss *v.t* fight
slåsskamp *n.* melee
smadre *v.t.* shatter
smak *n.* flavour
smak *n.* taste
smake *v.* taste
smake av *v.t.* savour
smakfull *adj.* tasteful
smakløs *adj.* insipid
smakløs *adj.* tasteless
smal *adj.* narrow
smal vei *n.* lane
smaragd *n.* emerald
smart *adj.* natty
smart *adj.* swish
smart *adj.* smart
smed *n.* blacksmith
smed *n.* smith
smekk *n.* smack
smekke *n.* bib
smekke *v.* spank
smekke *v.* swat
smekke til *v.* rap
smell *n.* bang
smell *n.* blast
smelle *v.* pop
smelle med *v.* slam
smelte *v.* melt
smelte sammen *v.* conflate
smelte sammen *v.* merge
smelte sammen *v.* fuse
smeltet *adj.* molten
smelting *n.* fusion
smerte n. ache
smerte *n.* distress
smerte *n.* pain
smertestillende middel *n.* painkiller
smette unna *v. t* dodge

smidig adj. agile
smidig *adj.* lissom
smidig *adj.* lithe
smidig *adj.* supple
smidighet n. agility
smiger *n.* blarney
smigre *v.* flatter
smile *v.* grin
smile *v.* smile
smile selvtilfreds *v.* smirk
smile tåpelig *v.* simper
smiske *v.* wheedle
smitte *n.* contagion
smitte *v.* infect
smittefarlig *adj.* infectious
smittsom *adj.* catching
smittsom *adj.* contagious
smoking *n.* tuxedo
smug n. alley
smughandler *n.* interloper
smugle *v.* smuggle
smugler *adj.* bootleg
smugler *n.* smuggler
smuldre *v.* moulder
smule *n.* crumb
smult *n.* lard
smykke *n.* jewellery
smykkeskrin *n.* casket
smør *n.* butter
smøre *a.* oil
smøre v. anoint
smøre *v.* baste
smøre *v.* daub
smøre *v.* smear
smøre *v.* lubricate
smøremiddel *n.* lubricant
smøring *n.* lubrication
små *adj.* mini
små *adj.* little
småblad *n.* leaflet
småbuss *n.* minibus
småerte *n.* banter
småhutre *v.* shiver
småkoke *v.* simmer
smårolling *n.* toddler
småstjele *v.* pilfer
snakke *v.* speak
snakke *v.* talk
snakke *v.* converse
snakke fort *v.t.* gabble
snakkesalig *adj.* garrulous
snakkesalig *adj.* talkative
snappe *v.* snatch
snare *n.* snare
snarrådig *adj.* resourceful
snart *adv.* soon
snart *adv.* presently
snarvei *n.* shortcut
snedig *adj.* crafty
snegl *n.* snail
snekker *n.* joiner
snerpete person *n.* prude
snerre *v.* snarl
snes *n.* score
snike *v.* sneak
sniking *n.* stealth
snikskyte *v.* snipe
sno *v.* twist
sno seg *v.* squirm
sno seg *v.* wiggle
sno seg *v.* wreathe
snobb *n.* snob
snobberi n. snobbery
snobbete *adj.* snobbish
snodd *adj.* tortuous
snooker *n.* snooker
snor *n.* twine
snor *n.* cord
snork *n.* snore
snorkende *adj.* stertorous
snu *v.* turn
snuble *v.* falter
snuble *v.* stumble
snuble *v.* trip

snufse *v.* snuffle
snufse *v.* sniff
snurrebass *n.* whirligig
snurt *n.* huff
snuse *v.* sniffle
snusk *n.* sleaze
snuskete *adj.* sleazy
snute *n.* snout
snutebille *n.* weevil
snyte *v.* cheat
snyte noen for noe *v.* defraud
snø *n.* snow
snøball *n.* snowball
snødekt *adj.* snowy
snøft *n.* snort
snøskred n. avalanche
snøslaps *n.* slush
snøstorm *n.* blizzard
soda *n.* soda
sodomi *n.* sodomy
sofa *n.* sofa
sofisme *n.* sophism
sofist *n.* sophist
sofistikert *adj.* sophisticated
sogne- *adj.* parochial
sogneprest *n.* vicar
sogneprest *n.* parson
sokk n. anklet
sokkeholder *n.* garter
sol *n.* sun
solar *adj.* solar
soldat *n.* soldier
solid frokost *n.* brunch
solidaritet *n.* solidarity
solist *n.* soloist
solitær *n.* solitaire
sollys *adj.* sunny
solo *n.* solo
solvens *n.* solvency
som adv. as
som *prep.* like
som besettes ved valg *adj.* elective
som består av celler *adj.* cellular
som består av senatorer *adj.* senatorial
som ble hugget *adj.* sculptural
som blir resultatet *adj.* resultant
som brukes i dagligtale *adj.* colloquial
som det spøker *adj.* haunted
som er helligbrøde *adj.* sacrilegious
som er nølende *adj.* loath
som funkler *adj.* scintillating
som føler trang til å gråte *adj.* weepy
som gir gjenlyd *adj.* resonant
som gjør vondt *adj.* painful
som har etterlatt testament *adj.* testate
som har født flere barn *adj.* multiparous
som har rømt *adj.* runaway
som hindrer *adj.* obstructive
som ikke kan forsvares *adj.* indefensible
som ikke passer sammen *adj.* incompatible
som ikke tar hensyn til *adj.* oblivious
som kan forsvares *adj.* defensible
som kan fås *adj.* obtainable
som kan lese og skrive *adj.* literate
som kan mettes *adj.* satiable

som kan opprettholdes *adj.* sustainable
som kan overdras *adj.* negotiable
som kan senkes under vann *adj.* submersible
som kastes etter bruk *adj.* disposable
som klør *adj.* itchy
som lever i sølibat *adj.* celibate
som ligner jazz *adj.* jazzy
som lukter gammelt *adj.* frowsty
som lønner seg *adj.* worthwhile
som mangler *adj.* wanting
som minner om *adj.* reminiscent
som mutere *adj.* mutative
som samarbeider *adj.* cooperative
som skjer med mellomrom *adj.* intermittent
som skulle anmeldes *adj.* notfiable
som sliper *adj.* abrasive
som streber etter *adj.* would-be
som tilhører hundefamilien *adj.* canine
som tilhører samme tid *adj.* coeval
som tjener som advarsel *adj.* cautionary
som tyde på noe *adj.* indicative
som ventet *adv.* duly
som vinner *adj.* winning
som ønske seg berømmelse *adj.* desirous
somle *v.* dally
somle *v.* dawdle
sommer *n.* summer
sommerfugl *n.* butterfly
sonde *n.* probe
sone *n.* zone
sone v. atone
sone– *adj.* zonal
sone for *v.* expiate
sonett *n.* sonnet
soning n. atonement
soningsfange *n.* convict
sonoritet *n.* sonority
sopelime *n.* broom
sopp *n.* fungus
sopp *n.* mushroom
sorbett *n.* sorbet
sorg *n.* bereavement
sorg *n.* mourning
sorg *n.* grief
sorg *n.* sorrow
sorgløs *adj.* carefree
sort *n.* sort
sortert *adj.* riddled
sosial *adj.* social
sosialisere *v.* socialize
sosialisme *n.* socialism
sosialistisk *n. & adj.* socialist
sosiologi *n.* sociology
sot *n.* soot
sourdough bread *n.* stomp
sovende adj. asleep
sovende *adj.* quiescent
sovende *n.* sleeper
soveplass *n.* roost
sovesal *n.* dormitory
spade *n.* spade
spakferdig *adj.* meek
spalte *n.* cleft
spalte *v.* split
spalte *v.t.* slit

spaner *adj.* undercover
spaniel *n.* spaniel
spanjol *n.* Spaniard
spann *n.* pail
spansk *n.* Spanish
spare *v.* retrench
spare *v.* skimp
sparing *n.* savings
sparke *v.* kick
sparsommelig *adj.* frugal
sparsommelig *adj.* thrifty
spasere v. amble
spasere *v.* stroll
spaserstokk *n.* cane
spasme *n.* spasm
spasmodisk *adj.* spasmodic
spastisk *adj.* spastic
spedalsk *n.* leper
spedbarn *n.* infant
spedbarn *n.* suckling
speider *n.* scout
speiderleir *n.* jamboree
speil *n.* mirror
speilvende *v.* invert
spektrum *n.* spectrum
spekulasjon *n.* speculation
spekulere *v.* speculate
spenn *n.* span
spenne *n.* buckle
spenne buen for høyt *v.* overreach
spenning *n.* tension
spenning *n.* suspense
spenning *n.* voltage
spent *adj.* tense
sperre *v.* obstruct
sperreverk *n.* ratchet
sperring *n.* blockage
sperring *n.* cordon
spesialisere *v.* specialize
spesialisering *n.* specialization
spesialist *n.* specialist
spesialitet *n.* speciality
spesiell *adj.* especial
spesiell *adj.* special
spesiell *adj.* particular
spesielt *adv.* especially
spesifisere *v.* specify
spesifisering *n.* specification
spett *n.* lever
spidd *n.* spit
spikke *v.* whittle
spile *n.* slat
spill *n.* spillage
spill *n.* wastage
spillbord *n.* fascia
spille v. act
spille *v.* spill
spille hasard *v.* gamble
spille om igjen *v.* replay
spillekasino *n.* casino
spiller *n.* player
spilltau *n.* stall
spinal- *adj.* spinal
spinat *n.* spinach
spindel *n.* spindle
spindelvev *n.* cobweb
spinke *v.* scrimp
spinkel *adj.* flimsy
spinner *n.* spinner
spion *n.* spy
spionasje *n.* espionage
spionere *v.* pry
spir *n.* spire
spir *n.* steeple
spiralformet *adj.* spiral
spire *v.* germinate
spire *v.* sprout
spiring *n.* germination
spiritualisme *n.* spiritualism
spiritualist *n.* spiritualist
spise *v.* eat
spise middag *v.* dine

spiselig *adj.* edible
spiselig *adj.* eatable
spisepinner *n.* chopstick
spiserør *n.* gullet
spisested *n.* eatery
spisevogn *n.* diner
spiskammer *n.* larder
spiskammer *n.* pantry
spiss n. acumen
spiss *n.* nib
spiss *n.* snag
spiss *n.* tip
spiss pæl *n.* paling
spissbue *n.* lancet
spissmus *n.* shrew
spjeld *n.* valve
spjeldventil *n.* throttle
spjære *v.* slash
splint *n.* splinter
spoil *v.* spoil
spoiler *n.* spoiler
spole *n.* coil
spole *n.* spool
spole av *v.* unwind
spolere *v.* mar
sponsing *n.* sponsorship
sponsor *n.* sponsor
spontan *adj.* spontaneous
spontan abort *n.* miscarriage
spontanitet *n.* spontaneity
spor *n.* spoor
spor *n.* clue
spor *n.* groove
spor *n.* track
spor *n.* trail
sporadisk *adj.* sporadic
spore *n.* spore
spore *n.* spur
sportsmann *n.* sportsman
sporty *adj.* sporting
spotte *v.* deride
spottende bemerkning *n.* jibe
spousal *n.* spousal
spre *v.* diffuse
spre *v.* dispel
spre *v.* dissipate
spre *v.* popularize
spre *v.* propagate
spre *v.* scatter
spre *v.* disperse
spreder *n.* sprinkler
spredning *n.* propagation
spredt *adj.* sparse
sprekk *n.* slot
sprekk *n.* crack
sprekke *v.* crack
sprengstoff *adj.* explosive
sprette *v.* gambol
sprette *v.* bounce
sprette *v.* bound
sprette tilbake *v.* rebound
springagurk *n.* cucumber
springe *v.* pounce
springe *v.* spring
springe ut *v.* bloom
springende *adj.* discursive
springende punkt *n.* crux
sprinkelverk *n.* trellis
sprinte *v.* sprint
sprinter *n.* sprinter
spritfabrikk *n.* distillery
sprudlende *adj.* ebullient
sprudlende *adj.* exuberant
sprute *v.* spatter
sprute *v.* spurt
sprø *adj.* friable
sprø *adj.* wacky
sprø *adj.* zany
sprø *adj.* brittle
sprø *adj.* crisp
sprøyte *v.* squirt
sprøyte *n.* hype

sprøyte *n.* syringe
språk *n.* language
språkbruk *n.* parlance
spuns *n.* bung
spurv *n.* sparrow
spyd *n.* javelin
spyd *n.* spear
spydighet *n.* taunt
spytt *n.* saliva
spytt *n.* spittle
spyttebakke *n.* spittoon
spyttslikker *n.* sycophant
spøk *n.* hoax
spøk *n.* jest
spøkefugl n. antic
spøkefugl *n.* jester
spøkefull *adj.* facetious
spøkefull *adj.* jocose
spøkefull *adj.* jocular
spøkelse *n.* spectre
spøkelse *n.* ghost
spøkelse *n.* phantom
spøkelsesaktig *adj.* spectral
spørre v. ask
spørre *v.* inquire
spørre *v.* enquire
spørrekonkurranse *n.* quiz
spørrelysten *adj.* inquisitive
spørrende *adj.* interrogative
spørreskjema *n.* questionnaire
spørsmål *n.* enquiry
spørsmål *n.* inquiry
spørsmål *n.* query
spørsmål *n.* question
st *v.* stand
sta *adj.* stubborn
stabbe *v.* toddle
stabel *n.* stack
stabel *n.* pile
stabilisere *v.* stabilize
stabilitet *n.* steadiness
stabilitet *n.* stability
stabilitet *n.* stabilization
stadig *adj.* perpetual
stadig *adj.* continual
stadium *n.* stadium
stagnasjon *n.* stagnation
stagnere *v.* stagnate
stakk *n.* rick
stakkars *adj.* measly
stalker *n.* stalker
stall *n.* stable
stamgjest *n.* habitue
stamme *adj.* tribal
stamme *n.* bole
stamme *n.* tribe
stamme *v.* stammer
stamme *v.* stutter
stampe *v.* stamp
stamtavle *n.* pedigree
standard *n.* standard
standardmål *n.* gauge
standarisere *v.* standardize
standarisering *n.* standardization
standpunkt *n.* standpoint
standsperson *n.* dignitary
stang *n.* staff
stank *n.* stench
stans *n.* cessation
stans *n.* stoppage
starte *v.* start
startkabler *n.* jumper
stasjon *n.* station
stasjonær *adj.* stationary
statisk *adj.* static
statisk *adv.* statically
statistiker *n.* statistician
statistikk *n.* statistics
statistisk *adj.* statistical
stativ *n.* rack
statsadvokat *n.* prosecutor

statsborgerskap *n.* citizenship
statsløs *adj.* stateless
statsmann *n.* statesman
statsminister *adj.* premier
statssamfunn *n.* polity
statstilskudd *n.* subsidy
statue *n.* statue
statuelignende *adj.* statuesque
statuer *n.* statuary
statuett *n.* figurine
statuett *n.* statuette
status *n.* status
statutt *n.* statute
stave *v.t.* spell
stave galt *v.* misspell
stavelse *n.* syllable
stealthily *adv.* stealthily
stearinlys *n.* candela
stearinlys *n.* candle
sted *n.* location
sted *n.* venue
sted *n.* place
stedlig *adj.* local
steeplechase *n.* steeplechase
steile *v.* boggle
stein *n.* rock
stein *n.* stone
steinbrudd *n.* quarry
steinete *adj.* stony
steinstøtte *n.* monolith
steintøy *n.* crockery
steke *v.* roast
steke *v.* fry
stekeovn *n.* oven
stekespidd *n.* skewer
stemme *v.* coincide
stemme *n.* voice
stemme *n.* vote
stemmerett *n.* franchise
stemmerett *n.* suffrage
stemmeseddel *n.* ballot
stemmeteller *n.* teller
stemning *n.* vibe
stempel *n.* stamp
stempel *n.* piston
stender *n.* stud
stenge inne *v.* immure
stengel *n.* stalk
stenograf *n.* stenographer
stenografi *n.* stenography
steppe *n.* steppe
stereo *n.* stereo
stereofonisk *adj.* stereophonic
stereoskopisk *adj.* stereoscopic
stereotype *n.* stereotype
steril *adj.* sterile
sterilisere *v.* sanitize
sterilisere *v.* spay
sterilisere *v.* sterilize
sterilisering *n.* sterilization
sterilitet *n.* sterility
sterk *adj.* forceful
sterk *adj.* strapping
sterk *adj.* strong
sterk og sunn robust *adj.* sturdy
sterk stig-ning *n.* upsurge
sterkeste del *n.* forte
sterling *n.* sterling
steroid *n.* steroid
stetoskop *n.* stethoscope
stevnemøte *n.* tryst
stevning *n.* writ
sti *n.* path
sti *n.* sty
stift *n.* tack
stiftemaskin *n.* stapler
stigbøyle *n.* stirrup
stige *n.* ladder

stige *v.* rise
stige *v.* increase
stigma *n.* stigmata
stigmatisere *v.* stigmatize
stikk *n.* twinge
stikk *n.* sting
stikke *v.* prod
stikke *v.* stab
stikke *v.* jab
stikke frem *v.* protrude
stikke mulen inn mot *v.* nuzzle
stikkelsbær *n.* gooseberry
stikkord *n.* cue
stikkord *n.* parole
stikkpille *n.* suppository
stikksag *n.* jigsaw
stil *n.* style
stilett *n.* stiletto
stilig *adj.* stylish
stilisert *adj.* stylized
stilist *n.* stylist
stilistisk *adj.* stylistic
stilk *n.* stem
stillas *n.* scaffolding
stille adj. quiet
stille *adj.* silent
stille *v.t.* slake
stille *adj.* calm
stillehav *n.* pacific
stillesittende *adj.* sedentary
stillestående *adj.* stagnant
stillestående vann *n.* backwater
stillhet *n.* stillness
stillhet *n.* tranquillity
stillhet *n.* silence
stilling *n.* eminence
stilling *n.* position
stilling som kaptein *n.* captaincy
stilltiende *adj.* tacit
stilltiende tillatelse *n.* sufferance
stilted *adj.* stilted
stim *n.* shoal
stimulere *v.* stimulate
stimulerende middel *n.* stimulant
stimulus *n.* stimulus
stingsild *n.* stickleback
stinke *v.* stink
stinke av v. reek
stipend *n.* scholarship
stipend *n.* stipend
stipendiat *n.* scholar
stipendiat *n.* fellow
stipulere *v.* stipulate
stirre *v.* peer
stirre *v.* stare
stirre med store øyne *n.* goggle
stiv *adj.* stiff
stiv *adj.* rigid
stivbind *n.* hardback
stivelse *n.* starch
stivelsesholdig *adj.* starchy
stiver *n.* strut
stivsinnet *adj.* headstrong
stjele *v.* steal
stjerne *n.* star
stjerne- *adj.* stellar
stjerneklar *adj.* starry
stjernetåke *n.* nebula
stjålen *adj.* surreptitious
stoff *n.* substance
stoff *n.* cloth
stoff *n.* fabric
stoffmisbruker n. addict
stog trekke *v.* infuse
stoiker *n.* stoic
stokk *n.* cudgel
stokk *n.* log
stol *n.* chair

stola *n.* stole
stole på *v.* rely
stolpe *v.* stipple
stolt *adj.* proud
stolthet *n.* pride
stoppe *v.* darn
stoppe *v.* stop
stoppe *v.* upholster
stoppe helt opp *n.* standstill
stoppring *n.* retainer
stor *adj.* big
stor *adj.* great
stor *adj.* large
stor *adj.* bulky
stor (og dyp) *adj.* cavernous
stor hule *n.* cavern
stor iver *n.* zest
stor mangel *n.* famine
stor og kraftig *adj.* hefty
stor stokk *n.* bludgeon
stor veps *n.* hornet
storby- *adj.* metropolitan
storeter *n.* gourmand
storing nabob nabob
stork *n.* stork
storm *n.* gale
stormarked *n.* superstore
storme *v.* dash
storme omkring *v.* rampage
stormende *adj.* stormy
stormkast *n.* squall
stormløp *n.* onslaught
stormløp *n.* stampede
storskrytende *adj.* swashbuckling
storslått *adj.* grand
storstag *n.* mainstay
stort *n.* platter
stort festtelt *n.* marquee
stort stykke *n.* hunk
stort verk *n.* tome
stortinget *n.* parliament
straff *n.* punishment
straff *n.* penalty
straffbar adj. actionable
straffe *v.* castigate
straffe *v.* penalize
straffe *v.* punish
straffe- *adj.* punitive
straffeforfølge *v.* prosecute
straffefrihet *n.* impunity
strafferettslig *adj.* penal
straks *adv.* straightway
straks *adv.* forthwith
stramme *v.* constrict
stramme *v.* tighten
strand *n.* beach
strande *v.* strand
strandsnegl *n.* winkle
strata *n.* stratum
strateg *n.* strategist
strategi *n.* strategy
strategisk *adj.* strategic
streik *adj.* striking
streikende *n.* striker
strekk *n.* traction
strekkbar *adj.* tensile
strekke *v.* stretch
strekning *n.* stretch
streng adj. austere
streng *adj.* strict
streng *adj.* stringent
strenghet *n.* severity
strenghet *n.* stringency
strenghet *n.* rigour
strengt *adv.* strictly
stress *n.* stress
stresse *v.t.* stress
stri *adj.* torrential
stri *n.* hassle
striasjon *n.* striation
strid *n.* infighting
strid *n.* strife

strid *n.* tussle
stridsskrifter *n.* pamphleteer
stridsvogn *n.* chariot
stridsøks *n.* hatchet
strigle *v.* groom
strikke *v.* knit
strime *n.* streak
stripe *n.* weal
stripe *n.* stripe
stripet *adj.* brindle
stripete *adj.* streaky
stripper *n.* stripper
strofe *n.* stanza
strudel *n.* strudel
struktur *n.* structure
strukturell *adj.* structural
strupehode *n.* larynx
struts *n.* ostrich
strykende *adj.* spanking
strykerem *n.* strop
strø *v.* strew
strøm *n.* torrent
strøm *n.* stream
strøm *n.* current
strømfordeler *n.* controller
strømlinje *n.* fairing
strømpe *n.* sock
strømpe *n.* stocking
strømsvikt *n.* blackout
strømvirvel *n.* whirlpool
stråle *n.* beam
stråle *n.* ray
stråleglans *adj.* refulgence
stråleglans *n.* radiance
strålende *adj.* glorious
strålende *adj.* gorgeous
strålende *adj.* lustrous
strålende *adj.* radiant
strålende *adj.* refulgent
strålende *adj.* resplendent
strålende *adj.* splendid
strålende *adj.* brilliant
strålende praktutfoldelse *n.* pageantry
stråmann *n.* dummy
stråtak *n.* thatch
Stuart *adj.* Stuart
student *n.* undergraduate
student *n.* student
studere *v.* study
studie *n.* study
studio *n.* studio
stukkatur *n.* stucco
stum *adj.* mute
stump *adj.* obtuse
stump *n.* scrap
stump *n.* stub
stump *n.* stump
stund *n.* while
stupe *v.* plunge
stuss *n.* tail
stvid åpen *v.* gape
stygg *adj.* ugly
stygghet *n.* ugliness
stykke *n.* chunk
stykke *n.* piece
stykkevis *adv.* piecemeal
stylte *n.* stilt
styre *v.* rule
styre *v.* steer
styrefjær *n.* barb
styreformann *n.* chairman
styremedlem *n.* officer
styring adj. administrator
styring *n.* governance
styrke n. might
styrke *n.* potency
styrke *n.* strength
styrkelse *n.* substantiation
styrte *v.* rush
styrte *v.* overthrow
stø *adj.* stable
stø *adj.* steady

stønn *n.* moan
stønne *v.* groan
støperi *n.* foundry
støping *n.* moulding
støping *n.* casting
støpning *n.* mould
større *adj.* major
størrelse *n.* size
størrelse *n.* magnitude
støt *n.* bump
støt *n.* impact
støt *n.* impetus
støt *n.* lunge
støt *n.* shock
støte *v.* poke
støte ut *v. t* expel
støtfanger *n.* bumper
støtkårde *n.* rapier
støttann *n.* tusk
støtte *n.* prop
støtte *n.* support
støtte v. advocate
støtte *v.* espouse
støtte *v.* patronize
støtte *v.* support
støtte økonomisk *v.* subsidize
støv *n.* dust
støvbærer *n.* stamen
støvekost *n.* duster
støvel *n.* boot
støvfnugg *n.* mote
støvsuger *n.* Hoover
støy *n.* hubbub
støy *n.* commotion
støyende *adj.* boisterous
støyende *adj.* noisy
støyende *adj.* uproarious
stå *v.* pose
stående fast adj. aground
ståhei *n.* fuss
stål *n.* steel
subjekt *n.* subject
subjektiv adj. subjective
sublim *adj.* sublime
sublimere *v.* sublimate
subliminal *adj.* subliminal
subsonisk *adj.* subsonic
substantiv *n.* noun
substantiv *n.* substantive
substantivisk *adj.* nominal
substitusjon *n.* substitution
subsumere *v.* subsume
subterranean *adj.* subterranean
subtrahere *v.* subtract
subtraksjon *n.* subtraction
subtropisk *adj.* subtropical
Sudoku *n.* Sudoku
suffiks *n.* suffix
sufflør *n.* prompter
suge *v.* suck
sugeskål *n.* sucker
sugge *n.* sow
suggestibel *adj.* suggestible
suggestive *adj.* suggestive
suging *n.* suction
suite *n.* suite
sukke *v.* sough
sukke *v.i.* sigh
sukker *n.* sugar
sukker- *adj.* saccharine
sukkertøy *n.* sweet
sukkertøy *n.* sweetmeat
suksess *n.* success
suksessiv *adj.* successive
sult *n.* hunger
sult *n.* starvation
sultans kone *n.* sultana
sulte *v.* starve
sulten *adj.* hungry
sum *n.* rental
sum *n.* sum
summarisk *adv.* summarily

summende lyd *n.* buzz
sump *n.* swamp
Sunday *n.* Sunday
sunket *adj.* sunken
sunn *adj.* wholesome
sunn *adj.* healthy
sunn og sterk *adj.* lusty
sunnhet *n.* health
super *adj.* super
superfin *adj.* superfine
superlativisk *adj.* superlative
supermakt *n.* superpower
supermarked *n.* supermarket
supersonisk *adj.* supersonic
suppe *n.* soup
supplement *n.* supplement
supplerende *adj.* supplementary
supplerende *adj.* complementary
suppurere *v.* suppurate
sur *adj.* sullen
sur *adj.* sour
surhet n. acidity
surre *n.* whir
surrealisme *n.* surrealism
surrealistisk *adj.* surreal
suse *v.* hurtle
suse *v.* zoom
suspendering *n.* suspension
sutan *n.* cassock
sutur *n.* suture
suvenir *n.* souvenir
svaber *n.* swab
svaie *v.* sway
svak *adj.* subtle
svak *adj.* weak
svak *adj.* dim
svak *adj.* faint
svak *adj.* feeble
svak *adj.* slight
svakelig *adj.* infirm
svakelighet *n.* infirmity
svakhet *n.* debility
svakhet *n.* weakness
svaksynt *adj.* purblind
svamp *n.* sponge
svane *n.* swan
svangerskap *n.* gestation
svangerskap *n.* pregnancy
svar n. answer
svar *n.* rejoinder
svar *n.* response
svare *v.* respond
svare skarpt *v.* retort
svart *adj.* black
svarteliste *n.* blacklist
sveise *v.* weld
sveive *v.* crank
svekke *v.* debilitate
svekke *v.* enfeeble
svekke *v.* weaken
svekling *n.* weakling
svelge *v.* whelm
svelge *v.* swallow
sverd *n.* sword
sverge *v.* swear
sverm *n.* swarm
svette *v.t.* perspire
svette *n.* sweat
sveve *v.* glide
sveve *v.* hover
sveve *v.i.* soar
svi *v.* scorch
svi *v.* sear
svi *v.* singe
sviende *adj.* swingeing
svigemor *n.* mother-in-law
svigerdatter *n.* daughter-in-law
svik *n.* betrayal
svik *n.* guile

svikefull *adj.* deceitful
svikt *n.* shortfall
svill *n.* sill
svimeslå *v.* stun
svimlende *adj.* staggering
svimlende *adj.* vertiginous
svimmel *adj.* giddy
svin *n.* swine
svindel *n.* fraud
svindel *n.* scam
svindle *v.* swindle
svindler *n.* racketeer
svinekjøtt *n.* pork
sving *n.* turning
svingbar *adj.* pivotal
svinge *v.* oscillate
svinge *v.* swerve
svinge *v.* swing
svingning *n.* swing
svingtapp *n.* pivot
svingtrinn *n.* winder
svinne *v. t* dwindle
svirre *v.* whirr
sviske *n.* prune
svovel *n.* sulphur
svulme *v.* bloat
svulst *n.* tumour
svuppe *v.* squish
sværing *n.* whopper
svømme *v.* swim
svømmefot *n.* flipper
svømmehud *n.* web
svømmer *n.* swimmer
svøpe *n.* scourge
sy *v.* sew
sy *v.* stitch
sybarite *n.* sybarite
syerske *n.* sewer
syk *adj.* ill
syk *adj.* sick
sykdom *n.* illness
sykdom *n.* malady
sykdom *n.* sickness
sykdom *n.* disease
sykdom på planter *n.* blight
sykehus *n.* hospital
sykehuspasient *n.* inpatient
sykelig *adj.* sickly
sykelig *n.* invalid
sykepleier *n.* nurse
sykkel *n.* bicycle
sykkel *n.* bike
sykkel *n.* cycle
syklist *n.* cyclist
syklon *n.* cyclone
sylfe *n.* sylph
sylinder *n.* cylinder
syllabisk *adj.* syllabic
syllabuses *n.* syllabus
syllogisme *n.* syllogism
syltetøy *n.* jam
symbiose *n.* symbiosis
symbol *n.* symbol
symbolikk *n.* symbolism
symbolisere *v.* symbolize
symbolisere *v.* typify
symbolisk *adj.* symbolic
symfoni *n.* symphony
symmetri *n.* symmetry
symmetrisk *adj.* symmetrical
sympati *n.* sympathy
sympatisere *v.* sympathize
sympatisk *adj.* likeable
symposium *n.* symposium
symptom *n.* symptom
symptomatisk *adj.* symptomatic
syn *n.* eyesight
syn *n.* spectacle
syn *n.* vision
synchronisere *v.* synchronize
synd *n.* sin
synde *v.* trespass

syndebukk *n.* scapegoat
synder *n.* sinner
syndfloden *n.* deluge
syndig *adj.* sinful
syndikat *n.* syndicate
syndrom *n.* syndrome
synergi *n.* synergy
synes *v.* seem
synge *v.* warble
synke *v.* subside
synke *v.* sink
synke i verdi *v.* depreciate
synkron *adj.* synchronous
synlig *adj.* perceptible
synlig *adj.* visible
synonym *adj.* synonymous
synonym *n.* synonym
synopsis *n.* synopsis
syns- *adj.* visual
synsevne *n.* sight
syntaks *n.* syntax
syntetisere *v.* synthesize
syntetisk *adj.* synthetic
syntheses *n.* synthesis
sypress n. cypress
syre n. acid
syreballong *n.* carboy
syrenøytraliserende adj. antacid
syrlig adj. acrid
system *n.* system
systematisere v. systematize
systematisk *adj.* systematic
systemisk *adj.* systemic
systemkritikere *n.* dissident
sytten *adj. & n.* seventeen
syttende *adj. & n.* seventeenth
sytti *adj. & n.* seventieth
syttitall *adj. & n.* seventy
sæd *n.* sperm
sæd *n.* semen
særhet *n.* oddity
søke *v.i.* seek
søke *v.* search
søker n. applicant
søknad n. application
søle *n.* mire
sølibat *n.* celibacy
sølv *n.* silver
søm *n.* seam
sømløs *adj.* seamless
sømmelighet *n.* decency
sønn *n.* son
søppel *n.* trash
søppel *n.* rubbish
søppel *n.* refuse
søppelpost *n.* spam
sør *n.* south
sørge *v.* mourn
sørge for *v.* ensure
sørge over *v.* grieve
sørgelig *adj.* lamentable
sørgende *n.* mourner
sørlig *adj.* southerly
sørlig *adj.* southern
sørlig nattergal n. nightingale
søsken *n.* sibling
søster *n.* sister
søsterlig *adj.* sisterly
søt *adj.* cute
søt *adj.* sweet
søte *v.* sweeten
søthet *n.* sweetness
søtladen *adj.* soppy
søtningsmiddel *n.* sweetener
søvn *n.* sleep
søvngjenger *n.* somnambulist
søvngjengeri *n.* somnambulism

søvnig *adj.* sleepy
søvnig *adj.* somnolent
søvnig *adj.* somnolent
søvnighet *n.* somnolence
søyle *n.* column
søylegang n. arcade
så *adv.* so
således *adv.* thus
såpe *n.* soap
såpeaktig *adj.* soapy
såpeskum *n.* lather
sår *adj.* sore
sår *n.* wound
sårbar *adj.* vulnerable
såre *v.* lacerate
sårt *adv.* sorely

ta *v.* take
ta del i *v.* partake
ta for høy pris *v.* overcharge
ta hensyn til *v.* heed
ta imot *v.* greet
ta overbalanse *v.* overbalance
ta tid *v.* temporize
ta tilbake *v.* repossess
ta tilbake *v.* retract
ta vare på *v.* impound
tabbe *n.* blunder
tabellarisk *adj.* tabular
tabellarisk oppstilling *n.* tabulation
tablett *n.* tablet
tabloid *n.* tabloid
tablå *n.* tableau
tabu *n.* taboo
tabulator *n.* tabulator
tabulere *v.* tabulate
tak *n.* ceiling
tak *n.* roof
takhus *n.* penthouse
takke *v.* thank
takkete *adj.* jagged
takknemlig *adj.* beholden
takknemlig *adj.* grateful
takknemlig *adj.* thankful
takknemlighet n. appreciation
takknemlighet *n.* gratitude
takle *v.t.* tackle
takmaterialer *n.* roofing
takse *v.* taxi
taksering *n.* valuation
taksonomi *n.* taxonomy
takstein *n.* tile
takt *n.* tact
taktfull *adj.* tactful
taktiker *n.* tactician
taktikk *n.* tactic
taktil *adj.* tactile
taktisk *adj.* tactical
takvindu *n.* skylight
tale *n.* oration
taleevne *n.* speech
talekunst *n.* elocution
talent n. aptitude
talent *n.* talent
taler *n.* orator
taler *n.* speaker
talerstol *n.* rostrum
talg *n.* tallow
talisman *n.* talisman
talk *n.* talc
tallrik *adj.* numerous
talltegn *n.* numeral
talløs *adj.* numberless
talløs *adj.* countless
talsmann *n.* spokesman
tam *adj.* tame
tamarind *n.* tamarind
tamburin *n.* tambourine

tampong *n.* tampon
tandemsykkel *n.* tandem
tander *adj.* dainty
tang *n.* tongs
tang *n.* wrack
tangent *n.* tangent
tank *n.* tank
tankefull *adj.* thoughtful
tankeløs *adj.* mindless
tankeløs *adj.* thoughtless
tanker *n.* tanker
tann *n.* tooth
tann- *adj.* dental
tannkrem *n.* toothpaste
tannlege *n.* dentist
tannløs *adj.* toothless
tannpine *n.* toothache
tannpirker *n.* toothpick
tannprotese *n.* denture
tannregulering *n.* brace
tannstein *n.* tartar
tanntråd *n.* floss
tante n. aunt
tap *n.* loss
tapas *n.* tapas
tape seg adv. astray
tapper *adj.* valiant
tapperhet *n.* valour
tapperhet *n.* bravery
target *n.* target
tariff *n.* tariff
tarm *n.* intestine
tarm *n.* bowel
tarm *n.* gut
tarot *n.* tarot
tastatur *n.* keyboard
tatovering *n.* tattoo
tatt i betraktning *prep.* considering
tau *n.* rope
tavle *n.* blackboard
tavle *n.* plaque
te *n.* tea
teak *n.* teak
teater *n.* theatre
teatralsk *adj.* theatrical
teboks *n.* caddy
tegn *n.* sign
tegn under linjen *adj.* subscript
tegne *v.* draw
tegner *n.* drawer
tegneserie *n.* cartoon
tegning *n.* drawing
tegning *n.* design
tegnsetting *n.* punctuation
tegnsystem *n.* notation
teisme *n.* theism
tekkelig *adj.* decorous
tekniker *n.* technician
teknikk *n.* technique
teknisk *adj.* forensic
teknisk *adj.* technical
teknisk problem *n.* glitch
teknolog *n.* technologist
teknologi *n.* technology
teknologisk *adj.* technological
tekst *n.* text
tekst- *adj.* textual
tekst- *adj.* textual
tekstforfatter *n.* lyricist
tekstil *n* textile
tekst-TV *n.* teletext
tekstur *n.* texture
telefon *n.* phone
telefon *n.* telephone
telefonkatalog *n.* directory
telefonsvarer *n.* voicemail
telegraf *n.* telegraph
telegrafi *n.* telegraphy
telegrafisk *adj.* telegraphic
telegram *n.* telegram

telekommunikasjoner *n.* telecommunications
telepat *n.* telepathist
telepati *n.* telepathy
telepatisk *adj.* telepathic
teleprinter *n.* teleprinter
teleskop *n.* telescope
teller *n.* numerator
telt *n.* tent
tema *n.* topic
tematisk *adj.* thematic
temmelig *adv.* rather
tempel n. temple
temperament *n.* mettle
temperament *n.* temperament
temperament *n.* temper
temperamentsfull *adj.* temperamental
temperamentsfull *n.* mettlesome
temperatur *n.* temperature
tempo n. tempo
tendens *n.* tendency
tendensiøs *adj.* tendentious
tender *n.* tender
tenke *v.* intend
tenke *v.* think
tenke alvorlig *v.* cogitate
tenke over *v.* consider
tenke p *v.* contemplate
tenke på *v.* ponder
tenke ut *v.* devise
tenkelig *adj.* conceivable
tenker *n.* thinker
tenksom *adj.* meditative
tenne *v.* kindle
tenne v.t. alight
tennis *n.* tennis
tenor *n.* tenor
tentativ *adj.* tentative
tenåring *n.* teenager
teodolitterært *n.* theodolite
teokrati *n.* theocracy
teolog *n.* theologian
teorem *n.* theorem
teoretisk *adj.* theoretical
teori *n.* theory
teorisere *v.* theorize
teorist *n.* theorist
teppe *n.* blanket
terapeut *n.* therapist
terapeutisk *adj.* therapeutic
terapi *n.* therapy
termal *adj.* thermal
terminologi *n.* terminology
terminologisk *adj.* terminological
termitt *n.* termite
termodynamikk *n.* thermodynamics
termometer *n.* thermometer
termosflaske *n.* thermos
termostat *n.* thermostat
terning *n.* dice
terpentin *n.* turpentine
terrakotta *n.* terracotta
terrasse *n.* terrace
terreng *n.* terrain
terrier *n.* terrier
territorial *adj.* territorial
terror *n.* terror
terrorisere *v.* terrorize
terrorisme *n.* terrorism
terrorist *n.* terrorist
ters *n.* toggle
terskel *n.* threshold
tertiær *adj.* tertiary
testament *n.* testament
testikkel *n.* testicle
testikkel *n.* testis
testosteron *n.* testosterone
tett *adj.* tight
tett *adj.* dense

tetthet *n.* density
theologi *n.* theology
theosofi *n.* theosophy
ti *adj. & adv.* ten
tiara *n.* tiara
tiarmet blekksprut *n.* squid
tid *n.* hour
tid *n.* time
tidevann *n.* tide
tidevanns- *adj.* tidal
tidlig *adj.* early
tidligere *adj.* prior
tidligere *adv.* formerly
tidligere *adj.* former
tidsfordriv *n.* pastime
tidsskrift *n.* journal
tidsspille *n.* dalliance
tiende *adj. & n.* tenth
tiende *n.* tithe
tiger *n.* tiger
tigge *v.* beg
tigger *n.* beggar
tiggermunk *adj.* mendicant
tikk *n.* tick
tikking *n.* ticking
til *prep.* to
til gode *adj.* due
til side adv. aside
til stede *adj.* present
til tross for *prep.* notwithstanding
til tross for *prep.* despite
tilbake *n.* back
tilbakebetaling *n.* repayment
tilbakeblikk *n.* retrospect
tilbakedatere *v.* backdate
tilbakeevirkende *adj.* retrospective
tilbakegående *adj.* retrograde
tilbakeholdelse *n.* retention
tilbakekalle *v.* countermand
tilbakekalle *v.* revoke
tilbakekalle *v.* recall
tilbakekomst *n.* return
tilbakeslag *n.* backlash
tilbakevendende *adj.* recurrent
tilbakevirkende *adj.* retroactive
tilbe *v.* dote
tilbehør n. accessory
tilbringe *v.* spend
tilby *v.* bid
tilby *v.* offer
tilbøyelighet *n.* inclination
tildele v. allot
tildele v. assign
tildele *v.* bestow
tildele *v.* confer
tildele *v.* inflict
tildeling n. allocation
tildeling n. allotment
tilegnelse n. appropriation
tilegnelse *n.* dedication
tilfalle *v.* devolve
tilfeldig *adj.* casual
tilfeldig *adj.* incidental
tilfeldig *adj.* random
tilfeldigvis adv. anyhow
tilfluktssted *n.* den
tilfluktssted *n.* refuge
tilfreds *adj.* content
tilfredshet *n.* contentment
tilfredsstille *v.* gratify
tilfredsstille *v.* satisfy
tilfredsstillelse *n.* satisfaction
tilfredsstillelse *n.* gratification
tilfredsstillende *adj.* satisfactory
tilføyelse n. appendage

tilgi *v.* condone
tilgi *v.* forgive
tilgivelig *adj.* venial
tilgivelig *adj.* pardonable
tilgivelse *n.* pardon
tilgjengelig adj. accessible
tilgjengelig adj. available
tilhenger *n.* follower
tilhenger *n.* trailer
tilhøre *v.* belong
tilhører *n.* listener
tilhørighet n. affiliation
tilintetgjøre *v.* extirpate
tilkalle *v.* summon
tilkjennegi *v.* signify
tilknytte v. annex
tilknytting n. annexation
tillate v. acquiesce
tillate v. allow
tillate *v.* permit
tillatelig *adj.* permissible
tillatelse n. acquiescence
tillatelse *n.* permission
tilleg n. addition
tillegg n. addendum
tillegg n. adjunct
tillegge v. accredit
tilleggsgebyr *n.* surcharge
tillit *n.* confidence
tillit *n.* trust
tillitsfull *adj.* trustful
tilmålt *adj.* measured
tilnærming *n.* rapprochement
tilnærming v. approach
tilpasse v. adapt
tilpasse *v.* conform
tilpassing n. adaptation
tilrane seg *v.* usurp
tilregnelig *adj.* sane
tilrådelig *adj.* expedient
tilsetningsstoff n. additive
tilsette v. add
tilsette kullsyre *v.* carbonate
tilsiktet *adj.* deliberate
tilskadekommet *n.* casualty
tilskjærer *n.* cutter
tilskrive v. ascribe
tilskrive v. attribute
tilskrive *v.* impute
tilskuer n. bystander
tilskuer *n.* onlooker
tilskuer *n.* spectator
tilskynde *v.* abet
tilskynde *v.* exhort
tilskynde *v.* prompt
tilslutning n. adherence
tilspisse *v.* taper
tilst *v.* confess
tilstand *n.* condition
tilstand *n.* state
tilstrekkelig adj. adequate
tilstrekkelig *n.* sufficiency
tilstrømning *n.* influx
tilstøtende *adj.* contiguous
tilstå v. acknowledge
tilståelse n. acknowledgement
tilståelse *n.* confession
tilståelse av rettigheter n. accordance
tiltalebeslutning *n.* indictment
tiltalende *adj.* prepossessing
tiltalte v.t. accused
tiltrekke v. attract
tilvekst n. accession
tilvenne v. accustom
tind *n.* pinnacle
ting n. stuff
ting *n.* thing
tinktur *n.* tincture
tinn *n.* tin
tips selger *n.* tipster

tirade *n.* tirade
tirannisere *v.* tyrannize
tirre *v.* goad
tirsdag *n.* Tuesday
tispe *n.* bitch
tistel *n.* thistle
titte *v.* peep
tittel *n.* title
tivuli *n.* rollercoaster
tiår *n.* decade
tjene *v.* earn
tjene *v.* serve
tjener *n.* lackey
tjener *n.* servant
tjeneste *n.* favour
tjeneste *n.* service
tjenestemann *n.* functionary
tjenstvillig *adj.* obliging
tjern *n.* tarn
tjore *v.t.* tether
tjue *adj.&n.* twenty
tjuende *adj.&n.* twentieth
tjuendedel *adj.&n.* twentieth
tjære *n.* tar
to *adj.&n.* two
to ganger *adv.* twice
toalett *n.* toilet
toalettartikler *n.* toiletries
toalettstol *n.* commode
toast *n.* toast
tobakk *n.* tobacco
tog *n.* tog
tog *n.* train
tog *n.* trek
toga *n.* toga
tohundreårig *n.* bicentenary
toksikologi *n.* toxicology
toksin *n.* toxin
toleranse *n.* tolerance
tolerant *adj.* permissive
tolerant *adj.* tolerant
toleration *n.* toleration
tolke *v.* interpret
tolv *adj.&n.* twelve
tolvte *adj.&n.* twelfth
tolvtedel *adj.&n.* twelfth
tom *adj.* empty
tomat *n.* tomato
tomme *n.* inch
tommelfinger *n.* thumb
tomt *n.* site
tone *n.* tone
toner *n.* toner
tonikum *n.* tonic
tonn *n.* ton
tonn *n.* tonne
tonnasje *n.* tonnage
tonsur *n.* tonsure
tontrykk *n.* tint
topas *n.* topaz
topograf *n.* topographer
topografi *n.* topography
topografisk *adj.* topographical
topp n apex
topp *n.* summit
topp *n.* vertex
topp *n.* top
toppleilighet n. attic
toppløs *adj.* topless
topppunkt n. acme
toppskarv *n.* shag
torden *n.* thunder
tordnende *adj.* thunderous
toreador *n.* toreador
torn *n.* thorn
tornado *n.* tornado
tornete *adj.* thorny
torpedo *n.* torpedo
torsdag *n.* Thursday
torso *n.* torso
torso *n.* trunk
tortur *n.* torture
tosk *n.* fool

tosk *n.* jerk
tospråklig *adj.* bilingual
total *n.* total
total *adj.* total
totalavholdende *adj.* teetotal
totalavholdsmann *n.* teetotaller
totalitær *adj.* totalitarian
tott *adj.* taut
toårig *adj.* biennial
tr *v.* tread
tradisjon *n.* tradition
tradisjonalist *n.* traditionalist
tradisjonell *adj.* traditional
trafficking *n.* trafficking
trafikk *n.* traffic
tragedie *n.* tragedy
tragedieskuespiller *n.* tragedian
tragisk *adj.* tragic
trakt *n.* funnel
traktat *n.* treaty
traktor *n.* tractor
tralle *n.* trolley
trampe *v.* tramp
trampoline *n.* trampoline
trang *n.* strait
transaksjon *n.* transaction
transatlantisk *adj.* transatlantic
transceiver *n.* transceiver
transcendent *adj.* transcendent
transcendental *adj.* transcendental
transe *n.* trance
transformator *n.* transformer
transfusjon *n.* transfusion
transistor *n.* transistor
transitiv *adj.* transitive
transitt *n.* transit
transkontinental *adj.* transcontinental
transkribere *v.* transcribe
transkripsjon *n.* transcription
translitterere *v.* transliterate
transmitter *n.* transmitter
transmutere *v.* transmute
transpirasjon *n.* perspiration
transponere *v.* transpose
transport *n.* haulage
transport mellom to vannveier *n.* portage
transporter *n.* transporter
transportere *v.* transport
transportering *n.* transportation
transportør *n.* protractor
transseksual *n.* transsexual
transvestitt *n.* transvestite
trapes *n.* trapeze
trapp *n.* stair
trapp *n.* staircase
traske *v.* plod
trauma *n.* trauma
trave *v.* trot
travesti *n.* travesty
travhest *n.* trotter
tre *n.* tree
tre n. wood
tre *adj.* & *n.* three
tre ganger *adv.* thrice
tredelt *adj.* tripartite
tredelt altertavle *n.* triptych
tredemølle *n.* treadmill
tredje *adj.* third
tredobbel *adj.* treble
treenigheten *n.* trinity
trefarget *n.* tricolour
treffe *v.* hit
trefning *n.* skirmish
treghet *n.* slowness

tregtflytende *adj.* sluggish
trehjulssykkel *n.* tricycle
trekant *n.* triangle
trekantet *adj.* triangular
trekk *n.* trait
trekk *n.* draught
trekke *v.* pull
trekke fra *v.* deduct
trekke pskuldrene *v.* shrug
trekke seg tilbake *v.* recede
trekke seg tilbake *v.t.* retreat
trekke tilbake *v.* withdraw
trekke ut *v. t* extract
trekkfugl *n.* migrant
trekking *n.* extraction
trekull *n.* charcoal
trekølle *n.* mallet
trell *n.* thrall
trelldom *n* bondage
trendy *adj.* trendy
trene *v.* train
trener *n.* trainer
trener *n.* coach
trenge *v.* need
trenge inn *v.* penetrate
trenge seg frem *v.* obtrude
trenge seg på *v.* intrude
trengsel n. assemblage
trengsel *n.* tribulation
trening *n.* training
treningsdrakt *n.* tracksuit
treske *v.* thresh
trett *adj.* jaded
trett *adj.* tired
trett *adj.* weary
trette *v.* tire
tretten *adj.* & *n.* thirteen
tretten *adj.* & *n.* thirteen
tretten *adj.* & *n.* thirteenth
trettende *adj.* wearisome
tretthet *n.* fatigue
tretti *adj.* & *n.* thirty
tretti *adj.* & *n.* thirty
trettiende *adj.* & *n.* thirtieth
trettiende *adj.* & *n.* thirtieth
triathlon *n.* triathlon
triceps *n.* triceps
trident *n.* trident
Trier *n.* Trier
trigonometri *n.* trigonometry
trikotasje *n.* hosiery
trille *n.* trill
trillion *adj* & *n.* trillion
trilogi *n.* trilogy
trimme *v.* trim
trimming *n.* trimming
trinn *n.* rung
trinse *n.* castor
trio *n.* trio
triplet *n.* triplet
trippel *n.* triple
trist *adj.* cheerless
trist *adj.* drab
trist *adj.* dreary
trist *adj.* plaintive
trist *adj.* poignant
trist *adj.* sad
triumf *n.* triumph
triumf- *adj.* triumphal
triumferende *adj.* triumphant
trivelig *adj.* plump
trives *v.* flourish
trives *v.* thrive
triviell *adj.* commonplace
tro *n.* belief
tro *n.* trough
tro *v.* believe
tro *n.* faith
troende *adj.* faithful
trofast *adj.* loyal
trofasthet n. allegiance
trofé *n.* trophy
Troja *n.* troy

troll *n.* troll
trollbinde *v.* enchant
trolldom *n.* sorcery
trollmann *n.* magician
trollmann *n.* wizard
trollmann *n.* sorcerer
troløs *adj.* faithless
troløs n. apostate
tromme *n.* drum
trommel *n.* roller
trompet *n.* trumpet
trompetregister *n.* clarion
trompetsnegl *n.* whelk
trone *n.* throne
tropisk *adj.* tropical
tropp *n.* platoon
trosbekjennelse *n.* creed
troskyldig adj. artless
tross *n.* defiance
tross alt *adv.* regardless
trosse *v.* defy
trost *n.* thrush
troverdig *adj.* trustworthy
troverdig *adj.* credible
true *v.* threaten
truisme *n.* truism
trumf *n.* trump
trupp *n.* troupe
truse *n.* panties
truse *n.* pants
trussel *n.* menace
trussel *n.* threat
trygd n. allowance
trygg *adj.* secure
trying *adj.* trying
trykk *n.* pressure
trykke *v.* print
trykke ned *v.* depress
trykke opp igjen *v.* reprint
trykkfeil *n.* misprint
trylle *v.* conjure
tryllestav *n.* wand
trøffel *n.* truffle
trøst *n.* solace
trøst *n.* consolation
trøste *v.* comfort
trøste *v. t.* console
tråd *n.* ply
tråd *n.* thread
tråd *n.* wire
trådløs *adj.* wireless
trådsnelle *n.* reel
tråkke *v.* trample
tråler *n.* trawler
tsunami *n.* tsunami
tuberkel *n.* tubercle
tuberkulose *n.* tuberculosis
tukle med *v.* tamper
tukte *v.* chasten
tulipan *n.* tulip
tullprate *v.* waffle
tumult *n.* tumult
tumulter *n.* riot
tuner *n.* tuner
tung *adj.* heavy
tunge *n.* lingua
tunge *n.* tongue
tunge- *n.* lingual
tungsinn *n.* melancholy
tunika *n.* tunic
tunnel *n.* tunnel
tur *n.* tour
turban *n.* turban
turbin *n.* turbine
turbolader *n.* turbocharger
turbulens *n.* turbulence
turisme *n.* tourism
turist *n.* tourist
turkis *n.* turquoise
turnere *v.* tilt
turnering *n.* tournament
turteller *n.* tachometer
tusen *adj.* & *n.* thousand
tusenbein *n.* millipede

tusenfryd *n.* daisy
tuskhandel *n.* truck
tuslete *adj.* puny
tusmørke *n.* twilight
tut *n.* spout
tuting *n.* honk
tutor *n.* tutor
tutorial *n.* tutorial
tvang *n.* constraint
tvang *n.* compulsion
tverr *adj.* surly
tverrgående *adj.* transverse
tverrligger *n.* batten
tverrpolitisk *adj.* bipartisan
tverrstang *n.* rail
tvers adv. across
tvetydig adj. ambiguous
tvetydig *adj.* equivocal
tvetydighet n. ambiguity
tvil *n* doubt
tvilende *adj.* dubious
tvilling *n.* twin
tvillingsjel *n.* soul mate
tvilsom *adj.* debatable
tvilsom *adj.* questionable
tvinge *v.* coerce
tvinge *v.* constrain
tvinge *v.* impel
tvinge *v.* oblige
tvinge *v.* compel
tvingende *adj.* imperative
tweed *n.* tweed
tydelig *adj.* explicit
tydelig *adj.* manifest
tydelig *adj.* evident
tydelig *adj.* distinct
tyfoidfeber *n.* typhoid
tyfon *n.* typhoon
tygge *v.* chew
tygge *v.* masticate
tygge drøv *v.* ruminate
tykk *adj.* thick
tykktarm *n.* colon
tyngde *n.* gravity
tyngende *adj.* oppressive
tynn *adj.* scraggy
tynn *adj.* spindly
tynn *adj.* tenuous
tynn *adj.* thin
tynn lærreim *n.* thong
typisk *adj.* typical
tyrann *n.* tyrant
tyranni *n.* tyranny
tyrannisere *v.* hector
tysker *n.* German
tyste *v.* blab
tyv *n.* thief
tyv *n.* burglar
tyveri *n.* theft
tø *v.* thaw
tøffel *n.* slipper
tømme *v.* deplete
tømme *v.* pour
tømmer *n.* timber
tømmermann *n.* carpenter
tømring *n.* carpentry
tønder *n.* tinder
tønne *n.* barrel
tønne *n.* cask
tønnestav *n.* stave
tørke *n.* drought
tørke *v.* wipe
tørkeovn *n.* kiln
tørr adj. arid
tørr *adj.* dry
tørst *adj.* thirsty
tørst *n.* thirst
tøs *n.* strumpet
tøy *n.* ware
tøylesløs *adj.* licentious
tå *n.* toe
tåke *n.* fog
tåke *n.* smog
tåkete *adj.* misty

tåkete *adj.* nebulous
tåle *v.* endure
tåle *v.* tolerate
tålelig *adj.* tolerable
tålmodig *adj.* patient
tålmodighet *n.* patience
tåpelig adj. asinine
tåpelig *adj.* daft
tåpelig *adj.* witless
tåre *n.* tear
tårefull *adj.* tearful
tårefylt *adj.* lachrymose
tårn n. rook
tårn *n.* tower

ualminnelig *adj.* unusual
uamortisabel *adj.* irredeemable
uanselig *adj.* inconspicuous
uansett hva *pron.* whatever
uansett hvilken *pron.* whichever
uanstendig *adj.* immodest
uansvarlig *adj.* irresponsible
uartikulert *adj.* inarticulate
uatskillelig *adj.* inseparable
uavhengig politiker *n.* maverick
uavhengighet *n.* sovereignty
ubalanse *n.* imbalance
ubalansert *adj.* unbalanced
ubarmhjertig *adj.* pitiless
ubarmhjertig *adj.* relentless
ubebodd *adj.* uninhabited
ubedt *adj.* unsolicited
ubegrenset *adj.* unlimited
ubehag *n.* discomfort
ubehagelig *adj.* unpleasant
ubehagelig *adj.* disagreeable
ubehagelig *adj.* objectionable
ubehjelpelig *adj.* uncouth
ubehøvlet fyr *n.* boor
ubekvem *adj.* uncomfortable
ubeleilig *adj.* inopportune
ubemannet *adj.* unmanned
ubemerkethet *n.* obscurity
uberegnelig *adj.* erratic
uberettiget *adj.* unwarranted
ubesindig *adj.* brash
ubesindig *adj.* rash
ubeskjeftiget *adj.* idle
ubeskrivelig *adj.* indescribable
ubeskrivelig *adj.* unutterable
ubesluttsom *adj.* irresolute
ubesluttsomhet *n.* indecision
ubestemt *adj.* indefinite
ubestikkelig *adj.* incorruptible
ubestridelig *adj.* indisputable
ubestridelig *adj.* undeniable
ubesunget *adj.* unsung
ubetjent *adj.* unattended
ubetydelig *adj.* footling
ubetydelig *adj.* insignificant
ubetydelig *adj.* petty
ubetydelighet *n.* insignificance
ubetydelighet *n.* nonentity
ubevegelig adj. motionless
ubevegelig *adv.* immovable
ubevoktet *adj.* unguarded
ubevæpnet *adj.* unarmed
ublu *adj.* exorbitant
ubrukelig *adj.* gammy
ubrukelig *adj.* inapplicable

ubønnhørlig *adj.* inexorable
ubøyelig *adj.* inflexible
udelelig *adj.* indivisible
udugelig *adj.* shiftless
udødelig *adj.* immortal
udødelig *adj.* undying
udødelighet *n.* immortality
uegnet *adj.* unfit
uendelig *adj.* infinite
uendelig *adj.* unending
uendelighet *n.* immensity
uendelighet *n.* infinity
uenighet *n.* discord
uensartet *adj.* miscellaneous
uerfarenhet *n.* inexperience
uerstattelig *adj.* irreplaceable
ufattelig *adj.* unthinkable
ufeilbarlig *adj.* infallible
ufeilbarlig *adj.* unfailing
ufiks kvinne *n.* frump
uflidd *adj.* unkempt
uforanderlig *adj.* immutable
uforanderlig *adj.* invariable
uforbederlig *adj.* incorrigible
uforberedt *adj.* unprepared
ufordøyelig *adj.* indigestible
uforglemmelig *adj.* memorable
uforglemmelig *adj.* unforgettable
uforholdsmessig *adj.* disproportionate
uforklarlig *adj.* inexplicable
uforklarlig *adj.* unaccountable
uforlignelig *adj.* inimitable
uforlignelig *adj.* peerless
uforlignelig *adj.* incomparable
uformelig *adj.* shapeless
uformell *adj.* informal
ufornuftig *adj.* unreasonable
uforsiktig *adj.* imprudent
uforskammet *adj.* impudent
uforskammet *adj.* insolent
uforskammet *adj.* scurrilous
uforsonlig *adj.* implacable
uforsonlig *adj.* irreconcilable
uforstyrrethet *n.* privacy
uforståelig *adj.* abstruse
ufortalt *adj.* untold
uforutsett hindring *n.* blip
uforvarende *adv.* unwittingly
ufremkommelig *adj.* impassable
ufrivillig *adj.* involuntary
ufruktbar *adj.* barren
ufruktbar *adj.* infertile
ufullkommen *adj.* imperfect
ufullkommenhet *n.* imperfection
ufullstendig *adj.* incomplete
ufyllestgjørende *adj.* inconclusive
ufødt *adj.* unborn
ufør *adj.* disabled
ugagn *n.* mischief
ugjendrivelig *adj.* irrefutable
ugjenkallelig *adj.* irrevocable
ugjennomførlig *adj.* impracticable
ugjennomsiktig *adj.* opaque
ugjennomsiktighet *n.* opacity
ugjennomtrengelig *adj.* impenetrable
ugjestfri *adj.* inhospitable
ugjort *adj.* undone
ugle *n.* owl
ugress *n.* weed

ugrunnet *adj.* unfounded
ugudelig *adj.* impious
ugyldig *adj.* null
uharmonisk *adj.* discordant
uhelbredelig *adj.* incurable
uheldig adj. accidental
uheldig *adj.* inauspicious
uheldig *adj.* luckless
uheldig *adj.* unfortunate
uheldig *adj.* untoward
uheldig *adj.* hapless
uhell n. accident
uhell *n.* misfortune
uhyggelig *adj.* grim
uhyggelig *adj.* lurid
uhyggelig *adj.* uncanny
uhyrlig *adj.* monstrous
uhyrlig *n.* monstrous
uhøflig *adj.* impolite
uhøflig *adj.* rude
uhøflig *adj.* discourteous
uhørlig *adj.* inaudible
uhøytidelig *adj.* unceremonious
uhåndgripelig *adj.* impalpable
uhåndgripelig *adj.* intangible
uhåndterlig *adj.* cumbersome
uimotståelig *adj.* irresistible
uimottagelig *adj.* impervious
uinntagelig *adj.* unassailable
ujevn *adj.* uneven
ujevn kamp *n.* mismatch
uke *n.* week
ukedag *n.* weekday
ukentlig *adj.* weekly
ukjent *adj.* unknown
uklanderlig *adj.* immaculate
uklanderlig *adj.* impeccable
uklanderlig *adj.* unexceptionable
uklanderlig *adj.* unimpeachable
uklar *adj.* vague
uklok *adj.* injudicious
uklok *adj.* unwise
ukonvensjonell *adj.* unorthodox
ukorrekt *adj.* incorrect
ukrenkelig *adj.* inviolable
ukvalifisert *adj.* unqualified
ukyndig *adj.* unskilled
ulcus *n.* ulcer
ulegert *adj.* unalloyed
ulempe *n* demerit
ulempe *n.* drawback
ulempe *n.* inconvenience
ulempe *n.* disadvantage
ulenkelig *adj.* gangling
uleselig *adj.* illegible
uleselighet *n.* illegibility
ulikhet *n.* inequality
ulikhet *n.* disparity
ull *n.* wool
ulme *v.* smoulder
ulogisk *adj.* illogical
ulovlig *adj.* abusive
ulovlig *adj.* illegal
ulovlig *adj.* illicit
ultimatum *n.* ultimatum
ultra *pref.* ultra
ultralyd *n.* ultrasound
ultramarin *n.* ultramarine
ultrasonisk *adj.* ultrasonic
ulv *n.* wolf
ulydig *adj.* disobedient
ulykkelig *adj.* despondent
ulykkelig *adj.* unhappy
ulykkestilfelle *n.* misadventure
ulyst *n.* reluctance
uløselig *adj.* inextricable
umbra *n.* umber

umedgjørlig *adj.* intractable
umenneskelig *adj.* inhuman
umettelig *adj.* insatiable
umiddelbar *adj.* immediate
uminnelig *adj.* immemorial
umiskjennelig *adj.* unmistakable
umoden adj. acerbic
umoden *adj.* immature
umodenhet n. immaturity
umoderne *adj.* outdated
umoral *n.* profligacy
umoralsk *adj.* immoral
umoralskhet *n.* immorality
umulig *adj.* impossible
umuliggjøre *v.* stultify
umulighet *n.* impossibility
umålelig adj. immeasurable
umåteholden *adj.* immoderate
unaturlig *adj.* unnatural
under *adv.* beneath
under *prep.* under
under prep. underneath
under bedømmelse *adj.* subjudice
under tøffelen *adj.* henpecked
underarm *n.* forearm
underarms- *adj.* underarm
underbenklær *n.* knickers
underbevisst *adj.* subconscious
underbukse n. underpants
underdanig *adj.* submissive
underdanig *adj.* subservient
underdanighet *n.* subservience
underernæring *n.* malnutrition
underforståelse *n.* implication
underforstått *adj.* implicit
underfundig *adj.* devious
underføring n. underpass
undergang *n.* downfall
undergrave *v.* undermine
underholde *v.* entertain
underholdning *n.* entertainment
underjordisk *adj.* underground
underjordisk fangehull *n.* dungeon
underkaste seg *v.* submit
underkastelse *n.* submission
underkjenne *v.* overrule
underkue *v.* subdue
underkuelse *n.* subjugation
underlag *n.* underlay
underlig *adj.* queer
underlig *adj.* quixotic
underlig *adj.* weird
underordnet *adj.* subordinate
underordnet *adj.* subsidiary
underordnet *n.* underling
underordning *n.* subordination
underprivilegert adj. underprivileged
undersetsig *adj.* stocky
undersjøisk *n.* submarine
underskjørt *n.* petticoat
underskrift *n.* signature
underskrive *v.t.* underline
underskriver *n.* signatory
underskudd *n.* deficit
underslag *v.* misappropriation
underslå *v.* misappropriate
understreke *v.* emphasize
understreke *v.* highlight

understreke v. underscore
understrøm *n.* undercurrent
undersøke *v.* examine
undersøkelse *n.* examination
undertegnede n. undersigned
undertrykke *v.* oppress
undertrykke *v.* repress
undertrykkelse *n.* oppression
undertrykkelse *n.* repression
undertrykkelse *n.* subjection
undertrykkelse *n.* suppression
undertrykker *n.* oppressor
undertrøye *n.* vest
undertvinge *v.* subjugate
undertøy *n.* underwear
underverdenen *n.* underworld
undervise *v.* instruct
undervise *v.* teach
undervisning *n.* tuition
undervurdere *v.* underestimate
undervurdere v. underrate
undres *v.* wonder
unevnelig *adj.* unmentionable
unforeseen *adj.* unforeseen
ung *adj.* young
ung adj. youthful
ung filmstjerne *n.* starlet
ungdom adj. adolescent
ungdom n. adolescence
ungdom *n.* stripling
ungdom *n.* youth
ungdoms *adj.* juvenile
unge *n.* cub
unggutt *n.* youngster
ungjente *n.* lass
ungjente *n.* puss
union *n.* union
unionist *n.* unionist
unisex *adj.* unisex
univers *n.* universe
universal- *adj.* universal
universalmiddel *n.* panacea
universitet *n.* university
unngå v. avoid
unngå *v.* obviate
unngåelse n. avoidance
unngåelse *n.* evasion
unnlate *v.* omit
unnlatelse *n.* omission
unnskylde *v.* excuse
unnskyldning n. alibi
unnskyldning n. apology
unntak *n.* exception
unntatt *prep.* except
unnvike *v.* elude
unnvike *v. t* evade
unnvikelse *n.* elusion
unnvikende *adj.* evasive
unnværlig *adj.* dispensable
unormal *adj.* abnormal
unyttig *adj.* useless
unødig *adj.* needless
unødvendig *adj.* unnecessary
unøyaktig *adj.* inaccurate
unøyaktig *adj.* inexact
unøyaktighet *n.* vagueness
unåde *n.* disgrace
uoppfordret *adj.* uncalled
uoppløselig *adj.* insoluble
uoppmerksom *adj.* inattentive
uoppriktig *adj.* disingenuous
uoppriktig *adj.* insincere
uorden *n.* bedlam

uorden *n.* disarray
uorden *n.* disorder
uorden *n.* mess
uordentlig *adj.* messy
uorganisert *adj.* disorganized
uoverensstemmelse *n.* disagreement
uoverskuelig *adj.* incalculable
uoverstigelig *adj.* insurmountable
uovertruffet *adj.* unequalled
uovertruffet *adj.* unrivalled
uovervinnelig *adj.* invincible
upartisk *adj.* impartial
upartiskhet *n.* impartiality
upassende *adj.* improper
upassende *adj.* inappropriate
upersonlig *adj.* impersonal
upopulær *adj.* unpopular
upraktisk adj. awkward
upraktisk *adj.* impractical
upretensiøs *adj.* unassuming
uprofesjonell *adj.* unprofessional
upålitelig *n* unreliable
upåvirkelig *adj.* stolid
upåvirket *adj.* unmoved
urban *adj.* debonair
urban *adj.* suave
urban *adj.* urbane
urbanitet *n.* urbanity
uredelig *adj.* fraudulent
uredelighet *n.* malpractice
uregelmessig *adj.* irregular
uregelmessig *adj.* fitful
uregelmessighet *n.* irregularity
uregjerlig *adj.* ungovernable
uren *adj.* impure
uren *adj.* unclean
urenhet *n.* impurity
urettferdig *adj.* unfair
urettferdig *adj.* unjust
urettferdig *adj.* wrongful
urettferdighet *n.* injustice
urin *n.* urine
urin– *adj.* urinary
urinal *n.* urinal
urinere *v.* urinate
urinstinkt *adj.* primeval
urne *n.* urn
uro *n.* unrest
urokkelig *adj.* indomitable
urokkelig *adj.* unshakeable
urolig *adj.* restive
urolig *adj.* uneasy
urolig *adj.* fretful
urskive *n.* dial
usammenhengende *adj.* disjointed
usammenhengende *adj.* incoherent
usammenhengende *adj.* scrappy
usann *adj.* false
usannhet *n.* falsehood
usannsynlig *adj.* implausible
usannsynlig *adj.* improbable
usannsynlig *adj.* unlikely
uselvisk *adj.* selfless
uselvisk *adj.* unselfish
usikker *adj.* insecure
usikker *adj.* uncertain
usikkerhet *n.* insecurity
uskadd *adj.* unscathed
uskadeliggjøre *v.* defuse
uskikkelig *adj.* naughty
uskyldig *adj.* innocent
uskyldighet *n.* innocence
usosial *adj.* unsocial

ussel *adj.* paltry
ussel *n.* shack
ussel *n.* shanty
ustabil *adj.* unstable
ustabilitet *n.* instability
ustadig *adj.* capricious
ustanselig *adj.* ceaseless
ustyrlig *adj.* unruly
ustø *adj.* wonky
usunn *adj.* unhealthy
usymmetrisk *adj.* lopsided
usynlig *adj.* invisible
usømmelig *adj.* indecent
usømmelighet *a.* immodesty
usømmelighet *n.* impropriety
usømmelighet *n.* indecency
usårlig *adj.* invulnerable
ut *adv.* out
utadtil *adv.* outwardly
utakknemlig *adj.* thankless
utakknemlig *adj.* ungrateful
utakknemlighet *n.* ingratitude
utallig *adj.* innumerable
utallige *n.* myriad
utbredelse *n.* prevalence
utbredt *adj.* prevalent
utbredt *adj.* widespread
utbrudd *n.* exclamation
utbrudd *n.* outburst
utbrudd *n.* outbreak
utbryte *v.* exclaim
utdanne *v.* educate
utdannelse *n.* education
utdrag *n.* excerpt
utdødd *adj.* extinct
utelukke *v.* exclude
utelukke *v. t.* debar
utelukkende *adv.* solely
uten *prep.* without
uten hensyn til *adj.* irrespective
uten kaffein adj. decaffeinated
uten kropp *adj.* disembodied
uten mål adj. aimless
uten omsvøp *adv.* roundly
uten retning adj. adrift
uten smak *adj.* bland
uten stemmerett *adj.* ineligible
uten straff *adv.* scot-free
uten å bli hørt *adj.* unheard
utenat *n.* rote
utenbords *adj.* outboard
utendørs *adj.* outdoor
utenlandsk *adj.* foreign
utestående *adj.* owing
utfall *n.* sally
utfall *n.* sortie
utflod *n.* flux
utflukt *n.* outing
utfordring *n.* challenge
utforske *v.* explore
utforskning *n.* exploration
utføre *v.* execute
utføre *v.* perform
utføre *v.* transact
utføre en utålmodig bevegelse *v.* flounce
utførelse *n.* execution
utførelse *n.* performance
utgang *n.* exit
utgangsprosesjon *n.* recession
utgave *n.* edition
utgi *v.* publish
utgift *n.* outlay
utgift *n.* expense
utgjøre *v.* constitute
utgående *adj.* outgoing
utholdenhet *n.* stamina

utholdenhet *n.* perseverance
uthus *n.* outhouse
utilbørlig *adj.* undue
utilfreds *adj.* disaffected
utilgivelig *adj.* inexcusable
utilpass *adj.* unwell
utilsiktet *adj.* inadvertent
utilslørt *adj.* overt
utilstedelig *adj.* inadmissible
utilstrekkelig *adj.* inadequate
utilstrekkelig *adj.* insufficient
utkant *n.* outskirts
utkast *n.* draft
utkastelse *n.* eviction
utkaster *n.* bouncer
utklasse *v.* outclass
utland *adv.* abroad
utlending *n.* foreigner
utlodning *n.* raffle
utløp *n.* expiry
utløp *n.* outlet
utløpe *v.* expire
utløper *n.* offshoot
utmagret *adj.* emaciated
utmatte *v.* exhaust
utmerket *adj.* excellent
utnevne v. appoint
utnytte *v. t* exploit
Utopia *n.* utopia
utopisk *adj.* utopian
utover *adv.* beyond
utplassere *v.* deploy
utpost *n.* outpost
utpressing *n.* blackmail
utregning *n.* computation
utrettelig *adj.* tireless
utro *adj.* unfaithful
utrolig *adj.* incredible
utrolig *adj.* unbelievable
utroskap n. adultery
utrustning *n.* equipment
utrydde *v.* eradicate
utrykning *n.* turnout
utrøstelig *adj.* disconsolate
utrøstelig *adj.* inconsolable
utseende *n* look
utseende n. appearance
utsette v. adjourn
utsette *v.* postpone
utsette for fare *v.* endanger
utsette for fare *v.* imperil
utsettelse n. adjournment
utsettte *v.* defer
utsikt *n.* outlook
utsikt *n.* prospect
utsikt *n.* view
utskifting *n.* replacement
utskille *v.* excrete
utskillelse *n.* separation
utskjelling *n.* vituperation
utskrift *n.* printout
utslette v. annihilate
utslette *v.* obliterate
utslettelse n. annihilation
utslettelse *n.* obliteration
utsondre *v.* exude
utsondre *v.* secrete
utsondring *n.* secretion
utstille *v.* exhibit
utstilling *n.* exhibition
utstillingsmontre n. showcase
utstrakt *adj.* prostrate
utstrekning *n.* extent
utstråle *v.* emit
utstråle *v.* radiate
utstråling *n.* radiation
utstyr n. accoutrement
utstyr *n.* outfit
utstyre *v.* equip
utstyre med gitter *v.t* grate

utstyrsstykke *n.* extravaganza
utstøting *n.* expulsion
utstøtt *n.* outcast
utstøtt fra samfunnet *n.* castaway
utsvevelser *n.* debauchery
utsvevende *adj.* profligate
utsyn *n.* vista
uttak *n.* withdrawal
uttale *n.* pronunciation
uttale *v.* enunciate
uttale *v.* pronounce
uttale seg sterkt *v.* decry
uttale utydelig *v.* slur
uttrykk *n.* expression
uttrykke *v.* vocalize
uttrykke *v.* express
uttrykke medfølelse *v.* commiserate
uttrykksfull *adj.* expressive
uttrykksløs *adj.* impassive
uttæret *adj.* gaunt
uttørket *adj.* parched
utvalg n. assortment
utvalg *n.* range
utveksle *v.* interchange
utveksle *v. t* exchange
utvelging *n.* selection
utvendig *adj.* external
utvide *v.* expand
utvikle *v.* develop
utvikle *v.* evolve
utvikling *n.* development
utvikling *n.* evolution
utviklingshemmet *adj.* retarded
utvise *v.* ostracize
utvise *v.* display
utydelig *adj.* indistinct
utøy *n.* vermin
utøylet *adj.* unbridled
utålmodig *adj.* impatient
uunngåelig *adj.* inescapable
uunngåelig *adj.* inevitable
uunngåelig *adj.* unavoidable
uunnværlig *adj.* indispensable
uutholdelig *adj.* insupportable
uutholdelig *adj.* intolerable
uuttømmelig *adj.* inexhaustible
uvanlig *adj.* uncommon
uvennlig *adj.* uncharitable
uvennlig *adj.* unkind
uventet *adj.* abrupt
uventet *adj.* unexpected
uverdig *adj.* unworthy
uvesentlig *adj.* immaterial
uvesentlig *adj.* trivial
uvillig adj. averse
uvillig *adj.* slothful
uvillig *adj.* unwilling
uvirkelig *adj.* fanciful
uvirksomhet *n.* inaction
uvitende *adj.* ignorant
uvitenhet *n.* ignorance
uvurderlig *adj.* invaluable
uvurderlig *adj.* priceless
uvær *n.* tempest
uvær *n.* storm
uvøren *adj.* reckless
uærlig *adj.* dishonest
uønsket *adj.* undesirable

vade *v.* wade
vadefugl *n.* wader
vagabond *n.* vagabond
vagina *n.* vagina
vaid *n.* woad

vakker *adj.* beautiful
vakker *adj.* lovely
vakle *v.* totter
vakle *v.* waver
vakle *v.* wobble
vaklevoren *adj.* rickety
vaksinasjon *n.* inoculation
vaksine *n.* vaccine
vaksinere *v.* inoculate
vaksinere *v.* vaccinate
vaksinering *n.* vaccination
vaktel *n.* quail
vaktliste *n.* roster
vaktmester *n.* caretaker
vaktmester *n.* janitor
vaktmester *n.* custodian
vaktsom *adj.* watchful
vaktsomhet *n.* vigilance
vakuum *n.* vacuum
valens *n.* valency
valg *n.* choice
valg *n.* election
valgbar *adj.* eligible
valgfri *adj.* optional
valgkrets *n.* constituency
valnøtt *n.* walnut
valp *n.* pup
valp *n.* whelp
vals *n.* waltz
valsbar *adj.* malleable
valuta *n.* currency
vammel *adj.* cloying
vampyr *n.* vampire
vams *n.* jerkin
van *n.* van
vandal *n.* vandal
vandal *n.* yob
vandalisere *v.* vandalize
vandig *adj.* watery
vandre *v.* roam
vandre *v.* rove
vandre *v.* wander
vandre *v.* wend
vandre om *v.* ramble
vandrende *adj.* errant
vandrer *n.* rover
vandrerhjem *n.* hostel
vandring *n.* migration
vane *n.* habit
vane *n.* wont
vaniljekrem *n.* custard
vankelmodig *adj.* fickle
vanlig *adj.* ordinary
vanlig *adj.* usual
vanlig *adj.* wonted
vanlig *adj.* common
vanlig borger *n.* commoner
vanligvis *adv.* usually
vanligvis *adv.* ordinarily
vann *n.* water
vann *n.* water
vannaktig adj. aqueous
vannfall *n.* cascade
vannglass *n.* tumbler
vannkjele *n.* kettle
vannmelon *n.* watermelon
vannpytt *n.* pool
vannpytt *n.* puddle
vannstandsmerke *n.* watermark
vanntett *adj.* watertight
vanntett *adj.* waterproof
vanry *n.* infamy
vanry *n.* disrepute
vanskelig *adj.* difficult
vanskelig *adj.* stroppy
vanskelig *adj.* tricky
vanskelig situasjon *n.* plight
vanskelig å få tak i *adj.* elusive
vanskeliggjøre *v.* obfuscate
vanskelighet *n.* woe
vanskelighet *n.* difficulty
vansmekte *v.* languish

vansmekte *v.* pine
vanstyre *n.* misrule
vant adj. accustomed
vantro *n.* disbelief
vantro *n.* infidelity
vantro *n.* misbelief
vanvittig *adj.* berserk
vanvittig *adj.* frenetic
vanære *n.* ignominy
vanære *n.* dishonour
vanærende *adj.* ignominious
vare *n.* commodity
varemerke *n.* trademark
vareparti *n.* consignment
varetekt *n.* custody
varetektsfengsle noen *v.* remand
variant *n.* variant
variasjon *n.* variation
variasjon *n.* variety
variere *v.* vary
variere v.t. alternate
variert *adj.* varied
varieteforestilling *n.* vaudeville
varig *adj.* durable
varig *adj.* lasting
varighet *n.* duration
varikøs *adj.* varicose
varm *adj.* warm
varm *adj.* hot
varme *n.* heat
varme *n.* warmth
varme opp og krydre *v.* mull
varmeapparat *n.* heater
varmeisolasjon *n.* lagging
varpe *v.* warp
varsel *n.* omen
varsel *n.* portent
vasall *n.* vassal
vase *n.* vase
vasektomi *n.* vasectomy
vaskbar *adj.* washable
vaske *v.* wash
vaske og stryke *v.* launder
vaskemiddel *n.* detergent
vaskeri *n.* laundry
vasketeria *n.* launderette
vasking *n.* washing
vasstrukken *adj.* soggy
vattert *adj.* quilted
ved prep. at
ved *prep.* by
ved bredden adv. ashore
ved siden av *prep.* beside
vedde *v.* bet
veddemål *n. & v.* wager
vederlagsfri *adj.* gratuitous
vedlegg n. attachment
vedlikehold *n.* maintenance
vedlikeholde *v.* maintain
vedrøre *v.* refer
vedvare *v.* persist
vedvarende *adj.* persistent
vegan *n.* vegan
vegetarianer *n.* vegetarian
vegetasjon *n.* vegetation
vegetativ *adj.* vegetative
vegetere *v.* vegetate
veggmaleri *n.* mural
vegne *n.* behalf
vei *n.* road
vei *n.* way
vei (sti) *n.* causeway
veie *v.* weigh
veiledning *n.* guidance
veiovergang *n.* overpass
veke *n.* wick
vekke v. arouse
vekke v. awake
vekke v. awaken
vekke *v.* evoke
vekke *v.* rouse
vekke misnøye *v.* displease

vekkelsesbevegelse *n.* revivalism
vekselspill *n.* interplay
vekst *n.* growth
vekt *n.* weight
Vekten *n.* Libra
vektig *adj.* weighty
vektor *n.* vector
vektskål *n.* scale
vekttall *n.* weighting
velbehagelig gys *n.* thrill
velferd *n.* welfare
velformet *adj.* shapely
velge *v.* elect
velge *v.* opt
velge *v. t* choose
velge *v.* select
velger *n.* voter
velgerne *n.* electorate
velgjørende *adj.* beneficent
velgjører *n.* benefactor
velkjent *adj.* familiar
velkomst *n.* welcome
velling *n.* gruel
vellukt *n.* fragrance
velluktende *adj.* fragrant
velluktende *adj.* redolent
vellykket *adj.* successful
vellystig *adj.* voluptuous
vellysting *n.* voluptuary
velordnet *adj.* orderly
velour *n.* velour
velsigne *v.* bless
velsignelse *n.* benediction
velsignelse *n.* blessing
velsignet *adj.* blessed
velstand n. affluence
velstående adj. affluent
velstående *adj.* prosperous
velstående *adj.* wealthy
veltalende adj. articulate
veltalenhet *n.* eloquence
veltalenhet *n.* oratory
velte *v.* overturn
velte *v.* topple
velte *v.* upset
velte *v.i.* subvert
velte seg *v.* wallow
velvilje *n.* benevolence
velvillig *adj* benevolent
velvillig adj. avuncular
velynder *n.* patron
vemmelig *adj.* nasty
vemmelig *adj.* hateful
vemmelse *n.* disgust
vemmelse *n.* repulsion
vemodig *adj.* wistful
venalitet *n.* venality
vende tilbake *v.* revert
vende tilbake til *v.* rejoin
vendekrets *n.* tropic
vending *n.* locution
vene *n.* vein
venetiansk *adj.* venetian
venn *n.* friend
venn *n.* companion
venne fra *v.* wean
venne noen til noe *v.t.* habituate
vennlig adj. amicable
vennlig *adj.* benign
vennskap n. amity
venstre *n.* left
venstreorientert *n.* leftist
vente v. await
vente *v.* bide
vente *v.* expect
vente *v.* wait
ventehall *n.* lounge
ventilasjon *n.* ventilation
ventilator *n.* ventilator
ventilere *v.* ventilate
ventilert adj. airy
ventilløfter *n.* tappet

venøs *adj.* venous
veps *n.* wasp
veranda *n.* veranda
verb *n.* verb
verbal *adj.* verbal
verbalt *adv.* verbally
verden *n.* world
verdensfjern *adj.* unworldly
verdenshav *n.* ocean
verdi *n.* value
verdiforringelse *n.* depreciation
verdifull *adj.* valuable
verdig *adj.* dignified
verdig *adj.* stately
verdighet *n.* dignity
verdiløs *adj.* worthless
verdsette v. appreciate
verdslig *adj.* secular
verdslig *adj.* temporal
verdslig *adj.* worldly
verdt *adj.* worth
verifisere *v.* verify
verifisering *n.* verification
veritable *adj.* veritable
verk *n.* handiwork
verksted *n.* workshop
verktøy *n.* tool
vermillion *n.* vermillion
verre *adj.* worse
vers *n.* verse
versifisering *n.* versification
versjon *n.* version
verst *adj.* worst
vert *n.* host
vertigo *n.* vertigo
vertinne *n.* landlady
vertshus *n.* tavern
vertshusholder *n.* landlord
vese *n.* being
vesen *n.* creature
vesentlig *adj.* essential
vest *n.* waistcoat
vest *n.* west
Vesten *n.* occident
vesterlandsk *adj.* occidental
vestibyle *n.* vestibule
vestlig *adj.* western
vestlig *adv.* westerly
vestliggjøring *v.* westernize
veteran *n.* veteran
veto *n.* veto
vettskremme *v.* terrify
vev *n.* tissue
vev *n.* woof
veve *v.* weave
vever *n.* weaver
vevstol *n.* loom
vi *pron.* we
via *prep.* via
viadukt *n.* viaduct
vibrafon *n.* vibraphone
vibrasjon *n.* vibration
vibrator *n.* vibrator
vibrere *v.* vibrate
vibrerende *adj.* vibrant
vid adj. ample
vidd *n.* wit
vidde *n.* width
video *n.* video
videre *adv.* furthermore
vidjebånd *n.* withe
vidjekvist *n.* wicker
vidløftig *adj.* verbose
vidløftighet *n.* verbosity
vidunder *n.* prodigy
vidunderlig *adj.* marvellous
vidunderlig *adj.* wondrous
vie til *v.* devote
vifte *n.* fan
vifte med *v.* brandish
vignett *n.* vignette
vigsle *v.* consecrate
vik *n.* creek

vikar *n.* deputy
vikar *n.* locum
Viking *n.* Viking
vikle *v.* rewind
vikle *v.* wrap
vikle inn *v.* trammel
viktighet *n.* importance
viktigst *adj.* prime
viktigst *adj.* principal
vilkårlig adj. arbitrary
vilkårlig *adj.* indiscriminate
vilkårlig *adj.* haphazard
vill *adj.* feral
villa *n.* villa
ville *v.* want
ville *v.* will
ville *v.* would
villede *v.* misguide
villede *v.* mislead
villedende *adj.* deceptive
villig *adj.* willing
villmark *n.* wilderness
villskap *n.* savagery
villstyring *adj.* madcap
villsvin *n.* boar
vilt *adj.* wild
vimpel *n.* streamer
vin *n.* wine
vind *n.* wind
vindmølle *n.* windmill
vindpust *n.* puff
vindstille *adj.* becalmed
vindu *n.* window
vindussprosse *n.* mullion
vindyrking *n.* viticulture
vinge *n.* wing
vingle *v.* teeter
vingle *v.* vacillate
vingling *n.* vacillation
vinhandler *n.* vintner
vinhøst *n.* vintage
vinindustri *n.* winery
vink *n.* hint
vinkel adj. angular
vinkel n. angle
vinkel *n.* chevron
vinne *v.* win
vinner *n.* victor
vinner *n.* winner
vinsj *n.* winch
vinter *n.* winter
vinterlig *adj.* wintry
vinyl *n.* vinyl
viril *adj.* virile
virilitet *n.* virility
virkelig *adj.* real
virkelig *adj.* virtual
virkelig *adv.* indeed
virkelig *adv.* really
virkelighet *n.* reality
virkeligjøring *n.* realization
virkeområde n. ambit
virkning *n.* effect
virkningsfull *adj.* telling
virkningsløs *adj.* inoperative
virulent *adj.* virulent
virus *n.* virus
virus– *adj.* viral
virvar *n.* jumble
virvar *n.* welter
virvel *n.* swirl
virvel *n.* vertebra
virveldyr *n.* vertebrate
virvelløs *adj.* spineless
virvelvind *n.* vortex
virvelvind *n.* whirlwind
virvle *v.* whirl
virvle rundt *v.* twirl
visdom *n.* wisdom
vise *v.* evince
vise v. show
vise fram *v.* expose
vise frem *v.* flaunt
vise nøyaktig *v.* pinpoint

vise stor respekt for *v.* revere
visekonge *n.* viceroy
viskos *n.* viscose
visle *v.i* hiss
visne *v.* wither
visne *v.i* fade
vissen *adj.* wizened
visshet *n.* certitude
visualisere *v.* visualize
visum *n.* visa
vital *adj.* sprightly
vital *adj.* vital
vitalisere *v.* vitalize
vitamin *n.* vitamin
vite *v.* know
vitenskap *n.* science
vitenskapelig *adj.* scholarly
vitenskapelig *adj.* scientific
vitenskapsmann *n.* scientist
vitne *n.* witness
vitne mot *v.* testify
vitneforklaring *n.* testimony
vitriol *n.* vitriol
vits *n.* quip
vits *n.* joke
vittig *adj.* witty
vittighet *n.* witticism
vivarium *n.* vivarium
vogn *n.* carriage
vogn *n.* wagon
vogn *n.* wain
vognmann *n.* carrier
voile *n.* voile
vokabular *n.* vocabulary
vokal *adj.* vocal
vokal *n.* vowel
vokalist *n.* vocalist
voks *n.* wax
vokse *v.i.* grow
vokse fra *v.* outgrow
voksen n. adult
vokter *n.* keeper
vokter *n.* guardian
voldelig *adj.* forcible
voldgift n. arbitration
voldgiftsdommer n. arbitrator
voldshandling *n.* outrage
voldsom *adj.* tempestuous
voldsom *adj.* violent
voldsom omveltning *n.* cataclysm
voldsom opphisselse *n.* frenzy
voldsomhet *n.* violence
voldsomt urolig *adj.* turbulent
voldta *v.* rape
voldtektsforbryter *n.* rapist
voll *n.* bulwark
volley *n.* volley
vollgrav *n.* moat
volt *n.* volt
voluminøs *adj.* voluminous
vom *n.* paunch
voodoo *n.* voodoo
vorte *n.* wart
votiv- *adj.* votive
vott *n.* mitten
vrak *n.* shipwreck
vrak *n.* wreck
vrake *v.* reject
vraking *n.* rejection
vrakrester *n.* wreckage
vralte *v.* waddle
vrangforestilling *n.* delusion
vrede *n.* wrath
vrede *n.* ire
vri *v.* wrest
vri seg *v.* writhe
vridning *n.* torsion
vrikke *v.* wriggle
vrikke med *v.* waggle

vrøvle *v.* maunder
vugge *n.* cradle
vuggevise *n.* lullaby
vulgaritet *n.* vulgarity
vulgær *adj.* blowsy
vulgær *adj.* vulgar
vulgær *adj.* crude
vulgær *adj.* gross
vulgær mann *n.* bumpkin
vulgær person *n.* vulgarian
vulkan *n.* volcano
vulkanisere *v.* vulcanize
vulkansk *adj.* volcanic
vurdere v. appraise
vurdere v. assess
vurdering n. assessment
væpner *n.* squire
væpner *n.* varlet
vær *n.* ram
vær *n.* weather
være *v.* be
være av den mening at *v.* opine
være enig v. agree
være enig *v.* concur
være ensbetydende med *adj.* tantamount
være for lur for *v.* outwit
være for tilbakeholdende *v.* understate
være forskjellig *v.* differ
være fortrolig med *adj.* conversant
være fremherskende *v.* predominate
være fremherskende *v.* prevail
være fryktsom *v.* misgive
være igjen *v.* remain
være rikelig *v.i.* abound
være stille *v.i* hush
være takknemlig mot noen *adj.* indebted
være tallmessig overlegen *v.* outnumber
være tilstrekkelig *v.* suffice
være travelt *v.* bustle
være tålmodig *v.* forbear
være uenig *v.* disagree
være ulydig *v.* disobey
værhane *n.* vane
værhår *n.* whisker
væske *n.* fluid
væske *n.* liquid
væte *n.* wetness
våge *v.* dare
våken *adj.* wakeful
våking *n.* vigil
våkne *v.* wake
våkne *v.* waken
våpen *n.* weapon
våpenhvile n. armistice
våpenhvile n. ceasefire
våpenhvile *n.* truce
vår *adj.* our
vårlig *adj.* vernal
våt *adj.* sloppy
våt *adj.* sopping
våt *adj.* wet

wadi *n.* wadi
wallaby *n.* wallaby
wassail *n.* wassail
watt *n.* watt
wattytelse *n.* wattage
wc *n.* lavatory
webby *adj.* webby
weightlifting *n.* weightlifting
wellington *n.* wellington
whisky *n.* whisky

whist *n.* whist
wienerwurst *n.* frankfurter
Wight *n.* Wight
wigwam *n.* wigwam
wok *n.* wok
womanize *v.* womanize

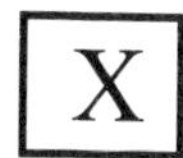

xenon *n.* xenon
x-stråle *n.* x-ray
xylofon n. xylophone
xylophag *adj.* xylophages
xylophilous *adj.* xylophilous

yacht *n.* yacht
yak *n.* yak
yams *n.* yam
ydmike seg *v.* abase
ydmyk *adj.* humble
ydmyk *n.* suppliant
ydmyke *v.* humiliate
ydmyke *v.* mortify
ydmykhet *n.* humility
Yen *n.* Yen
yeti *n.* yeti
ynde *n.* grace
yndlings *adj.* favourite
ynkelig *adj.* piteous
ynkverdig *adj.* pitiful
yoga *n.* yoga
yogi *n.* yogi
yogurt *n.* yogurt
yrke *n.* occupation
yrkesmessig *adj.* occupational
yrkesorientert høyskole *n.* polytechnic
yte *v.* render
ytre *adj.* exterior
ytre *adj.* outer
ytre *adj.* outward
ytring *n.* utterance
ytterside *n.* outside
ytterst *adj.* utmost
ytterst adj. & n. uttermost
ytterst ubehagelig *adj.* obnoxious

zero *adj.* zero
zirconium *n.* zircon
zodiaken *n.* zodiac
zombi *n.* zombie
zoolog *n.* zoologist
zoologi *n.* zoology
zoologisk *adj.* zoological

æra *n.* era
ærbar *adj.* chaste
ærbodig *adj.* reverential
ærbødig *adj.* respectful
ærbødig *adj.* reverent
ære *n.* honour
ærefrykt n. awe
ærefrykt *n.* reverence
ærekrenke *v.* defame
ærekrenkelse *n.* defamation
ærend *n.* errand
ærlig *adj.* honest
ærlig *adj.* honourable
ærlighet *n.* honesty
ærverdig *adj.* reverend
ærverdig *adj.* venerable

ødelegge *v.* destroy
ødeleggelse *n.* destruction
ødeleggelse *n.* havoc
ødeleggende *adj.* ruinous
ødelegger *n.* destroyer
ødsel *adj.* prodigal
ødsel *adj.* wasteful
ødselhet *n.* extravagance
ødslig *adj.* desolate
øke v. augment
øke *v.* boost
økning n. accretion
økologi *n.* ecology
økonomi *n.* economics
økonomi *n.* economy
økonomisering *n.* retrenchment
økonomisk *adj.* economic
økonomisk *adj.* economical
øks n. axe
økt selvstyre *n.* devolution
øl n. ale
øl *n.* beer
ømfintlig *adj.* queasy
ømfintlig *adj.* touchy
ønske *n.* desire
ønske *v.* wish
ønske- *adj.* wishful
ønske sterkt *v.* hanker
ønskelig *adj.* desirable
ør *adj.* muzzy
øre *n.* ear
øredøvende *adj.* deafening
ørn *n.* eagle
ørret *n.* trout
øse *n.* ladle
øsekar *n.* scoop
øst *n.* east
Østen *n.* orient
østerlandsk *adj.* oriental
østers n. oyster
østersyngel *n.* spat
østlig *adj.* eastern
øve *v.* practise
øvelse *n.* exercise
øvre *adj.* upper
øy *n.* island
øy *n.* isle
øye *n.* eye
øyeblikk *n.* moment
øyeblikkelig *adj.* instantaneous
øyeblikkelig *adj.* instant
øyeeple *n.* eyeball
øyelokk *n.* lid
øyen- *adj.* ocular
øyenvann n. eyewash
øyenvitne *n.* eyewitness

åbor *n.* perch
åger *n.* usury
åk *n.* yoke
ånd *n.* spirit
åndelig *adj.* spiritual
åndelighet *n.* spirituality
åndemaning *n.* necromancy
åndløs *adj.* fatuous
åndløs *adj.* inane
åpen *adj.* open
åpenbar adj. apparent
åpenbare sannheten *v.* undeceive
åpenhjertig *adj.* outspoken
åpent *adj.* moot
åpent *adv.* openly
åping n. aperture
åpning *n.* gap
åpning *n.* opening

år *n.* year
åre *n.* oar
årepatriere *v.* repatriate
århundre *n.* century
årlig adj. annual
årlig *adv.* yearly
årsak *n.* cause
årvåken *adj.* vigilant
åsvikte *v.* forsake
åtte *adj.* & *n.* eight
åttearmet *n.* octopus
åttekant *n.* octagon
åtti *adj.* & *n.* eighty